扫码听肖培东讲
《一千零一夜》

·世界文学名著名译典藏·

全译插图本

一千零一夜

仲跻昆　　刘光敏◎译

THE ARABIAN NIGHTS

长江出版传媒｜长江文艺出版社

图书在版编目（ＣＩＰ）数据

　　一千零一夜 / 仲跻昆，刘光敏译. -- 武汉：长江
文艺出版社，　2018.5
　　（世界文学名著名译典藏）
　　ISBN 978-7-5702-0232-4

　　Ⅰ. ①一… Ⅱ. ①仲… ②刘… Ⅲ. ①民间故事－作
品集－阿拉伯半岛地区　Ⅳ. ①I371.73

　　中国版本图书馆 CIP 数据核字(2018)第 031592 号

责任编辑：彭秋实　　　　　　　　责任校对：陈　琪
封面设计：格林图书　　　　　　　责任印制：邱　莉　　胡丽平

出版：　长江出版传媒　｜　长江文艺出版社

地址：武汉市雄楚大街 268 号　　　　邮编：430070
发行：长江文艺出版社
电话：027—87679360
http://www.cjlap.com
印刷：中印南方印刷有限公司

开本：880 毫米×1230 毫米　　　1/32　　　印张：17.25　插页：4 页
版次：2018 年 5 月第 1 版　　　　　2018 年 5 月第 1 次印刷
字数：373 千字

定价：38.00 元

目录

Contents

序 言

　　《一千零一夜》是一部卷帙浩繁、优美动人的阿拉伯民间故事集，被高尔基誉为世界民间文学史上"最壮丽的一座纪念碑"。它用离奇突兀的情节、神奇瑰异的想象编织出一幅宏伟辉煌、绚丽多彩的画卷。在世界文学史上，很难找到哪部文学作品能像它传播那样广，影响那样深，以致家喻户晓、妇孺皆知。

一、故事的脉络

　　《一千零一夜》的书名是来自主线故事：相传古代在中国与印度之间有一个萨珊国。国王山鲁亚尔发现王后不忠，一怒之下，将她及与其私通的奴仆杀死，还存心向所有的女人报复：每娶一个处女，枕宿一夜之后，翌日早晨便将其杀掉再娶。如此三年，致使当时妇女不是死于国王刀下，便是逃之夭夭，弄得十室九空，全国一片恐怖。聪慧、美丽的宰相女儿山鲁佐德得知情由，为使姊妹们不再惨遭虐待与杀害，毅然挺身而出，让父亲将自己送进宫。并请国王允许将其妹敦娅佐德召进宫，以求死别。其妹按照事先约定，要求姐姐讲个故事以消遣一夜。于是山鲁佐德便征得国王同意，开始讲起故事。翌日早晨天刚亮，那引人入胜的故事却正值精彩处，留下悬念而未完结，国王很感兴趣，受好奇心驱使，想知道故事结局，只好免山鲁佐德一死，让她第二夜接着讲。就这样，故事接故事，故事套故事，每到夜尽天亮时分，正是故事兴味正浓处，"欲知后事如何，且听下回分解"，一直讲了一千零一夜。这期间，山鲁佐德还为国王生了孩子。最后，国王受到那些神奇迷人的故事感化，幡然悔悟，弃恶从善，决心与聪明、美丽的山鲁佐德白头偕老。

二、成书过程

这部鸿篇巨制的民间故事集并非一时一地一人所作，它实际上是古代中近东各国、阿拉伯地区的民间说唱艺人与文人学士历经几个世纪共同创作的结果。

阿拉伯阿拔斯朝建国初期，即8世纪中叶到9世纪中叶，有长达百年的"翻译运动"，大批外文书籍被译成阿拉伯文。据阿拉伯学者迈斯欧迪(?— 957) 在《黄金草原》一书中称："在从波斯、印度、罗马语文翻译过来并传到我们手中的群书中，有《希扎尔·艾夫萨乃》一书，由波斯文译为阿拉伯文的意思就是'一千个故事'。故事一词的波斯文就'艾夫萨乃'。人们称这部书叫'一千零一夜'。"① 另一位学者伊本·奈迪姆 (890—989) 在《索引》一书中则说："最早将故事编撰成书，并将其保存于文库 (其中有些是动物寓言) 的是古代的波斯人……这些故事在萨珊王朝时期数量更多，面也更广。阿拉伯人将它们译成了阿拉伯文。一些善于言词、长于修辞的人们把它们拿过来，进行修饰润色，并按其类似内容进行整理。在这类内容方面的第一本书就是《希扎尔·艾夫萨乃》，意为一千个故事。书的成因是：有一个国王，一旦娶一个女人，枕宿一夜后，翌日便将她杀死。后来，他娶了一个王家的婢女，是个有头脑有知识的人，名叫山鲁佐德。她同他在一起时，她便向他讲故事，夜尽时，故事正讲到有趣处，国王只好让她留下，要求她第二天接着讲。就这样，直到同她过了一千夜。与此同时，他还同她生了一个孩子。国王认为她很聪明，便倾心

---

① 迈斯欧迪：《黄金草原》(阿文版) 第四卷89—90页，埃及希望出版社。

于她，让她留在宫中。当时国王有位女管家，名叫敦娅佐德，在这件事上与山鲁佐德相互配合。"

伊本·奈迪姆并随之加以评论道："事实是——如蒙天佑——最早在夜晚进行夜谈的是亚历山大。他有一伙人逗他笑，向他讲故事。他这样做并不是为取乐，而是为了记下来，作为殷鉴。此后，国王们也都因此而利用《希扎尔·艾夫萨乃》一书。全书有一千夜，却不到二百个故事，因为一个故事也许要讲几夜。我曾分几次读完全书。事实上，这是一本粗俗无聊的书。"① 从上述引文中，我们不难看出，《一千零一夜》的雏形是译自波斯的名为《希扎尔·艾夫萨乃》一书。将《一千零一夜》的故事串联起来的主线（引子）故事的基本情节连同这个故事的女主人公山鲁佐德的名字都是来自这本《希扎尔·艾夫萨乃》。学者们又多认为，波斯的《希扎尔·艾夫萨乃》又可能来源于印度。

《希扎尔·艾夫萨乃》原书已佚，原貌已不得而知。但显而易见，它与现在所见的《一千零一夜》大不相同，因为它在当时还只是一只"丑小鸭"——"粗俗、无聊"，远没有成为羽翼丰满、令人赞叹的"天鹅"。事实上，《希扎尔·艾夫萨乃》只是为日后的《一千零一夜》提供了一个主线故事，一个伸缩性很大的故事框架——山鲁佐德为国王讲了一千或一千零一夜的故事。

据学者考证，《一千零一夜》定型于公元 1517—1535 年之间的埃及。②

《一千零一夜》的成书、定型过程，实际上是说书人在《希扎尔·艾夫萨乃》这一粗俗、松散的底本上，在内容方面，不断增加、扩充，使其更加丰富多彩；在艺术性方面，不断修饰、润色，

---

① 伊本·奈迪姆：《索引》（阿文版）436 页。

② 艾哈迈德·哈桑·宰亚特：《〈一千零一夜〉及其成书》（阿文版）37页；穆罕默德·阿卜·蒙伊姆·海法吉：《自巴格达陷落至近现代的文学生活》（阿文版）37 页。

使其更臻于完美。这一过程是由文人学士和民间艺人共同完成的。其方式、方法大约有三种：一是将现成的书面故事塞进故事集中；二是将民间口头流传的传说、故事加工整理，补进书中；三是将书中原有的故事修补、抻长。如在迈斯欧迪的《黄金草原》与伊本·奈迪姆的《索引》书中，在提到从印度、波斯等引进的书中有《辛迪巴德》《舍玛斯》等书，独立地与"希扎尔·艾夫萨乃"并列陈述，但现今的《一千零一夜》却包含了这些书中的故事。

此外，伊本·奈迪姆在《索引》一书中还提到阿拔斯朝曾写过《大臣和书记传》一书的著名作家杰赫希亚里 (?— 942)，曾搜集了阿拉伯、波斯、印度、罗马等各国、各族人的故事，企图加工成一千个故事，称《千夜谈》。每篇故事约 50 页。但他只写了480 篇就因逝世而中断。杰赫希亚里的《千夜谈》可能是阿拉伯文人编写《一千零一夜》之类故事较早的一次尝试。书虽未成，稿亦散失，但其中的一些故事肯定也被融进了现今的《一千零一夜》中而得以流传。

值得注意的是《一千零一夜》发源、流传、成书、定型过程的空间与时间。

《一千零一夜》的故事集中地产生于印度、波斯、伊拉克、埃及。这些地区有人类最古老的文明——古埃及文明、两河流域文明、古印度文明和古波斯文明的积淀，而且由于伊斯兰初期的开拓疆域、阿拉伯帝国的建立，通过战争、占领、混居、通婚、商业贸易、作品的译介……阿拉伯、印度、波斯、希腊—罗马、希伯来、柏柏尔……乃至中国等各国、各民族的文化，以及印度教、祆教、犹太教、基督教等各种宗教文化，都在这一空间，这一时间，相互撞击而融汇于阿拉伯—伊斯兰文化一体中。

在定型成书前，"它是一些故事集。编写出来不是为了阅读，也不是为了保存于图书馆的，而是一种散乱的故事集子，将它们写下来的目的在于：通过讲述它以娱乐公众。几百年间，说书人带着这本书的各自抄本，可以随意抻长，随意增删。直到后来，人们用赞赏的目光来看待这些故事，于是要么通过印刷，要么通过图书馆对那些抄本的保存，这些故事便被限定下来。"①即可以认为，在16世纪《一千零一夜》定型前的各种手抄本，实际上多是说书人备忘的"底本"。

《一千零一夜》的故事来源：部分源自《希扎尔·艾夫萨乃》的印度、波斯故事，还有一些出自阿拔斯朝的伊拉克以及马木鲁克朝的埃及。

阿拉伯人自古就有讲故事的传统。到阿拔斯朝，随着阿拉伯帝国的形成、稳定，政治、军事的强盛，经济、文化的发展，特别是商业的发达，促进了城市的昌盛和市民阶层的成长，以说书、讲故事为主要形式的市井文学便应运而生。《一千零一夜》正是这种市井文学的代表作。

说书，是当时市民阶层文化娱乐的需要，许多说书人在街头巷尾、茶馆、集市上，为平民百姓说书；同时，说书也受到宫廷哈里发及贵族们的青睐，有时说书人被召进王宫、官府，为哈里发和大臣们讲故事，因为故事内容新颖奇异，讲得生动感人，说书人会获得重金赏赐。

因而说书这一民间市井文学在阿拔斯朝一直长盛不衰。

阿拔斯王朝衰亡后，马木鲁克王朝依靠人民的积极支援和英勇战斗，打退了蒙古人的进犯，清除了十字军在东方的侵略势力，这一时期的埃及在东方经济中居于非常重要的地位。13—15世纪，埃及的商业，特别是与欧洲、印度的转口贸易十分兴旺。蒙古人西侵和安达卢西亚失落后，西亚地区和安达卢西亚、西西里岛的阿拉伯文人学士多集结于埃及。因此，马木鲁克朝的埃及实际上成了当时阿拉伯的经济、文化中心。

自阿拔斯朝后期开始出现的文学作品有向文野两个方向发展的趋势，在这一时期显得益甚。那些雕词琢句的高雅诗文很难为

---

① 苏海尔·盖勒玛薇：《论一千零一夜》（阿文版）12页。

普通百姓所接受，倒是市井文学让市民感到亲切。

马木鲁克王朝的统治者也很喜欢通俗的市井文学。这样兴起于阿拔斯朝初期伊拉克的市井文学，在马木鲁克王朝的埃及再次繁荣。《一千零一夜》在此时此地又注入新的血液，而最后定型，也就不难理解了。

三、内容取材

《一千零一夜》中的故事产生于不同的民族、地区，难免带有不同的胎痣，可供识别。有关动物的寓言故事多半来源于印度，这可能与印度教——佛教关于轮回转世投胎的信仰有关；源于波斯的故事多是一些有关风流才子聪明、机智的单篇故事；有关阿拔斯朝的伊拉克和马木鲁克朝的埃及故事则有着较浓厚的地方色彩与时代特征，表现出当地的风土人情。如写巴格达王宫的豪华，哈里发哈伦·赖施德微服私访，这些自然是源于阿拔斯朝的伊拉克；而有关魔法、巫术、符咒之类的故事则多半源于埃及，因为这是该地区的传统习俗。

《一千零一夜》全书包括有大小近300个故事。其中有神话传说、爱情传奇、寓言童话、宫廷奇闻、名人逸事、冒险奇遇……不一而足。故事发生的时间自开天辟地直到成书当时；故事发生的空间是阳世阴间、山南海北、宇宙太空、世界各地，更多的则是巴格达、巴士拉、开罗、大马士革……阿拉伯的都会、名城，无所不包。故事的主角则是自仙魔、精灵、帝王将相、王子公主、才子佳人，至商贾、僧侣、工匠、渔翁、农夫、童仆奴婢、三教九流、五行八作。乃至飞禽走兽、鱼鳖虾蟹……应有尽有。这些故事或直接或间接地反映了中古时期阿拉伯的社会风貌、价值观念；贯穿于全书的主旋律是真、善、美与假、恶、丑的斗争。

中世纪的伊斯兰阿拉伯帝国商业的发展，城市的昌盛，使市井商人、工匠的故事在《一千零一夜》中占了很大的比重。从书中，我们可以看到富商巨贾在社会上享有很高的地位，连哈里发都愿意与他们结交，常委以重任，封以高官，招为驸马。有的商贾竟成了宰相，乃至国王。这种重钱财、商贾的价值观念显然与古代中国的"学而优则仕"的"重学轻商"的传统大不相同。

这类以商人为主角，描写他们背井离乡，远涉重洋，出生入死，不畏艰险而发财致富，衣锦还乡，成为权贵的代表作，无疑是《航海家辛德巴德的故事》。故事的主人公辛德巴德原为巴格达城市的一个纨绔子弟，在将巨额遗产挥霍一空之后，痛下决心去海外经商发财，以求重振家业。他前后进行了 7 次远航，每次都是惊心动魄的冒险，都是死里逃生；在经历了千难万险之后成为巴格达城首屈一指的富商巨贾。

关于爱情的故事在书中占有重要的地位。这些故事往往歌颂了真正忠贞不渝的爱情是不畏艰难险阻的；宣扬了尽管爱情的道路是崎岖不平、坎坷曲折的，但有情人终成眷属的美好思想。如《巴士拉银匠哈桑与羽衣公主》就是其中颇具代表性的一个。故事的主人公敢于冲破天上与人间的重重阻挠，经历了生与死的重重考验，越过了深谷、大海、高山而终于找到了妻子，从而阖家团圆。故事中的神魔世界，实际上是现实生活的折射，诸如此类的故事反映了广大男女要求恋爱自由、婚姻自主、追求幸福生活的美好愿望。

《一千零一夜》既然是一部民间故事集，很多故事就很自然地站在人民群众的立场上，爱憎鲜明地描述了百姓的苦难和不幸；表达了人民对现实生活的不满与控诉；歌颂了劳苦大众的勤劳、勇敢、聪明、善良的美德，他们忠于爱情，不畏强暴，不怕艰险，嫉恶如仇，执着地追求幸福、正义，憧憬美好的生活。与此同时，很多故事也揭露了统治阶级的荒淫、残暴、穷奢极欲；斥责了社会的黑暗不公；嘲笑了上层权贵的昏聩、贪婪。书中在每一场善与恶、美与丑、正义与邪恶的斗争中，总是让前者战胜了后者，从而鲜明地表达了劳动群众的感情与倾向。比如《驼背的故事》就让我们看到了人们一般的心态以及他们善良的本性。裁缝、犹太医生、基督教徒、御厨总管遇到偶发事件时，都想逃避责任，嫁祸于人。但是一旦看到他人无辜却要付出生命的代价时，立即自己承认错误，不愿意他人代自己受过。这些故事都反映出了普通市民的心态以及他们所认同的人们应该具有的品质。

《一千零一夜》一书既然是中古时期世界各种文化，尤其是东方各民族文化相互撞击、融汇的产物，我们从中自然不难看到古埃及、两河流域、印度—佛教、波斯—祆教、希伯来—犹太教、希腊—罗马公教、基督教……诸种文化的影响。当时中国文化通过丝绸之路与香料之路（亦称"海上丝绸之路"）对阿拉伯世界的影响，从书中亦可看到。如很多故事都提到中国和中国人，其中有些著名的故事，如《神灯》还以中国为主人公活动的舞台。

《一千零一夜》一方面是伴随阿拉伯—伊斯兰文化形成而形成的产物，另一方面，它又是反映这一文化的镜子。它在对外来故事的取舍、消化过程中，是以阿拉伯民族和伊斯兰教的道德价值观念为准则的。因此，我们可以看到，书中对拜火教（祆教），对犹太人，对拜物教……都是持丑化、贬斥、否定的态度，认为是异教徒，是邪恶势力或反面形象。与此同时，全书却宣扬真主无时无处不在，是世上一切惟一的主宰，具有无穷的威力；敬畏真主、虔诚笃信，就会遇难呈祥，化险为夷。比如，在《巴士拉省长阿卜杜拉·本·法迪里与其兄长们的故事》《赛义夫·穆鲁克与白蒂娅·杰玛丽的故事》等故事中，除了叙述各自动听的美妙动人的故事，也同样宣扬了伊斯兰教会给人带来幸福，而骗子、邪恶的人通常是异教徒。

《一千零一夜》的书中多有人与妖魔的描写，妖魔经常是神通广大的，而人则是更富有智慧的。比如《渔夫和妖魔的故事》描写了渔夫从大海中打捞出了瓶子，解救了被关进瓶子中的妖魔，那妖魔非但不感谢渔夫，还要恩将仇报，要杀死他，于是渔夫就要想办法对付妖魔了。

渔夫问妖魔道："你当初是在这个瓶子里。可这个瓶子既容不下你的一只手，也容不下你的一条腿，它又怎么能容得下你的整个身体呢？"

妖魔反问渔夫："那你是不相信我当初是在瓶子里的了？"

渔夫说："除非我能亲眼看见，否则，我绝对不相信会有这种事。"

这时，妖魔摇身一变，化成一片烟云，笼罩在海面上，又聚集起来，一点儿一点儿往瓶子里钻。等到那烟完全钻进到了瓶子里，渔夫赶紧抓起盖了印的铅封，把瓶口一下子塞紧，然后大声招呼那个妖魔道："这回还是你对我说说，你是希望怎么一个死法吧！我一定要把你扔回这个大海里。我还要在这里给自己搭起一个小窝棚，不让任何人在这里撒网打鱼。"

类似的描述，都会启迪人们的智慧，引起人们去思索。

作为民间故事，少不了描写魔幻的宝物，本书中多次描述了各种功能不同的宝物，比如魔戒指、魔瓶、神灯、神奇的褡裢等等。在如何对待这些宝物的态度上，本书也有不同的描述。比如神通广大的戒指，在多篇故事中都有涉及。在《鞋匠马鲁夫》结尾时，戒指就作为宝物保存了。而在《朱德尔三兄弟的故事》一篇的结尾处，则是阿西雅公主知道了丈夫的兄长萨利木抢劫了丈夫的魔戒指，杀害了丈夫之后，她用毒酒毒死了萨利木。然后她从萨利木那里取来了魔戒指，将它砸成个粉碎，不让任何人再占有它了；同时她又找出同样具有魔力的褡裢，将它撕成碎片。

然后，公主找来了文官武将、宗教长老，向他们说明了自己所做的事情，说道："你们推选贤明的人做你们的国王吧！让他来管理国事吧！"

故事的结论是：人们只能依靠自己本身，而魔幻的宝贝则有可能带来灾难。

本书的不少篇章都赞扬了女性的聪明、美貌、智慧、正义等等，比如《法官妻子的故事》就描写了法官妻子的善良、大度，与人为善，并且帮助陷害过自己的人治好了病。类似的篇章还有很多。但同时本书也有不少的篇章透露出对女性的歧视，描写了妇女招致了祸端，如开篇部分《山鲁亚尔、沙赫宰曼兄弟与妖魔、美女的故事》所引用诗歌为：

"别信任女人——千万，也别相信她们的诺言……"

即使在当代都还存在着歧视妇女的问题，我们当然不能苛求数百年前的民间故事了。

书中也有一些对违背伊斯兰教戒律事物的描述，如有些故事写到了人们的纵酒狂饮场面；原书中亦有一些富于感官刺激的色情场面和词语，致使埃及宗教界曾于1985年通过由其控制的礼教法庭指控《一千零一夜》为淫书，勒令对其禁售、查收、销毁，并对出版商课以罚款。应当指出，那些有关酒色的描述，正是当时社会现实的反映。作为市井文学，为吸引听众，有些色情的描述和词语，也不难理解。还应看到，文学本来就是"人学"，《一千零一夜》的人文思想的反映，可以认为是欧洲文艺复兴运动所提倡的人文主义的先声。

四、艺术特色

《一千零一夜》作为一部民间故事集，一部世界名著，其艺术特色也是非常突出的。

该书一个重要特点在于它在结构上采取了大故事套小故事，小故事又套更小的故事的框架式结构，亦称树状结构或连串插入式结构。在印度成分的故事中，多为故事套故事的框架式结构，在"节外生枝"，多以"那是怎么回事儿？"的问句导引出另一个故事。

这种结构源于古代的印度。印度的《五卷书》《故事海》《鹦鹉故事七十则》等都是这种结构。

《一千零一夜》不仅整部书是一个有头有尾包含了几百个故事的大故事，是框架结构，而且，书中有些故事也都是故事中套故事的框架式结构。一个《渔夫和妖魔的故事》就引申出了《国王尤南的大臣的故事》《辛德巴德国王和鹰的故事》《诡计多端的大臣的故事》《池塘和彩色鱼的故事》，这些故事互相关联，而又独立成篇。另外《商人和妖魔的故事》《脚夫和三个女郎的故事》等很多故事都属于这种框架式结构。这种结构的最大优点就在于使当年的说书艺人和后来整理、编写全书的文人有相当大的自由。可把不同时代、地点流传的，以不同时间、空间为背景的故事编织在一起；故事可多可少，可伸可缩。编排起来的时候，一个个故事可前可后，可分可合；讲起来的时候，忽而天南，忽而海北，忽而是神话传说，忽而是故事逸闻，机动灵活，变幻莫测。故事情节跌宕起伏，人物描述栩栩如生，娓娓道来，引人入胜。文字明快晓畅、通俗易懂，诗文并茂，所嵌诗歌又浅白如话。这一切正体现了作为民间文学代表作的《一千零一夜》的特点。

亦幻亦真，幻想与现实交织，浪漫主义与现实主义相结合，是《一千零一夜》艺术手法的一大特色。时而，大胆的夸张、非凡的想象、带领我们走进一个奇妙的神话世界：法力无边的神灯、魔戒指、魔杖，可在天上自由飞行的乌木马、飞毯、仙魔、精灵、鬼怪……使我们觉得一切都神奇无比，妙不可言；时而，真实的描写，细致的刻画又把我们领进中古阿拉伯现实生活中：在巴格达、巴士拉、大马士革、开罗……平民百姓在凄风苦雨中辛劳奔波，王公贵族在花天酒地中淫逸骄奢，富商巨贾在尔虞我诈中贪婪牟利……许多故事又似一幅幅色彩绚丽的风俗画，真实地勾勒出中古阿拉伯的风土人情。不管是幻想的虚构，还是真实的写照，都反映或折射出中古阿拉伯人民的现实生活和他们美好的愿望。

《一千零一夜》的再一个特点就是运用了鲜明的对比方法。在一个个故事中，把代表真善美的人物与代表假恶丑的势力进行强烈的对照，使人物形象、性格特征和思想意识显得更加突出。如把山鲁佐德与山鲁亚尔、渔夫与妖魔、阿拉丁与魔法师……放在同一个故事中对比，在对比中，我们可以看到故事的创作者们爱憎分明，褒贬清楚，体现了人民大众传统的惩恶扬善的美学观。同时，在对比中，也会使读者（或听众）深切地感到，那些代表真善美者越发可亲可爱，那些代表假恶丑者越发可鄙可憎。这种对比的写法，也往往是古今中外民间文学的一大特点。

作为民间文学的代表作，《一千零一夜》在语言上亦有其特色：文白相间，散韵结合，诗文并茂，相得益彰。书中穿插、引用了大量的诗句、格言、谚语、成语、警句；叙事、写景、状物时，语言通俗流畅，词汇丰富，善用比喻，富有浓郁的生活气息。但同时它也具有民间创作的一些通病：有些描写、比喻显得程式化，如提到女人的美丽，往往都是把她们比喻成月亮、羚羊……犹如中国民间文学一提到美女就用"闭月羞花""沉鱼落雁""倾国倾城"……来形容一样，有时让人感到单调、刻板；有些语言也还不够精炼，显得粗俗。

五、《一千零一夜》的流传

《一千零一夜》在自八九世纪至16世纪的流传、成书过程中，形成了各种手抄本。至今发现的手抄本多为残篇。这些手抄本虽然基本框架故事相同，但其中所包括故事篇什的数量、内容或次序却都不尽相同。阿拉伯原文的《一千零一夜》1818年于印度的加尔各答首次印行，称"加尔各答头版本"，不过它仍是一个残本，只有约200夜的故事。1833年，出版了"加尔各答再版本"，那是据来自埃及的一部内容完整的手抄本印行的。1835年依据这一版本于开罗出版的"布拉哥版"被认为是阿拉伯原文的善本。1888—1890年于贝鲁特出版的"萨里哈尼神父版"的《一千零一夜》则是据"布拉哥再版本"册改的"洁本"，删去的主要是一些迎合小市民口的色情描写和淫词秽语。现在出版的各种阿拉伯文本子和外文译本，多是依据这两种版本。其实，这两种版本虽是按"夜"分的，全书共有1001夜的故事，但从某种意义上讲，也并不全，因为法国东方学者左登堡（Zotenberg）据一个巴格达手抄本于1888年于巴黎发表的《阿拉丁与神灯》的故事，和另一东方学者麦克唐纳（D.B.Macdonald）据他自己发现的一个手抄本而于

1910 年发表的《阿里巴巴与四十大盗》的故事，都没包括在内。

《一千零一夜》"这部故事是在西方各国最普及的阿拉伯文学作品，甚至比在穆斯林东方本地还要普及些"①。

1704—1717 年间。法国人加朗 (Antoine Galland) 首次在西方翻译出版了《一千零一夜》。这一译本虽说是依据四册来自叙利亚阿勒颇的手抄本，但译文并不忠实于原文，很多故事是加朗在听了一个来自阿勒颇的名叫哈纳的天主教马龙派的教徒口述后，根据笔记再创作的。加朗是个颇具讲故事天才的人，他在翻译过程中，对原著进行了大量的增删、改写，以迎合欧洲人的口味。这一译本一出，立即在西方引起轰动，掀起了一股"东方热"。整个 18 世纪和 19 世纪初，依据加朗的译本，《一千零一夜》被重译成欧洲几乎全部文字。自阿拉伯原文的"加尔各答再版本"和"布拉哥版本"于 19 世纪 30 年代问世后，英国的东方学者们开始努力从阿拉伯原文直接翻译。其中最著名的是莱恩 (Edward William Lane) 于 1839—1841 年出版的译本。

其实，《一千零一夜》的许多故事早在中世纪就通过当时属于阿拉伯帝国版图的安达卢西亚、西西里岛，通过十字军东侵和其他接触与交流的途径，传到了西方，而对西方的文化、文学乃至欧洲的文艺复兴运动产生过巨大的影响。如意大利薄伽丘的《十日谈》(1348—1353)，叙述 10 名青年男女在 10 天的避难期间，每人每天讲一个故事，10 天共讲了 100 个故事；英国乔叟的《坎特伯雷故事集》(1387—1400)，写一群要去坎特伯雷朝圣的香客聚会在一家小旅店里，旅店老板建议他们在去朝圣的来回路上每人各讲两个故事，讲得最好者，可以白吃一顿好饭，全书共有 20 多个故事。学者们多认为，这两本书的框架式的结构、许多故事的题材内容及其体现的人文主义思想，都反映出《一千零一夜》的

---

① [美]希提：《阿拉伯通史》(马坚译)，上册，479 页，商务印书馆，1979。

影响。再如法国拉封丹的《寓言诗》(1668—1694)、西班牙塞万提斯的《堂·吉诃德》(1605—1615)、英国莎士比亚的《终成眷属》(1603)、斯威夫特的寓言小说《格列佛游记》(1726)、德国莱辛的诗剧《智者纳旦》(1779)，直至美国朗费罗的叙事诗集《路畔旅舍的故事》(1863)等名著，都在取材、写法和风格上，或多或少地受到《一千零一夜》直接或间接的影响。近现代和当代的西方著名作家、诗人，如伏尔泰、司汤达、大仲马、歌德、普希金、托尔斯泰、狄更斯、安徒生、爱伦·坡、卡夫卡、莫拉维亚、杜伦马特、加西亚·马尔克斯……几乎没有哪一个没读过这部神奇美妙的故事集，被其吸引，受其影响的。从西欧的文艺复兴、浪漫主义的兴起，直到拉美魔幻现实主义的出现，《一千零一夜》在其中的影响和作用可谓大矣！

六、《一千零一夜》在我国

我国最早有关《一千零一夜》介绍，见于林则徐在鸦片战争期间编辑的《四洲志》，其中在谈及阿拉伯的文化成就时，写道："……本国人复又著辑，论种类、论仇敌、论攻击、论游览、论女人，以至小说等书。近有小说一千零一夜，词虽粗俚，亦不能谓之无诗才。"①

在我国，开译《一千零一夜》故事之先河者是周桂笙。1900年，他在《采风报》上发表了《一千零一夜》中《国王山鲁亚尔及兄弟的故事》和《渔者》两篇译文。1903年，上海清华书局出版了他的《新庵谐译初编》，凡二卷，其第一卷为《一千零一夜》中的故事。

《一千零一夜》又称《天方夜谭》。最早用这一译名的是严复。据考，他很可能是最早将《一千零一夜》的故事介绍到中国的译

①转引自李长林《清末中国对〈一千零一夜〉的译介》，《国外文学》1998年第四期，121页。

者之一:《大陆报》(月刊)1903 年 5—9 的第 6—10 期连载的佚名者所译的《一千一夜》多半是出自他的手笔。在该报 1903 年 5 月 6 日刊载的《〈一千一夜〉序》中提到:"……故名其书曰《一千一夜》,亦曰《天方夜谭》……"① 严复还在译述于 1900 年至 1902 年,正式出版于 1905 年的《穆勒名学》一书的一则按语中写道:"《天方夜谭》不知何人所著。其书言安息某国王,以其宠妃与奴私,杀之后,更娶他妃,御一夕,天明辄杀无赦。以是国中美人几尽,后其宰相女自言愿为王妃,父母涕泣闭距之,不可,则为具盛饰进御。夜中鸡既鸣,白王言为女弟道一古事未尽,愿得毕其说就死。王许之。为迎其女弟宫中,听姊复理前语。乃其说既吊诡新奇可喜矣,且抽绎益长,猝不可罄,则请王赐一夕之命,以褒续前语。入后转胜,王甚乐之。于是者至一千有一夜,得不死。其书为各国传译,名《一千一夜》。《天方夜谭》者诚古今绝作也,且其书多议四城回部制度、风俗、教理、民情之事,故为通人所重也。"② 寥寥数语,既简要说明了《一千零一夜》故事的来龙去脉,又介绍了其反映的社会内容及其在世界文学史上的地位。

同时以《天方夜谭》为译名,最早将《一千零一夜》介绍给我国读者的还有奚若。他先是以《天方夜谭》为题,在《绣像小说》(半月刊)上,自 1903 年 10 月 20 日的 11 期起,至 1905 年的 55 期止,先后发表了《一千零一夜》中的 14 篇故事。后又于 1906 年 4 月,在商务印书馆出版了其所译的《天方夜谭》一书,共 4 册,包括 50 个故事。该书曾多次再版,流传颇广,影响甚大。

无论是严复还是奚若,他们所读或据以翻译的都是莱恩的英译本。英译本既称《The Arabian Nights' Entertainments(阿拉伯夜晚趣谈录)》,汉译文又是文言文,那么《天方夜谭》这一译名

---

① 见盖双《千夜之花谁先采?》,载《阿拉伯世界》1999 年第三期。
② 严译名著丛刊《穆勒名学》,商务印书馆 1981 年根据 1905 年金陵栗斋木刻板再版,31—32 页。

无疑还是很贴切的。因为在中国（尤其是明、清学者写的）古籍中，"天方"就是指中国穆斯林"西向拜天"即朝向真主礼拜的那个方向、那片地方，即阿拉伯地区，阿拉伯世界。"夜谭"即"夜谈"，当然是指书中的所有故事都是山鲁佐德在那"一千零一夜"中谈的。

在20世纪初或清朝末年最早将《一千零一夜》的故事介绍到中国的翻译前辈中，还应提到：1903年5月文明书局出版了钱楷译的《航海述奇》（即《辛迪巴德航海历险记》），1904年8月苏州《女子世界》刊登了周作人署名"萍云女士"所译的《侠女奴》（即《阿里巴巴和四十大盗》），并于1905年出了单行本。

据统计，从20世纪初以来的一百年间，在我国，《一千零一夜》（《天方夜谭》）故事的各种译本或有关它的书林林总总竟达四五百种。大概是外国文学作品中汉译版本最多的一部著作。鉴于《一千零一夜》在世界文学史上的地位；鉴于它是译介到我国最早的外国文学作品之一，又是译本种类最多的外国文学作品，它对我国近现代文学及作家们的影响是不言而喻的。

还应提到的是，不少研究者发现，《一千零一夜》中的一些故事与我国一些古籍记载或民间流传的故事相似或类似。如：唐传奇《博异志》中《苏遏》与《一千零一夜》中的《阿里·米斯里的故事》《幻异志》中《板桥三娘子》与《一千零一夜》中的《白德尔王子与凤凰王国珍宝公主的故事》；又如：维吾尔族民间故事《木马》与《一千零一夜》中的《乌木马的故事》，藏族民间故事《阿力巴巴》、哈萨克族民间故事《四十个强盗》与《一千零一夜》中的《阿里巴巴和四十大盗》，苗族民间故事《猎人老当》与《一千零一夜》中的《渔夫的故事》等等，其中有些是整个故事相似，有些则是部分情节类似。它们之间的渊源关系无疑是比较文学研究最好的课题。总体上讲，这种相似或类似的原因大概不外乎这样几种可能：它们在各自的环境中独立产生；中阿两大民族的交往源远流长，著名的"丝绸之路"与"香料之路"（"海上丝绸之路”）自古就把两大民族连在一起，因此，有些故事可能从中国传到了阿拉伯；也有些故事可能从阿拉伯传到了中国；但还应注意到：《一千零一夜》并非是纯粹的阿拉伯故事，而是如前所述，是印度、波斯、阿拉伯以及其他民族，特别是东方各民族各种文化相互撞击、融汇的结果，而各种文化是呈放射状对外施加影响的。因此，有可能印度、波斯等的一些故事在传入阿拉伯构成《一千零一夜》的组成成分的同时，也传入他们的近邻中国，成为中国某些古籍或民间故事的组成成分。

七、关于本书《一千零一夜故事选》

本选集从《一千零一夜》故事中选译了一部分影响较大、我国读者较为熟悉的故事。同时注意到选择原书的开头故事与结尾故事，以便照顾到首尾呼应，读起来连贯。因为有了开头、结尾的故事，再有了其他不同类型的故事，因而即使阅读这本故事选，也可以管中窥豹，基本了解到《一千零一夜》故事的内容与风貌。这一点，对于今天忙碌的人们，或许是提供了一些阅读的方便。

本书从原书的开头《山鲁亚尔、沙赫宰曼兄弟与妖魔、美女的故事》选起，即山鲁亚尔国王兄弟外出，谈到王后不忠，又遇到欺骗妖魔的女郎。

"随后，兄弟俩马上离开女郎，返回山鲁亚尔国王的京城。两人进了宫，把王后及那些宫女、奴仆全都杀死。

"从此以后，国王山鲁亚尔由于憎恶女人，每娶一个处女，破身之后，便当夜将她杀死。就这样持续了三个年头，百姓们都惊恐不安、沸沸扬扬地不知如何是好，只好带着女儿逃之夭夭。京城竟然再没有一个女孩可供国王糟蹋。

"可是国王仍旧命令宰相给他找女孩子来，供他享用。宰相出了宫，寻找了半天，也没有找到一个女孩，只好强压下满肚子的怨怒，无可奈何地走回家去。他真担心国王不会轻饶他。

"宰相有两个女儿，大女儿叫山鲁佐德，小女儿叫敦娅佐德。大女儿决定自己进宫去……"开始了讲故事。

　　《鞋匠马鲁夫》是她讲的最后一个故事。故事结束了。山鲁亚尔国王感动了。

　　"然后，山鲁亚尔国王招来了史官，让他们记下他与王后的故事，从开始写到结尾。那史官们把这些都记录下来了，并且将其命名为一千零一夜的故事，装订成三十册，放在国王的库房内，从此国王与臣民们享受着幸福安康、宁静的生活。真主让他们只有快乐，没有悲伤，直至他们寿终正寝。随后，斗转星移，改朝换代，一位公正睿智、聪慧过人的国王掌了权，他喜欢了解奇闻逸事，尤其喜爱知道帝王君主们的传奇故事。所以，当他发现了这三十册令人喜不自禁的稀奇古怪的故事时，就爱不释手，一本接一本地读下，越读越喜欢，一直读到完。那些神话、传说、寓言、故事、奇闻、轶事让他惊叹不已。于是他让人们抄写下来，在各国各地传播开来，于是它闻名遐迩，人们称它为'一千零一夜的奇闻怪事'。这就是传到我们手里的这部书。"

　　阅读本书，可以欣赏到该书所描述的当时生动活泼的生活画面，从而丰富我们的知识。

　　无论对于成年人或青少年读者，本书都应该是一本增长见识、开阔视野、拓展思路、启迪智慧的好书。同时阅读本书，会引起我们对于同类的、同时期的我国的类似故事的联想。

　　本书的前半部分为仲跻昆所译，后半部分为刘光敏所译。

山鲁亚尔、沙赫宰曼兄弟与妖魔、美女的故事

传说古时候在印度、中国的群岛上，有一个萨珊国。国王手下兵多将广，奴婢成群。他有两个儿子，都是英勇的骑士。大儿子比小儿子更加骁勇善战。他继承了王位，治国公正无私，深得民心，称山鲁亚尔国王。弟弟叫沙赫宰曼，是波斯撒马尔罕的国王。兄弟二人在各自的王国里治国严明、公正，可谓清如水，明如镜。百姓们也都安居乐业，幸福无比。就这样，不知不觉过了二十年。

有一天，为兄的山鲁亚尔国王思念起弟弟来，就派宰相去请他来一会。

宰相奉命而行，过了若干时日，平安地来到了沙赫宰曼王的王宫。请过安之后，这位宰相便向沙赫宰曼王转告他的王兄如何思念他，希望他前去相见。

沙赫宰曼答应了一声："遵命！"就打点行装准备起程。他让人准备了帐篷、骆驼、骡马，安排好了奴婢、随从，并委任他的宰相在他外出期间代理国政，然后动身前往其兄的王国。

出宫不远，半夜里他想起有件要紧的东西未带，便回宫去取。他走进宫里，发现自己的妻子正躺在他的床上与一个黑奴拥抱交欢。

他一见到这一情景，顿时觉得眼前天昏地暗，心想："还未离开京城，就会出这种事，我若是在王兄那里呆一段时间，这个婊子还不知该怎么样呢！"他抽出剑来，把奸夫、淫妇双双杀死在床上，并马上离宫而去，下令继续赶路。

沙赫宰曼王一行走到了王兄的京城。王兄山鲁亚尔闻知弟弟的到来，亲自出宫迎接，问寒问暖，无比高兴；又下令全城张灯结彩，并坐下与弟弟促膝谈心，十分兴奋。

沙赫宰曼常常想起妻子干的丑事，不禁愁云密布，面黄肌瘦，憔悴不堪。哥哥山鲁亚尔见到弟弟这副样子，还以为那是由于他离开了自己的王国，有些思乡的缘故，就随他去，没有过问。

又过了些日子。有一天，哥哥还是关心地问弟弟道："弟弟！我怎么看你有些面黄肌瘦啊！"

弟弟对他说："哥哥，我有心病啊！"

但是他并没有把自己见到妻子干的丑事告诉哥哥。

哥哥就说："我想让你陪我去打一场猎，也许你会开心一点！"

弟弟不肯奉陪。哥哥就独自率人出宫行猎去了。

王宫里有不少窗户俯临御花园，沙赫宰曼便凭窗眺望。他见到宫门突然打开，从门里走出了二十个宫女、二十个奴仆，他嫂子——王后也千娇百媚、艳丽无比地走在他们之中。他们走到一个喷水池边，全都脱光了衣服，坐在了一起。

只见王后召唤道："来呀，马斯欧德！"

于是，一个黑奴走到她跟前，同她拥抱在一起，并同她交欢。其他的奴仆同宫女们也是一样：又是亲吻，又是拥抱，又是交欢……直到天黑。

沙赫宰曼见到此情此景，不禁心里想："凭真主起誓，我的灾难要比这种灾难轻多了！"

他的郁闷、苦恼竟为之一扫，心想："这可比我的遭遇严重得多了！"于是他开始又吃又喝，什么也不在意了。

哥哥山鲁亚尔打猎归来，兄弟俩相见之后，哥哥见弟弟模样大变，重又红光满面，而且原先吃的很少，如今却食欲大振，能吃能喝，不由得感到奇怪，就问："老弟！我原先看到你面黄肌瘦的，如今却又变得红光满面了。告诉我，你这是怎么回事？"

弟弟说："说起我为何变得面黄肌瘦的，我倒是可以告诉你，至于为何重又变得红光满面的，则请您原谅，我不能如实相告。"

哥哥说："好吧！那就先把你为何变得面黄肌瘦的原因讲给我听听吧！"

弟弟说："哥哥，你知道，当你派了宰相要我来见你的时候，我就打点好了一切，出了京城。后来我想起来我要送给你的那串念珠落在宫里了。我返回了宫里，却发现自己的妻子正同一个黑奴睡在了我的床上，于是我把他们双双杀死。来到你这里后，我总是想着这件事。这就是我变得面黄肌瘦的原因。至于我的脸色为什么又会恢复正常，则请你原谅，我实在不便说。"

哥哥听了弟弟这番话，对他说："凭真主起誓！你一定要告诉我，你的脸色恢复正常是什么原因。"

于是弟弟把自己见到的事，一五一十地告诉了哥哥。

山鲁亚尔听后对弟弟沙赫宰曼说："我想要亲眼看看究竟是怎么回事。"

弟弟沙赫宰曼说："你可以装作外出打猎，然后躲在我这里，就可以亲眼把那一切看得一清二楚。"

于是国王当即扬言要去打猎。大队人马带着帐篷出城来到了郊外。国王出城后，坐在营帐里，吩咐手下亲信道："不要让任何人进来！"

然后他化了装，偷偷潜回到他弟弟所在的宫室。他在俯临御花园的窗户跟前坐了一会儿，只见宫女簇拥着她们的女主人—— 王后同奴仆们一道走进了御花园，所作所为与他弟弟沙赫宰曼所述并无二致。他们就那样一直胡搞到黄昏日落。

国王山鲁亚尔看到了这一切，不禁怒火中烧，气昏了头，就对弟弟沙赫宰曼说："老弟！我们称王掌权究竟有何用？这个国家又有何可留恋之处？还是让我们浪迹天涯，随处走走！看看是否还有人有类似我们这样遭遇——活着还不如死了呢！"

弟弟亦有同感。于是兄弟二人通过一道暗门，悄悄出了宫。

他们走啊，走啊，不知走了多少天多少夜，最后来到海边一片草地上，在一棵大树旁边停了下来。树跟前有一眼泉水，两人喝了泉水，坐下来歇息。

过了，一会儿，只见大海波涛汹涌，一条黑色的烟柱从海上冲天而起，飘飘忽忽地直奔草地而来。兄弟俩见到这一情景，吓得赶紧往树上爬。树很高，他们爬到了树顶，想看看究竟是怎么回事。只见一个妖魔个子高高的，脑袋大大的，胸脯宽宽的，头上还顶着一个箱子。他从海里登上陆地，来到兄弟俩栖身的那棵树前，蹲在树下，打开了箱子，从中取出了一个匣子，再打开匣子，于是匣子里钻出了一个美艳、俏丽的姑娘，俊美得好似灿烂的太阳，正如诗人形容的那样：

> 她会驱除黑暗，使晨光熹微，
> 会让草木葱翠，百花吐蕊。
> 她一出现、亭亭玉立，
> 日月都会为之增辉。
> 一旦她裸露面世，
> 万物都会膜拜顶礼。
> 一旦她的芳容闪现，
> 人们都会欣喜流泪。

妖魔瞧着她，说道："我在洞房花烛夜里抢来的娇娘啊！我想打一会儿盹。"

说罢，妖魔便把头枕在那女郎的膝盖上睡着了。那女郎抬头往树上一望，看见了躲在树顶上的国王兄弟，就把妖魔的头从膝盖上轻轻托起来，挪到了地上，对他俩打着手势，让他们下来，不必怕那妖魔。两人对她说："凭真主起誓，请你谅解，这事实难从命。"

她对他俩说："凭真主起誓，你们一定要下来！否则我就叫醒妖魔，让你们不得好死！"

两人害怕了，只得从树上爬下来，走到她跟前。她对他俩摆开姿势，说："咱们来做男女之间的游戏吧，痛快点！否则我就叫醒妖魔来收拾你们！"

兄弟俩都很害怕，山鲁亚尔便对弟弟沙赫宰曼说："老弟，你就照着她的吩咐干吧！"

弟弟说："我不干，除非你先干。"

两人交换起眼色来。女郎见状，对他俩说："我怎么看见你们挤眉弄眼的，想做什么？！你们若是再不过来，我就叫醒妖魔了！"

由于害怕那妖魔，兄弟俩只好照那女郎的吩咐，与她云雨起来。事毕，她对他俩说："起来吧！"

然后，她从自己的领口里掏出一个口袋，从中取出一串项链，上面穿着五百七十枚戒指。她把这串戒指展示在他俩面前，问道："你们知道这是怎么回事吗？"

两人答道："不知道。"

她说："这些戒指的主人全都是趁这个妖魔打盹儿没留神的工夫，同我交欢过的人的。他把我藏在一个匣子里，又把这只匣子放进箱子里，还在箱子上锁了七道锁，然后再把它放进波涛汹涌的大海的海底下，可是他不知道，女人想干什么事，那是什么都管不住她的。正如一个诗人所说的：

别信任女人——千万，
也别相信她们的诺言，
因为她们的喜怒哀乐，
全同她们的阴户相关。
她们外表会虚情假意，
内心被背信弃义充满。
要当心她们诡计多端，
要以优素夫故事为鉴。
君不见，正是由于她们，
魔鬼使亚当被逐出乐园。

还有一首诗则说：

不要责怪我窃玉偷香，
否则会使情火烧得更旺。
若说我拈花惹草，
我只是以先人为榜样。
面对女人的妖娆不动心，
那才实在是怪事一桩。

国王兄弟听了女郎这番话，感到无比惊奇，彼此嘀咕道："那是个神通广大的妖魔，他遭遇的事尚且比我们遭遇的事还要严重得多，何况你我。如此说来，这事情倒可以使咱们得到一些安慰。"

随后，兄弟俩马上离开女郎，返回山鲁亚尔国王的京城。两人进了宫，把王后及那些宫女、奴仆全都杀死。

从此以后，国王山鲁亚尔由于憎恶女人，每娶一个处女，破身之后，便当夜将她杀死。就这样持续了三个年头，百姓们都惊恐不安，沸沸扬扬地不知如何是好，只好带着女儿逃之夭夭。京城竟然再没有一个女孩可供国王糟蹋。

可是国王仍旧命令宰相给他找女孩子来，供他享用。宰相出了宫，寻找了半天，也没有找到一个女孩，只好强压下满肚子的怨怒，无可奈何地走回家去。他真担心国王不会轻饶他。

宰相自己有两个女儿，长得都如花似玉，又美丽，又窈窕。大女儿叫山鲁佐德，小女儿叫敦娅佐德。大女儿熟读过各种经籍、史书，了解历代国王的传记，深谙各个国家、民族的史实与逸闻，真可谓博古通今，满腹经纶。据说她收藏的有关历代各国及其帝王、诗人的史书就数以千计。她见到父亲回到家来的那副模样，就对他说："你为什么这样愁眉苦脸，一副忧心忡忡的样子？你没有听到有诗人说过吗？

告诉忧心忡忡的人：

忧患不会久长，

如同欢乐会消逝，

忧患也会消亡。

宰相听了女儿这番话，便把国王交给自己的那件难办的差事一五一十地告诉了她。山鲁佐德听后，就对父亲说："父亲！凭真主起誓，把我嫁给这个国王好了！那样一来，我要么会活下来；要么会为拯救穆斯林家家户户的女孩子而牺牲自己，使她们从此以后不再受这个国王的摆布！"

父亲听后，忙说："孩子！凭真主起誓，你可千万不能拿自己的生命当儿戏，去冒这个险！"

女儿固执地对父亲说："我非这样做不可！"

父亲叹息道："我是担心你的遭遇会像驴和牛在农夫那里的遭遇一样！"

女儿忙问："驴和牛的遭遇是怎么回事呀？"

父亲说：孩子！你要知道：从前有一个商人，有钱财，有牲畜，有妻室儿女。真主还赐予他一种特殊的本领，就是能听懂飞禽走兽的语言。这位商人的家住在乡下，家里养着一头驴和一头牛。

有一天，牛走到驴圈，发现驴圈打扫得干干净净的，还洒了水；驴食槽子里的大麦和草料都是细筛精选的；驴子总是躺在那里休息，只是有时候主人有什么事才会骑它，过不大的工夫，就又回来了。

有一天，商人听见牛对驴说："你好福气啊！我成天累得要死，你却清闲自在。你吃的大麦都是过了筛的，还有人伺候你，主人偶尔才会骑骑你，转一趟就回来了。可是我，一年到头不是耕地就是推磨。"

驴子听了就给牛出主意道："下次再下田，他们给你往脖子上套牛轭的时候，你就趴在地上，别起来！他们若是打你，你趴下来，就躺倒再也不起来。他们若是把你牵回来，喂你豆子，你都不要吃，要装出一副病弱不堪的样子，要一两天或是两三天不吃不喝。这样你就可以清闲自在，不再吃苦受累了。"

商人听到了牛和驴的对话。

当晚，使唤牲口的农夫去喂牛的时候，它只吃了一点点。第二天一早，农夫牵牛去犁田，发现它有气无力的，非常虚弱，就可怜起它来，嘀咕道："怪不得它昨天干活就不行了。"随后，农夫前去告诉商人说："老爷！那条牛干不动活了，它昨天晚上一点儿料都没有吃。"

商人早就知道了事情的原委，就对农夫说："去，把驴牵去！今天一整天都让它替牛耕田好了！"

农夫回去牵了驴，代替牛耕了一整天的田。晚上驴回圈的时候，牛对它的功德深表感谢，因为是它使自己那天免除了劳累，落了个清闲。驴子听了一声不响，心中却懊悔得不得了。

第二天，农夫又来牵走了驴子，让它耕田直耕到天黑。驴子回圈的时候，筋疲力尽，脖子都磨破了。牛瞅着驴，对它又是感谢，又是称颂。驴听后就对牛说:"我本来是整天安闲没事,只是因为爱多管闲事,才害得自己大吃苦头。"

随后,它又对牛说:"你知道,我可要对你提出忠告。我听主人说了:'那条牛若是再爬不起来,就把它送到汤锅那里,让屠夫把它宰了,剥皮卖肉算了!'我真替你担心。我可是对你进了忠言,你看着办吧!"

牛听了驴的这番话,非常感激,无可奈何地说:"明天我还是跟着他们下地吧!"

于是牛又开始大口大口地吃起草料来,一槽草料吃了个精光,还直用舌头舔槽帮子。

驴和牛的谈话又被它们的主人听了个一清二楚。

第二天一早,商人和他的老婆一道走到牛圈跟前,坐了下来。只见农夫来牵牛下田。那牛见了主人,甩动尾巴,放了个屁,撒欢儿跑了起来。商人见状不禁笑得前仰后合。妻子就问他:"你笑什么呀?"

他告诉她说:"有一件事,是我亲眼所见,亲耳所闻。可就是不能说出来,否则我就活不成了。"

妻子说:"这件事,你非得告诉我不可。哪怕你就是死了,也得对我说清楚,你究竟为什么要笑?"

商人对她说:"因为怕死,我实在不能说出来!"

妻子说:"哼!你准是在嘲笑我!"

于是她纠缠不休,大吵大嚷,死乞白赖地硬要他讲。丈夫被她弄得实在没法了,就把孩子们叫到跟前,又差人去请来法官和证人,想要当着大家的面立下遗嘱,然后再把秘密泄露给她,让自己去死。因为他非常宠爱她:她是他的堂妹,又是孩子的母亲,再说自己已经是一百二十岁的年纪了。于是他又打发人把她娘家的人及邻居也都请了来,向他们讲述事情的原委,并说出,一旦他向别人泄露了自己的秘密,就将必死无疑。在场的亲戚邻居都劝他的妻子:"凭真主起誓，你还是不要让他讲了吧！免得他一死，你失去了丈夫，孩子也没有了父亲。"

她却对他们说："这件事我绝不能让步！他即使要死，也得对我讲出来！"

话讲到这种份儿上，大家只好默不作声了。于是商人站起身来，离开大家，朝牲口棚走去。他想做完大净，回来就把秘密告诉给大家，然后去死。

商人家里养着一只公鸡，带着五十只母鸡；此外，家里还养了一只狗。商人走在院子里，就听到那条狗正大声斥责那只公鸡道："咱们的主人都快要死了，你还在那里高兴！"

公鸡问狗道："那是怎么回事？"

狗就将事情怎么来，怎么去的讲给了公鸡听。

公鸡就说："凭真主起誓，咱们的主人可真是缺心眼儿。瞧！我有五十个老婆，都能让这个满意，让那个也服帖，大家在一起高高兴兴，和和睦睦的。咱们的主人只有一个老婆，就竟然不知该如何管束她了。他为什么不折几根桑树枝子，把她关进库房里，结结实实地抽她一顿，不把她打死，也要让她求饶，不要再提那种无理要求！"

商人听了公鸡对狗讲的话，头脑清醒了，就决心将自己的妻子打一顿。

宰相讲到这里，就对女儿山鲁佐德说："也许我也应该像那个商人对付他老婆那样来对待你！"

女儿问道："他是怎样对待她的呀？"

父亲就说："他先是折了几根桑树枝子，藏在库房里，然后又把妻子领到库房跟前说：'来！让我在这库房里单独对你说完再去死，不要让任何人看见。'妻子随他进了库房后，他把门一锁，就将她一顿好揍，直打得她昏死过去。醒来，她对丈夫告饶道：'我忏悔了！'

然后又吻他的手,又吻他的脚,表示忏悔。随后,夫妻两人出来,和好如初。亲友们见状也都很高兴。从此相安无事,尽享天年。"

宰相的女儿听了父亲的这番说教,就对他说:"我还是不改初衷,一定要那样做!"

宰相只好依从女儿,把她打点好,准备送进山鲁亚尔的王宫中去。行前,山鲁佐德嘱咐妹妹敦娅佐德道:"我进了王宫后,会打发人来叫你去。你到了我那里,看到国王占有了我之后,就对我说:'姐姐!给我讲个稀奇古怪的故事吧!咱们好用来解闷,打发那夜晚。'我就会对你讲故事。如果真主愿意的话,这讲故事的办法就可以让众姐妹得救了。"

随后,宰相就把她送进了王宫。国王见到宰相,很高兴,就问他:"你把我要的人带来了?"

宰相说:"是,带来了。"

国王正要同山鲁佐德上床,她却哭了起来。国王便问她:"你这是怎么了?"

她便答道:"国王陛下!我有一个妹妹,我想同她诀别!"

国王便派人去找敦娅佐德。她来到姐姐跟前,同姐姐拥抱,然后坐在床脚下。国王起身,同山鲁佐德行过房后,大家就坐在一起聊天。妹妹就对姐姐说:"好姐姐!看在真主的分上,你给我们讲个故事,好让咱们今夜消愁解闷!"

姐姐说道:"如果这位圣明的国王陛下允许的话,我倒是非常愿意讲的。"

国王本来心里很烦,听了这话,打心眼里喜欢听她讲故事,就答应让她讲。

于是她就开始讲故事,一直讲了一千零一夜。

商人和妖魔的故事

从前有个商人，财源茂盛，生意兴隆，常常东南西北地跑买卖。有一天，他骑马外出，要到一个地方去做生意。途中，他觉得天气热不可耐，就坐在一棵树下休息，凉快凉快。他伸手从行囊中掏出随身带的一块干粮，就着一枚椰枣吃了起来。待他吃完了椰枣，就随手把椰枣核一丢。不料，突然间冒出一个身材高大的妖魔。那妖魔手里握着一把大刀，直奔商人而来，对他吼道："起来！我要杀了你！就像你杀了我的儿子那样。"

商人不禁诧异道："我怎么会杀了你的儿子呢？"

妖魔说："你吃完椰枣，把枣核一丢。当时我儿子正路过那里，那枣核正好打在他的胸口上，害得他当时就一命归天了。"

商人说："我们都属于真主，还要归于真主。除了托靠伟大崇高的真主，真是一切都无能为力，毫无办法。如果是我杀死了你儿子，那也纯属于误杀，希望你能宽恕我。"

妖魔说："不行！我非得杀了你不可！"

妖魔说罢，便把商人扯翻在地，举刀要砍。商人不禁哭了起来，说道："我只能听天由命，任凭真主安排了。"他又吟诗道：

时世无非两种日子——

平安无事与危机四伏；

生活亦可分成两半：

舒坦、幸福与艰难、痛苦。

责怪我们总是时乖命蹇的人啊！

须知：世道与之较量者都是有分量的人物！

君不见暴风刮起时，

摧残的都是些大树。

君不见漂在海面上的是腐尸，

沉在海底深处的都是珍珠。

如果说命运之手捉弄我们，

使我们遭受不幸与痛苦，

那么须知：只有日月才有日食、月食，

尽管天上有星辰无数。

大地上多少草木有枯有荣，

遭人投之以石的却是结满果实的树。

日子顺利时，你对岁月尽往好处想；

命运不济时，你也别怕会有何坏处。

商人吟完，妖魔不耐烦地对他说："你少啰嗦吧！凭真主起誓，我一定要杀了你！"

商人说："你要知道，妖魔大王！我家中有很多钱财，有妻子、儿女；有我欠人家的债务，也有人家抵押在我这里的东西。你让我回一趟家，把这些事情处理好：欠债的还债，欠情的还情，然后我再回来，听凭你发落。真主可以作证，我会说到做到。"

妖魔听信了商人的话，就把他放了。

商人回到了家乡，把一应事务全都处理好；把欠人家的债务全都还了，又把自己遇见的倒霉事告诉了妻子儿女。他们听后，不禁抱头哭成一团。他又对家人叮咛、嘱咐一番，同他们恋恋不舍地一直住到年底。此后，他起身做完了大净，又拿起了裹尸布，夹在腋下，向家人和亲戚邻居辞行，在他们哭哭啼啼的送别声中无可奈何地走出了家门。

　　他走到了当初遇见妖魔的那座园子。那天正是新年元旦，他坐在树下想起了自己的遭遇，不禁悲上心头，哭泣起来。正在这时，只见一个老头手里牵着一只羚羊走了过来。老头向商人打过招呼，问候过了之后，就问："你怎么会独自一个人坐在这里呢？这可是个妖魔常常出没的地方啊！"

　　商人就把自己同那个妖魔之间发生的事和自己坐在这个地方的原因告诉了老头。

　　那位牵着羚羊的老头听后非常惊奇，就说："凭真主起誓，老弟！你的这笔债可真是够重的；你的这段故事也是够离奇的了，真够得上让人刻骨铭心，引以为戒的了。"

　　老头坐在商人跟前，接着说道："老弟，凭真主起誓，我不能丢下你不管。我得看看你同那个妖魔到底会怎么样。"

　　于是老头坐在商人身旁，同他聊天。其实商人哪有心思聊天，他早已胆战心惊，胡思乱想，吓得有些魂不附体了。

　　正在这时，只见又有一个老头朝他们走来，身后还跟着两只黑色的猎犬。那老头朝他们打过招呼之后，就问他俩为何要坐在这个妖魔经常出没的地方。两人就把事情的原委从头到尾地给他讲了一遍。

　　这第二个老头刚坐下，就又有第三个老头赶着一头驴子朝他们走来。打过招呼之后，他问他们为什么要坐在那里，他们就把那件事的来龙去脉又给他讲了一遍。于是他也陪同他们一起坐了下来。

　　正在这时，只见旷野上刮起了一阵旋风，烟尘滚滚，朝他们扑面而来。烟尘散处，只见那个妖魔手提着一把出鞘的大刀，两眼冒着火星走到他们跟前。他从他们之中拽出那个商人，对他吼道："起来！让我杀了你，就像你杀死我的儿子、我那心肝宝贝一样！"

那商人不禁放声大哭。三个老头见状也忍不住伤心落泪，陪着啼哭。哭过之后，第一个老头，就是牵着母羚羊的那位，首先醒悟过来，吻着那妖魔的手说："妖魔爷，妖魔鬼怪的王中王！我想给你讲讲我同这只母羚羊的故事。你如果听了后，觉得这故事实在离奇古怪，就请你给我一个面子，让我替这个商人赎回他的三分之一条命，好吗？"

妖魔说："行啊，老头儿！你如果给我讲完了故事，我觉得它实在离奇古怪，我就让你替他赎回三分之一条命。"

第一个老人的故事

老人就讲道：

妖魔爷！你要知道：这只羚羊就是我的堂妹。我们是骨肉亲啊！她还是一个小姑娘的时候，我就娶了她。我们共同生活了差不多三十个年头，她却没有给我生下一男半女。我就又娶了一房妾，她给我生下一个男孩，长得眉清目秀，好像天上十五的月亮。

孩子一天天长大，直长成了十五岁的小伙子。那时，我正要出一趟远门，到一个城市去做生意，就带了大宗货物去贩卖。

我的堂妹，就是这只羚羊，从小学过魔法巫术。她就施魔法，让那个孩子变成一头小牛犊，又让他妈妈变成一头母牛，然后把他们母子二人交给了牛倌去放牧。

这趟远门出了很久，我才回到家来。我向她问起了我的儿子和他的母亲在哪里，她对我说："你的小老婆已经死了；你的儿子逃走了，我也不知道他跑到哪里去了。"

听说这事以后，我在家整整呆了有一个年头，真是哭肿了眼，伤透了心。宰牲节到了。我差人去告诉牛倌，让他给我挑一头肥母牛来。于是他牵来了一头肥母牛。我哪里知道那正是让这只母羚羊施了魔法的我的那位爱妾，就挽起了袖子，操起刀准备宰它。只见它两眼扑簌扑簌一个劲儿地直掉眼泪，哞哞地叫个不停。我见状感到有些诧异，也不忍心下手，就丢开它，对牛倌说："你再给我牵一头别的牛来吧！"

我这位堂妹却喊道："就宰这头！咱们再也没有比它更好更肥的了！"

于是我再次上前准备去宰。它却又一次哞儿哞儿地叫了起来。我站起身来，让那个牛倌去掌刀。那牛倌宰了它，剥皮一看，却既没有肉，也没有油，整条牛除了皮就是骨头。我真后悔宰了它，可是后悔也没有用了，就把它赏给了牛倌，然后又吩咐他道："你给我挑一头肥牛犊子来吧！"

这次，牛倌竟把我那中了魔法的变成了牛犊的儿子给牵来了。那牛犊一见到我，便挣断绳索朝我跑来，在我身上蹭来蹭去，又哭又叫。我见状不禁可怜起它来，就对牛倌说："还是再牵一条母牛来，把这个牛犊放了吧！"

我的堂妹——这只母羚羊听见这话却冲着我大喊大叫起来："你今天一定要宰掉这条牛犊！因为今天是个大吉大利的喜庆日子，在这种日子里非要宰一只最好的牲口才行。在咱们家的牛犊中，就数它最肥最好了！"

我就对她说："你瞧！刚才听了你的话，宰了那头母牛，结果怎样呢？还不是竹篮打水一场空。宰了它，我真后悔死了。现在我可不想听你的再把这头小牛犊宰了。"

她竟然对我说："凭大慈大悲的真主起誓：在今天这个喜庆的日子里，你一定要宰掉它！否则，你就不再是我的丈夫，我就不再是你的妻子！"

我听到她把话说到这种地步。当时也不知她心中怀的鬼胎，就只好走到牛犊跟前，操起了刀……

话说老头正要宰那牛犊，见它不停地哭，不由得心又软了，便又吩咐牛倌道："还是留这头小牛犊一条命吧！"

老头对妖魔讲述着他的故事，妖魔一边听，一边暗自称奇。

牵着母羚羊的老头继续讲下去：妖魔鬼怪的王中王啊！我堂妹——就是这只羚羊——看到了这一切，却还是说："把这只牛犊宰了吧！它挺肥的。"

我实在不忍心宰它，就让牛倌把它带走了。

第二天，我正闲坐无事，只见牛倌直奔我来，情不自禁地大声喊："老爷！我告诉你一件喜事，你听了准会开心！连我都跟着高兴。"

我忙问："快说！怎么回事？"

他就说："老爷！我有个女儿，小时候跟着我们那里的一位老太太学过魔法巫术。昨天，你把那头牛犊给了我，我带着它走进了家门。我女儿一见到它，就连忙捂着脸，哭了起来，随后又破涕为笑，对我说：'爸！你太不把我当回事了，竟然把外人都领到我面前了。'我就对她说：'哪有什么外人？你为什么又哭又笑的？'于是她告诉我说：'你带来的这头牛犊其实是咱们家老爷中了魔法的儿子，是他大娘对他们母子俩施了魔法，所以我一见不由得就笑了起来。至于我哭，那是我为他可怜的母亲伤心，他父亲怎么能宰了她呢？'我听了女儿这番话感到十分惊奇。等到今一早天一亮，我就赶紧跑来告诉你。"

妖魔爷！我听了牛倌这番话，真是欣喜若狂，如醉如痴啊！我立即随他来到了他家。他的女儿热情地欢迎我，吻我的手。随之，那头牛犊也朝我跑来，不停地在我身上蹭来蹭去。我不放心地问牛倌的女儿："你说的关于那小牛犊的那些话可是真的吗？"

她说："没错，老爷！他的确是你那心肝宝贝儿子。"

我对她说："孩子！你若是能把他救出来，那么我交由你父亲手下经管的牲畜和财产就全归你了！"

　　她嫣然一笑，说道："老爷！我对钱财并不感兴趣，除非附加两个条件：第一条，你要让他娶我为妻；第二条，那个对他施了魔法的女人，我要对她施魔法，并把她锁起来，否则，我难免要受她害。"

　　妖魔爷！我听了牛倌女儿的话，就对她说："行啊！除了照你的要求办之外，你父亲手下经管的牲畜和财产仍旧全都归你！至于我堂妹，她是死是活，全由你发落！"

　　那女孩听了我的话，便拿起了一只碗，盛满了水，然后念了一通咒语，就把那水洒在牛犊身上，对它说道："你若是按照真主创造出来的样子本来就是一只牛犊，那就照这个样子不变；你若是中了魔法，那就蒙崇高真主的允许，恢复你原形吧！"

　　说罢，只见那牛犊摇身一变，一下子就变成了人。我见状，忙扑到他跟前，把他搂在怀里，问他："看在真主的分上，孩子！快说说我那个老婆是怎么整治你们娘俩的？"

　　孩子对我讲了他们母子二人的遭遇，我就说道："孩子！是真主派人来解救了你，使你能得到应得的一切。"

　　随后，妖魔爷！我就让儿子娶了牛倌的女儿为妻。然后，她就对我的堂妹——就是这只母羚羊施了魔法，并对我说："这副模样总好看一些，否则搞成个野兽的模样，让人见了，更遭人恨了。"

　　从此以后，牛倌的女儿便同我们在一起生活了很长一段岁月，直至真主选中了她去。儿媳逝世之后，我儿子便出门到印度去了。那里正是同你发生了那些不愉快事情的这位商人的家乡。我带着这只母羚羊——我的堂妹，东奔西走地四处流浪，想打听我儿子的音讯，直到受命运的驱使来到这个地方，见到这位商人坐在那里哭泣。

　　这就是我的故事。

　　妖魔听罢，说道："这真是个稀罕古怪的故事。我答应你，可以替他赎回三分之一条命。"

这时，第二个老头，就是带着两条猎犬的那位，走向前去，对妖魔说："我对你讲讲我同我的两个兄弟，也就是这两条狗的故事。你若是觉得这故事特别稀奇古怪，就请你答应我，也让我替这位商人赎回他的三分之一条命。"

妖魔道："若是你的故事果真非常稀奇古怪，那就照你说的办好了。"

第二个老人的故事

于是第二个老头就对他讲道：

妖魔鬼怪的王中王，妖魔爷！你知道，这两条狗是我的两个哥哥，我是他们的弟弟。我父亲去世了，留给我们三兄弟三千个第纳尔金币。我开了一店铺子做买卖。没过多久，我大哥，就是这两条狗中的一条，把他铺子里的全部家当卖了一千个第纳尔，又用这钱置办了一批货物就外出经商去了。他离开我们整整有一个年头。

有一天，我正坐在自己的铺子里，猛地抬头一看，有个叫花子站在面前，就对他说："真主开恩，到别处去要吧！"

那人便哭着对我喊："你都认不出我来了！"

我再仔细端详了一会儿，不料他竟是我大哥。我赶紧起身欢迎他，又把他带回家中。问起他的情况，他叹了一口气，回答我道："你就不必问了！因为说起钱，钱都光了；说起事，事情糟透了。"

我就没再细问，赶紧起身，领他进澡堂子洗了一个澡，又让他换上我的一身衣服，再把他领回我的家中。随后，我对他说："大哥！我算一算这一年我的铺子赚了多少钱。然后，除去本钱，咱哥俩可以把赚到的利钱分一下。"

我就清了一下店铺的账，算算我究竟赚了多少钱。结果发现整整赚了两千个第纳尔。我谢天谢地，高兴得不得了。我把这笔钱二一添作五，同我大哥平分了，并对他说："就权当你没有背井离乡到外地去跑买卖好了！"

大哥欢天喜地地把钱拿去自己开了个铺子。

日子一天天过去。后来我二哥，就是另外的那条狗也不安分了。他把自己的全部家当卖了个精光，也要出外经商。我左劝右劝，他就是不听，置办了一批货物，也出外闯去了。一去又是整整一个年头。

后来，我那二哥又像当年大哥那副模样来到我跟前。我忍不住对他说："二哥！我不是劝过你吗？不能背井离乡地到外面混。"

他哭了起来，说："别提了，老弟！这都是命中注定的。你瞧！我现在是一文不名，穷得叮当响，除了身上一件汗衫，我简直是光着屁股跑回来的。"

我听了之后，——妖魔爷！就领着他进了澡堂子，让他洗完澡后，换上我的一套新衣服，再把他带回我的铺子里。我们哥俩在一起吃饱喝足了之后，我就对他说："二哥！我的铺子每年年初都清一回账，我看能赚多少，咱哥俩就平分好了。"

于是，妖魔爷！我就清了一下店铺的账目。算下来，我发现竟整整赚了两千个第纳尔。我赞美罢崇高的造物主之后，就给了我二哥一千个第纳尔，于是我二哥也开了一个铺子。

日子一天天过去。又过去了一段时间，我的两个哥哥来找我。他们是想要让我陪他们一道到外地去做生意。我没有答应，对他们说："你们出门都赚了什么，以至于要让我也去赚？"

他们一声不响了。我们就继续各自在自己的铺子里做买卖。可是他俩每年都向我提出，要到外面去跑买卖，我就是不同意。就这样，整整过了六个年头，我才同意他们去到外地去做生意，并对他们说："大哥、二哥！喏！我现在决定要跟你们一道外出做生意了。不过咱们得先瞧瞧，你们手头还有多少钱？"

结果我发现他们简直是囊空如洗，一无所有，把所有的钱财都挥霍得一干二净了。因为他俩成天是吃喝嫖赌，无所不为，哪能剩得下钱。我对他俩二话没说，就动手结算自己铺子的账目。我把所有的现金提出来，又把所有的货物都盘出去，算了一下，发现竟然共有六千个第纳尔。我很高兴，就把这笔钱一分为二。我对两位哥哥说："这三千第纳尔，归咱们哥仨共同所有，咱们可以拿它去做生意。"

我把其余的三千第纳尔埋藏起来，以防将来万一也碰上两个哥哥当年那样的遭遇，我回来就会还有这三千第纳尔，哥仨可以用它作为本钱再开铺子。两个哥哥听了我这个主意也都点头称是。我就给了他们两人一人一千个第纳尔，自己也留下了一千。

我们置办了该置办的货物，就打点上路：我们雇了一只船，把行李、货物都搬了上去。我们一路顺风，在海上走了一天，两天……整整走了一个月，来到了一座城市。我们带上货物进了城，以一赚十地将货出手，大发了一笔财。我们正要登船继续航行，却见到了海边上有个穿着一身破破烂烂衣服的姑娘走来，吻我的手说："先生！你能行善积德做好事吗？我是知恩必报的。"

我说："行啊！我很愿意行善积德做好事，即使不报答也没有关系。"

"先生！娶我为妻，把我带回你的家乡去吧！我对你以身相许，你就行行好，成全我吧！至于我，别看我现在这副样子，我可是那种知恩必报的人。"

我听了她这番话，不禁对她动了恻隐之心，便将她带上船，给她换上了好衣服，为她在船上铺好舒适的床铺。我同她一方面共荐枕席，一方面又相敬如宾。一路上，我心中对她的爱有增无减，竟变得两人朝夕相伴，一时一刻都离不开。有她在一起，我有些顾不上两个哥哥了。他们就对我嫉妒起来，看到我有那么多的钱，那么多的货，他们也眼红。两人竟商量要图财害命，对我下毒手，暗中嘀咕着："咱们杀了弟弟，钱财就全归咱们了！"

他们真是鬼迷心窍，趁我们夫妻熟睡的时候，摸进了我们的船舱，把我们夫妻两人扛起来，抛进了大海。我妻子醒来摇身一变，变成了一个精灵。她把我救起来，驮到一个岛上，就悄然离去。过了不久，天亮了，她又回到了我身边，对我说："我就是你的妻子。他们要害你，蒙崇高的真主所允，是我从海中背出你来，救了你的命。你要知道，我是一个精灵，却为了真主，对你竟一见钟情。我是相信真主和他的使者的。于是我就装出你所见到的那副模样来到你跟前，你就娶了我。喏！现在我把你救了上来，否则，你就淹死了。我真恨你的两个哥哥，非把他们杀了不可！"

我听了她的来历，十分惊奇。我感谢她的救命之恩，然后对她说："至于要杀我的两个哥哥，我看就免了吧！"

随后，我又把我们弟兄三个之间的事原原本本地讲给她听。她了解了事情的真相之后，更是愤愤不平地说："我今天晚上就飞到他们那里，非把他们的船弄沉了，让他们不得好死不可！"

我忙对她说："看在真主的分上，你可不能这样做！俗话说得好：'以德报怨的人啊！多行不义必自毙，这就足矣！'他们毕竟是我的哥哥呀！"

她仍大声地说："凭真主起誓！我非要杀了这两个家伙不可！"

我只好为两个哥哥向她求情。后来，她驮着我飞到了我的故乡，把我放到了自家的房顶上。我下来，开了房门，又把埋在地下的钱挖了出来。走亲访友之后，我又置办了一些货物，开起了铺子。

傍晚，我回到了家，就发现这两条狗拴在了我家门口。它们一见到我就两眼流泪，哭着叫着扑到我跟前，身前身后地缠着我。这时我才发觉妻子不知什么时候已经回到了家，站在那里对我说："这就是你的两个哥哥。"

我不禁疑惑不解地问："是谁把他们弄成这个样子的？"

妻子说："是我把他们送到我姐姐那里，她就把他们弄成这个样子的。要过十年，他们才能恢复原形。"

从当时到现在，他们就这样过了十年。于是我就带上他俩去找我的大姨子，以便让她为他俩恢复原形。我正走在半路上，就碰见了这个商人，对我说起了他的遭遇。我就想看看你们俩到底会怎么样，然后再走。

这就是我的故事。

妖魔听了之后说："这真是个稀奇古怪的故事。我答应你，你可以为他的罪过赎回他的三分之一条命。"

这时，那个赶着驴子的第三个老头走上前去对妖魔说："我要讲一个比他俩讲的还要离奇古怪的故事。妖魔爷！请你也允许我为这商人的罪过赎回他其余的三分之一条命。"

妖魔说："行啊，你讲吧！"

第三个老人的故事

老头就讲了：

妖魔大王！这头母骡子原本是我的老婆。

我离开她出门在外整整过了一个年头。那天夜里我从外面回到了家，却见到一个黑奴与她同床而卧，两人又说又笑，又是亲吻又是狎昵，真是丑态毕露，不堪入目。

那女人一见到我，便急忙爬起身来，端起一罐子水，对着它念念有词，然后朝我兜头泼来，并说："脱开这模样，变成一条狗的模样吧！"

于是我随声马上变成了一条狗，被赶出了家门，真成了一条丧家犬，流落街头。后来我来到一家肉铺，啃着丢弃在门口的骨头。屠户见到后，便把我领到了家。他女儿一见到我，便扯起头巾蒙起脸说道:"爸!你怎么把一个男人领到家里来了?"

她父亲不禁疑惑道:"哪有什么男人呀?"

她说:"这条狗就是一个男人被他老婆施了魔法变成的。我能破解这个魔法,把他救出来。"

她父亲听了这话,就对她说:"看在真主的分上,闺女!你就把他救出来吧!"

那姑娘端来了一罐子水,对着它念念有词,然后从中往我身上洒了些水,说道:"从这副模样变成你原来的模样吧!"

我应声恢复了原形,然后不禁感激地吻着那位姑娘的手说:"我希望你能对我的老婆施一下魔法,就像当初她对我施魔法那样。"

那姑娘就给了我一些水,对我说:"你看她睡着了,就把这水泼在她身上。你想要她变成什么东西,就对着她说出来,她就会照着你的意思变成那副模样。"

于是我把那水带回家,见我老婆睡着了,就把水洒在她身上,说道:"脱出这副模样,变成一头骡子的模样吧!"

她应声立刻就变成了一头骡子。喏!妖魔爷,妖魔鬼怪的王中王!就是你亲眼见到的这副模样。

妖魔听罢,疑惑地瞧着那头骡子,问她:"这是真的吗?"

那骡子连连点头,表示说:"是啊!凭真主起誓,千真万确是那么回事儿。"

的确,那第三个老头对妖魔讲了一个比前两个还要离奇古怪的故事。妖魔听罢第三个老头的故事,激动不已,不禁连连拍手称奇,说:"我答应让你替他赎了其余的罪,赎回他最后的三分之一条命。现在就放了他,交给你们好了。"

那商人闻声扑到三位老人跟前,千恩万谢地表示感激之情。老人们也祝贺他捡了条命。此后,他们分道扬镳,各自回乡去了。

渔夫和妖魔的故事

从前有个打鱼的，早已上了年纪：他家中有妻子和三个孩子，都靠他打鱼为生，日子过得很拮据。天长日久，他养成习惯：每天只撒四网，绝不多撒。

有一天中午时分，他来到了海边，放下鱼篓子，挽起袖子，卷起裤脚就下了海。他撒下网，耐心地等它沉入水中，便收起网来。他觉得那一网很沉，拽都拽不动。他只好扯住绳的一头走到岸上，打了个桩子，把网绳系住，然后脱光了衣服，潜进水中，沿着网的四周折腾了半天，才把鱼网弄了上来。他高高兴兴地上岸穿好衣服，来到网跟前，却发现网里是条死驴，把网都扯破了。渔夫看到这种情景很伤心，就说："这真是毫无办法，让人无能为力，只能靠崇高、伟大的真主了！"

接着他又感叹地说："生计这事儿可真是奇怪！"

他不由得吟道：

没日没夜拼死拼活的人！
生计并非靠劳动，你何苦太辛勤？

君不见渔夫为生计奔波来到海滨，
早出晚归，头上顶着满天的星辰。
他站在海中，眼睛紧盯着鱼网，
任凭风吹日晒，浪打在身。

一旦那夜晚为捕到鱼而高兴，
早已是半死不活，筋疲力尽。
可是从他手中买鱼的人却可享福，
夜晚不会挨冻，还睡得舒坦、安稳。
赞美真主！让这个富，那个穷，
且看座上吃鱼者岂是打鱼人！

渔夫吟罢，又心怀希冀道："还得干哪！如蒙崇高的真主愿意，我总不会白辛苦！"于是他又吟道：

一旦你遭难受苦，
定要穿上坚韧之服，
因为那样才是英明，
不愧为君子的风度。
千万不要向人们
发牢骚、抱怨诉苦！
因为那是在向不知仁慈者
去控告仁慈的真主！
老天哪，住手吧！
……
别再让我倒运！
即使不住手，

也请你留点分寸。

我走出家门，

本是将生计求寻，

到头来却发现

生计与我没有缘分。

有多少愚昧无知者

如日中天，直上青云；

又有多少学者志士

被埋在土中而默默无闻。

吟罢，他把破缸扔掉，把网拧干弄净，祈求真主宽恕他的怨天
尤人，然后再下海撒下了第三网。他耐心地等待网都沉进了海底，才
动手收网。他把网拽到岸上一看，发现网里竟是些破瓶子、烂罐子、
骨头、瓦片什么的。他见状懊恼极了，不禁失声痛哭起来，吟道：

衣食生计实在与你无缘，

你纵然满腹经纶也照样缺吃少穿。

运气、生计都是命中早已注定：

这块地寸草不生，那块则是肥沃良田。

知书达理者往往是祸不单行，

流氓无赖则可能如日中天。

死神啊，快来看！这世道实在可恶：

雄鹰坠落下地，鸭子竟飞上了天。

毫不奇怪——如果你看到

君子受穷，小人却志得意满。

因为有的鸟为觅食疲于奔命，

有的鸟寸步不移却顿顿美餐。

吟罢，他仰起头朝天说："真主啊！您知道我每天只撒四网。现在我已经撒了三网，竟然一无所获。真主啊！这次求你赐我一点儿生计好过日子吧！"

说罢，他念诵着真主的大名，把网撒进海里，耐心地等待着它全部沉进了海底，便开始动手收网。不料却拉不动，他想一定是鱼网在海底被挂住了，就说："这真是毫无办法，无能为力，只能托靠真主了。"

随之，他又吟道：

我真要唾这世道一口："呸！"
我在这世上吃尽了苦，受尽了罪。
一个人纵然早晨安逸享福，
晚上也会喝上倒霉的苦酒一杯。
想当初，一旦有人问："世上谁最幸福？"
人们莫不指着我说："就是这位！"

吟罢，他脱了衣服，潜入水下，弄了半天，才把网拽出到岸上。渔夫打开网一看，发现网里有个黄铜做的细颈大肚子瓶。瓶口是铅封的，上面盖着苏莱曼·本·达伍德的大印。渔夫一见，不禁眉开眼笑，自言自语道："这东西拿到铜市上去卖，能值十个第纳尔呢。"

他拿起瓶子摇了摇，发觉瓶子很沉重，里面似乎装满了什么东西，于是心想："这瓶子里也不知是装着什么东西呢？我何不打开看清楚了再卖！"

想到这里，他找出一把刀子，设法撬开了瓶子口上的铅封，把它放在一边，然后抱起瓶子，让瓶口朝下，使劲摇了摇，以便把瓶子里的东西倒出来。可是竟然什么东西也没有倒出来。渔夫不由得感到十分诧异。

　　过了一会儿，从瓶子里冒出一股烟，上半截直冲天穹，下半截却在地面上飘。此后，那烟越冒越浓，最后聚积成形，竟是一个妖魔：头大得像圆屋顶，直冲向云端里；两腿像柱子，直插进土里；两手一伸，像干草叉子；大嘴一张像是山洞；一颗颗牙齿像石头块；鼻子长得像水壶；两眼长得像油灯，愁眉苦脸的一副倒霉相。

　　渔夫一见那妖魔不禁浑身发抖，上牙和下牙捉对儿直打架，口干舌燥的不知该如何是好了。妖魔看到他，就开口道："世上别无神祇，惟有真主，苏莱曼是真主派下凡的先知。"他又接着说，"真主派下来的先知啊！请您高抬贵手，不要杀我！我再也不敢违背您的命令，不听您的话了！"

　　渔夫胆战心惊地问他："巨无霸！你刚才说起苏莱曼是真主派来的先知，可是苏莱曼死去离我们现在已经一千八百年了。你是怎么回事儿？怎么一个来龙去脉？又为什么会钻到这个瓶子里去的呢？"

　　那妖魔听了渔夫这话，便说："世上别无神祇，惟有真主！打鱼的！我得向你道喜！"

　　渔夫忙问："你向我道什么喜？"

　　妖魔狞笑着说："这喜就是要在此时此刻杀了你，让你不得好死。"

　　渔夫道："你这个魔王！你把这也叫喜？可真该死！是我把你从那个瓶子里放了出来，是我把你从海底救了出来，把你弄到这陆地上来的。你说！你为什么要杀死我？我究竟犯了什么死罪？"

　　妖魔根本不理他那一套："少废话！跟我说，你希望怎么一个死法？如何杀死你才好？"

　　渔夫争辩道："我究竟有什么罪过，以至于要得到你这种报答？"

　　妖魔说："打鱼的！你听我说……"

　　渔夫说："你说吧！不过要简单明了，别啰嗦！因为我都快要吓掉魂了。"

妖魔说:"打鱼的!你要知道,我是一个作乱犯上的精灵,曾经与精灵赛赫尔一道同苏莱曼王作对。于是苏莱曼王便派他的宰相艾绥夫·本·巴尔希亚前来讨伐。我斗不过他,只好乖乖地让他带去站在苏莱曼王前,听凭他的发落。苏莱曼王见到我,就劝我改邪归正,服从他的管教。我不肯。于是他就叫人拿来了这个瓶子,把我关进去,加上铅封,盖上他的刻有真主大名的大印,并命令精灵将我扔进了海中。我在海里呆了一百年,我当时心想:谁若是能救我出去,我就让他一辈子发大财。可是过了一百年,没有谁来救我出去。再过一百年,我当时心又想:谁若是能救我出去,我就让地下所有的宝藏全归他所有。还是没有人来救我出去。又过了四百年,这期间,我一直在心里想:谁若是能救我出去,我就替他办三件事,满足他的三个愿望。可是仍旧没有任何人来救我出去。于是我不由得恼羞成怒,气极了,心中暗自发誓:谁这会儿来救我出去,我就杀了他,至于如何死法倒可以任由他选。喏!正巧这时你来救了我出去。我这不是让你挑选如何死法吗?"

渔夫听了妖魔的话,就说:"这可真是怪事!我偏巧在这些日子里来救了你出去!"

然后,渔夫又对妖魔说道:"请你饶了我,不要杀我!那样一来,真主也会饶了你,不杀你。请你免我一死!那样一来,真主不仅会免你一死,而且会让你有权有势……"

妖魔不耐烦地说:"少啰嗦!我非杀死你不可!快说你希望怎么一个死法吧!"

渔夫见妖魔执意要那样做,就又同他用商量的口吻说:"那你就看在我救了你一命的分上,饶了我吧!"

妖魔说:"正因为是你救出了我,我才要杀死你哩!"

渔夫就对他说:"妖魔爷啊!难道我对你行好,你却要以怨报德吗?这可正应验了俗话所说的:

我们行善，他们却要以恶报答，

说实在的，这真是婊子的做法。

谁对不配施恩者施恩，

会得到如救鬣狗者得到的报答。

妖魔听了渔夫这话，更不耐烦了："少说废话吧！你是非死不可了。"

渔夫心想："这家伙是个妖魔，而我却是真主赐予了完美的头脑的人哪！既然他想要用他阴险、卑鄙的伎俩杀害我，那我何不动脑筋想办法去除掉他呢？"想到这里，他就对妖魔说："你是下定了决心要杀死我吗？"

妖魔说："对！就是这样。"

渔夫说："凭着刻在苏莱曼王戒指上的真主大名起誓，我问你一个问题，你要据实回答！"

妖魔答应说："行！"

不过当他一听提到真主大名时，不由得浑身颤抖，有些惶恐不安起来，但还是强作镇定地对渔夫说："你问吧！可别啰嗦！"

渔夫就问他："你当初是在这个瓶子里。可这个瓶子既容不下你的一只手，也容不下你的一条腿，它又怎么能容得下你的整个身体呢？"

妖魔反问渔夫："那你是不相信我当初是在瓶子里的了？"

渔夫说："除非我能亲眼看见，否则，我绝对不相信会有这种事。"

这时，妖魔摇身一变，化成一片烟云，笼罩在海面上，又聚集起来，一点儿一点儿往瓶子里钻。等到那烟完全进到了瓶子里，渔夫赶紧抓起盖了印的铅封，把瓶口一下子塞紧，然后大声招呼那个妖魔道："这回还是你对我说说，你是希望怎么一个死法吧！我一定要把你扔回这个大海里。我还要在这里给自己搭起一个小窝棚，不让任何人在这里撒网打鱼。有人来了，我就会告诉他：'这里有一个妖魔，谁若把他救出来，他就会让那人选择一种死法，让他照那法儿把他杀死。'"

妖魔听了渔夫的话，又见自己被关进了瓶子里，想出来也出不来了——因为有苏莱曼王的大印封着，他没法出来，这才知道渔夫对他耍了个花招，就忙说："我刚才是跟你闹着玩儿呢。"

渔夫正言厉色地对他说："胡说！你这个最卑鄙下流、最肮脏无耻的妖魔鬼怪还想骗人！"

渔夫说罢，便把瓶子提到海边上。妖魔吓得大叫起来："别！别！"

渔夫从鼻子里哼了一声："哼！我非要教训教训你不可……"

妖魔赶紧说软话，央求道："打鱼的老爹！你想要怎样发落我呀？"

渔夫说："我要把你扔回大海里！如果说你曾经在海里住了一千八百年，那么这回我非让你再在海里一直呆到世界末日不可！我不是对你说过'你让我活下去，真主就会让你活下去，你别杀我，真主就不会杀你'吗？可是你就是不肯听我的话，偏要对我背信弃义不可。现在倒好，真主让你落在了我手里。这下子就怨不得我对你不讲客气了！"

妖魔又哀求道："你放了我吧！我会报答你的。"

渔夫就冷笑着对他说："又在说谎骗人。你这个该死的家伙！你我之间的事就像国王尤南的大臣同贤医杜班之间的故事一样。"

妖魔不解地问："国王尤南的大臣同贤医杜班是什么人？他们之间又是怎样一个故事？"

于是渔夫就说："妖魔！你听我给你讲好了！"

国王尤南的大臣的故事

在很久很久以前，在罗马人的国土波斯城邦，有一个国王名叫尤南。他兵多将广，金玉满堂，威震四方，朝中有文武百官，襄理国政。不幸的是国王得了麻风病，朝野御医、郎中都束手无策，谁也治不好；什么汤药、丸药、散剂、膏药全都用过了，全不管用。就在这时，有位年迈的人称贤医杜班的名医来到了国王尤南的京城。这位医生通古博今，满腹经纶；读过不少希腊、罗马、波斯、阿拉伯、古叙利亚文的书籍；精通医学、星相，深谙其中的奥妙；他还熟知各种草木的药性，知道哪种有益，哪种有害；他学过哲学，掌握各种医术，真可谓无所不知、无所不晓。

这位贤医进了京城，住了没有几天，就听说了有关国王的事儿：他身上得了麻风病，朝野上下的御医、郎中全都治不了。这位贤医听说了这一切，惦记着一宿都没有睡着觉。第二天一早，天刚亮，他就穿着最体面的衣服上朝去见尤南国王。他在国王面前跪下磕头，用最美好的言辞祝愿国王万寿无疆，永远富贵，并向国王作了自我介绍，对国王说道："国王陛下！窃闻龙体欠安，痼疾缠身，群医束手，无法去疾。窃虽不才，愿为陛下医治。陛下既不必服汤药，也不必贴膏药……"

尤南国王听了这话，不禁诧异地说："那你如何医治呢？凭真主起誓！你若是治好了我的病，我一定让你子子孙孙都享受荣华富贵，你想要什么都行。你还会成为我的亲信、知己。"

说罢，国王对他大加赏赐，盛情款待，并再次问他："你真的既不用汤药，也不用膏药就会治好我的病？"

贤医答道："正是！我一定会让陛下痊愈。"

国王感到十分惊奇，就说："大夫！你说的这一切何时才能兑现呢？你快动手吧！"

贤医答道："遵命！明日即可行事。"

贤医辞别国王，走出王宫，在城里租了一间房子，把书籍、药品、药草都一一安放好，然后提炼、配制好药剂，又选用特别的木料制了一根打马球用的曲棍，掏空了心，塞上药，安上一个把，还照他所知道的样子做了一个球。

等这一切都做完了，第二天，贤医就带上这一套东西上朝去拜见国王去了。他跪在国王面前磕了头，就请国王骑马到操去玩马球。国王在文武百官、卫护亲随的前呼后拥下来到了操场。众人刚坐下，贤医杜班就走上前，把曲棍呈给国王，说："请陛下拿着这根棍，照这个样子紧握，然后下到操场去打球，直打到手心和全身都出汗，那时药力就会通过手心在全身发挥作用。等陛下打完了球，药力产生了作用，就回到宫中洗上一个澡，睡上一觉。那时，就可以病好如初了。"

尤南国王听完这番话，就从贤医手中接过曲棍，握在手中，骑上马，把球朝前一抛，就紧握球棍策马去追，待追上后，又用力击球。就这样，骑着马追来打去，直到掌心和全身都大汗淋漓。这时贤医杜班知道药已通过国王握着球棍把柄的掌心渗透进体内发挥了效力，于是马上请他回宫洗澡。

尤南国王当即回到宫中，命人为他收拾好澡堂子。于是奴仆们不敢怠慢，赶紧收拾好澡堂子，准备好衣物。国王进了澡堂子，痛痛快快地洗了个澡，换好了衣服，骑马回宫，倒头便睡。

与此同时，贤医杜班也回到了自己的住处过夜。第二天早晨，他进宫求见国王。进去后，他跪在国王面前叩拜，并向他吟诵颂诗道：

　　你德高望重，如美德的父亲一般，
　　除你之外，没有人配受这种称赞。
　　啊！你那容光焕发的面孔

会驱逐黑暗和大灾大难。

你总是眉开眼笑,春风满面,

使我们不会看到世道愁眉苦脸。

承蒙你赐予我种种恩典,

如同祥云在原野降下甘露一般。

你不惜花费千金追求荣耀,

而终于达到光荣无限。

待他吟完颂诗后,国王站起身来同他拥抱,并让他坐在自己身旁,赐予他丰厚的奖赏。这是因为国王洗过澡后,一觉醒来,朝身上一看,发现周身上下一点儿麻风的痕迹都没有了,遍体光洁得如白银一般。国王不禁喜出望外,心花怒放。所以这天早晨,他上朝一见贤医杜班随文武百官朝拜时,就不禁趋步上前扶起他来,让他坐在自己身旁,大摆宴席——珍馐佳肴、山珍海味,陪他边吃边聊,把他待为上宾。一天下来,到了晚上,国王除赏赐给贤医杜班衣物、牲畜外,还赐予他两千个第纳尔,并让他骑上自己的御马回寓所。

直到贤医杜班走了之后,国王尤南仍对他的医术赞叹不已,自言自语道:"这人没给我涂药却治好了我身体外表的病。凭真主起誓,这一招可真够绝的!这个人理应受到奖赏和尊重;我应当终生把他当作亲信和知己。"

由于摆脱了缠身恶疾,恢复了健康,国王高兴得几乎一夜未睡。第二天上朝,文武百官参拜之后,分别在他左右两侧坐下。这时,他又派人去请贤医杜班。杜班奉旨进宫,叩见国王。国王又起身,让他坐在自己旁边,好吃好喝地盛情款待,大加赏赐,并同他天南海北地闲聊,直聊到傍晚,又赏赐了他五样礼物和一千个第纳尔。随后,贤医杜班对国王连声道谢,告辞回府。

又一个早晨,国王照例上朝理政。满朝文武、亲随、卫士在他身前身后站了一圈。

这个国王有一个大臣，外貌长得丑陋不堪，为人凶恶、卑劣、悭吝，还天生嫉妒成性。这位大臣看到国王宠信杜班贤医，对他那样奖赏，就对这位贤医非常妒忌，不禁对他起了歹念。这正如俗话所说："人人难免有嫉妒心"，又如人们所说："不义常怀在心里，强则使它显露，弱则使它隐起。"

话说那个大臣走到国王面前，叩见之后，说："国王陛下！陛下对臣恩重如山，臣故而有药石之言欲对陛下进谏。臣若隐而不谏，可谓不忠。陛下若允许臣进谏，臣则进谏。"

国王听了大臣的话，颇有些不快，就说："你究竟有什么谏言要进？"

大臣道："伟大的国王陛下！古人说：'人无远虑，必有近忧。'臣认为陛下竟对自己的敌人、一个想要让他的王国毁灭的人大加赏赐，对他恩宠、尊敬、亲近，达到无以复加的程度，这实在是不明之举。臣不能不为陛下担忧。"

国王听后，更为不快，面带愠色地问道："你说的那个人是谁？你给我指出来！"

大臣回答道："国王陛下！原先你若是还蒙在鼓里，现在也该清醒了！臣指的就是杜班医师！"

国王道："你真该死！须知，这个杜班贤医是我的朋友，是我最亲爱的人。因为是他让我手里握着东西去打马球，为我治病，结果治愈了我那医生们全都感到束手无策的恶疾。像他这样的奇才高手在当今这个世上任你走遍天涯海角也找不到第二个。你怎么竟可以出口不逊，对他编排出如此一套谰言呢？从今天起，我要对他封官晋爵，每月给他一千第纳尔的俸禄。其实，论他的功德，即使让他与我共掌江山，都不足为报。我想你刚才对他的诋毁纯系出自嫉妒心。这就像我听说的有关辛德巴德国王的故事那样。"

随之，尤南国王对他的那位大臣说道："你一定是对这位贤医心怀嫉妒而要我杀了他，此后，我则会后悔，就像辛德巴德国王为杀死鹰而后悔一样！"

大臣就问："陛下！那是怎么回事呢？"

辛德巴德国王和鹰的故事

于是国王讲道：

传说，有一个波斯国王，叫辛德巴德，喜欢飞鹰走狗、野游、打猎、行乐。他养了一只鹰，与他朝夕相伴，连晚上睡觉都架在胳膊上。每逢外出行猎总要带上它。国王还为它做了个金碗，拴在它项下，让它饮水。

有一天，国王正坐朝，管理猎鹰的官员前来进见，说："启禀陛下：此时正宜出猎。"

于是国王下令外出行猎。他手上架着鹰，带着大队人马来到一条山谷，设好了围场。这时，正好有一只羚羊落入了围场中，国王便说："谁若放走了这只羚羊，我定杀不赦。"

于是大家慢慢收拢围场，向羚羊靠拢。不料羚羊直奔国王跟前，两只后腿站定，却把两只前蹄举在胸前，好像在给国王打躬作揖，恳求饶命。国王一愣，对羚羊低了一下头。那羚羊就"噌"的一声，越过国王头顶，直奔荒野去了。国王回头看了看众将士，只见他们在那里挤眉弄眼地窃窃私语，便问近旁的一位大臣："爱卿！将士们在嘀咕些什么呢？"

那位大臣答道："他们在说：陛下刚才还说，谁若放走了羚羊，定杀不赦。"

国王一听这话，不禁恼火地说："凭着我项上这颗头起誓，我一定要追回那只羚羊！"

说罢，国王便策马跟在羚羊后面紧追不舍。猎鹰也扑向羚羊，拍打着双翅,弄瞎了羚羊的双眼,使它晕头转向。这时国王赶到,抽出棍子把羚羊打翻在地,然后跳下马,把它宰了,剥了皮,挂在鞍头。

当时天气正热,林中又荒无人烟,找不到水喝。国王与身下的坐骑实在都干渴难耐。于是国王环顾四周,发现在一棵树上流下一滴滴奶油般的汁液。当时国王戴着皮手套。他解开拴在鹰项下的小金碗,用它接满了一碗那种汁液,放在自己的面前,正准备要喝,不料鹰却突然抖开了翅膀.一下子把碗打翻在地。国王又拿起碗,耐心地接满了第二碗。他以为是鹰渴了,便把碗放在它面前,不料它又抖开翅膀,将碗打翻在地。国王对鹰的这种行为感到很恼火,但他忍了忍,又接了第三碗,端给马喝。谁知道猎鹰又是一翅膀将碗打翻在地。于是国王忍无可忍,勃然大怒地吼道:"你这只倒霉的鸟!你自己不肯喝,也不让我和马喝!愿真主让你不得好死!"

说罢,抽出剑来,削去了鹰的两只翅膀。那鹰抬起头,那样子好像在说:"你瞧瞧树上吧!"

国王举目一看,发现那棵树上竟然盘着一条巨蛇,那流下来的正是它的毒液。国王见状,不由得对自己削掉鹰的翅膀感到万分懊悔。他懊丧地起身上马,带着那只猎获的羚羊回到了营帐,把它丢给了厨师:"拿去!把它烤了吧!"

然后,国王捧着鹰在椅子上颓然坐下。那鹰哀鸣声声,气绝而亡。国王为自己的行为号哭不已:因为是鹰救了他,使他免于一死,而他竟冤枉它,错杀了它!

这就是国王辛德巴德的故事。

那位大臣听完了尤南国王讲的故事,对他说:"大王陛下!我做的有什么错处?我的意见有什么不对?我的这一切所作所为都是出自对陛下的一片忠心。以后陛下就会知道臣之所言不荒谬了。陛下若接受臣的忠告就会得救,否则必会丧命。这就像一个诡计多端的大臣本想陷害王子，结果反而自己丧命一样。"

尤南国王问道："那是怎么回事？"

大臣说道："国王陛下，且听我讲……"

诡计多端的大臣的故事

有一个王子喜好打猎。他的父王命令手下一个大臣："不论王子走到哪里去，你都要陪伴着他。"

有一天，王子出去打猎，他父王手下的那位大臣就陪伴着他出猎了。在行猎的路途中，他们看到一头很大的野兽。那位大臣便怂恿王子道："那头野兽就在你前头，快去追呀！"

王子就跟踪追捕，直追得他在人们的视野中消失不见了，同时，那只野兽也在荒野中消失得无影无踪了。王子迷了路，不知何去何从。正在这时，只见在路口有一个女郎哭哭啼啼地坐在那里。王子诧异地问她："你是什么人？"

女郎答道："我是一个印度国王的公主。我随别人骑马来到荒郊野外，路上困了，就打瞌睡，不知不觉地从马上滚落下来，于是就掉了队，又迷了路，正不知如何是好。"

王子听了她的这番话，很可怜她，就把她扶上马背，让她骑在自己的后面。经过一片废墟时，那女郎对王子说："公子，我想要解个手。"

王子便让她下马，去废墟处行方便。她耽搁了好久还不回来。王子等得有些不耐烦了，便也悄然走进了那片废墟。不料那女郎原来却是个妖精。只见她正对那些小妖们说："孩儿们！今天我给你们带来了一个胖胖的小青年。"

小妖们乐颠颠地说："娘！你快把他带来，好让我们饱餐一顿哪！"

王子听了众妖精的话，认为自己是必死无疑了，吓得浑身发抖，走了回来。那妖精从废墟中出来，见到王子惶恐不安、颤抖不已的样子，便问："你怎么了？为什么吓成这副样子？"

王子回答她说："我有一个敌人，我是怕他。"

妖精说："你不是说，你是一个王子吗？"

王子说："是呀，我是王子。"

妖精就对他说："那你何不给你的仇敌一些钱财，让他善罢甘休呢？"

王子说："可他不要了我的命是不肯善罢甘休的，我真怕他。我是一个蒙冤受屈的人哪！"

妖精说："如果你真是像你说的那样，是一个蒙冤受屈的人，你尽可以求助真主呀！真主足可以让你免受你的那个仇敌的祸害，使你什么都不用怕！"

王子果真抬头朝天祈求道："对急难者有求必应、为他们消灾祛难是真主呀！求你佑助我战胜敌人，免受他的伤害吧！你是无所不能的！"

妖精一听他的这番祈祷，就吓得赶紧跑了。王子也回到他父亲的身边，向他讲述了那位大臣如何企图借妖精之手加害于他的经过。国王听后便招来那位大臣，下令处死他。

尤南国王的那位大臣讲到这里，便又对尤南国王说道："国王陛下！一旦你把这个医师奉为知己，完全信任他，他就会对你下毒手。尽管你对他如何施恩，如何宠信，他还是会设法要你的命。你没看见他让你用手握着些什么就可以治好你身体外表上的病吗？那么他何尝不会再让你用手握着别的什么东西而要你的命呢？"

尤南国王想了想说："贤爱卿！你这番话说得倒也是。说不定真像你说的那样，也许这位医师是个要来谋害我的奸细。如果说，他让我手里握着些什么东西就能治好我的病，那么他也能让我闻着些什么东西就毒死我呀！"

国王接着问大臣："那么，贤爱卿！该对他怎么办呢？"

大臣就献计道："陛下何不马上派人招他进宫！他一到，就斩了他。从此可以免除他的祸害，高枕无忧了。须知：先下手为强，后下手遭殃啊！"

尤南国王说："爱卿所言极是。"

随后，国王便派人去招杜班医师进宫。医师闻招就高高兴兴地来了，尚不知真主为他安排的是什么命运。正如有诗所说：

放心吧，为岁月担惊受怕的人！
一切事都由开天辟地的真主劳神。
命运会永远存在，而不会消失，
你则不必为命中注定的事担心。

杜班医师见到国王，对他吟诗道：

如果我不对你聊表感激之情，
那我写的诗文又该向谁奉送？
未等我要求，也不必找理由，
你总及时、慷慨地予我馈赠。
我对你的赞美，你当之无愧，
我又怎能不明里暗里将你称颂？
你对于我的确是恩重如山啊！
我怎能不念在嘴里，记在心中！

有诗云：

把你的烦恼丢在一边，
诸事全听凭命运裁断！
匆匆而来的好事，你要高兴，
借以忘却昔日的忧患。
也许一件让你恼怒的事，
其结果却可能很圆满。
真主想要怎么做就怎么做，
你千万不要阻拦、抱怨。

亦有诗云：

把你的事交由明智的真主去决定，
丢开尘世一切烦恼，使心灵轻松！
须知：事情不能随你的心意，
真主的意愿、裁决才最英明。

还有诗云：

忘却一切烦恼，让自己开心、高兴！
因为烦恼有损精明者的心灵。
人算不如天算，周密安排也没有用，
倒不如与世无争，享得永远幸福、安宁。

话说贤医杜班进宫之后，国王就问他道："你知道我为什么要招你进宫吗？"

贤医答到："只有真主才会知道尚未发生的事。"

国王便对他说："我招你进宫是为了杀死你，让你一命归天。"

贤医杜班听了这话，感到非常诧异，便说："陛下为什么要杀死我？我犯了什么罪？"

国王对他说："有人告诉我，说你是个奸细，是要来暗杀我的。喏！现在不等你杀我，我先把你杀掉！"

随之，国王叫来剑子手，对他说："把这个阴险家伙的脑袋砍下来，使我们免受其害！"

贤医便哀求国王道："留我一命吧！真主会保佑你长生不老。不要杀死我吧！免得真主杀死你。"

贤医再三向国王重复这句话。妖魔！就像我曾再三向你求饶，可你就是不肯放我一条生路，而偏要杀我一样。尤南国王便对杜班医师说："只有杀了你，我才会放心，感到安全。因为你让我手里握着一样东西便治好了我的病，我就难免不担心你会让我嗅些什么东西或是用诸如此类的方法杀死我。"

贤医道："陛下！你难道就这样报答我，这样以怨报德吗？"

国王道："非处死你不可！而且必须立即执行！"

贤医知道国王确实非要处死他不可时，便伤心地痛哭起来，懊悔当初做好事，选择错了对象。正如他所吟的诗道：

幸运并非是头脑的属性、特征，
但幸运儿却生来是头脑精明。
只有依靠头脑才会避免跌跤，
不管是在硬地还是在泥沼中。

待他吟完诗，剑子手向他走来，用布条蒙住他的双眼，然后抽出了刀。这时，贤医又痛哭流涕地对国王说道："留我一命吧！真主会保佑你长生不老。不要杀死我吧！免得真主杀死你。"

见国王无动于衷，贤医又吟诗道：

我忠言进谏，没有成功，

成功、获胜的是群奸佞。

我的一番忠言相告

将我留在了屈辱之中。

因此，我若能活着，

绝不会再进谏尽忠。

我若是死了，你们尽可

诅咒一切忠良都是废物无用！

然后，贤医对国王说："难道这就是你对我的报答吗？那么，国王对我的报答岂不是同鳄鱼的报答一样吗？"

国王问："鳄鱼的报答是怎样的一个典故？"

贤医答道："在这样的情况下，我哪有心思对你讲这种故事。凭真主起誓，你留我一命，真主会让你长生不老的。"

贤医见国王竟对他的哀求置之不理，不禁更加伤心地大哭起来。这时，国王的一位亲信便站起身来，向国王求情道："陛下！看在老臣的面上，请饶这位贤医一命吧！因为我们并没有见到他对陛下犯有什么罪过。我们所见到的只是他为陛下治好了那些御医、郎中都感到束手无策的病。"

国王便对在座的群臣道："你们并不知道我为什么要杀这个医师。我之所以要杀他，是因为我如果留他一命，我自己将必死无疑。一个让我握着一件东西就能治好我病的人，同样可以让我嗅什么东西而将我毒死。我是怕他杀了我而去邀功请赏。因为他是一个奸细，他来的目的就是要暗杀我。所以必须要杀掉他。"

妖魔呀！当贤医确信国王非要杀死他不可时，便对他说："国王陛下！如果一定要处死我，那么也请你宽限几日，以便让我回家嘱咐一下亲邻替我料理后事，并将各种医书分赠友好。我有一本最珍贵的善本书，将献给陛下作礼品，陛下可以留作珍藏。"

国王便问贤医道："这本书好在哪里？"

贤医答道："这本书内容包罗万象。其中至少有这种奥秘：如果陛下砍下我的头，然后，打开书，翻过三页，从左边那页读完三行，那颗头就能够与陛下交谈，并能回答陛下向它提出的所有问题。"

国王听了这话，感到十分惊奇，竟兴奋得手舞足蹈起来，向贤医追问道："大夫！你是说，如果我砍下你的头，你还会同我说话？"

贤医答道："一点儿也不错，陛下！"

国王不禁感叹道："这可真是件怪事！"

随后，国王派人把贤医押送回家，贤医在当天和第二天整整忙了两天，处理了一应事务，然后走进王宫。当时文武百官、随从、卫士也都前呼后拥地上朝面君，整个朝廷热闹非凡，一时间变得颇似流光溢彩的花园。

只见贤医一手拿着一本古书，一手拿着盛着粉末的小药瓶走到国王跟前，坐了下来，对国王的随从说："给我拿个盘子来！"

盘子拿来了，只见贤医把瓶里的粉末倒在盘子上，摊平，说道："国王陛下！拿好这本书，等砍掉我的头时再打开。一旦砍下我的头，请将它放在盘子里，让人将它按在那些药粉上。这样一来，头上流的血就会止住，待那时，你再打开书！"

国王下达了对贤医杜班的斩首令，并从他手中接过那本书。刽子手奉命，砍了杜班的头，把它放在盘子中，在药粉上按了按，血便止住了。贤医杜班睁开了两眼，说："陛下，请打开书吧！"

国王打开书，却发现书页都粘在一起，便把食指伸进嘴里，蘸着唾沫，一页一页翻下去，每翻开一页都要费很大的劲。国王连翻了六页，看了半天，一个字也没有见到。于是便问："喂，大夫！这本书怎么什么都没有写呀！"

贤医便说："你再往下翻哪！"

国王又翻了三页。不大一会儿工夫,毒素在他身上顿时发作起来,因为那本书是浸了毒剂的。这时国王趔趔趄趄地哭喊着:"我中毒了!"

贤医杜班便吟道:

他们统治黎民百姓,

希望千秋万代地专政,

但不久就会垮台,

那政权就似瓦解土崩。

你们若能公正地待人,

人家也会待你们公正,

你们若是多行不义,

老天也会让灾难降临你们头顶。

有朝一日一定会是这样,

这就是因果报应。

切莫说言之不预,

也莫责备老天不公。

贤医杜班的头吟完这首诗,国王便立即倒地身亡。

渔夫讲完这故事,便对妖魔说:"妖魔!你要知道:如果尤南国王能留贤医杜班一命,那么真主也会留他一命。但这位国王却不肯,硬要杀死贤医杜班。于是真主把他也杀死了。你呢,妖魔!你若是当时留我一命,那么我也会饶你一命。可是你非要杀死我不可。喏!现在我要把你关在这个瓶子里,让你闷死,再把你丢进大海里。"

妖魔号哭起来道:"凭真主起誓,打鱼的老爹!你手下留情,别这样做吧!求你留我一命,别怪罪我竟做出这种事情来!你别同我一般见识!因为我如果作恶的话,你不妨行善!俗话说得好:'以德报怨的人呀！作恶者的行为足够惩戒他的了！'你不要像乌玛麦对待阿娣凯那样来对待我呀！"

渔夫问："乌玛麦是怎么对待阿娣凯的呢？"

妖魔说："我被关在这里，这哪里是讲故事的时候！等你放了我，我就对你讲好了。"

渔夫厉声说："这话你休要再提！我一定要把你丢进大海里，让你永无出头之日！我与你往日无冤，近日无仇，没有对你犯有什么罪过，也绝没有做过什么对不起你的事情。我对你完全是行好，因为是我把你从囚禁中放了出来。可是我对你千般哀求，万般央告，你却非要杀死我不可。这样一来，我就知道你这个坏透了的家伙实在不可救药，你放明白点儿：我要是把你扔进这个大海里，目的是为了告诉今后每一个把你打捞出来的人，你对我是如何以怨报德的。我要警告他们别再上当，而把你重新扔回海里去，让你就在这个大海里呆到世界末日，受尽折磨，彻底完蛋好了！"

妖魔闻听此话，赶紧哀求道："求你放了我吧！此时不行仁义还待何时？我向你保证：我今后绝不会伤害你，还要让你得到好处，发大财。"

渔夫听取了妖魔的保证：他如果放了它，它绝不会伤害他，而且要对他报恩。渔夫听信了妖魔的话，并要它以真主的大名发誓之后，便打开了那只瓶子。这时只见瓶中冒出一股浓烟，冲天而起，逐渐聚集成形，变成一个面目狰狞的妖魔。它一脚把瓶子踢到了海里。

渔夫一见妖魔把瓶子踢进了海里，就大惊失色地认为自己必死无疑了，暗自嘀咕："这可不是个好兆头呀！"

然后，他壮了壮胆，说："妖魔！真主说过：'你们要信守约言，因为约言是被审查过的。'你向我保证过，发誓说你不会对我背信弃义，否则真主将惩罚你。真主可是极为认真的，他可以宽限，却不会不管，正如俗话所说：'不是不报，时候未到，时候一到，一切都报。'

就像贤医杜班对尤南国王说的那样，我也对你说过：‘你留我一命，真主就会留你一命。’”

妖魔听了这话，不禁哈哈大笑，走到了渔夫跟前，说：“喂！打鱼的！跟我来！”

池塘和彩色鱼的故事

渔夫简直不敢相信自己这条命算是保住了，就跟在妖魔后面走。他们走啊走啊，一直走出了城郊，爬过了一座大山，来到了一片空旷的原野。原野之中有一个池塘。那妖魔涉水走到池塘中，对渔夫说：“随我来！”

渔夫便跟着妖魔也走到池塘中。那妖魔站了下来，叫渔夫撒网打鱼。渔夫向池塘定睛一看，只见池塘中都是彩色的鱼：有白的、红的、蓝的、黄的。渔夫见到这种现象，不禁大为惊奇。随后，他取出网，撒下去，又收上来，只见网中有四条鱼，一条鱼一种颜色。渔夫见到这些鱼非常高兴。妖魔就对他说：“你把这些鱼送进宫里，献给苏丹，他会奖赏你，你就可以发财了。凭真主起誓，请你原谅我！因为我在这海里呆了一千八百年，刚刚重见天日，所以现在一时间也找不到其他发财的路子。记住！你在这池塘里，每天只能打一次鱼。”

妖魔说罢这话就向渔夫告辞：“求真主保佑你吧！”

然后，它一跺脚，大地便裂开来，把它吞了进去。

渔夫带着鱼走回城里，一路上想着他同妖魔打交道的前后经过，不禁暗自称奇。到了家里，他找了个瓦盆，盛满了水，把鱼放进去，鱼在水中欢畅地乱蹦。

第二天，渔夫按照妖魔的吩咐，把瓦盆顶在头上，便进了王宫。他见了国王，把鱼献上去。国王对渔夫献上来的鱼非常惊奇，因为他平生还未见到过这种样子的鱼。国王便吩咐道：“把这些鱼交给厨娘去做好了!"

这位厨娘是罗马国王三天前送与他的,他还未试过她的烹调手艺呢。宰相便奉命把鱼送进御厨,吩咐厨娘把这些鱼煎一下,并对她说:"厨娘!国王让我转告你:养兵千日,用兵一时。今天让我们好好欣赏欣赏你的手艺,尝尝你的拿手好菜吧!这鱼可是人家向国王进的贡品哩!"

宰相吩咐完后就回到国王跟前。国王让他赏给渔夫四百个第纳尔。渔夫接过这笔赏钱,揣在怀里,一路上高兴得又蹦又跳地走回家去,简直以为自己是在做梦呢,然后为妻子儿女买了他们各自所需的东西。

话分两头:这里按下渔夫的事暂且不表。且说那位厨娘拿起鱼,收拾干净,支起了煎锅,把鱼放了进去。她煎好了一面,待她把鱼翻过来,要煎另一面时,厨房的墙壁突然裂了开来,从中走出一个面若鹅卵,手如玉笋,身材苗条,体态俊俏,要多美有多美的姑娘。她头上系着蓝色的纱巾,两耳戴着耳环,腕子上戴着一对手镯,手指上戴着好几枚宝石戒指。姑娘手里握着一根藤棍。她把藤棍插进锅里,问道:"鱼呀!你们还信守旧约吗?"

厨娘一见此状,惊恐得不禁昏了过去。

那姑娘一而再,再而三地重复着自己的问话,只见那些鱼口齿清楚地答道:"是的,是的!"

接着鱼儿吟道:

你若是回心,
我们亦会转意;
你若是守约,
我们亦讲信义。
你若是不讲信用,

将我们背弃，

我们则会针锋相对，

同你奉陪到底。

听罢此言，那姑娘把煎锅扣翻在地，从来的地方扬长而去，墙又和好如初。

厨娘苏醒过来一看，只见四条鱼全都烧焦得如同黑炭一样，心想："真是出师不利，刚一上阵，枪杆儿就折了。"

那厨娘一急，竟又昏倒在地。正在这时，宰相走了进来，见那厨娘不省人事的样子，便用脚踢了踢她，说："喂！快把鱼给国王端上去呀！"

厨娘清醒过来，闻听这话就大哭起来，把前面发生的事一五一十地告诉了宰相。宰相听了感到很惊奇，不由得说道："这可真是件怪事！"

于是他派人把渔夫叫来，喝令他道："打鱼的！你再给我们送四尾鱼来，要同上次送来的一样！"

于是渔夫便出城来到那个池塘跟前。他撒下网，又收上来。一看，正好打上来四条同上次一样的鱼。渔夫便把鱼拿去交给了宰相。宰相又把鱼送进御厨，交给厨娘，吩咐她道："你就当着我的面煎吧！让我看看到底是怎么回事？"

厨娘动手把鱼收拾干净，又把煎锅支在火上，把鱼放进锅里。鱼刚在锅里放好，厨房的墙壁就一下子裂开来，那个姑娘还是像先前那个样子，又出现了。她手里拿着一根藤棍，往锅里一插，问道："鱼儿，鱼儿！你们还信守旧约吗？"

那些鱼都抬起头来，吟诗道：

你若是回心，

我们亦会转意；

你若是守约，

我们亦讲信义。

你若是不讲信用，

将我们背弃，

我们则会针锋相对，

同你奉陪到底。

一听那些鱼吟这些诗句，那姑娘马上用棍子把煎锅打翻在地，从来的地方扬长而去，墙又合上，完好如初。

这时，宰相站了起来，自言自语道："这件事可不该瞒着国王不报。"

于是他趋步走到国王跟前，向他汇报了事情的原委以及自己亲眼所见的情景。国王听后也大为惊奇，说："我一定要自己亲眼看看！"

随即派人去叫渔夫，限他在三天之内再送四条像先前一样的鱼来。渔夫奉命又赶紧到那个池塘打了四尾鱼，马上送进宫里。国王吩咐再赏给渔夫四百个第纳尔，然后回头对宰相说："你来亲自动手，当着我的面来煎这些鱼！"

宰相应声答道："遵命照办！"

于是他拿来了煎锅，收拾好鱼，把锅支在火上，把鱼丢进锅里。这时，只见墙壁突然裂了开来，从中出来了一个黑奴，长得又高又大，好似一头公牛，又像阿德族未死绝而留下的一员。他手中拿着一根绿树枝，粗声粗气地问道："鱼呀，鱼呀！你们还信守旧约吗？"

那些鱼从煎锅中抬起头，答道："是的，是的！我们是守约的。"

并吟诗道：

你若是回心，

我们亦会转意；

你若是守约，

我们亦讲信义。

你若是不讲信用，

将我们背弃，

我们则会针锋相对，

同你奉陪到底。

那黑奴听罢便走到锅跟前，用手里的树枝将锅打翻在地，从来的地方扬长而去。

宰相与国王再瞧那些鱼，只见它们已经变得像焦炭似的。国王莫名惊诧地说：“这件事可不能置之不理。这些鱼准有来历。”

于是国王下令把渔夫找来。渔夫来了后，国王便问他道：“你这个该死的家伙！从哪里弄来的这些鱼？”

渔夫诚惶诚恐地答道：“是在京城郊外的那座山后，一个四面环山的池塘里打上来的。”

国王瞅着渔夫又问：“有几天的路程？”

渔夫赶紧答道：“回国王陛下的话，只要走半个小时就到了。”

国王听了这话不免有些诧异，就下令大队人马浩浩荡荡马上开出城去。渔夫一面在前面引路，一面暗自诅咒那个妖魔。队伍爬上了京郊那座山，下山来到了一片他们平生从未见过的空旷的原野。国王和全体随从看着那原野、那原野中间四面环山的池塘，还有池塘里那些红、白、黄、蓝四种颜色的鱼，不禁连连称奇，赞不绝口。国王问随行的将士和在场的人员：“你们有谁见过这个池塘吗？”

大家都说：“没有，陛下！我们平生从未见过。”

国王又问那些上了年纪的人。他们也说：“我们活了一辈子，也没有见过这块地方有这么一个池塘。”

国王就说:"凭真主起誓,我若不弄清楚这个池塘和这些鱼到底是怎么回事,就绝不回京城,也绝不再上朝理政!"

于是他吩咐部下,依山安营扎寨。随后又让人叫来那位精明强干、博学多才的宰相,告诉他:"我想做一件事,只告诉你一个人:那就是我想今日夜里独自一个人调查研究一下这个池塘和这些鱼的来历。请你坐守在我的营帐旁,告诉那些文武百官、随从、卫士和每一个问起我的人,就说:'国王身体不适,吩咐我不准任何人进去打扰!'别让任何人知道我想干什么。"

宰相当然只能遵旨行事。

国王化了装,配上宝剑,趁黑夜悄悄溜出了营帐。他爬上了一座山,从下半夜一直走到天亮。第二天虽然天气很热,他还是坚持又走了整整一天。接着,他又从第二天走到天明。这时他发现远处黑乎乎的一片不知是什么东西。走近跟前一看,才发现那是一座用黑石头砌成的宫殿,外面还镶着铁皮。一扇宫门开着,另一扇关着。

国王见状很高兴,就站在门口轻轻地敲门。没有人应。他又敲了第二次、第三次。仍没有听到有人答应。国王心想:"毫无疑问,这宫中一定是空无一人。"于是他壮了壮胆,走进宫门,来到前廊,大声喊道:"宫里有人吗?我是过路的外乡人。你们可有什么吃的吗?"

他连喊了三遍,也没有人答应。于是他又稳住神,壮着胆,从前廊走进宫室中。虽然仍未见到一个人,却发现整个宫殿是雕梁画栋,金碧辉煌,陈设豪华,美轮美奂。王宫中间有一个喷水池,上面是四只赤金雕塑的雄狮。水从狮子口中喷出来,如喷珠泻玉。王宫的天井中有种种珍禽,但上面有一层金网罩住,使鸟儿飞不出去。

国王看后连连称奇,赞叹不已,只是找不到一个人可以打听打听那片原野、那个池塘、那些鱼、那些山以及这座王宫的来历,因而感到颇为遗憾。国王在那些宫门之间坐了下来,正低头沉思,忽然听见有人先是哀伤地长吁短叹,发出声声呻吟,继而吟诗道:

我想掩饰对你的情感，
可是它还是不由得显现；
睡意早从眼中逃走了，
代替它的是辗转失眠。
啊，老天呀，老天！
你不能对我撒手不管！
喏，我的心，我的生命，
正处于艰难与危险之间。

你们怎么可以
对这样的人不予垂怜？
——在爱情的路上
他已由富贵变得贫贱。

当年我们对你们关怀备至，
微风吹动都会感到不安，
可是一旦命运降临，
人们似乎都瞎了眼。

一旦与敌人相遇，
你让射手能怎么办？
他本想要射出箭，
可是弓弦却早已绷断。

一旦一个青年
遭遇种种烦恼、忧患，
叫他如何能逃过前定，

面对天命又能怎么办?!

国王闻声站起身来,循着声音的方向找去,发现一间议政厅的门上挂着一道帷幕。他把帷幕一掀,发现幕后有一位青年正坐在一张床上,那床比地面高出一尺左右。那青年长得眉清目秀,身材颀长,口齿伶俐,面若银盘,两颊绯红,腮上还长了一颗黑痣,正如诗人所说:

> 好一个俊美的青年,
> 漆黑的头发,洁白的脸,
> 使整个的人世都变得
> 好似在黑暗与光明之间。
> 若要指责他腮上那颗黑痣,
> 怪它长得不好看,
> 君看所有的银莲花,
> 上面莫不都有一个黑点。

国王一见到那青年,不禁喜出望外,就向他问好。那青年坐在那里,身穿一件金丝绣织的锦袍,头戴珠宝镶嵌的冠冕,但满脸是愁云密布。那青年很客气地向国王答礼,并说:"贵客登门,我却不能起身迎接,望你务必见谅。"

国王说:"年轻人,不必客气!我来到贵府,是有件重要的事要向你请教,就是这个池塘、这些鱼、这座宫殿是怎样的来历?还有,为什么宫中只有你独自一人?你为什么要哭?"

那青年闻听这话,不禁泪如雨下,嚎啕大哭起来,吟诗道:

> 对于与岁月一起入睡的人

你们可以对他讲：
岁月如果真的睡着了
那可以免除多少灾殃！

你如果是闭眼睡着了，
真主的眼睛可总是明亮：
清楚谁该享有幸福的时光，
谁又该长久地活在世上。

他长叹了一口气，又接着说：

把事情托靠给人类的主宰！
不必思虑，快把烦恼丢开！
不要问"怎么啦？""为什么？"
一切事物都由天命去安排。

国王很惊奇，便问那青年道："年轻人！什么事让你哭得那么伤心？"

青年答道："你瞧我这副样子，怎么能不伤心痛哭？"

国王这才注意到那青年的状况：原来他的下半身，直到两只脚都已化为石头，只有从肚脐到头发的上半身才同正常人一样。

国王见到那青年这副令人伤心惨痛的样子，也不禁大为忧伤，为之惋惜，慨叹道："年轻人！你这真是让我一件心事未了，又添上了新的心事。我本来只想打听打听那些鱼是怎么回事。现在却不仅要问那些鱼的来历，还要问问你的来历。这真是毫无办法，只能求助伟大的真主的事。年轻人！快告诉我这是怎么回事吧！"

那青年便说道："说起这些鱼和我来，那可是有一段稀奇古怪的来历，若是记下来传与世人，倒也是件可以让人刻骨铭心引以为戒的教训哩！"

国王问："那是怎么回事呢？"

那青年便说道：

先生！你知道，我的父亲原是这座城邦的国王，名叫迈哈穆德。他管辖那些黑色的群岛和这四座山。我父王在这里生活、执政达七十年。在他驾崩之后，我继承了王位，娶了堂妹做王后。她非常爱我，以至于我不在她跟前时，她竟会不吃不喝，直至再见到我重现在她的面前。我们就这样过了五年。

有一天，她去洗澡。我便吩咐厨师赶紧给我们做一顿丰盛的晚餐，然后便在我现在躺着的这个地方躺了下来。我让两个宫女为我打扇，她俩就一个坐在我的头跟前，一个坐在我的脚跟前。我当时心想，她怎么这半天还不回来，颇不安，就没有睡着。眼睛虽然闭着，心里可什么都清楚。于是我听见坐在我头跟前的那个宫女对坐在我脚跟前的那个说道："马斯欧黛！咱们的主子可真可怜！可惜他那大好的青春年华竟糟蹋在咱们这位会弄魔法、巫术的太太手里了！"

另一个搭腔道："可不是嘛！愿真主让那些偷人养汉的女人不得好死！可是话又说回来：像咱们主子这种道德高尚的人，根本不该讨这样一个每天晚上都在别人床上过夜的淫妇！"

坐在我头跟前的那个宫女又说："咱们的主子可真是个大傻瓜，他也不打听打听她是个什么样的人。"

另一个说："见你的鬼去！难道咱们的主子了解她的情况吗？再说，她能由他做主吗？她每天晚上在他临睡前，都在他喝的那杯酒里搞鬼，往里面放蒙汗药，让他睡得不省人事，不知道她上哪儿去了，又干了些什么。而她则在让他喝了那些酒之后，穿戴打扮好，离开他出门，在外面一直胡搞，直到天快亮了才回到他身边。然后在他的鼻子跟前点燃一种什么香，他才会从睡梦中醒来。难道不是这样吗？"

　　我听完宫女这些话，只觉得眼前一片天昏地暗。我简直不敢相信已经入夜了。等我那位堂妹洗完澡回来，我们让人摆好饭菜，吃了，又像往常一样，坐在那儿聊了一会儿天。然后我要人送来临睡前常喝的那种酒。她便把一杯酒递给我。我装作什么都不知道，做出仍像往常一样把酒喝下去的样子，实际上却偷偷地把它倒进袖口里，然后马上躺倒在床上，并且像睡着了一样打起鼾来。这时，只听见她恶狠狠地说："睡吧！但愿你一辈子都醒不过来！我讨厌你！讨厌你长的那副样子！我早就跟你过腻烦了，真不知什么时候让真主捉了你的魂去才好！"

　　说罢，她起身穿上最华丽的衣服，打扮得花枝招展，又浑身熏了香，拿了我的剑佩在身上，打开宫门走了出去。我赶紧起床，跟在她后面也出了宫。她穿过大街小巷，走到了城门口。只听见她口中念念有词地也不知说了些什么，城门上的锁便纷纷落地，城门也应声大开。

　　我悄悄地跟着她出了城，最后来到位于一些土丘中的一座城堡，城堡中有一座土坯砌的圆顶房子。她走进门去，我也爬上了房顶，监视她的行动。我没有料到她进去竟是会见一个黑奴，那黑奴长得龇牙咧嘴，奇丑无比，他衣衫褴褛，浑身湿漉漉地躺在一堆苇草上，无聊地用嘴唇捡沙石玩。可是我那个老婆竟跪在那个黑奴面前，对他磕头。那黑奴抬头一见是她，就对她说："你这个该死的家伙！为什么耽搁到这时候才来？刚才一些黑哥们儿在我这里喝酒，每个人都有自己相好的陪着。只有我，因为你不在，觉得喝酒都没劲。"

　　我那个老婆赶紧赔罪道："我的老爷，我心爱的人呀！你不是也知道吗？我是嫁给了我堂兄的有夫之妇啊！尽管我讨厌他那副样子，打心眼里不愿意同他呆在一起，可又有什么法子呢？若不是担心会连累你，我早就让这座城市变成一片废墟，让猫头鹰和乌鸦在里面乱叫，叫狐狸和豺狼在里面做窝，并把全城的石头都搬到卡夫山后去了。"

那黑奴道："你这个臭婊子又在撒谎骗人了！我以我们黑哥们的义气发誓，我们黑人做人的规矩同你们白人做人的规矩可大不一样！从今天起，你若是再耽搁到这种时候才来，我就不陪你，不往你身上趴了！你这个该死的破烂货，你这个最肮脏、最下贱的白娘们儿！你竟敢戏弄我们！"

听了他这番话，加上对这事前前后后的所见所闻，我只觉得眼前一片天昏地暗，气得都不知道自己的魂儿到什么地方去了。谁知我那个不要脸的堂妹竟低三下四地站在那个黑奴面前哭哭啼啼地央求他道："老爷！我心爱的！在这世上只有你是我的贴心人。你若是生我的气，我活着还有什么意思？你若是撵我走，谁还会要我呢？"

她对那个黑奴一直是哭哭啼啼地哀求着，直至那个家伙原谅了她，她才高高兴兴地站起身来，脱了衣服，问他道："老爷，你这里有什么让你的使唤丫头吃的吗？"

他就对她说："你掀开那个盆盖儿，盆里有些煮熟了的老鼠骨头，你可以拿去啃。你再到那个瓦罐里看看，里面还剩点大麦酒，你喝了吧！"

于是那个不要脸的就去吃喝了一通。然后洗了洗手，漱了漱嘴，就去同那个黑奴一道躺在那堆莩草上。她脱得一丝不挂，同他一道钻进了那个用几块破布构成的被窝里。

我看到了我老婆干的这些事，简直气得要死。我悄悄地从屋顶下来，溜进了屋，拿过我老婆带去的那把剑，把剑抽了出来，想把这一对男女都杀了。我先朝那黑奴脖子上砍了一剑，以为他这一下子可一命呜呼了。

谁知这一剑下去竟没有割断那两条致命的血管，没有伤到他的要害，只是割破了他的喉头，伤了他的皮肉。他呼噜呼噜地在喘粗气，我却以为已经把他杀死了。我那个老婆见事不妙，便逃之夭夭了。

　　我把剑插入鞘中，放回原处，匆匆返回城里宫中，上床一直躺到天亮。

　　我看见我老婆那天剪了头发，还穿了丧服，对我说："老公啊！我这么做，你可别责怪我：因为我听说我母亲病故了，父亲在战场上牺牲了，两个哥哥一个被毒蛇咬死了，另一个得热病死了。因此我应该为他们哀悼戴孝啊！"

　　我听她这么说，也不拆穿她，只对她说："你看怎么合适就怎么办好了。我不反对。"

　　于是她成天哭哭啼啼、悲悲戚戚地号丧。

　　过了整整一年，她又对我说："我想在你的王宫里建一个圆顶的墓室，专供我悼念用，我要称它为'悼念堂'。"

　　我就对她说："你看怎么合适就怎么办好了。"

　　于是她为自己建了一个"悼念堂"，里面有一个圆顶屋和一座类似陵寝的坟墓。随后她让那个黑奴搬进了那里，让他住在里面。那家伙对于她来说，已经是个毫不中用的废物了，只能靠喝些汤水过活。从我把他砍伤了的那天起，他就从未开口讲过话，不过仍在苟延残喘地活着，因为他的寿限还未尽。我那个老婆每天早早晚晚都去看他，在他那里哭天抹泪地念叨着他的好处，还早上晚上汤汤水水地喂他。

　　她就这样，又整整搞了一年。我容忍着，没去管她。

　　有一天，我偷偷走进了那间屋，见她边哭边念叨着："我的心肝宝贝啊！你让我再到哪儿去寻欢作乐呀！我的命根子，我的相好啊！跟我说说话，聊聊天吧！"

　　她随之吟道：

　　　　你远离后，我存在于世
　　　　已经是毫无意义，

因为我的这颗心
所爱的只是你。

你走到哪里，请把
我的骨头、灵魂也带去，
你若在哪里长眠，
请把我同你埋在一起！

请你在我的坟头
呼唤我的名字，
听到你的声音，
我的骨头会呻吟着答应你。

随后，她又边哭边吟道：

得到你亲近，
那是希望的日子，
受到你冷遇，
那是死亡的日子。

如果说我夜里
提心吊胆怕被人杀死，
那么同你交欢，
对于我比安全更加甜蜜。

接着，她又吟道：
如果一切富贵

尽皆由我独享，

整个王国、世界

都由我来执掌，

那么在我看来

也不抵一只蚊子翅膀，

——假如我眼中

不见你在身旁。

等她念叨完了，哭完了，我就对她说："老婆呀！你也悲伤够了。能让你不哭的那玩意儿已经没有用了嘛！"

她恼羞成怒地说："我干什么事，你别干涉！你要妨碍我，我就自杀！"

我强忍着，不再说什么，随她爱怎么搞就怎么搞去。于是她成天哭哭啼啼、悲悲切切、念念叨叨地又过了一年。

在过了这第三个年头之后，我实在有些忍无可忍了。有一天，为了什么事，我怒气冲冲地走进那个"悼念堂"，只见我老婆在那座圆顶屋里朝那座坟墓说："老爷呀！我连一句话都没有听你说过。老爷！你为什么不答应我的话呀？"

接着，她又吟道：

坟啊，坟！是他的英俊已经销毁，

还是这绚丽的景象夺去了你的光辉？

坟啊！你并非大地和穹宇，

却为何日月都集中在你这里？

我听见她讲的那些话，吟的那几句诗，犹如火上浇油，更是怒不可遏，就说："嗬！这伤心都到了什么程度了！"

我也吟诗道：

坟啊，坟！是他的污垢已经销毁，
还是这肮脏的景象掩盖了你的光辉？

坟啊！你不是池沼，也并非是锅，
却为何集中了煤炭与浊水？

她听了我这话，"噌"的一声跳了起来，叫嚷道："好啊，你这个该死的家伙！原来是你干的这一套。你砍伤了我的相好，也伤透了我的心。你毁了他的青春，让他三年来就这样半死不活的。"

我对他说："不错！这事是我干的。"

说罢，我拔出剑来，握在手中，准备一剑把她杀死。

她听到我的话，见我决意要杀死她，便冷笑道："呸！要想破镜重圆或是死而复生都是谈何容易的事！你不仁，我不义。是你先对我搞的这一套，我心里一直憋着火呢。如今你落在我手里，可要由我摆布了！"

说罢，她站起身来，口中念念有词，说了些什么我也听不明白，只听她最后说："按照我的法术，让你变成半截肉身半截石头吧！"

于是我就变成了像你看到的这个样子：站也站不起来，坐又坐不下去，过着这种求生不得、求死不成的半死不活的日子。当我成了这副样子后，她又对这座城市及城里的大街小巷、市场、园圃都施了魔法。我们城邦的居民原分穆斯林、基督教徒、犹太教徒和袄教徒四种人。她就施魔法，使他们全都变成了鱼：穆斯林成了白鱼，袄教徒成了红鱼，基督教徒成了蓝鱼，犹太教徒则成了黄鱼。她又施魔法，把四个岛屿变成了四座山，环绕在池塘的四周。此后，她每天都来折磨我，打我一百皮鞭，直打得我皮开肉绽，鲜血淋漓，然后给我上半身贴肉穿上一件粗毛衬衣。再在上面套上这些华丽贵重的衣服。

那青年说着说着竟伤心地哭了起来，并吟诗道：

真主啊！面对你的裁决唯有坚强，
只要你愿意，我会忍耐而不反抗。

他们欺压我们，无法无天，丧心病狂。
也许进天堂可以作为我们的补偿。

本来我遭遇的一切实在难以容忍，
但我求助先知，给我希望和力量。

这时，国王望着那青年王子说道："年轻人！你虽然解开了我心中的疑窦，但却更加让我心事重重。不过，年轻人！你的女人现在哪里？那个受伤黑奴呆的墓室又在哪里？"

那青年王子答道："那黑奴正在那个圆顶屋他的墓室里躺着。那女人则在对着那扇门的那个厅里，她每天来一次，都是在太阳刚出来的时候。她一来就先到我这里，剥光了我的衣服，抽我一百皮鞭。打得我又哭又叫，可就是动弹不了，无法把她推开。打完了我，她就到那个黑奴那里，端汤送水地喂他。明天一大早，她就会来。"

国王说："年轻人！我向真主起誓：我一定要为你做一件流芳百世、永垂青史的好事！"

说罢，国王便坐下来陪着青年王子聊天，一直聊到晚上才睡。

第二天天还未亮，国王便起床，脱光了衣服，带上了剑，动身来到那个黑奴所在的地方。只见屋里到处都点着蜡烛、燃着香料、油脂。国王走到那黑奴跟前，一剑将他杀死，把尸首扛出去，丢进宫中的一眼井里。然后再回来，把那黑奴的衣服裹在自己的身上，手里握着那把出鞘的剑，在墓室里躺了下来。

过了一会儿，那个会兴妖作怪的娼妇来了。她一进门就把她丈夫的衣服剥光了，然后拿起皮鞭就抽打他。他哀求她道："哎哟！我这个样子已经够受的了，你就可怜可怜我吧！"

她恶狠狠地边打边说："你当初可曾可怜过我吗？你可曾为了我，对我那个相好的手下留情过吗？"

她把他打得皮开肉绽，浑身是血，自己也觉得累了，这才住手。然后先给他贴身穿上粗毛衬衣，再在外面套上贵重衣服。在这之后，她一手端着一杯酒，一手端着一碗汤，走进圆屋顶去看望那个黑奴。她一进去便连哭带号地说："老爷！同我说说话呀！老爷！同我聊聊吧！"

然后吟道：

我的泪水潸然而落，
那泪水流得已经够多。
要到何时才能结束
这种拒绝，这般冷漠？

又要到什么时候
你才不再故意不搭理我？
如果是嫉妒者对你挑拨，
如今岂不正可幸灾乐祸？

吟罢，她又哭着说："老爷！同我说说话，聊聊天吧！"

国王压低了嗓门儿，卷着舌头，模仿黑奴的口气说道："哎哟！哎哟！这真是毫无办法，只能靠伟大崇高的真主佑助了！"

那女人一听，以为是黑奴在说话，竟欣喜若狂地大叫一声昏了过去。她醒来就说："但愿老爷身体没事儿！"

国王装出一副有气无力的样子说："你这个臭婊子。不配让我同你说话！"

"那为什么呢？"

"因为你整天地折磨你丈夫，他大喊大叫地嚷着救命，使我整宿整宿地睡不着觉。你那个丈夫又是哀求，又是咒骂我，弄得我心烦意乱，不得安宁。若不是由于这些，我的身体早就好了。也正因为这些，我才不愿意搭理你。"

那女人马上说："若是你允许的话，我就把他放了。"

国王对她说："放了他吧！让我们也清净清净！"

"遵命照办就是！"

那女人说罢，便走出圆顶屋，进了宫中，拿起一个碗，盛满了水，口中念念有词，那碗里的水就像架在火上一样，咕嘟咕嘟地开了。那女人把水撒在青年身上，说道："如果说当初由于我的魔法和计谋使你变成这个样子的话，那么凭着我念叨的这些话

"现在你可以摆脱开这副样子，恢复原形吧！"话刚说完，只见那青年竟然站立起来，为自己的复原得救无比高兴。那女人见状却对他呵斥道："你滚吧！别再回到这里来了！否则我会杀了你！"

她在那青年面前吼叫着，青年便在她面前走了出去。

那女人又回到圆屋顶的墓室中，说："老爷！你出来吧！好让我看看你，为你的安康而高兴。"

国王仍旧装作有气无力的样子对她说："你干了些什么呀！你是治标不治本嘛！只是让我摆脱开一些枝节问题，获得一些稍许的安宁，没有从根本上解决问题呀！"

那女人便问："亲爱的！我的老爷！什么才是根本问题呢？"

国王便说："你这个该死的家伙，见你的鬼去！你忘了这座城市

的居民，还有那四个岛子！每天晚上，一到半夜，那些鱼就抬起头来求救，还诅咒我和你。正是这个缘故使我不能康复。你快去把他们都解脱了吧！然后再来拉我的手，扶我站起来。我现在正在慢慢好起来。"

那女人听了国王的话，还以为他是那个黑奴呢，就欢天喜地说："老爷！以真主的大名起誓，我一定完全照办，不敢有误！"

于是她站起身来，高高兴兴地跑到池塘边上，掬起一捧水来……

然后，她对着水念念有词，不知说了些什么，只见那些鱼活蹦乱跳地仰起了头，立即又变成了人。全城的居民从魔法中解脱了出来，城市又变得熙熙攘攘热闹起来：做买卖的做买卖，做工的做工……岛子也恢复了原样。随后，那个会魔法巫术的女人马上又回到了假装为黑奴的国王跟前，对他说："啊！亲爱的！把你尊贵的手伸给我，让我吻一下！"

国王小声地对她说："靠我近一些！"

待那女人靠近国王时，他抽出剑来，一下子从她的前胸直穿到后背，然后猛劲一劈，将她劈成了两半。

国王走出去。只见那个原先中了魔法的青年正站在那儿等候他。他对于那青年的复原表示祝贺，那青年则吻着他的手，表示感谢。

国王问他道："你是愿意留在你的城邦里呢？还是愿意随我到我的京城去？"

那青年反问道："国王陛下！你知道你现在距你的京城有多远吗？"

国王答道："也就是两天半的路程吧！"

不料那青年竟告诉他道："国王陛下！如果你原来是在睡梦中的话，现在则该醒过来了。其实，这里距离你的京城，即使日夜兼程，也要用整整一年的时间。你原来到这里只用了两天半的时间，那只是因为这座城市被施了魔法的缘故。国王陛下！如今我是一时都不愿离开你了。"

国王很高兴，便对他说："赞美真主！感谢他将你恩赐予我。你就做我的儿子吧！因为我这一辈子还没有过儿子呢。"

说罢，两人拥抱在一起。欢天喜地地走进宫里。那个中过魔法的青年王子告诉他手下管事的人，说他要出远门，让他们为他备好车马，打点好旅途所需要的一切。那些人闻风而动，整整准备了十天，才算把一切打点齐全。王子这才恋恋不舍地离开了自己的城邦，同国王一道踏上了旅途。他们还随身带了五十个奴仆及大批礼物。

他们日夜兼程，整整走了一年，才算平安地到达了国王的京城。他们赶紧派人报知宰相国王安全到达的消息。

宰相和全国上下本来对国王的归来已经绝望了，这时闻讯不禁喜出望外，赶紧出城迎接。人们跪在国王面前，向他叩首，祝贺他安全归来。国王在众人的簇拥下走进宫中，登上宝座，随后又对宰相讲述了那青年王子的种种遭遇。宰相听后，不禁为之感叹，并对那青年王子能脱难复原表示祝贺。

待情况安定以后，国王又对众人大加赏赐。随后，他对宰相说："去把那个向我们献鱼的渔夫召来见我！"

宰相便奉命派人去找那个渔夫。正是由于这个渔夫，那个中了魔法的城邦居民才得以脱难获救。

国王召见了这个渔夫，赐予他重赏，并问及他的家庭情况；问他是否有子女。渔夫告诉国王，说他有一个儿子，两个女儿。国王便派人把渔夫的一家都请进宫。他自己娶了渔夫的大女儿为王后，又做主将渔夫的小女儿许配给那个青年王子，并任命渔夫的儿子为国库的司库。

随后，国王又派宰相到那个青年王子的城邦，即那些黑色的岛屿上去做国王，并让陪伴他同来的五十个奴仆陪宰相一道回去。此外，还让宰相带回去很多礼品，赏赐给那里的其他官员。宰相亲吻了国王的手，以示感激，便马上出城，动身赴任去了。

在国王与那位王子的治理下，国泰民安。那位渔夫竟成了当时最富有的人。两个女儿也做了王后。一家人从此享尽荣华富贵，直至寿终正寝。

可是这个故事若比起脚夫的故事来，又不算稀奇了。

脚夫和三个女郎的故事

从前在巴格达有一个脚夫，是个光棍。

有一天，他在市场上正靠着草篮子站在那里，只见一位女郎出现在他跟前。那女郎身上裹着一件锦绣的摩苏尔披纱，披纱的边上还镶着金银线制的流苏。她掀起盖头，露出一对黑亮的大眼睛，长长的睫毛，双眼皮，身材苗条，婀娜多姿，要多美有多美。她开口甜甜地说道："提上你的篮子，随我来吧！"

脚夫听了这话，抓起篮子就赶快跟在了她的后面，嘴里还念叨着："这可真是个好日子！一下子就开张了！"

脚夫跟着女郎来到了一家门前。那女郎站了下来，敲了敲门。从屋里走出了一个基督教徒。她向他买了一个第纳尔的橄榄，放进了篮子里，对脚夫说："提上，跟我走！"

脚夫心想："这可真是个大吉大利的好日子！"就提起篮子，紧随着女郎。

那女郎又来到了一家花果店，从中买了沙姆苹果、奥斯曼榅桲、阿曼桃子、阿勒颇素馨，大马士革睡莲、尼罗河黄瓜、埃及柠檬、苏丹香橼；此外，还买了桃金娘、散沫花、雏菊、白头翁、紫罗兰、石榴花和长寿花，把它们通通放进了脚夫的篮子里，说："带上走吧！"

于是脚夫把篮子顶在头上，随她又来到了一家肉铺。女郎对卖肉的说："给我割十磅肉！"

卖肉的给她割好了，又用芭蕉叶包好。女郎把肉放进脚夫的篮子里，对他说："扛包的！带上走吧！"

脚夫顶上篮子又随她走到一家干果铺子门前。她从中买了些可作零食吃的阿月浑子仁、葡萄干、扁桃仁，对脚夫说："带上跟我走！"

脚夫顶上篮子，又跟着她走到一家糕点铺子门前。女郎买了满满一大盘子排叉、香酥饼、柠檬饼、馓子、酥条、油香等各种糕点，又放进篮子里。脚夫见状，不禁说："你若是早告诉我要买这么多的东西，我就会赶上一头小毛驴，让它驮着多好！"

女郎笑着拍了拍他的肩头，对他说："快走吧！少啰嗦！少不了你的脚钱。"

随后，脚夫跟着她又到了香料店。她从中买了蔷薇水、花露水、莲花露、柽柳露等十种香水，买了一些糖，又买了一个香水的喷瓶，还买了乳香、沉香、龙涎香、麝香和亚历山大蜡烛，又通通放进篮子里，吩咐道："带好篮子，跟我走！"

脚夫顶着篮子，跟着她来到了一座相当漂亮的房子跟前：房子又高又大，房前是一片宽敞的院子，两扇大门是乌木包金的。那女郎站在门口，掀起面纱，轻轻地敲了敲门。只见两扇门开了。脚夫一看，开门的是一个身材窈窕、俊俏美丽的女郎：前额像新月一样亮洁，两眼像羚羊的大眼，眉毛像斋月的月牙儿，两腮像银莲花，小嘴像苏莱曼王的戒指，脸庞像升起的圆月，乳房好似一对石榴，小腹藏在衣服下，如同记录藏在书本里，让人捉摸不出。脚夫一见到她，魂儿就被勾去了，草篮子都差点儿从头顶摔到地上。他心中暗自念叨："我这一辈子也没有碰见过比今天更有福气的日子了！"

看门的女郎对跑街的女郎和脚夫说："进来吧！"

脚夫随着她俩走了进去。

他们走了一会儿，来到一座金碧辉煌的大厅。厅里有拱廊、亭榭，四周有石凳、壁橱、帷幕，应有尽有。大厅中央有一个很大的水池子，里面还有一只小船。厅的上方是一张镶嵌着珠宝的雪花石做的床。床上挂着一顶红缎子做的帐子，上面的纽扣都是一颗颗比榛子还大的珍珠。帐子里坐着一位亮丽、贤淑、美若天仙的女郎。那张脸长得让光辉的太阳都会黯然失色。她简直就是天上的一颗星星降到了人间，有诗为证：

> 她嫣然一笑，珠齿闪闪，
> 像粒粒冰雹，似雏菊初绽，
> 额发垂下，好似夜色一片，
> 亮丽得会让晨光羞惭。

又如诗人说起她道：

> 若有人把你的体态比作柔嫩树枝，
> 那这种比喻可真是胡言乱语：
> 最美的树枝是在身披绿叶时，
> 最美的你却是不着一丝，赤身裸体。

这第三位女郎从床上起身下地，走了几步，到了大厅中间她的两个姐妹身旁，说道："你们为什么站着发呆呀？还不赶快把东西从这个可怜的脚夫头上放下来！"

于是那位跑街的女郎在前，看门的女郎在后，第三位女郎则帮助她俩把篮子从脚夫的头顶上卸了下来，把篮子里的东西都掏出来，把每样东西都放在该放的地方。她们给脚夫两个第纳尔，对他说："扛包的!你可以走了。"

脚夫瞅着女郎们,看到她们那样美,脾气又那样好。他从没见过比她们还美还好的女人,可她们这里却没有男人。他又瞅见她们这里吃的、喝的、花果、香水……真是惊奇、羡慕极了。他站在那里不肯出去。

当家的女郎就问他道:"你为什么不走啊?是不是嫌脚钱给少了?"

她回头看了看她的姐妹,对她们说:"再给他一个第纳尔好了!"

脚夫赶紧说:"小姐们!我并不是嫌脚钱给得少。其实我的脚钱连两个第纳尔都不值。我只是心里总挂念着你们,心想就你们独自三个女子,没有男人,没有人给你们消愁解闷,这日子怎么过呀?你们也知道,连桌子也得有四条腿才能立得住。可你们没有这第四者。要知道女人的幸福得依靠男人才会十全十美。诗人说得好:

君不见要寻欢,
缺不了四大件:
铙钹、琵琶、竖琴和笛子,
哪一样都不能免。

要想香水配齐全,
四大香花不能减:
玫瑰花、桃金娘、
还有茉莉和紫罗兰。

日子要想过美满,
离了四样也难办:
要有美酒和花园,

还有歌咏和金钱。

"你们三个人需要第四者，那就是一个聪明能干、有头脑又能保守秘密的男人。"

她们听了他的这席话，不禁大为赞赏，对他笑着说："上哪儿去找这样一个人呢？我们都是些姑娘家，怕的就是把秘密托付给了一个不能保密的人。我们都读过诗，诗云：

对别人一定要保守秘密，
别把它交给人而被宣扬出去。

艾布·努瓦斯也有诗说得好：

谁把秘密告知了人们，
就该在他的额头烙上一道痕。

脚夫听了她们的话，忙说："以你们的生命起誓，我可是个忠实可靠有头脑的人。我读过很多经典史书，总是替人宣扬美德，掩盖丑事的。如同诗人所说：

只有每个可靠的人
才会保守秘密，
秘密在好人那里，
不会被泄露出去。

秘密在我这里，
就是在一间锁着的屋里，

屋门加了封条，

而且还丢了钥匙。

那些姑娘听了这几句诗和脚夫说的话，就对他说："你知道，我们住在这里是付了一大笔钱的，你有什么可以酬谢我们的吗？你得付一笔钱，我们才能让你呆在这里。因为你不能白白地同我们坐在一起吃喝玩乐，欣赏我们如花似玉的脸蛋儿呀！"

当家的女郎说："光爱没有钱，纯属胡扯淡！"

看门的女郎说："你若空着手来，就请你空着手去！"

这时，跑街的那位女郎说道："两位姐姐！咱们饶了他吧！说实在话，咱们今天还有好长一段时间哩！若不是他，谁来陪咱们消愁解闷儿？往后不管他犯了什么过失，咱们再罚他好了！"

脚夫高兴了，说道："说老实话，若不是从你们手里拿到的这些钱，我连一分钱都没开张呢。"

女郎们对他说："那就请坐吧！"

跑街的女郎站起身来，系上围裙，洗好杯盏，调了酒，在水池旁边把一应东西都准备齐了，又把酒端上来。她和她的两姐妹坐下来，脚夫坐在她们之间，简直以为是在做梦呢。那女郎端上酒坛子，斟了一杯，自己先喝了，接着又连喝了两杯，然后才给别的姐妹斟酒。随后，她又斟满一杯酒，递给脚夫，吟诗道：

请君且豪饮开怀，

此物可祛病消灾。

脚夫接过杯子，一饮而尽，也吟诗道：

只能同可信赖的人，

才能共同把酒饮。
还要他不辱没先人，
有清白的出身。

因为美酒好似风一样，
吹过香物则香喷喷；
一旦从腐尸掠过后，
则会变得臭不可闻。

接着，他又吟了两句诗：

只有高兴才饮酒，
一醉更加乐悠悠。

脚夫吟过诗后，亲吻了姑娘们的手，又同她们干杯。然后，他走到女主人跟前说："女士！我是你的奴仆，你的佣人。"
说罢，又吟了两句诗：

您的一个奴仆
站在您的门旁，
您的恩德感激不尽，
他牢牢记在心上。

女主人说："请喝！祝你健康、快乐！"
脚夫端起酒杯，吻着她的手，又吟诗道：

这酒像她的芳腮一样晶莹，

又好似火光一般通红。

我吻了她，她笑着说：

"你怎么能把人家的脸蛋儿饮用？"

我说："请喝下吧！这酒是我的泪、

我的血、我的气息搅拌在杯中。"

女主人接过酒杯一饮而尽。她又走到她的两姐妹跟前。她们同脚夫一起又是跳舞，又是歌唱，到处都是香气袅袅。脚夫同她们在一起，又是拥抱，又是接吻，这个同他说笑；那个同他拉拉扯扯；第三个则向他抛香花，洒香水。他同她们在一起，到后来都醉了。在她们醉得一塌糊涂、忘乎所以的时候，看门的女郎站了起来，脱光了衣服，一丝不挂地跳进水池，在水里玩了起来。她含了口水，向脚夫喷去，又把全身上下连同两腿之间都洗了一通，然后从水里爬上来，扑到脚夫怀里，指着自己的下身问他道："亲爱的！这叫什么呀？"

脚夫不好意思地说："愿真主怜悯你吧！"

女郎却说："呦，呦！你还害羞呢！"

说着，便抓住他的脖子，使劲打他。他只好说："叫阴户。"

"还叫什么？"

"阴门。"

"还叫什么？"

"叫屄。"

她还是一个劲儿打他，直打得他把脖子都紧缩起来，然后他反问她道："那还叫什么？"

她告诉他道："叫桥上的野薄荷。"

脚夫便说："桥上的野薄荷！感谢真主让你安然无恙。"

然后他们又你一杯我一杯地饮个不停。这时第二个女郎又站了起来，脱光了衣服，跳进水池，像第一个女郎那样洗了一通，又爬上来，一头扎进脚夫的怀里，指着自己的下身问他道："我的宝贝儿，这叫什么？"

脚夫说："你的屄。"

女郎说："你不觉得太难听了吗？"

说罢，打了他一巴掌，打得他只觉得大厅里所有的东西都嗡嗡作响。脚夫忙说："叫桥上的野薄荷。"

女郎说："不对。"

又打了他一巴掌。他就问："那叫什么？"

女郎说："叫去了皮的芝麻。"

随后，第三个女郎又站了起来，脱光了衣服，跳进水池，又像前面两个女郎一样洗了一通，然后从水里爬上来，穿好衣服，躺在脚夫怀里，也指着自己的下身问他道："这叫什么呀？"

脚夫就这么那么地回答她，可是她总是一边说"不对！"一边用巴掌扇他，到最后他只好问："那叫什么？"

女郎答道："叫艾布·曼苏尔旅店。"

脚夫忙说："啊！艾布·曼苏尔旅店！感谢真主让你安然无恙！"

又过了一会儿，脚夫自己也站起身来，脱光了衣服，跳进了水池子，像女郎们一样也周身上下洗了一通，然后爬上来，把两只胳膊伸进看门女郎的怀里，两只脚放进带他来的那个女郎的怀里，然后指着自己的下身那玩意儿问："女老板，这叫什么？"

女郎们听了他这问话都笑得前仰后合，说："你的阳物。"

他说："不对！"就咬了她们每人一口。她们说："你的鸟！"

他说："不对！"又使劲搂了她们每人一下。

那些女郎一个劲儿地说："你的阳物！""你的鸟！"

脚夫听了又吻，又咬，又同她们拥抱。她们则嘻嘻哈哈地同他调笑，直到最后问他："那叫什么？"

他说："叫吃桥上的野薄荷，嚼去了皮的芝麻，住艾布·曼苏尔旅店的调皮骡子。"

她们听了又笑得在地上直打滚儿。随后，她们又在一道吃喝玩乐起来。

就这样，直到入夜，女郎们对脚夫说："喂！你该走了！"

脚夫却说："凭真主起誓，现在要我从你们这里出去，那简直比要我的命还难过。咱们还是各自无拘无束地来一个通宵达旦吧！"

带他来的那位女郎："我拿生命担保，就让他在咱们这里睡吧！咱们还可以拿他寻开心。他是个挺有趣的浪荡鬼呢！"

她们就对脚夫说："你在我们这里过夜，有一个条件必须遵守——就是不管你看见了什么，都不能问那是怎么回事，为什么会那样！"

脚夫满口答应："行，行！"

她们又说："你起来，去读读门上写的字！"

脚夫起身走到门前，只见门上用金水写着："别问与你无关的事，免得听到令你不快的话！"

脚夫读后，说："我向你们保证：与我无关的事我绝对不问，绝对不说！"

这时带他来的那位姑娘起身为大家准备了夜宵。他们吃罢，点起了灯烛，还燃起沉香、龙涎香，然后，又换个地方，摆上水果、美酒，边吃边喝边聊，说说笑笑地又过了一会儿工夫。

正在这时，突然，他们听到有人敲门。大家呆在原处未动，

只有一个女郎走到门口，问了一番，然后回来说："今天咱们可不用再想清净了！"

大家忙问："那是怎么回事儿？"

她回答："门口有三个剃光了下巴的波斯人，三个都是独眼龙，而且偏巧又都是瞎了左眼。他们都是外乡人，是从罗马的国土上来的。一个个都长着一副很可笑的样子。若是让他们进来，咱们倒可以

拿他们寻寻开心。"

那女郎好言好语地同她的两姐妹商议了半天，到最后，她俩终于答应她道："那就让他们进来好了！不过得同他们讲好条件——不关他们的事，让他们别问！免得让他们听到令他们不快的话！"

那女郎高高兴兴地跑去，领回来三个独眼龙。他们的下巴颏都剃得光光的，上髭倒捻得挺体面。他们是些流浪汉。

三人进来，向大家问好致意，又为这么晚来打扰主人连声道歉。女郎们起身让他们坐下。三人看了一眼脚夫，发现他已经醉了。再打量他一眼，还以为他同他们一样，就说："他也像我们一样，是个流浪汉。这倒可以让我们感到亲切些！"

脚夫听了这话，站起身来，白了他们一眼，说："少管闲事，坐下吧！你们没读读那门上写了些什么吗？"

女郎们掩口笑了起来，相互窃窃私语道："这个脚夫再加上这些流浪汉，这会儿咱们可有乐子瞧了！"

她们为那些流浪汉摆好吃的，他们就狼吞虎咽地吃了起来。然后，看门的女郎又给他们斟酒。他们就坐在那里边喝边聊。喝到热闹处，脚夫对流浪汉们说："喂，弟兄们！你们可有什么故事或是什么稀奇事，讲一讲，让我们大家解解闷儿？"

这时，大概酒劲上来了，三个流浪汉觉得浑身热乎乎的，就向女郎们索要乐器玩。看门的女郎便去给他们找来一面摩苏尔鼓、一把伊拉克琵琶、一副波斯铙钹。三个流浪汉站起身来，分别拿起鼓、琵琶和铙钹演奏起来。女郎们则跟着大声唱起来。

正当他们演唱得热热闹闹的，突然又听到有人敲门。看门的女郎赶紧起身去看来者是谁。

原来那天晚上哈里发哈伦·赖施德带着宰相贾法尔和刀斧手马斯鲁出宫想察访察访、探听探听有什么新闻。这位哈里发是经常打扮成商人进行微服私访的。那天夜里，他们走在城里的大街小巷之中，正好路过那家门口，听见里面传出阵阵鼓乐、歌声。哈伦·赖施德闻声停下脚步，对贾法尔说："我想进到这家里去，看看是谁在演奏、歌唱。"

贾法尔劝阻道："那些人都喝醉了，我担心咱们进去万一有个什么好歹，反而不美。"

哈里发说："反正咱们一定要进去。至于怎么能进去，这就靠你想办法了。"

贾法尔只好说："遵旨照办就是。"

说罢。他前去敲门。看门的女郎出来开了门。贾法尔便对她说："小姐！我们是从太巴列来的商人，我们带着货要在巴格达呆十天。我们是住在客栈里的，今晚有位商人宴请我们。我们到他那里吃喝之后又聊了一会儿天，然后告辞出来。可是我们这些外乡人出来后，竟迷了路，找不到我们下榻的那个客栈了。因此，我们希望蒙您慷慨允许，让我们今晚在贵府借住一宿，自有重谢。"

看门的姑娘瞅了瞅他们，只见他们都是商人模样，显得很庄重，便进屋同她的两位姐妹商议。她俩对她说："让他们进来好了！"

于是她又去为他们开了门。他们问："我们可以蒙您允许进去吗？"

她赶紧说："请进吧！"

于是哈里发、贾法尔、马斯鲁进了屋。姑娘见到他们忙起身为他们张罗，说道："欢迎！欢迎客人光临！不过我们对你们要提一个条件：不关你们的事不要多问，免得听到令你们不快的话。"

二人忙说："行，行！"

随后便坐下来边喝边聊。哈里发瞅瞅那三个流浪汉，发现他们都瞎了左眼，不由得大为诧异；又看看那三个女郎，见到她们是那样俊俏美丽，更是大为惊奇，赞叹不已。他们天南海北地聊着。女郎们给哈里发端来了酒，哈里发忙说："我是朝过觐的得同他们分开来。"

看门的那位姑娘知道他不能饮酒，便去为他拿来一块绣花桌布，在上面放上一个瓷杯，倒进柽柳露，又放进一块冰，加进糖搅了搅，递给了哈里发。哈里发谢过她，心想："这姑娘这么善解人意，我明天一定要奖赏她！"

大家都忙着吃喝聊天。当大家都喝得有些醉了的时候，女主人还为他们张罗个不停。然后她拉着跑街的那位姑娘的手，说："妹子，起来！咱们去算咱们的账去！"

那姑娘答应她道："好的！"

这时，看门的那位女郎把地方收拾干净：把果皮倒掉，又重新换了香，把大厅中央腾出来，擦洗干净；让流浪汉们站在大厅的一侧，排成一行；让哈里发、贾法尔、马斯鲁站在大厅的另一侧，也排成一行。女郎们又大声叫脚夫，对他说："你不是外人，是自家人，怎么这么不长眼色？"

脚夫忙站起身来，系上围裙，问道："要我干什么？"

看门的女郎说："你就呆在那里好了！"

跑街的那位姑娘则站起身来，在大厅中央放了一把椅子，又打开一间密室，对脚夫说："你来帮帮我吧！"

只见密室里有两条黑色的母狗，脖子上还套着链子。脚夫走过去，把它们牵到大厅的中央。女主人站起身来，挽起袖子，又拿起一根皮鞭，对脚夫说："牵过一条来！"

脚夫闻声扯着链子，把一条狗牵到她跟前。那狗一边呜呜哭嚷着，一边向那位女郎点头。那女郎则用鞭子朝那条狗头上使劲抽着，抽得那狗嗷嗷直叫。女郎一直打得胳膊都酸了，才丢下鞭子。然后，她把那条狗搂到胸前，用手替它擦去眼泪，又捧着它的头亲吻着。随之，她又吩咐脚夫道："把它送回去，把另一条狗给我牵来！"

脚夫把另一条狗牵来。她像对待前一条狗一样，先是打，然后，对它又搂又吻。

这时，哈里发如坠入云里雾中，心里实在忍不住要弄清这两条狗是怎么回事，就对贾法尔使眼色，让他去问她。贾法尔则回过头去暗示："别做声！"

这时，女主人回头望了看门的女郎一眼，说："去干你该干的事吧！"

看门的女郎应了一声："是！"

女主人爬上了镶着金银的雪花石床上，对另外两个女郎说："现在轮到你们俩了！"

看门的女郎走过去，坐在女主人旁边的一张椅子上。跑街的那位女郎则进了一间小屋，取出一个镶着绿色流苏缎子做的袋子，站在女主人面前，掸了掸袋子上的尘土，从中取出一把琵琶，调好弦，便边弹边吟唱起来：

把抢走的睡眠还给我的眼皮，

并告诉我：我的理智如今在哪里？

当我欣喜地尝到了爱情的滋味，

就知道睡眠已弃我的眼睑而去。

人们问我：你怎会变得如痴如迷？

我说：你何不从他的眼神中把原因寻觅。

我会为他辩解，原谅他如此害人，

我要说：让他害了，也是我自讨苦吃。

我把他形象的阳光照进头脑的镜子，

于是一团烈火便在我的心中燃起。

真主用生命之水造就出来的那个人啊！

他把余下的水全都从上髭流进他嘴里。

提起一个爱恋中的人，她还会有什么？

——除了抱怨、哭泣，除了欢乐、相思？

她一旦口渴，在清水中看到你的影子，
什么不喝，也会止渴，好像喝了蜜。

她接着又吟唱道：

不是他的酒，而是他的目光
让我陶醉，让我朦胧。
我的眼睛只有睡着时，
才不会觉得他在面前晃动。

不是美酒，是他的往事
让我快乐，让我动情。
不是别的，是他的美德
会引起我的共鸣。

他的鬓角一扭，
可以将我的意志改动。
他身上的一切
会让我头脑发疯。

那看门的女郎听了这番吟唱，便不由得"啊——啊！"地吟唤起来，然后扯破了衣服昏倒在地上。她的身体裸露出来时，哈里发看到她身上竟有鞭打的伤痕，感到十分惊奇。这时，跑街的那位女郎站起身来，往看门的女郎脸上喷了口水，又拿来一件衣服给她换上。哈里发暗自对贾法尔说："你没看见这个女人身上鞭打的伤痕吗？对这种事我可不能保持沉默。不弄清这个女人还有那两条狗究竟是怎么回事，我心里总不安宁。"

贾法尔则说:"陛下!人家不是同我们有言在先吗?不关咱们的事,咱们不能问,免得听到令咱们不快的话。"

这时,那位跑街的女郎又站起身,拿起琵琶抱在怀里,玉指轻拨,又吟唱道:

你能怎么说——如果我为爱情抱怨?

我害相思都快死了,可又怎么办?

我要派遣个使者去,转告我的现状,

可哪个使者能够表达情人受的熬煎?

我独自忍耐啊,忍耐了许久,

可失去情人,我还有什么留在身边?

不过是几许哀愁,几许伤感,

几许伤心的泪水挂在腮边。

那不在的人啊!你离开了我的眼前,

可是却又居留在我的心田。

你可还记得恋人对爱情的誓言?

她可是信守不渝——直至永远。

还是因为远离,你已经把她忘怀?

——她可是为你消瘦,憔悴不堪。

一旦末日把我俩聚集在一起,

我倒是希望在真主面前细细地把账算!

那看门的女郎听到跑街的女郎吟唱的这首诗,又像刚才一样,扯破了自己的衣服,大叫一声:"真主!唱得太好了!"扑倒在地,昏了过去。跑街的女郎起身过去,朝她脸上喷了口水,又替她换了一身衣服。那女人站起身来,又在椅子上坐好,然后对那跑街的女郎说:"再唱一首吧!让我还了这笔孽债!世上也只剩下这歌声了。"

跑街的女郎又调了调琵琶弦,吟唱道:

这种疏远要到何时才完?
我的泪水已经流干。
你故意弃我而去还要多久?
你若想让我嫉妒,早可以如愿。
若说骗人的老天对一个情人公平,
那它对责难的对方却从无公平可谈。
因为害我好苦的害人精啊!
让我向谁宣泄我的春怀、我的幽怨?
我对你的情、你的爱有增无减哟,
你何时才能对我许诺而不违背誓言?
穆斯林们!你们可得为一个恋人做主!
她的两眼总是不寐,总是失眠。
难道爱情的法规就该让我低三下四,
别人则可以寻欢作乐而体体面面?
对你的热恋已经让我神魂颠倒了,
连对爱情的指责也变得勉为其难。

看门的女郎听到这首诗歌后,又是激动地大叫一声,扯破了衣服,一头栽倒在地上,昏了过去。当她身上又显露出鞭打的伤痕时,几个流浪汉嘀咕了起来:"早知这样,咱们真不该进这家的门,还不如照原先那样在草垛里过夜呢。在这里住宿,看着令人心碎的事不管,挺不舒服的。"

哈里发闻声回头看了他们一眼,问:"那为什么不管呢?"

流浪汉们说:"我们自己的事儿还顾不过来,哪有心思管这里的事?"

哈里发问道:"你们难道不是这家里的人?"

他们答道:"不是。我们猜想,这地方大概是属于你们跟前那个男人的。"

他们说着,瞥了脚夫一眼。脚夫也听到了他们的话,忙说:"凭真主起誓,我也是今天头一次见到这个地方的。早知这样,我也宁肯睡草垛,不在这里过夜了。"

他们在一起合计道:"咱们是七个男子汉,她们是三个女流,再没有旁人了。咱们就问她们究竟是怎么回事。她们若是不肯乖乖地说清楚,咱们就来硬的,逼着她们说出来。"

大家一致赞同这个意见,只有宰相贾法尔提出异议:"我看这个做法不妥当。咱们别管她们的事了!要知道,咱们是到人家这里来做客的,得信守诺言才是。再说,今夜也没剩多大的工夫就该天亮了,到时候咱们各走各的路好了。"

贾法尔说完,又对哈里发暗使眼色:"过一会儿天就亮了。明天咱们把她们传到你面前,你再问她们一个水落石出来也不晚!"

哈里发不肯罢休,说道:"我可是耐不住了,非马上弄清她们是怎么回事不可。"

关于这三个女人的事,他们议论纷纷,莫衷一是,后来说:"那谁去问问她们?"

有人说:"让脚夫去问!"

三个女人见他们在那里喊喊喳喳,就问道:"喂!你们在那里嘀咕什么事呢?"

脚夫便起身走到女主人跟前,对她说:"小姐!我想问你一下,并希望你能据实告诉我们,那两条狗是怎么回事?你为什么要惩罚它们,然后却又哭又亲吻它们?还希望你能告诉我们:你的那个姐妹为什么会挨鞭打?这就是我们的问题。完了。"

女主人问大家道:"你们都赞同他这样问吗?"

除了贾法尔，大家都答应了一声："是！"

女主人听了他们这话，就说："客人们！凭真主起誓，你们对我们也太不客气了！我们原先就同你们讲好了：谁若是问与他无关的事，就会听到令他不快的话。我们请你们进了我们的家门，又好吃好喝地款待你们，这还不够仁至义尽吗？不过，这也不能怪罪你们，要怪罪只能怪罪把你们引进来的命运。"

说罢，她挽起了袖子，朝地上跺了三下脚，说了声："来人哪！"

只见一间密室的门开了，从中跑出七个奴仆，手里提着出鞘的砍刀。女主人吩咐道："把这些多嘴多舌的家伙给我一个个反剪手捆起来，再把他们相互拴在一起！"

那些奴仆依照吩咐行事，然后问道："小姐！请您下令，把他们的脑袋都砍了吧！"

女主人道："且慢！稍等片刻！砍头之前，先让我问问他们的来历也不迟。"

脚夫马上哀求道："小姐！可别因为别人的罪过杀了我呀！他们大家都有错，都有罪，只有我除外。凭着真主起誓：要不是来了这些流浪汉，咱们这一晚上过得多好呀！这帮流浪汉即使进了好端端的一座城，也会把它破坏掉的。"

然后他又吟诗道：

有能耐的人饶恕别人有多好！
特别是求饶的人无依又无靠。
凭着咱们之间的神圣友谊保证：
别由于晚来者的罪过把先来者杀掉！

听了脚夫说完这话，女主人笑了起来。她走到那伙人跟前，说："说说你们的来历吧！你们的性命只剩下一会儿工夫了。你们若不是达官贵人，我就让你们早一点受到报应。"

哈里发赶紧对贾法尔嘀咕："该死的贾法尔！快告诉她咱们是谁，否则她真会杀了咱们的。"

贾法尔说："那也是咱们罪有应得。"

哈里发急了："在严肃的时候，可不该开玩笑。严肃有严肃的时候，开玩笑有开玩笑的时候。"

那女人走到那些流浪汉跟前，问他们道："你们是亲兄弟吗？"

他们异口同声地答道："不是。凭真主起誓，我们只是些波斯的穷人。"

那女人问他们中的一个："你生来就是一只眼吗？"

那人说："不是！凭真主起誓，只是在我遭遇了一件奇怪的事情之后，才毁掉了这只眼。这事说起来也够让人刻骨铭心、引以为戒的了。"

那女人又问了另外两个流浪汉。他们的回答同前一人相同。然后，他们三人都说："我们来自不同的地方。我们的经历和遭遇都很离奇、古怪。"

那女人看了看他们，说："你们每一个人都讲讲自己的来历，再讲讲为什么会到我们这里来的。然后，自己摩挲摩挲脑袋走自己的路好了。"

听了这话，脚夫抢先站了出来，说道："小姐！我是个脚夫。是这位跑街的小姐让我扛东西，把我带到这里来的。我同你们怎么来怎么去的，您也都知道了。这就是我的来历。完了。"

那位女郎说："摩挲摩挲你的脑袋，走你的吧！"

脚夫却说："凭着真主起誓，我得听完我的这些难兄难弟们的来历才走。"

于是第一个流浪汉走上前来，对她说：

第一个流浪汉的故事

小姐！你知道，我剃光了下巴的胡子，瞎了一只眼的原因是这么回事：我的父亲原是个国王。他有个弟弟也在一座城邦里当国王。我母亲生我的那天正巧也是我堂弟出生的日子。日子一天天、一年年过去，我们都长大成人了。隔上一年半载的，我会去看望一趟我的叔父，并在他那里住上几个月。

有一次，我又去看望我叔父。我堂弟对我真是盛情款待，又是宰羊又是备酒，我们对坐豪饮。等到都喝得有些醉醺醺的时候，堂弟对我说："堂哥！我有一件要紧的事，求你帮忙，希望你不要拒绝我的请求。"

我对他说："愿意效劳！"

他让我赌咒发誓不告诉别人之后，马上起身出去。过了一会儿，领回来一个花枝招展、浑身珠光宝气的姑娘。他指着那个姑娘，望着我说："你带上这个姑娘，先到某某坟地去。"

他对我说了一通那块坟地在什么地方，是什么样子，直到我弄明白了，他才又说："你把她带到那块坟地去，在那里等着我。"

因为我已经发过誓，所以不能拒绝他的要求，只能照办。我就带着那位女郎，同她一起走进了那块坟地。等我们坐定后，我堂弟就带着一罐子水、一袋子石灰和一把镐头赶来了。他拿着镐头走到坟地中间的一座墓前就刨了开来，把刨出来的石头丢在坟地边上。然后，他又用镐头往下挖，直到露出一块有一扇小门大小的盖板，下面露出一个弯弯曲曲的阶梯。他回头向那个女郎打了个手势，对她说："来，照你的意愿办吧！"

那女郎便顺着阶梯走下去。堂弟又回头望着我说："堂哥！你就把好事做到底吧！等我下到那底下，你就把那个盖板放回原位，再照原样在上面盖上土。再把这口袋里的石灰与这罐子里的水和在一起，用石灰把墓上的石拱泥得同原先一样，使任何人都认不出来，不会说这座老坟最近被人掘开过。因为我要在这里面整整呆上一年哩。至于我在里面干什么，那可只有真主知道。这就是我对你的要求。"

然后他又说："堂哥！愿真主保佑你不会孤寂！"

说罢，他走下阶梯。等他消失了之后，我就动手盖上盖板，照他的吩咐做了，把那座坟墓弄得同原先的一模一样。然后，我就回到了我叔父的王宫。当时我叔父正在外面打猎。

那天晚上我睡了一宿。第二天天一亮，我想起了头天夜里我同堂弟之间发生的事，深为自己同他干的这些事感到后悔，可后悔也没有用了。

后来，我就出去，到那些茔地里去找那座坟，可我认不出来了。我一直找到天黑，也没有找到。我回到宫里，不吃不喝，心里总惦记着我的堂弟，不知他们怎么样了。

我心烦意乱极了，辗转反侧，一夜都忧心忡忡的。直到天亮。我又到坟地去了，心里想着堂弟的所作所为，后悔自己不该听他的话。我把所有的坟地都找遍了，可是还是未能认出那块坟地。

我一直找了七天，还是一筹莫展。我心里越来越犯嘀咕，简直都快发疯了。我实在找不到排解的方法，只好回乡看父亲去。

刚到我父王城邦的城门口，就有一伙人拥到我跟前，把我捆绑起来。我大惊失色，因为我是太子，而他们都是我们父子手下的臣仆呀！我对他们不禁越来越怕，心想："父王出了什么事了？"我问那些捆绑我的人，这一切究竟是怎么一回事。他们全都闭口不答。过了一会儿，他们中间一个原来是侍候我的仆人才偷偷告诉我："你父亲倒运了！官兵起来造了他的反，宰相篡位把他杀了，正让我们等在这里抓你呢。"

我一听到这个消息，立时像五雷轰顶，晕了过去。醒来时，发现他们已把我带到了那个杀死了我父王的宰相面前。

说起来,这位宰相早就同我结下了仇。结仇的原因是这样的:我这个人喜欢玩弹弓。有一天,我正站在自己王宫的阳台上,见有一只鸟落在了那位宰相的阳台上,当时宰相也站在阳台上。我本想射那只鸟,不料射偏了,弹丸没射中鸟,却射瞎了宰相的眼睛。这大概也是命中注定的事,正如诗人所说:

> 你得听天由命,
> 甘心接受天命的裁定!
> 遇事勿喜亦勿悲,
> 因为凡事总会有变动。

又有诗人说:

> 我们照着我们命中注定的步子走,
> 别人照着他们命中注定的步子行。
> 谁该死在一个什么地方,
> 就不会在别的地方送命。

那个流浪汉接着说:我把那位宰相的眼睛弄瞎了,他也不敢说什么,因为当时我父亲还是城邦的国王。可这样一来,我们之间就结下了仇。因此,当我被捆绑着站在他面前时,他就下令砍我的脑袋。我就问他道:"我又没犯什么罪,凭什么杀我?"

他指了指那只瞎眼说:"还有比这更大的罪过吗?"

我争辩道:"我那是失手误伤的呀!"

他冷笑道:"如果你那是失手误伤的话,我这回可是要有意干的了!"

说完，他又吩咐手下道："把他押过来！"

我被推到他面前。他就伸出手指捅瞎了我的左眼。从此，我就正如你们所看到的那样，只有一只眼了。随后，他又把我捆着，丢进一只箱子里，吩咐刀斧手说："把他扛到城外，抽出你的刀，把他宰了去喂野兽！"

刀斧手奉命把我扛出了城，再把我从箱子里提出来。我的手脚都被捆得死死的。刀斧手想蒙上我的双眼一刀砍了我。我哭了起来，吟了这样几句诗：

> 我曾把你们当盾牌将敌人抵御，
> 不料你们竟变成了敌人的箭矢。
> 每逢灾难使我的右手麻痹，
> 我曾希望能把你们当左手使。
> 唉，何必责备别人忘恩负义！
> 何不让敌人用箭把我射死！
> 可你们若是不能让我免上敌人的当，
> 难道就不能保持中立，不言不语！

我还吟了这样几句诗：

> 有些弟兄，我曾以为他们是盾，
> ——他们是，但却属于敌人。
> 我曾以为他们是百发百中的箭，
> ——他们是，但却射向我的心。
> 他们说：我们的心干干净净，
> ——说得对，没有对我的忠诚；
> 他们说：我们已经尽了最大的努力，

——说得对，却是让我不幸。

那个刀斧手原先本是我父王手下的行刑官，我曾对他有过恩德。他听了我吟诵的诗后，就对我说："殿下！我是个听人家差遣的奴仆，我又能怎么办呢？"

随后，他又对我说道："殿下！你还是逃命去吧！可别再回到这个地方来了，免得不仅你来送死，连我也得跟你一同完蛋。正如诗人所说：

若是怕受欺凌，何不逃生，
而让人去地空？
因为你可在别处落脚，
却不会捡到第二条命。
我奇怪：天地如此广阔，
人何苦在一处忍辱负重？
一个人该在什么地方死，
就不会在别的地方送命。
雄狮纵使目空一切，威震八方，
遇到危险也会逃走，避一避风。

我听那刀斧手这么说，不禁俯身吻他的手，表示感谢。当我相信真的得救了，就逃之夭夭了。虽然瞎了一只眼，可那比起捡一条命，对我来说就显得无足轻重了。

我走了一路，逃到了我叔父的城邦。进宫之后，我把父王的遭遇以及我自己怎么被弄瞎了一只眼的经过全都告诉了我叔父。他听后不禁伤心地痛哭流涕，对我说："你这真是对我雪上加霜，让我愁上添愁啊！你堂弟已经失踪好几天了。我不知道他出了什么事，也没有人告知我他的下落。"

说罢，他又伤心地哭了起来，直哭得晕了过去。醒来之后，他对我说："孩子！你堂弟的事已经让我愁死了，你和你父亲遭遇的事更让我愁上加愁，倍加伤心。不过，孩子！丢了一只眼睛总比送一条命强。"

这时，我再也不能把堂弟的事瞒着他了，因为他是他生身的父亲呀！于是我就把堂弟的事一五一十地全告诉了他。叔父听了我告诉他的有关他儿子的消息之后，非常高兴，就对我说："快领我去看看那块坟地！"

我就对他说："叔叔！凭真主起誓，我也不认得是在哪块地方了。因为在那之后，我曾去找过好多次，都没认出它在什么地方。"

此后，我同叔父一道又去了坟地。我左看右看，仔细寻找，终于认出了那座坟墓。我和叔父都喜不自禁。我们走过去，刨开泥土，揭开盖板，走了下去。我同叔父顺着阶梯走了五十磴。当我们走到阶梯最后一磴时，只见一团烟雾扑面而来，挡住了我们的视线。叔父不由得说了句壮胆的话："除了托靠伟大、崇高的真主，谁都无能为力，毫无办法！"

然后，我们又摸索着往前进。突然眼前一亮，呈现在我们面前的是一座大厅，里面满是面粉、粮食和各种食物等。大厅中间有一张挂着帐子的床。我叔父掀起帐子往床上一看，发现他的儿子和他带来的那个女郎拥抱在一起，像被丢进了火坑里似的都变成了漆黑的焦炭。我叔父一见这副情景，不禁朝他儿子脸上啐了一口唾沫，骂道："混账东西！这仅是现世的报应，还有来世更厉害的惩罚在等着呢！"

那些女郎、哈里发、贾法尔和所有在座的人听那流浪汉继续讲道：

我叔父说罢，就用鞋底抽打着他那躺在那儿像漆黑的焦炭一样的儿子。对他的这一举动我感到莫名其妙。堂弟和那位女郎都烧成了漆黑的焦炭，这也让我感到惨不忍睹、倍加伤怀。我对叔叔说："叔叔！看在真主的分上，你不要太想不开。堂弟遭遇的事，他和这位姑娘又是如何被烧成焦炭似的，这一切早已让我忧心忡忡，百思不得其解。他都这样了，还不够惨的吗？你何必还要用鞋底子抽他？"

叔叔说："侄儿！我的这个儿子从小就异常地爱恋他的妹妹。我当时就一直阻止他，不许他对妹妹过分缠绵。心想：'他俩还小，不懂事。'可等他们大起来，两人就做出了丑事。我听说了这种丑闻，并不相信。但我还是把儿子叫来狠狠地训斥了一顿。我对他说：'你可千万当心，不能去干这种空前绝后的丑事，否则，我们就会在君主帝王间，至死都遭人耻笑而遗臭万年。你可万万不能干出这种见不得人的事，否则，我会恼恨你，把你杀了！'此后，我把他们兄妹俩相互隔离开来，不许往来。可是那个坏丫头也非常爱恋她这个哥哥。两个人真是鬼迷心窍，走火入魔。那个浑小子看我不许他同他妹妹来往，就暗自在地下搞了这么一个地方，又把吃的东西偷运进来。这些你也都看见了。他们又趁我出去打猎的机会，偷跑出来，躲到了这里。可是天理难容，真主降下天火把他们焚烧了，来世更重的惩罚还有他们受的呢！"

叔叔说罢，就哭了起来，我也陪着他哭。他又对我说："你现在就代替他做我的儿子吧！"

一时间，我想起了人世沧桑真是变化无常：想起了那个宰相如何杀死了我的父亲，篡夺了他的王位，又弄瞎了我的眼睛；想起了我堂弟稀奇古怪的遭遇，我不禁又哭了起来。

此后，我们从坟中爬上来，盖好盖板，培好土，照原样修复了那座坟墓，然后回到宫中。

可是我们在宫里刚一坐下，就听到宫外战鼓咚咚、军号响彻云天，刀枪铿锵作响，人喊马嘶，一片嘈杂；只见烟尘滚滚，铺天盖地而来，惊得我们目瞪口呆，不知出了什么事。国王打听究竟是怎么回事，人家就告诉他："杀了你王兄篡夺了他王位的那个宰相，又集结起兵马不宣而战地来攻打这座城邦了。这里的军民抵挡不住他们，就都归顺他了。"

我心想："我若是落到他手里，他一定会杀了我。"想到这里，不禁忧心忡忡。

我想到了父亲和叔叔的种种遭遇，不知如何是好：我若是抛头露面，城里人和我父王手下的官兵都会认出我而可能将我杀掉去邀功请赏。

我觉得只有乔装打扮才有可能死里逃生。于是我刮了胡子，换了衣服，潜逃出城，直奔这座城市而来，企望有人能引我去见信士的长官——哈里发，以便让我能对他陈述我的遭遇。于是今天晚上我就来到了这座城市。

我正站在那里惶惑，不知该到哪儿去，不料却碰见这位流浪汉也站在那儿。我向他打过招呼，就对他说："我是个外乡人！"

他说："我也是个外乡人。"

我们正说着话，不料又见到我们这第三个伙伴来到我们跟前，向我们问过好之后，说："我是个外乡人。"

我们告诉他说："我们俩也是外乡人。"

于是我们三人结伴而行。直走到天黑下来，命运便把我们引到了你们这里。

以上就是我剃掉胡子和瞎了一只眼的前因后果。

那位当家的女郎听过之后，对他说："你摩挲摩挲自己的脑袋，走你的吧！"

这位流浪汉听了这话却对她说："不行！我得听听别人是怎么回事才走。"

在座的人听了第一个流浪汉的经历都惊叹不已。哈里发对贾法尔说："凭真主起誓，我还从未听说过像这个流浪汉这样的遭遇。"

第二个流浪汉的故事

接着，第二个流浪汉走向前去，跪下磕了个头，说：小姐！我也并非生下来就是一只眼。我的遭遇也够稀奇古怪，让人刻骨铭心、引以为戒的了。

我原本出身王室，是太子，从小就习经诵典，《古兰经》的七种读法我都会读；我博览群书，学贯古今；上知天文，下知地理，诗文百科，无所不读；琴棋书画，无所不精；致使我在当时出类拔萃，被认为是盖世奇才而闻名遐迩，享誉四方。

印度国王闻知我的学问之后，便遣使者携带重礼前来拜见我父王，求他允许我能前去印度讲学。我父亲欣然应允之后，还为我备下六艘大船，满载着随行的人马和礼品，前往印度。

我们漂洋过海走了整整一个月，才终于离船登陆。我们把随船带来的马匹、骆驼牵上岸，把礼品分别让十匹骆驼驮着，我和随从们则骑马而行。

我们才走了不大一会儿工夫，只见尘烟陡起，遮天蔽日，卷地而来。过了一会儿，烟尘散处，只见六十个如狼似虎的骑士迎面扑来，仔细一看，竟是一伙拦路打劫的贝杜因人。他们见我们人少，却带着十匹骆驼驮着献给印度国王的贵重礼品，于是端着矛枪逼近我们。我们打着手势告诉他们："我们是前去拜会伟大的印度国王的使者。你们不要伤害我们！"

他们却说："我们不在他的领土上，不受他管。"

随后，他们杀死了我的一些仆从，余下的仆从则逃之夭夭。我当时负了重伤，趁着那些贝杜因人忙于争抢我们所带的钱财、礼品之机落荒而逃。

我本来贵为太子，如今沦为贱民，竟不知投奔何处。我走啊，走啊，走到了一座山头，躲进了一个山洞，呆了一夜。

第二天一早，出了山洞，我又继续漫无目的地朝前走去。不知走了多久，最后我总算到了一座很热闹的城市。当时寒冬已过，正是春暖花开的季节，真是百花吐蕊，百鸟啼鸣，小河流水潺潺，令人赏心悦目，美不胜收。正如诗人所说：

> 好一座安居乐业的城市！
> 真是夜不闭户，路不拾遗。
> 好像是座五光十色的乐园，
> 让居民们不由得暗自称奇。

我当时早已风尘仆仆，走得筋疲力尽，显得面黄肌瘦，满脸愁容。正在我狼狈不堪、走投无路的情况下，来到了这座城市，我自然是喜出望外。

我向路旁一家裁缝店的老板打招呼，那老板就对我笑脸相迎：并问起我何以会背井离乡来到此地。我把自己的遭遇从头至尾都告诉了他。他听了之后不禁为我担起忧来，说道："小伙子！你这些事可不能再对外人讲了。我是担心这座城邦的国王会加害于你。因为这位国王是你叔父的头号敌人，他们之间原有仇隙。"

随后，他又给我端来了饮食，并陪我吃喝。那天夜里，我们畅谈了一宿。他在自己的店铺里为我腾出一间厢房，又给我抱来了被褥、铺盖。我就在他那里住了三天。此后他问我："你难道就不会一门能挣钱谋生的手艺吗？"

我告诉他："我是一个读书人，能写会算。"

他说："你的这种手艺在我们这个国家里可吃不开，因为在我们这座城邦里没有人认学问、知识，人们只认得钱。"

我无可奈何地说："凭真主起誓，我除了刚才对你说过的那些雕虫小技之外，别的什么就一窍不通了。"

那裁缝师傅就说："那你勒紧裤带，带着斧子、绳子到野外去打柴谋生好了，直到真主为你消灾解难的那一天为止。不过你可不能向任何人透露自己的身份，否则就会引来杀身大祸。"

他给我买了一把斧子、一根绳子，又带我去见一些樵夫，托付他们好好照顾我。我就同那些樵夫一道砍柴去了。

我每天砍好柴，捆好，顶在头上，拿到集市去卖，可以卖得半个第纳尔。其中部分钱，我得用来吃饭，余下的则攒起来。我就这样过了一年光景。

到了第二年，有一天，我又照例到野外去打柴。我深入进去，发现有一片丛林，柴火很多。我进了林子，发现有一棵很大的枯树根，我就沿着树根刨土。不料斧头竟碰上了一个铜环。我把土清了一下，看见那铜环是钉在一个木头盖上，我掀开盖板，看到下面有一个阶梯。我沿着阶梯走到头，就看见有一道门。我走进门后，就看见了一幢盖得很精致的宫室，里面坐着一位灿烂若明珠般的靓丽姑娘，让谁见了都会忘却一切烦恼和不快。

我望着那位姑娘，不禁赞美起造物主竟会创造出这样闭月羞花的美色。那姑娘见到我也不禁惊奇地问："你是人还是鬼？"

我告诉她："我是人。"

她又问："是谁带你到这里来的？我在这里整整呆了二十五年，却从来没有见过一个人影。"

我听她说话，觉得那声音特别甜美、悦耳动听。我对她说："小姐！是真主把我引到你的住处来的。但愿他会为我排忧解愁。"

接着，我就把自己的遭遇一五一十地向她叙述了一遍。她对我的境遇深表同情，不禁难过得哭起来，又说："我也要对你说说我的经历。你要知道,我是印度边疆乌木岛国王的女儿。父王本来已经把我许配给了我的堂兄。可是就在洞房花烛夜那天晚上,一个名叫杰尔杰里斯·伊本·赖吉穆斯·伊本·伊卜里斯的妖魔把我劫走了。他带着我飞到了这个地方,又搬来了我所需要的一切吃喝穿戴的东西。每隔十天他来一次,在这里住一夜。他还同我约定.不管白天黑夜,凡是我有什么事要找他,只要用手摸一下写在这圆顶屋上的这副对联,手一抬起来,就会看到他出现在我面前。从他上次来这里到今天已有四天了,还有六天他就会再来。你是否能在我这里住五天,然后在他来的前一天再离开?"

我说:"行啊!"

她见我答应她的要求之后很高兴,就站起身来,拉着我的手,领着我穿过一道拱门,走进一间典雅别致的浴室。我一看是浴室,就脱光了衣服,她也脱去了衣服,走了进来,坐在一床垫子上,并拉我同她坐在一起。她又去端来了麝香酒,让我喝,还端出了一些吃的。我们边吃边喝边聊。随后,她对我说:"你睡一觉,歇一会儿吧!我看你累了。"

我就睡了过去。啊,小姐!在这之后发生了些什么事,我都忘记了。我只是感谢了她。醒来时,我发现她在为我按摩腿,我就为她祝福。我们又坐在一起聊了一会儿天。她就对我说:"凭真主起誓,我独自一个人在这地下呆了十五年,孤孤单单的也没有一个人同我聊天,真是憋闷死了。真要感谢真主把你派来了。"

随之她又吟道:

若是早知你们大驾光临,
我们会一路撒满心血或瞳仁,
把我们的面颊铺在路面上,
让你们在我们的眼睑上行进。

这时，对她的爱恋已在我的心中扎下了根。我心中的一切烦恼和忧愁也都为之一扫。听了她吟的这几句诗，更不由得让我对她的这番情意表示非常感谢。我们又坐在一起边吃边喝边聊，直至夜幕降临，我同她又是一夜风流。我这一生从未见过像她这样贴心知己的女子。两人如鱼得水，说不尽的快活。我就对她说："我把你从这地下带出去，让你摆脱开那个妖魔好不好？"

她哈哈一笑说："这事谈何容易！不如今朝有酒今朝醉，得过且过吧！我每十天有一天归妖魔，有九天归你。"

当时，爱情已经使我如痴如迷，难以自持，于是我说："我现在就要砸碎这个上面刻着符咒的圆顶屋。但愿那个妖魔能来，好让我把他杀死，因为我这个人生来就是斩妖除魔的。"

那女郎闻听这话，不禁大惊失色，吟道：

自找别离的人呀，何必冲动！
须知离别好似驷马一般迅猛。
忍耐吧！时光总是翻脸无情，
以相伴开始，以离别告终。

我听完她吟的诗，并没有在意她的话，反而向那圆顶屋狠踹了几脚。

当我使劲地踢那圆顶屋时，只觉得瞬时间天昏地黑，又是雷鸣，又是闪电，地动山摇，似乎天都要塌下来了。我的醉意早就吓得飞到九霄云外去了。我忙问那女郎："这是怎么回事？"

她说："那个妖魔来了！我不是警告过你不能这么轻举妄动吗？这下子你可害苦我了。不过，你还是自己逃命吧！你从你来的地方爬上去！"

我吓得魂飞魄散，往外逃时竟把鞋子和斧子都忘在那儿了。我爬上两磴阶梯，回头想找鞋子和斧子，只见地面已经裂开了一个大口子，从中钻出一个面目狰狞的妖魔，大喊道："你出了什么事，为什么要这样吵扰我？"

女郎忙道："我什么事也没有，只是心里有点憋闷，想喝点酒解解愁，谁知头昏脑涨的，竟一头撞在圆顶屋上了。"

妖魔听了这话，不禁吼叫道："你这个臭婊子，你撒谎！"

说罢，他在魔宫里左看右看，就看到了我的鞋子和斧头，于是追问那女郎道："这些东西都是人才会用的，你说是什么人到你这里来过？"

女郎答道："这鞋子和斧头都是我这会儿才看见的，也许挂在你身上带进来的吧！"

妖魔说："你这纯粹是胡说八道！你这个臭婊子，我才不会上当呢。"

然后他剥光了她的衣服，把她的手脚绑在四根木桩上，开始折磨她，逼她供认究竟是怎么回事。

我实在不忍听她的哭喊声，就吓得失魂落魄地从阶梯上爬了上去。待我到了地面上之后，就把盖板按照原样盖好，再培上土。我对自己的所作所为真是懊悔极了。我想起了那位女郎，想起她是那样美丽，她同那个该死的妖魔一道生活了二十五年，他却那样折磨她，而他之所以那样折磨她全是由于我的缘故。我想起了我的父王和他的王国，想起我如何从本来过着的美满生活，却变得家破人亡、流离失所，竟成了一个樵夫。想到这里，不由得感慨万分，哭了起来，口中吟道：

如果世道有一天，
给你带来了灾祸。
你会发现这岁月，

时而顺利，时而艰难。

然后我走到我的朋友——那位裁缝家里。我见到他时，他正好像热锅上的蚂蚁一般坐立不安地等着我呢。一见面，他就对我说："昨天夜里我整整一宿都在惦记着你，担心你碰上野兽或是遭遇别的不测。感谢真主，你总算平安地回来了。"

我谢谢他对我的这番深情厚谊，然后躲进屋里想着自身发生的一切，责备自己不该去踢那个圆顶屋。正在这时，我的那位裁缝朋友走了进来，对我说："小伙子！店铺里来了一个波斯人，带着你的斧子和鞋子要找你，他曾经拿着这两样东西给那些打柴的人看，对他们说：'这是今天一大早我听到宣礼员宣礼后去做晨礼的时候捡到的，也不知是谁丢的，请你们帮我找到失主吧！'那些打柴的人认得是你的斧子，就把他领来了。他现在正好坐在我的店铺里。你快去谢谢人家，把斧子鞋子取回来吧！"

我一听这话，不禁大惊失色，慌得不知如何是好。正在这时，我屋子里的地面突然裂开一个大口子，从中钻出一个波斯人。我定睛一看，正是那个妖魔。原来他在严刑拷问那个女郎，而她拒不吐实之后，他就拿来那把斧子和那只鞋，对她说："我既然是魔鬼伊卜里斯的后裔杰尔杰里斯，就一定会把这斧子和鞋子的主人捉来！"

随后他就用计通过那些樵夫找到了我。

他见到我后不容分说，抓起我来就飞上了天，然后又带我落下地，在我不知不觉的当儿钻进地下，又带我在我原先曾经呆过的那间宫室里钻了出来。于是我见到了那位女郎一丝不挂地被绑在那里，遍体鳞伤、鲜血淋漓，见到此情此景，我不禁潸然泪下。那妖魔抓住她，厉声问道："你这个臭婊子！这是不是进到这个地方的你的那个相好的？"

女郎看了看我，对他说："我不认识这个人，我这是头一次见到他。"

妖魔又恫吓她道:"你吃了这么些苦头,还不招认?"

她理直气壮地说:"我生平从来没有见过他,真主是不允许我说谎诬陷好人的。"

妖魔听了这话之后便对她说:"既然你不认识他,就拿这把剑去砍他的脑袋。"

女郎接过剑,走过来,站在我面前。我泪流满面地与她眉目传情。她明白了我的意思,她也对我使眼色,意思是说:"咱们弄到这步田地全是你惹的祸。"

我则暗示她:"此刻正是求你饶恕的时候。"我的那副样子正是:

我的眼睛可将我的舌头代替,
向她表明我心中所藏的秘密。
我们相见时泪水潸然而下,
我的眼睛会说出千言万语。
她使眼色,我懂得她的心意,
我打手势,她明白我的暗示。
眉目传情解决了我们的需要,
是爱情在说话,纵然我们默默无语。

那女郎明白我的意思,就丢下手中的剑说:"这个人我既不认识,人家也没有什么对不起我的地方,我怎么能忍心去砍人家的脑袋呢?这在我信仰的宗教中是不允许的呀!"

说罢,她直往后退。妖魔就说:"你不忍心去杀他,也不肯把他供认出来,这可真是物不伤其类呀!"

说罢,那妖魔又回头看了看我,说道:"喂!你这个家伙,也不认识这个女人吗?"

我忙假装糊涂："这个女人是谁呀？我这是头一次见到她。"

妖魔就说："那你就拿这把剑去砍她的脑袋，我就会放了你。那时候你可以走你的，我也可以证实你的确从不认识她。"

我答应了一声："好吧！"就拿起剑，打起精神走上前去，举起了手。只见她用眼色对我说："喂，我可没有亏待过你，你就这样报答我？"我明白了她的意思，就也用眼神告诉她："我宁可为你牺牲自己的生命！"我们那副样子好像诗云：

> 有多少人虽然默默无言，
> 眼睛却将心意向情人倾诉。
> 人们一旦用眉目传情，
> 那表情该是多么巧妙丰富。
> 这个用眼睑在写，
> 那个则用眼珠在读。

于是我不禁热泪盈眶，丢下手中的剑，说道："神通广大、本领高强的魔王啊！一个智力、宗教观念未必健全的女流尚且不肯砍我的脑袋，我与她素昧平生，又怎么可以去砍她的脑袋呢？我是宁死也绝不会做出这种伤天害理的事情的！"

妖魔就说："你们两人之间还藕断丝连，温情脉脉呢！"

说罢，那妖魔竟拿起剑，一下子砍掉女郎的一只手。我眼瞅着他四剑下去，砍掉了女郎的四肢。那女郎相信自己必死无疑了，就用眼神向我表示永别了。魔鬼见到此状，对她吼道："你还挤眉弄眼地眉目传情！"

说罢，竟一剑下去砍掉了她的头颅。然后他回头朝我瞪眼说道："人哪，照我们的法规，妻子如果与人通奸，我们就有权杀死她。这个女人是我在她的新婚那天抢来的。她当时还是一个十二岁的小姑娘,除了我,她谁也不认识。我每十天中有一夜打扮成波斯人的模样,到她这里来一次。如今我发现她对我不忠,就结果了她。至于你,我还不能证实是你背着我同她胡搞。可我也不能白白放过你。因此,你可以向我提出你希望吃什么苦头吧。"

我一听高兴极了。我企望他能饶了我,就问他:"我可以向你提什么希望呢?"

他说:"你希望我把你变成什么模样呢?要么是一条狗,要么是一头驴,要么是一只猴子,随你选择。"

"凭真主起誓,你若是饶了我,真主会因为你宽恕了一个穆斯林而宽恕你。"

我在他面前苦苦地哀求,再三向他说:"我是冤枉的。"

他不耐烦地说:"你少同我啰嗦吧!我本来是可以杀死你的,现在却让你选择……"

我忙说:"魔王爷,饶了我,这对于你来说,是最合适不过的事了,就像那个被嫉妒的人饶恕那个嫉妒人的人一样。"

妖魔就问:"那是怎么一回事?"

于是我就对他讲起了……

嫉妒者和被嫉妒者的故事

妖魔爷!相传过去在一座城市里,有两个人是一墙之隔的邻居。其中一个嫉妒另一个,见人家好就眼红,竭力想算计人家。他无时无刻不嫉妒人家,而且嫉妒心越来越重,以至于达到饭也吃不下、觉也睡不着的程度。哪知那被嫉妒的人境况却越来越好,邻居越嫉妒,他的日子过得越好。被嫉妒的人听说隔壁的人嫉妒他、算计他,就搬走了,走得远远的,他说:"凭真主起誓,为了他,我可以搬到天涯海角,远离人世都行。"

他搬到另一座城市住了下来，还在那里为自己买了一块地。那块地里有一口古井，他就在井旁建起了一座小清真寺，并置办了一应所需，做了教长。他在那里潜心礼拜真主，乐善好施，四面八方的苦修者都到他那里修行，他在那座城里名声大振。后来，有关他的事也传到原先嫉妒他的那位邻居的耳朵里。那家伙听说他现在过得那么好，就同城里的一些豪绅去找他。那家伙进了小清真寺，被嫉妒的邻居对他表示热情地欢迎，并殷勤地款待了他。嫉妒者做出一副神秘的样子对他说："我有话要对你说，我就是为了这个，大老远地跑来的。我要告诉你一个消息，你跟我到你的小清真寺去好了。"

被嫉妒者站起身来，拉着嫉妒者的手，两人走到小清真寺的尽头。嫉妒者说："你让那些苦修的人都进自己的屋里去吧，我要跟你说的是机密事，别人谁也不能听。"

被嫉妒者对那些苦修者说："你们都回到自己的屋子里去吧！"

人们都照他的吩咐做了。他们两人走了一会儿，等走到古井边上时，嫉妒者竟神不知鬼不觉地将被嫉妒者推进了井里。他以为对方必定淹死无疑了，就出门溜走了。

那井里住着一群精灵，有人跌进井里的时候，精灵们就用手把他托住，把他放在一块大石头上。精灵们相互问道："你们知道这是谁吗？"

又都摇着头说："不知道。"

其中有的就说了："这就是那个受人嫉妒的人。他远离了那个嫉妒他的人，住到我们这座城里，还建起了一座小清真寺。他每天赞颂真主，诵读《古兰经》，使我们感到特别亲切，可是那个嫉妒他的人又找来了，见到他又用计骗他，把他推进了咱们这里。有关他的消息昨天晚上就传到了这座城邦的国王那里。国王为了公主的事，正打算明天拜访他呢。"

一个精灵问道："公主怎么了？"

那位消息灵通的精灵答道："她疯了，他若是知道治她这种病的药方，就一定会把她治好，其实这个药方非常简单。"

有的精灵问："那是什么一个药方呢？"

那精灵就说："这位虔诚的教长有一只黑猫，猫尾巴尖上有一块银钱大小的白点。他若是从那上面拔出七根白毛，点着了熏一熏她，她就可以永远摆脱开病魔而立即痊愈。"

魔王爷！发生的这一切，那位受人嫉妒的教长全都听在耳朵里，记在心上了，第二天一大早，天刚刚亮，那些苦修者都去见那位教长。一看，他竟从那口井中出来，在他们眼中，他就变得更加了不起了。此后，那位受人嫉妒的教长捉住了那只黑猫，从它尾巴上的那个白点里拔下了七根毛，预备着。

太阳一出来，国王便带着大队人马来了，国王让随行官兵留在门口，只带着几位朝廷重臣走进屋去。受人嫉妒的教长一见国王进门，赶紧趋步迎上前去，表示欢迎，并殷勤招待。随后对国王说道："我是否可以向主上坦诚相告您此行的目的。"

"你说吧。"

"您来看我，实际上是要向我打听公主的事。"

国王答道："好心的教长，正是这样。"

受人嫉妒的教长说："那您就派人把她接来好了。如果真主愿意，我想她马上就会被治好的。"

国王一听这话，非常高兴，就马上派手下人把公主捆着手脚接了来。那好心的教长让公主坐下，用布单遮在她身上，然后取出毛，燃着熏她。公主脑中的病魔被驱走了，她又恢复了神智，用手捂着脸，问："这是怎么回子事情？我是怎么到这里来？"

国王见状，喜出望外，亲吻着女儿的两眼，又吻着那位受人嫉妒的教长的两手，然后，回头望着他的大臣们，问道："你们说，对于治好公主病的恩人该当如何？"

大臣们说:"可以娶她为妻。"

国王说:"你们说的对。"

国王就把公主嫁给了他。这样一来,受人嫉妒的人就成了国王的驸马。过了不久,宰相死了。国王又问:"我们推选谁当宰相呢?"

大家就说:"让驸马爷当吧。"

于是这位受人嫉妒的人又被推选为宰相。过了不久,国王也死了。大家商量:"我们推选谁来当国王呢?"

"宰相吧。"

这样一来,这位受人嫉妒的人又成为一呼百诺、权倾朝野的国王。

有一天,他乘车外出,文武百官、大队人马前呼后拥地保驾随行,那位嫉妒者正好路过,被嫉妒的国王在车上看见了那位嫉妒他的人,就回头对一位大臣说:"你们把那个人给我叫来,别吓着他。"

过了一会儿,大臣们把那位爱嫉妒人的人带到国王面前。国王看着这位老邻居,对随从们吩咐道:"从我的库存里取出一百两黄金给他,再给他打点二十驮货物,还要派一个人送他回乡。"

然后,国王为他送行,离他而去,对他过去对自己的伤害毫不追究。

魔王爷,你瞧瞧那位受人嫉妒的人对那个原先嫉妒他的人的宽恕:想当年那家伙如何嫉妒他,算计他,他都搬走了,那家伙还找去,以至于竟把他推下井去,想害死他,可是他对那个家伙并没有冤冤相报,而是饶了他,宽恕了他。

说罢,我就在那个妖魔面前鼻涕一把、眼泪一把地大哭起来,并吟诗道:

尊贵者的宽恕在于他虽有权力,
却总任随罪犯们自己去摘苦果。

我已经犯下了所有的罪行，

你就应有种种美好的宽赦，

谁若寻求高于自己人的宽恕，

那就要赦免低于自己人的罪过。

那妖魔却对我说："你少废话！死么，你倒不必担心了，至于完全饶了你，这你也不用痴心妄想，我总是要对你施行一些魔法的。"

说罢，他把我从地上抓起来，飞上空中，直飞到我看到下面的世界小得就像一只浮在水中的木盘子。然后妖魔带着我落在一座山上。他抓起一把土，对它念念有词，然后撒到我身上，说："就脱开这副模样，变成一个猴子模样吧！"

我应声变成一只百岁老猴，当我看到自己变成这么一副丑样子，不禁为自己的遭遇大哭一场，可我对这个世界的不公只好忍耐，因为我知道一个人总不会万事如意、一帆风顺的。

我从山上走下来，发现山下是一片一望无际的大草原。我走了一个月的光景，最后走到海边。我在海岸站了一会儿。这时，我发现海中有一艘船正顺风向岸边驶来，我马上躲在海边的一块礁石后面，耐心地等到船靠了岸，就上了船。一个乘客见到了我就喊："快把这个不吉祥的家伙轰出去！"

有的说："咱们把它杀了吧！"

我扯着船长衣服的下摆，泪流满面地哭了起来，船长心软了，说道："各位老板，这只猴子已经投在我门下了，我也就收留了它，它就算在我的保护之下。从今往后，谁也不许逗弄它，找它的麻烦。"

从此，船长待我特别好，他说什么我都能听懂。我在船上伺候他，他叫我干什么我就干什么，他很喜欢我。

此后，船一路顺风走了五十天，我们在一个大城邦停泊下来，那座城市车水马龙、人山人海、热闹极了。我们一到，船刚抛锚，国王手下的一些官员就朝我们走来。他们祝福商人们平安抵达,说:"我们国王陛下祝贺你们一路顺风,并派我们来给诸位送上这卷纸轴,请诸位每人在上面写下一行字,因为我们国王原先有一位宰相是一位书法家,不幸逝世了,国王就指天誓日地一定要找一个能有一手像他那样书法的人来当宰相。"

说罢,就把那卷一丈长、一尺宽的纸轴交给了船长。船上每一个会写字的人都在上面写了一通。这时早已经变成了猴子模样的我站起身来,一把从他们手中抢过来那卷纸,他们怕我把纸撕烂了,都厉声地呵斥我快放下,我比划着表示我会写,船长就止住他们道:"让它写好了,它若是胡画乱涂,我们就让它滚蛋,它若是写得好,我就收它当儿子。我还从没有见过比它更通人性的猴子呢。"

于是我握住笔,在墨盒里蘸了墨,用鲁卡伊体写下了这几句诗:

岁月将人们的功德记录,
你的功德至今却无法写出。
愿真主保佑你多子多孙,
因为你就是功德的父母。

我用雷哈尼体写道:

他有一支笔恩泽各个领域,
使世上的一切人都能受益。
埃及的尼罗河比不上你恩惠,
因为那恩惠遍及全国各地。

我用三一体写道:

能书会写的人都会消亡，
唯有其墨宝会留在世上。
要写就要写这样的东西，
来世见到也会脸上有光。

我用抄录体写道：

当我们得知行将离别——
那是沧桑对我们的裁决，
我们就又以笔墨代口舌，
倾诉着别离的痛苦和悲切。

我用书卷体写道：

哈里发的权势绝不会千秋万代，
君若否认，最早的哈里发如今何在？
劝君积德行善，如同把棵棵树栽，
一旦你下台了，功德却不会下台。

我又用修订体写道：

如今你把荣华富贵的墨盒打开，
请让你蘸的墨水是大方、慷慨。
要多写下善行，如果你有能耐，
这样功德无量，笔也感到光彩。

写完，我把那卷纸交给那些官员，他们就将它呈交给了国王。

国王仔细地端详那上面的字，结果是，国王对谁的字都没有看上眼，惟独对我的字大加赞赏。他吩咐手下的臣僚们道："快去找到这位书法家，给他披红戴花，让他骑上高头大马，并要鼓乐喧天地把他给我请来！"

那些臣僚听了这话都忍不住笑了，国王生气了："怎么我吩咐你们做件事情，你们却笑我。"

臣僚们忙说："国王陛下，我们笑是有原因的。"

"什么原因？"

"国王陛下，你吩咐我们去请写这些字的人，可是事实上，写这些字的不是一个人，而是船长养的一个猴子。"

国王问："你们说的这话是真的吗？"

臣僚们齐声回答："凭真主和您的恩惠起誓，是真的。"

国王听后，感到既惊诧，又兴奋，激动地说："我要从那个船长手中买下这只猴子。"

说罢，就打发钦差牵着骡子，带上服装、乐器到船上来。行前对他们说："你们一定要让它穿上这套衣服，骑上这头骡子，把它从船上给我接进宫来。"

于是钦差一行人就来到船上，把我从船长那里接过去，给我穿戴上那套服装，让我骑上骡子，耀武扬威地回宫去。一路上只见人们都无比惊奇。全城都闹得沸沸扬扬的，好像翻了天，人们争先恐后地跑出来看我。当人们带我走进王宫、拜见国王时，我一见到他，就跪在他面前磕了三个头。国王让我坐下，我便跪在地上，在场的人们都为我彬彬有礼的举止大为惊奇，尤其是国王，更是惊叹不已。

国王屏退左右。除了国王和我之外，只留下一个太监和一个小童在旁伺候，国王下令设宴招待我，于是人们就将各种珍馐美味摆了一桌。国王让我随意选用，我就又站起身来，向他磕了七次头，然后坐下来，陪他一道用餐。饭后，我去洗过手，拿过笔墨、纸张，就写下这几行诗：

> 羊肉佳肴可与金丹相比，
> 会让百病不治自愈。
> 各种甜美的糕点，
> 实在令我馋涎欲滴。
> 一旦甜甜的粉丝，
> 拌上油油的蜂蜜，
> 怎会不令我的心，
> 向铺好的餐桌飞去。

写吧，我站起身来，坐得远远的。国王读了我写的诗大为惊奇，说道："这可真是怪事！一个猴子居然会有这样的文才，这样的书法！凭真主起誓，这可真是旷古未闻的奇事。"

这时仆童给国王端来一瓶酒。国王喝了一杯后，又斟了一杯递给我。我叩谢之后，一饮而尽，然后提笔写道：

> 人们用火烧我，将我审讯，
> 却发现我对苦难最能坚忍。
> 因此我被人们举在了手上，
> 而能有幸与帝王君主亲吻。

意犹未尽，我又写道：

> 晨曦召唤黑暗快把酒倾，
> 它能使精明者也变懵懂。
> 我不知是由于晶莹透明，

是酒在杯中还是杯在酒中。

国王读罢诗，不禁感慨道："即使一个人，具有这样的文才，也一定会是当代出类拔萃的佼佼者呀！"

随后，国王又拿出棋盘，问道："你会下棋吗？"

我点了点头。于是我就走上前，摆好棋子，同他下了两盘，结果我都赢了，国王更为大惑不解。随后我又拿起笔墨，在棋盘上提了这几句诗：

两军对垒终日战，

越战越似有仇怨。

只待天黑夜幕落，

双方欢聚同铺眠。

国王读了后又惊奇又兴奋，又感到惶惑不解，就吩咐身旁的太监说："快去请公主来，就说我叫她看看这只奇妙的猴子。"

太监去了一会儿，把公主带了进来。公主一见到我，就赶紧把脸遮起来，说："父王，你心里是怎么想的？怎好打发人来叫我在男人面前抛头露面呢？"

国王说："孩子，这里除了这个小童，这个伺候你长大的太监和这只猴子外没有别人呀！"

公主说："这个猴子是个青年王子，他的父亲是乌木群岛的国王，叫法提玛鲁斯，是魔鬼伊卜里斯的后代妖魔杰尔杰里斯施魔法让他变成这样。这个妖魔杰尔杰里斯还杀死了他的妻子——艾格纳木斯国王的公主。你所说的猴子实际上是一个通今博古的才子。"

听罢公主的话，国王大为惊奇。他瞧着我，问道："她所说的有关你的话是真的吗？"

我点头表示："是。"不禁伤心地哭起来。

于是国王问公主道："你怎么会知道他是中了魔法的呢？"

公主答道："父王，我小时候，有个神通广大的老巫婆教我学习魔法巫术，我就记住了，并能运用自如。我学会了一百七十门法术。其中最简单的一门，也可以让我把你这座城邦里的石头搬到卡夫山后面去，把这座城邦变成一片汪洋，使城中的居民变成鱼鳖虾蟹。"

国王听后，对她说道："孩子，凭安拉的名义发誓：你一定要为我们把这位年轻人解救出来，好让我委任他为我的宰相，因为他真是一个讨人喜欢、精明能干的人才啊！"

公主答道："我很愿意照办不误。"

说罢，她用手拿起了一把刀子，画了一个圆圈……

那位公主用手拿起一把刀子，刀上写着一些希伯来文的名字、符咒，她口中念念有词，谁也听不懂她究竟说了些什么。过了一会儿，宫里和四周都变得一片漆黑，我们简直以为是天塌了呢。这时，只见那个妖魔面目狰狞地出现在我们的面前：两手像木杈，两腿像桅杆，两眼瞪得像灯笼，那副模样要多难看有多难看。我们都怕得要命。公主对他说道："你是个讨厌的家伙！"

那妖魔变成一头狮子的模样，对她说："你这个不守信用的家伙，我们不是约好了互不干涉他人的事吗？你怎么背信弃义、放弃诺言呢？"

公主回答它道："你这个该死的东西！我同你这样的家伙还会有什么信义可言！"

"那你就找死吧！"妖魔说罢就张开血盆大口，直向公主扑去，说时迟，那时快，只见公主赶忙用手拔下一根头发，口中念念有词，对它一吹，那头发竟然一下子变成了一把锋利无比的宝剑，公主持剑去砍狮子，狮子一下被劈成两半。它的头又变成蝎子。公主则变成一条大蟒蛇，向那该死的蝎子扑去，于是双方打得难解难分。随后，那蝎子又变成一只鹫，那大蟒则变成一只兀鹰，追捕那只鹫，直追了好一会工夫。随之，那鹫又变成黑猫，公主则变成一只大灰狼，双方又在宫中厮杀了一阵子，那猫眼看自己招架不住，就又摇身一变，变成一个又红又大的石榴，落在宫中的喷水池里，狼见状扑了过去，那石榴则向空中一跃，又落在地上，摔得四分五裂，一粒粒石榴籽儿撒满一地。狼则摇身一变，变成一只大公鸡，去啄食那些石榴籽，把它们一粒一粒儿地都啄光了。可是，也是命该如此吧，在喷水池边竟还剩下一粒儿。那公鸡又是啼叫又是拍打着翅膀，用嘴向我们示意，可是我们谁也不懂是什么意思。这时，只见它大叫一声，真是如雷贯耳，让人觉得王宫都要被震塌了。那公鸡在王宫转了一转，就看见了那颗藏在喷水池旁边的石榴籽儿，于是它猛扑过去，想把它啄食掉。不料，那颗石榴籽竟钻进水池子里，变成一条小鱼，潜入水底。公鸡立即变成一条大鱼，紧紧尾随那条小鱼。过了一阵，只听见一声巨响，吓得我们都浑身发抖。随之那个妖魔浑身是火地钻了出来，他一张嘴，喷出来的是火，两眼和鼻孔也都冒着火与烟。公主也像一团大火球似的跃出水面。两人厮拼在一起，浑身上下都是火，打得难解难分，浓烟在宫中弥漫开来，我们个个吓得要命，恨不得钻进水里，免得被火烧死、被烟呛死。国王见状不由得一个劲儿地叹息："这真是毫无办法，只能求助伟大崇高的真主保佑我们了，我们都来自于他，也归宿于他。唉！我们就不该让公主去解救这只猴子，以至于让她为对付这个该死的妖魔吃这么大的苦头。这个妖魔可是世上所有妖魔都难以对付的呀！我们若是不碰到这只猴子就好了，让这个家伙见鬼去吧！我们本想看在真主的面子上，为他做件好事，把他从魔法中解救出来，结果自己却吃尽了苦头。"

至于我，则有口难言，什么都无法对他说。

随后，那个妖魔大吼了一声，就蹿到了大厅，来到我们跟前，朝我们的脸直喷火。公主紧追在他的后面，也朝他脸上喷火，于是妖魔和公主喷出的火都会碰到我们，不过公主喷出的火不会伤着我们，妖魔喷出的火则不然，一颗火星碰到我的一只眼睛上，结果把它弄瞎了，一团火碰到国王脸上，结果烧伤了他的下半个脸：胡子烧光了、嘴巴烧焦了，下牙床的牙齿也都烧脱落了，还有一股火喷到太监的胸口，结果把他当场烧死了。当时我们都以为这下子可是必死无疑了，根本就没有抱着生还的希望。我们正在这么想着，只听见有人喊道："真主至大！真主至大！他无往不胜，他一定会支援我们，去战胜那些不信先知穆罕默德的宗教的妖魔！"

说这话的正是公主。这时，她已经把妖魔烧死，我们见到时，它已经化为一堆灰烬。公主朝我们走来，说道："给我端一碗水来！"

水端来了，她对着那碗水念念有词，说了些什么，我们也听不懂。然后，她将水洒在我身上，说："凭真理和真主大名的权利，你恢复原形吧！"

于是我一下子又变成原先一样的人，只是瞎了一只眼，这时，公主说道："火……火……火！啊，父王！我就要死了，因为我对斩妖除魔还没有经验。他若是个人，我早就把他杀死了，我的麻烦出在那些石榴籽儿散落一地，我把它们一粒一粒全都啄食了，惟独忘了藏有妖魔灵魂的那一粒。我若是把那一粒啄食掉，妖魔当时就会死去。可是由于天命使然，我竟对此一无所知。于是它又出来同我在天上、地下、水中展开了一场场大战，真是魔高一尺、道高一丈。每当他向我施展一门法术，我就向他施展一门更厉害的法术。直到最后，他竟然向我施展了火这门法术，很少有人能逃过火这门法术而得救的，幸好命运帮助我抢先一步先杀死了它，我之所以比它强，是因为我信奉伊斯兰教。可是如今我也要死了，真主会补偿你，让你后继有人……"

公主说罢，便不停地呼救，希望免遭火焚。可是只见一团黑乎乎的火焰扑到她的胸前，又烧到她的脸上。公主哭着喊道："我证物非主，惟有真主，穆罕默德是真主的使者。"

　　然后，我们眼看着她就在妖魔的那堆灰烬旁边被烧成一堆灰烬，我们见状都为她感到难过，我真恨不得替她去死，而不愿看到为我做了这样好事的那张美丽面孔化为灰烬。可是回天无力，我又有什么办法呢？国王看到自己的女儿化作了一堆灰烬，伤心得又扯自己剩下的那几根胡须，又拍面颊，还撕破了自己的衣服。我也同他一样，两人不禁为公主之死悲伤得嚎啕大哭。国王的侍从和文武百官闻讯赶来，见到国王已经哭得昏了过去，又见到两堆灰烬，都不禁万分惊奇，赶忙围着国王进行抢救。过了好半天，国王才苏醒过来。他把公主与那个妖魔如何斗法的经过告诉大家，人们才知道出了大事，女人和奴婢们便忍不住号哭起来，全国上下为公主追悼了七天。国王下令在公主的骨灰上面修建一座巨大的圆顶陵寝，并点上辉煌长明的灯烛，而妖魔的骨灰，则被撒在空中，随风散去，以使它遭受真主永世的诅咒。

　　随后，国王便大病了一场，病得简直都要死了。他整整病了一个月，才恢复了健康，胡子也长了出来。这时，他把我找去，对我说："小伙子，你没有到我们这里之前，我们一直是太太平平地过着非常幸福安逸的生活，唉，我们当初若是没有见到你，没有见到你那副丑陋的样子该有多好！可是现在，由于你，我却弄得家破人亡。首先是我失去了我那胜似一百个男子汉的公主；再者，那场大火烧掉了我的牙，烧死了我的太监。可是这也不能怪你，这都是命中注定的事，是真主对你、对我们的裁决。应当感谢真主，因为我女儿虽然牺牲了自己，总算解救了你。孩子，你离开我们这个国家吧！由于你，发生的这些事情已经够人伤心的了，可是这一切无论是对于我们、还是对于你来说，都是命中注定的。你一路平安地走开吧！你若是回来，我再见到你，我会杀了你！"

　　最后，他竟朝着我大喊大叫，我赶紧跑了出来，当时我竟然不相信，自己算是逃过一命，也不知该往哪里去，我心中想起了往事：我如何被打发上路，一路顺风，走了一个月，却遭遇强盗被洗劫一空。我想起了自己如何死里逃生后流落进那座城，如何遇见那位裁缝，在地下邂逅那位女郎，又如何遇到那个妖魔，它本打算杀死我，而我竟然逃出它的魔爪……这一切，从头到尾我都想起了来，我不禁赞美真主，感叹道："虽然我丢了一只眼睛，可是却捡了一条命。"

在离开那座城邦之前，我去澡堂子洗了个澡，又刮了脸，披上了一件粗毛布的黑袍，准备去朝觐。此后，我天天哭泣，想着自己经受的种种灾难。以至于把眼睛都弄瞎。每当我想起那一切，就不禁痛哭失声地吟道：

> 凭真主起誓，我真感到惶惑，
> 不知不觉间悲愁总是围着我。
> 我将忍受下去，直至人们知道
> 我忍受的是多么苦的苦果，
> 为人虔诚，能乐天知命，
> 这种坚忍是多么好的美德！
> 你若探知我额上皱纹的秘密，
> 它们是将我心中的忧愁叙说，
> 我的遭遇，大山若是碰上也会塌，
> 火若遇上会熄灭，风若是遇上会被阻遏。
> 谁说岁月都是甜蜜的生活，
> 有的日子一定是苦得没法说！

此后，我走南闯北，跋山涉水，走过许多国家，到过很多城镇。我要到和平之城巴格达，希望能有机会拜见信士的长官——哈里发，向他诉说我的遭遇。于是，我今天晚上终于来到巴格达。我在街上发现这头一个兄弟正站在那里发呆，就向他打了声招呼："你好！"同他攀谈起来，我们正在谈着，只见另一个兄弟朝我们走来，对我们说："你们好！我是个外地人。"

我们对他说："我们俩也是外地人，今晚才到这里来的。"

于是我们三人结伴而行，虽然相互并不了解他人的经历。是命运驱使我们走到这家门口，进屋遇见了你们大家。以上就是我剃光了胡须、瞎了一只眼的缘由。

那个当家的女郎听过这第二个流浪汉的诉说之后，对他说："你的故事是够离奇的了，你摩挲摩挲自己的脑袋，走你的吧！"

第二个流浪汉却说："不！我要听完我同伴的故事之后才出去。"

于是第三个流浪汉走上前来，开始讲述他的经历。

第三个流浪汉的故事

尊贵的小姐！我的经历同他们俩的经历一样，不！比他们俩的经历更加离奇古怪。这是因为他们俩的经历都是命运所致，而我之所以剃光了胡须，弄瞎了一只眼睛，全是我自找的，是我自寻烦恼、自讨苦吃的结果。

我原来也是一个王子，父王驾崩之后，我便承袭了王位。我治国公正严明，爱民如子。

我这个人生来喜欢航海旅行。我的城邦是在海上，周围是辽阔的大海，还有不少岛屿。我有五十艘商船、五十艘游艇，还有一百五十艘战舰。

我想到周围的群岛游览一番，就备好十只船，带了足够一个月的吃食，在海上航行了二十天。

有一天夜里，我们遇上了飓风。大海波涛汹涌，眼前一片昏天黑地，大家都感到，这回可要葬身鱼腹了。我心里念叨着："冒险，即使平安生还，也并不值得称赞。"

船在狂风恶浪中颠簸了整整一夜，直到拂晓时分，才算风平浪静下来，太阳也出来了，我们靠近一个岛子，泊船上岸，做饭打尖，休息了两天，然后起航。又走了二十天，只见海水起了变化，船长也感到有些不对头。我们就对瞭望员说："你仔细探察一下，这海是怎么回事？"

瞭望员登上了桅杆，观察了一番，然后下来对船长说："报告船长，我看到右边的水面上有一条大鱼；我再往前看，只见远处是黑乎乎的一片，却又时而显得发黑，时而显得发白了！"

船长听完瞭望员的报告，不禁把缠在头上的缠头巾解下来，往地上一摔，又扯着胡子，气急败坏地对大家说："这下子咱们大家可都要完蛋了，谁也逃不出去！"

说着，他放声大哭。我们大家也都为自己快要丧生而跟着号哭。这时，我问船长："船长，你得同我们说说，那瞭望员究竟看见了什么？"

船长就说："我的主人，您知道：刮飓风的那天，我们就迷失了航向。风刮了整整一夜，第二天早晨才停下来，我们又住了两天，从那天晚上算起，我们足足有二十一天的时间在海中迷失了航向，又没有风把我们吹回去，使我们今天傍晚能安全脱险。到了明天，我们就会漂到一座黑石山又称磁石山那里，海浪会把我们身不由己地卷到那座山底下，船将被撞得粉碎，船上的每一颗钉子都会被它吸进去，那座山究竟含有多少磁铁？这只有真主知道，反正自古以来不知有多少船只都毁在那座山峡下。紧靠着那海边，还有一座黄铜做的圆顶大厦，由十根柱子支撑着。圆顶上有一个骑士骑在马上的铜像。那骑士手中握着一杆用铜做的矛枪，胸前挂着一块铅牌，上面刻着一些名字和符咒。国王陛下，只要这个骑士还骑在马上，那么在他下面过往的船只就会船毁人亡，船上所有的铁器都会粘到山上，除非这个骑士从那匹马上掉下来，人们才会脱险。"

说罢，船长又大哭起来，我们大家也都确信，这下子可是必死无疑了，就相互诀别，大家一宿没有睡觉。第二天一早，我们靠近了那座山，海浪将我们不由自主地向山跟前冲击，当船只到达山下时，船上的钉子和各种铁器都受到磁石的作用飞到了山上。到了傍晚，船都解体了，我们大家都落水了，围住那座山挣扎。有的淹死了，也有的死里逃生，捡了一条命。大部分人都落水淹死，幸免于难的人彼此也都失去了联系。因为风浪太大，把人们冲散了。至于我，则托靠真主保佑，总算捡了条命。大概真主是要我多受些苦难，好对我加以考验吧！我趴在一块木板上，任风浪冲到山跟前，我就上了岸，却发现了一条路，像山中凿出的阶梯似的，直通到山顶。我不由得呼唤真主的大名，感谢他的保佑。

我呼唤着真主的大名，祈求他保佑我。我沿着凹凸不平的石径攀缘而上。托真主佑护，这时风也停了，我为自己能安全抵达山顶而高兴。但是费了那么大的劲儿到了山上一看，除了那座圆顶大厦之外，什么也没有。我走了进去，在里面跪拜两次，感谢真主，保佑我安然无恙。随后，我就在圆屋顶下睡着了。睡梦中只听得有人对我说："伊本·海绥布！你睡醒之后，就朝脚下的地方挖掘，那时，你会发现一张铜弓和三支刻有符咒的铅箭。你要拿起弓箭，朝着圆顶大厦顶上的那个骑士射去，那样一来，你就可以让过往的人们从此摆脱开那种大灾大难了。你朝那个骑士一射，他就会跌落进海里，那张弓则会落在你的面前。你捡起那张弓，把它就地埋起来。你这样做之后，海水就会逐渐上涨，直涨到与那座山一样高，这时会有一叶小舟，里面有一个别的铜人——并非你射中的那个骑士——划着桨来到你的面前，你就随他乘舟而去，沿途不要念诵真主的大名。他会载上你，走上十天光景，把你送到安全的海域。到了那里，就会有人把你送回家乡了。记住！只要你不念诵真主的名字，这一切就不成问题了。"

我从梦中醒来后，便兴奋地爬起来，照着梦中听到的嘱咐去做：我挖掘出了弓箭，搭箭拉弓向那个骑士的铜像射去，那骑士应声落入海中，那张弓则落在我的面前。我拾起弓，把它就地埋起来。只见海水翻腾，猛涨起来，一直涨到与我站着的那座山一样高。过了一会儿，我就看见海中有一叶小舟向我划过来。我不由得赞颂真主——一切顺利，小舟划到了我跟前，我看见里面有一个铜人，胸前挂着一块刻有一些名字和符咒的铅牌。我默无一言地登上了船，那铜人载上了我，划了一天，两天，三天……直划了十天。我朝船外一看，就看到了有些岛屿。我想到这一下子我可是死里逃生、平安无事了，不由得欢天喜地，念诵起真主的大名，欢呼道："真主至大！真主至大！"

当我忘乎所以地正喊着的时候，小舟却把我抛进海里，返回去，消失了。幸好我会游泳，于是那天从早到晚我在水中游了一天，直游到腰酸背痛，筋疲力尽。我开始做垂死的挣扎，心里默念着"认主词"，心想这回可是必死无疑了。

这时，风狂浪大，海上波涛汹涌，一个浪头大得竟像城堡一样，浪头卷来，把我托起来一冲，真是命不该绝，竟把我冲到了陆地上。

我爬起来，脱下衣服拧干了，晾在地上，然后便倒头睡了起来。

第二天早晨，我起来穿好衣服，思量着我该向何处去。这时我发现了一片小树林，便走过去，沿着树林周围转了一圈儿，这才发现自己正置身于一个小岛之中，四周是一片汪洋大海，我不由得望洋兴叹道："这可真是刚躲过一场灾难，却又陷入一场更大的灾难之中。"

我想着自己的境遇，觉得与其这样，还不如一死了之。正在这时，我看到远处有一艘乘满了人的船正朝着我所在的这个岛驶来，我忙爬上一棵树，藏在枝叶间观察动静。只见船靠了岸，从船上走下十个扛着锹的奴隶，他们走到岛子的中央，便开始动手掘地。他们挖到了一块盖板，揭开盖板，打开了一道门洞。他们回到船上，朝那个洞口搬运着大饼、面粉、黄油、蜂蜜、羊肉和各种过日子所需要的家什。那些奴隶上上下下、来来往往地把那些东西全都从船上搬运到了那个地洞里。其后，他们又搬运出一些最华丽的衣服，簇拥着一位耄耋老者下了船。那老人已是风烛残年，老朽不堪了。如同诗人所说：

> 岁月可真是令人敬畏，
> 岁月有无比的威力。
> 原先我健步如飞，
> 如今却行走无力。

有一个少年搀扶着老人，那少年长得非常英俊，衣着异常华丽，那副俊美的样子真是无与伦比，人见人爱。他们一直走到那块盖板跟前，走进了洞口。

过了约有一个时辰，那些奴隶和老人爬了出来。那个少年却没有随着他们爬出洞口，他们把那块盖板盖好，把洞口掩埋好，然后乘船走了。

待那些人走后，我便从树上爬下来，走到那个地窖跟前，耐心地用手一点点把土扒开，再搬到一边儿。扒到了最后，终于露出那块盖板。一看，原来是一块木板，有磨盘石那么大。我掀开盖板，发现下面是弯弯曲曲的石阶梯。我感到很惊奇，便沿着阶梯走下去，发现尽头是一个洁净的大厅，地上铺着地毯，墙壁上挂着丝绸帷幔，那个少年孑然一身，依着靠枕坐在一床厚垫子上，手里拿着一把扇子，周围的香气芬芳扑鼻。

那少年见到我，吓得脸都白了。我向他打过招呼之后，就对他说："不必紧张，不用担心，没有人会伤害你，我同你一样，也是一个人，是一个王子，只是命运驱使我到这里见到你，免得你孤单，这也是我的缘分。你是怎么回事？怎么会独自一个人住在这地底下呢？"

当他确信我与他一样都是人类之后，非常高兴，脸色也恢复了原样，他拉我坐在他跟前，说："老兄，我的来历可是够离奇的：我的父亲是一个珠宝商人，他有很大的店铺，有很多奴仆为他漂洋过海地从事贸易。他资本雄厚、生意兴隆，可就是没有孩子，有一天夜里，他梦见将有一个短命的孩子，就哭着喊着醒了过来。第二天夜里，我母亲便怀孕了，父亲记下了她怀孕的日子，到了时候，便生下了我。父亲老年得子，喜出望外，便大摆宴席，对穷苦无靠的人也都予以款待。他还请来各方会占星的，懂卜卦的和所有能掐会算的名流术士，他们看了我的生辰，替我算过命之后，都对我父亲说：'你这个孩子十五岁的时候必有一劫，如果能躲过这一关，便可以长命百岁。他如果夭折的话，其原因就在于死亡海里有一座磁铁山，山上有一个铜人骑在铜马上的塑像，那骑士身上还挂着一块铅牌，什么时候那个铜人从铜马上摔下来，过了五十天后，你的儿子便会死，造成他死亡的凶手就是那个射倒骑士的人，他是个王子，名叫阿吉布·伊本·海绥布！'我父亲听后，虽然忧心忡忡、闷闷不乐，但还是尽心尽意地把我抚养成人。我现在已经十五岁了。十天前，我父亲听到一个消息，说是那个铜骑士已经掉到海里去了，射他的那个人正是叫阿吉布·伊本·海绥布的王子，我父亲怕我会遭遇不测，便把我载到这里。这便是我的来历和我孑然一身的原因。"

我听了他的故事，不由得心中诧异，心想："射倒骑士的那个人的确是我，可是凭真主起誓，我是绝对不会伤害他的呀！"于是我对他说："我的朋友，你一定会逢凶化吉、平安无事的。如果真主愿意的话，你尽可以无忧无虑，不必庸人自扰，我会待在你身边，伺候你，使自己也安顿下来。待我陪你过了这些日子过后，你可以把我送到你父亲的手下人那里，让我随他们回到自己的家乡。"

我坐下来陪他聊天，直聊到天黑，我站起身来，点了一根大蜡烛，又把油灯全点亮，然后端出饭菜，吃喝起来。饭后，吃了些甜食，我们又坐下，聊了大半夜，聊到后来，他睡着了，我替他盖好被子，自己也去睡觉了。

第二天一早，我早早起来，烧好了热水，轻轻地唤醒他，端来热水，让他洗脸。他感动地说："大哥，你这样好心准有好报。凭真主起誓，我如果能逃过这一劫，不被那个名叫阿吉布·伊本·海绥布的人害死，我一定让父亲好好报答你！一旦我死了，我也会为你祝福的。"

我对他说："求真主保佑，你不会有什么不测。就是死，也让我先死好了！"

我端出早饭，我们吃过之后，我又焚香，使满屋芬芳四溢。随后，我又摆好棋盘，两人下起棋来。吃过一些甜食之后，我们又一直玩到晚上。我起身点上灯。又端出些吃的，坐下来陪着他边吃边聊，直聊到后半夜，他睡着了，我给他盖好被子，自己才去睡。

就这样，白天、晚上，我都陪着他，过了好些日子。我打心眼里喜欢他，也忘了自己的烦恼，心想："那些占卜的、算卦的，纯粹是胡说八道！凭真主起誓，我是不会伤害他的。"

我伺候他，陪他吃喝，陪他聊天，一直过了三十九天。到了第四十天那天晚上，那少年很高兴，就对我说："大哥，感谢真主，使我能够死里逃生。这都是托你的福，都是靠你带来的福分。我祈求真主保佑你能平安回乡。不过，大哥，我想请你给我烧点热水，我想洗一个热水澡。"

我说："我很愿意照办。"

我给他烧了很多热水，让他坐进澡盆里，帮他又洗又搓，尽心伺候他。洗完又替他换上衣裳，铺好床，那少年走过去，舒舒服服地躺下来，对我说："大哥，你去切一个西瓜，拌上糖，拿来，咱们吃，好吗？"

我就走进储藏室，挑了一个好瓜，放在托盘里，端到他跟前，问他："少爷，你有刀吗？"

他说:"喏!刀就在我头上的那个架子上。"

我急忙爬上去,拿起刀,握在手里,想转身下来。谁知道脚底一滑,竟猛然跌倒在那个少年的身上。也是命该如此,我手中那把锋利的刀,竟然一下子就刺进了他的心脏,他当场就死了。

他一死,我又明白是我自己杀害了他,不禁嚎啕大哭起来。我扇自己的耳光,又扯破自己的衣服,哭喊道:"我们都属于真主,并将回归到他那里。啊,穆斯林们,这个少年离那些占卜的、算命的告诉他的整四十天遇到劫难,只剩下一天一宿了。可是这样一个英俊少年竟然丧生在我手中,这还不如让我死在他的前头,不去切这个西瓜哩!这可真是无妄之灾,令人痛心呀!可是只有听从真主来安排了,又有什么法子呢?"

我认为是我杀死了那个少年,就沿着阶梯爬出了那个地洞,又用土把它盖好。我两眼眺望大海,就看见原先那只船又破浪向岛上驶来。我感到很不安,心想:"这会儿他们来到这里,发现那个孩子已被杀死,就会知道是我杀害了他,他们一定会要我偿命!"

于是我爬到一棵很高的树上,躲在枝叶间观察动静。

我刚在树上躲好,就看见那些奴仆簇拥着那位老人——那个孩子的父亲走下船来。他们找到了那个地方,刨开土,掀开盖板,顺着阶梯走了下去。于是他们发现那个孩子洗过澡之后脸上很光洁,衣服也干干净净的,胸口却插着一把刀,躺倒在那里。他们见状不禁嚎啕大哭起来,一边拍着自己的面颊,一边悲叹不已。那位老人则昏死过去好半天,那些奴仆都觉得那孩子一死,不啻要了老人的命。

他们给那个孩子穿好了殓衣,又在尸体上蒙上一块绸子,就把他往船上抬。那位老人也跟着他们爬出了地洞,他看见自己儿子的尸体,不禁又跌倒在地上,悲痛地抓起土,直往头上扬,又拍自己的面颊,又扯自己的胡须。他想起自己儿子的死,更加痛哭失声,竟又昏迷了过去。有一个奴仆从地洞里出来时拿出了一卷丝绸,他们就地铺起来，然后，把老人放倒，让他安静地躺在上面，奴仆们也都默无一言地坐在他跟前，我趴在他们头顶的那棵树上，把这一切都看在眼里。那种悲哀、痛苦真使我感到五内俱焚。

老人一直昏迷到傍晚才苏醒过来。醒来之后，他望着儿子的尸体思前想后，想着自己担心的事情还是发生了，不禁又伤心欲绝地拍自己的脸，捶自己的头，然后惨叫一声，竟气绝而亡。

奴仆们见状都哭喊着他们的主人，悲伤地抓起土，往头上扬，一边失声痛哭，一边把他抬进船里，放在他儿子尸体的旁边，然后船扬帆起航，渐渐远去，在我眼前消失。

我从树上溜下来，又下到那个地下室，见到那位少年遗留下来的一些东西，想着他的遭遇，触景生情，不禁吟道：

触景生情，让我好生思念，
在他的故居，我不禁泪水涟涟。
我求拆散我们的真主，
能开恩让他有朝一日能生还。

然后我走出那个地洞。当时正是白天，我就在岛上转悠开来；到了晚上，我又钻进那个地下室过夜。

我就这样过了一个月。我常常走到岛子西边的海岸去观察，发现那里的海水一天天往下退，地面则一点点露出来。过了整整一个月的光景，那边的海水竟然退干了。我喜出望外，相信这一下可以得救了。我从那里涉水而过，海水很浅，我蹚了过去，登上了陆地。我发现那里是一片沙漠，一个个沙丘，骆驼走过去，细沙可以没过膝。我顿时精神十足地穿过沙漠，发现远处有火光，那火烧得很旺。我朝火光走去，希望能找到一条出路，不禁又吟诗道：

但愿世道能改弦更张，
让多变的岁月带来吉祥。
但愿能够否极泰来，
解决我的需求，实现我的愿望。

然后，我走到火光跟前，发现那里有一座宫殿，宫门是黄铜做的，太阳光照在上面，明晃晃地耀眼，远远看去，就像火光一样。

见到这番景致，我非常高兴，就对着宫门席地而坐。我刚坐下，就看见十个衣冠楚楚的小伙子簇拥着一位老人迎面走来，不过那些小伙子全都瞎了左眼，他们的那副样子、他们凑巧都是独眼龙让我不由得暗自惊奇。

他们见我坐在那里，便向我打招呼，询问我的来历。我就把自己的遭遇，碰到的倒霉事儿，一五一十地给他们讲述了一遍。他们听过之后都感到很惊奇。

随后他们把我领进了宫里。我看到宫室里沿着四周摆了十张床，每张床上的被褥都是蓝颜色的。在那些床的中间还摆着一张小床，上面的铺盖也是蓝颜色的。

我们进屋之后，每个青年都上了自己的床，那位老人走到中间那张床跟前，对我说："年轻人，你就在这座宫殿里住下吧，可是关于我们的情况，我们为什么会瞎了一只眼这件事情，你不要打听！"

然后老人端起饮食，分给每个人一份，也给了我一份儿。此后，他们坐下来又详细地打听我的经历，我也不厌其烦地讲给他们听，一直聊到下半夜。这时，小伙子们说："老爷子！该给我们发报酬了。"

老人说："那好吧。"

说罢，他起身走进宫中的一个套间里。过了一会，他头上顶着十个盘子走出来，每个盘子都蒙着一块蓝布。老人分给每一个小伙子一个盘子，又点燃一些蜡烛，给每一个盘子插上一支。然后再将那些盘子上的蒙布揭开，只见盘子里盛的都是些灰烬、煤粉、锅炱。于是那些青年便挽起袖子，一边放声大哭，一边用那些煤灰之类的东西往脸上涂抹，还一边撕扯着身上的衣服。他们自己打自己的耳光，并且捶胸顿足地哭喊着："我们原先一直呆得好好的，我们为什么要那样好奇呀!?"

他们一直这样折腾到天快亮了，老人才起身为他们烧了热水，让他们洗脸、换衣服。

看到这一切，我呆住了，稀里糊涂地也不知是怎么一回事，可心里总想解开这个闷葫芦。我忘记了自身的遭遇，实在无法保持沉默，就忍不住问他们道："咱们本来呆得好好的，又累了一天，为什么要搞这一套？感谢真主，我看见你们都是理智健全的人呀，为什么要搞这些疯子才会做的动作？凭你们最宝贵的东西起誓，我一定要向你们打听清楚：你们究竟是怎么回事？你们为什么会失去一只眼？又为什么要把那些黑灰往脸上抹？"

他们的眼睛都瞅着我，对我说："小伙子，你可不要因为年轻就自以为是，犯糊涂！劝你还是不要问了。"

第二天一早，我同他们一道起来。老人又给我们端来饭菜，吃过饭后，大家坐下来。又是天南海北地闲聊，到了晚上，老人又点燃了灯烛，给我们端来了吃喝。吃喝完毕之后，大家又坐下来，接着聊天，一直聊到半夜时分，那伙年轻人又对老人说："给我们把报酬拿来！都到睡觉的时候了。"

老人便起身，把那些盛着黑灰的盘子端进来，于是他们又像昨天晚上那样折腾一番。

就这样，我同他们呆在一起有一个月光景，每天晚上都看到他们用黑灰往脸上抹，然后再洗去，换上干净的衣服。

这事儿总让我感到百思不得其解，心里越来越犯嘀咕，以至于到了不思茶饭的地步。于是我对他们说："弟兄们，你们若是再不能消除我的烦恼，把你们往脸上抹黑灰的道理告诉我，我就要离开你们了。"

他们忙说："保守我们这个秘密更为有利呀！"

关于他们的事，我不吃不喝地一直感到迷惑不解，于是又对他们说："你们一定要告诉我，那究竟是什么原因？"

他们就说："这要说出来，可能会给你带来麻烦，搞得你也同我们一样。"

我坚持说："你们一定要说出来！否则就让我离开你们回乡去，免得让我总是看到你们这种怪里怪气的样子。俗话说得好：'眼不见，心不烦。'"

于是他们无可奈何地去找来一只公羊，宰了后，剥了皮，对我说："拿着这把刀，钻进这张羊皮里，让我们把你缝在里面，会有一只叫大鹏的鸟儿飞来，把你抓起来飞向天空，再落到一座山上。那时，你就割破羊皮，钻出来。大鹏鸟见到你，会吓跑了，而把你丢在那里不管。你往前走上半天的路程，就会发现有座奇形怪状的宫殿。你走进去，就可以达到你的目的了。当年我们都进过这座宫殿，这也是我们用灰抹脸和失去一只眼睛的原因。要讲我们的事儿，那说起来话就长了。我们每个人丢失左眼都有一番特殊的经历。"

听他们这么一说，我很高兴。他们就照说的那样打点起我来。

大鹏鸟把我抓起来，落到了那座山上。我从羊皮里钻出来，走了半天，看见一个宫殿。我一看，宫中有四十个姑娘，个个长得像月亮一样美丽。她们看到了我，就异口同声地说："欢迎，欢迎您，我们的朋友！"

然后她们让我坐在一个高台上，端出饭菜，我便与她们一起吃喝起来。席间，有五个姑娘起身，又铺上了一张席子，摆上许多鲜花、水果、干果，还准备了美酒、佳酿。我们便坐下来饮酒聊天，姑娘们弹着琵琶，唱歌跳舞，觥筹交错，不亦乐乎，致使我将世间的一切烦恼全都置于脑后。到了新年元旦她们对我说："当初我们不认识你该有多好！如果你只是听说有关我们的事，那对你倒更好。"

说着，她们竟哭了起来。我感到莫名其妙，便问她们："究竟是怎么回事儿？"

她们说："我们都是来自各国的公主。我们聚集在这里已经好多年了。每逢新年元旦，我们都要离开这里四十天……这是我们的规矩。我们担心的是：在我们不在的时候，你会违背我们对你的吩咐。喏，我们把这座宫殿的钥匙全交给你，这宫殿里有四十个宝库。你可以打开三十九扇门，可千万不能打开第四十道门，否则你就会见不到我们了。"

我就向她们保证："我绝不打开第四十道门！"

告别之后，她们就离开了宫殿，远走高飞了，留下我独自一人呆在宫里。

到了傍晚，我打开了第一座宝库，走进去一看，发现那里简直不啻人间天堂。那里有一个园圃，里面绿树成荫，硕果累累，群鸟鸣唱，小河流水潺潺。我漫步在树丛中，闻着花儿芬芳四溢，听着鸟儿似乎在为那所向无敌的造物主唱着赞歌，鸟语花香，使我不禁心花怒放。我见到的苹果半红半黄，我又瞅着那些榅桲，闻着它们那赛过麝香、龙涎香的香气，如同诗人所说：

榅桲美名天下扬，
好吃堪称水果王。
味似美酒如麝香，
形如圆月色金黄。

还有满树的李子，好似一颗颗璀璨的红宝石，令人赏心悦目。欣赏完了之后，我走了出来，把库房的门按照原样关好。

第二天，我又打开了一座宝库，走了进去。我发现那里有好大一片旷野，里面有高大的椰枣树，有长流不息的河水，四周开满了玫瑰花、素馨花、香薄荷、长寿花、水仙花、紫罗兰。微风吹过，处处飘香，令我心旷神怡。欣赏过后，我又把库房门照样关好。

此后，我又打开第三座宝库的门，只见里面有一个大厅，地上铺着彩色的大理石，门窗、家具、摆设都是用金子做成的，上面镶嵌着各种珍珠宝石，厅里挂着各种用檀香木、沉香木做成的鸟笼子，笼子里有各种鸟儿，如夜莺、画眉、黑鹏、黄莺、金丝雀等，在唱着悦耳动听的歌曲，令我心花怒放，诸般烦恼都随之一扫而光。

我在那里睡了一夜。次日早晨，我又打开了第四座宝库，我发现那里有一个很大的房间，里面有四十个敞着门的柜子。我走进去就看见柜子里面是各种珍贵无比的珠宝玉石，什么珍珠、红宝石、黄玉、祖母绿……真是数不胜数，看得我眼花缭乱，目瞪口呆，暗自叹道："这些东西，我想即使在帝王们的宝库中也是没有的。"当时我真是喜不自禁，各种苦恼早已烟消云散，心想："我现在可是当代最富有的君主了。靠真主的恩赐，这些财产都是我的了。"

就这样，我在这些宝库之间转来转去，不知不觉过了三十九天，而在这期间，除了公主禁止我打开的那座宝库的门之外，其他所有的宝库我都已经打开过了。可是我心里总惦记着那第四十座宝库，不能忘怀。我是鬼迷心窍了，总想打开它。

离约定的日子只有一天了，我实在耐不住，就走到那座宝库跟前，打开门，走了进去。一进去，我就闻到一股从未闻到的香味儿，异香扑鼻，浓郁得竟将我熏得昏了过去，约有一个时辰才醒过来。我鼓足勇气，振奋精神，继续往里走，只见遍地是番红花，里面还有一盏盏金制的油灯，照得四周一片灿烂辉煌。两个大香炉，炉里焚着麝香、龙涎香、沉香……香烟缕缕，香气四溢，馥郁醉人。

我还看到一匹黑马，黑得像漆黑的夜色，它面前有两个白水晶做的马槽，一个槽子里盛着剥了皮的芝麻，另一个槽子则盛麝香蔷薇水。马戴着辔头被牢牢地拴在那里，马身上还戴着金制的马鞍，我一见到那马就不禁诧异，心想："这马一定很了不起！"

鬼使神差地我竟把那马牵了出来，并骑了上去，可那马却站在那里不动，我用脚踢它，它还是不动。于是我拿起马鞭，使劲一抽，那马立即发出雷鸣般的一声长嘶，张开双翼，驮着我，腾空飞去。它远远离开地面，在空中飞奔了一个时辰，然后落在一个屋顶上，把我摔下来，又用马尾抽打我的脸，抽瞎了我的左眼之后，便离我而去了。我从屋顶上爬下来，便又看见了那十个独眼的小伙子。他们见到我之后说："这里不欢迎你！"

我哀求他们说："瞧，我也成了像你们一样的人，我希望你们也能给我那种盛着黑灰的盘子，用它涂抹我的脸。请你们接纳我留在你们这里吧！"

他们说："凭真主起誓，你不能呆在我们这里，请你从这里滚出去！"

他们撵我，我觉得简直是走投无路了，心里想着自己的种种遭遇，不禁忧心忡忡，痛哭流涕地走了出来，心想："我本来呆在那里好好的，干吗要那么好奇呢？"

于是我剃去了胡子，四处流浪。蒙真主保佑，我总算大难不死，今晚来到巴格达，就发现这两位兄弟站在那里，惘然若有所失，我便上前打过招呼，对他们说："我是个外地人。"

他们说："我们俩也是外地人。"

凑巧的是我们三个流浪汉全都瞎了左眼。

我的女主人！这就是我剃光了胡子、瞎了一只眼的原因。

那位当家的女郎听了第三位流浪汉的故事，便对他说："你摩挲摩挲自己的脑袋，走吧！"

第三个流浪汉却说："不行！凭真主起誓，我要听了这些人的来历才走。"

那女郎回头瞧着哈里发、贾法尔和马斯鲁，对他们说："那就对我说说你们的来历吧！"

于是贾法尔走上前去，把他进门时对看门女郎说的那段故事对这位当家的女郎又讲了一遍。女郎听了之后说："算了，我饶了你们，你们相互照应吧！"

一行人出了门，走进一条小巷。哈里发便问那些流浪汉："诸位，现在天还未亮，你们打算到哪里去呢？"

三个流浪汉说道："凭真主起誓，我们也不知到哪里去。"

哈里发便对他们说："那就到我们那里去过一夜吧！"

说罢，他又吩咐贾法尔道："你把他们带去安顿一下，明天把他们带到我那儿看看该如何处置。"

贾法尔遵照哈里发的命令行事。哈里发则回宫去了，但因为过于兴奋，他一夜都未能睡着。

第二天一早，哈里发临朝听政。待到文武百官都到齐了之后，哈里发回头望着宰相贾法尔，吩咐道："去把那三个女郎、两条狗和三个流浪汉都带来见我！"

贾法尔遵照吩咐，起身去把那些人和狗都带到了哈里发面前。他把那三个女郎带到帷幕后面，望着她们说："由于你们昨天晚上对我们的款待，加之你们事先并不认识我们，我们就饶恕了你们。现在我可要让你们知道我们究竟是什么人了：坐在你们面前的是阿拔斯朝的第五任哈里发哈伦·赖施德，你们一定要对他讲实话才行。"

听了贾法尔代表信士的长官讲的这番话，那位当家的女郎赶紧走上前去，对哈里发说："信士的长官！我有一段经历，那可真够刻骨铭心、让人引以为训的。"

第一个女郎的故事

那位当家的女郎走到信士的长官——哈里发面前说：我有一段离奇的经历。这两条黑狗是我的两个姐姐，我们三个本是同父同母的亲姐妹，而这两个姑娘一个身有鞭笞的痕迹，另一个是那个跑街的，则是我的干妹妹。

父亲逝世的时候，给我们留下五千第纳尔的遗产，在众姐妹中，我是最小的。男大当婚，女大当嫁，我的两位姐姐在置办齐了嫁妆之后，就各自嫁给了一个男人。

过了一段时间之后，两个姐夫准备经商，就各自从他们妻子的手中要来了一千个第纳尔，带着她们出门跑买卖去了。

他们在外面呆了有四年的光景，两个姐夫把钱都折腾光了，买卖赔了个一干二净，然后撇下我的两个姐姐在异国他乡，自己则不知跑到什么地方去了。

两个姐姐回到家乡时，已经完全是一副讨饭的乞丐模样，我见了之后不由得愣住了，根本认不出来。

当我终于认出我的两个姐姐之后，就问她们："你们怎么会落到这步田地？"

她们就说："好妹妹，说什么也没有用了。这都是命中注定的事情，是真主的裁决。"

我就让她们去洗澡，给她们换上新衣服。然后，对她们说："你们是姐姐，我是妹妹，父母不在了，我就把你们当成父母一样看待。我分得的那份遗产——承蒙真主保佑——效益还不错，我的境况也挺好。我和你们还分什么彼此，你们就同我一块过好了。"

我无微不至地照顾她们，待她们真是要多好有多好。就这样，她们俩在我那里住了整整一年，各自也从我这里捞了一些钱。她们就对我说："好妹妹，我们还是想再嫁人。没有男人，这日子实在是太难熬了。"

我就劝她们："大姐、二姐！你们不是有过经验教训吗？你们可以看到，结婚实在没有什么好结果！因为这个世道好男人实在不多。"

可是两位姐姐不听我劝，执意要结婚。于是我只好出钱为她们置办了嫁妆，让她们再次嫁人。

婚后没有过多久，她们的丈夫把她们玩弄了一番，然后，把她们的财产席卷一空，就撇下她们逃之夭夭了。

两位姐姐一无所有，简直是光着身子再来见我，并向我道歉说："你别责怪我们吧！你虽说年龄比我们小，可是比我们有头脑。从今往后，我们再也不提嫁人的事儿了！你就把我们当作你的使唤丫头，赏碗饭吃就行。"

我就对她们说："欢迎你们，好姐姐，对于我来说，你们比什么都珍贵！"

我接纳了她们，并对她们更加尊重。我们就这样整整过了一年。后来我想到巴士拉去跑买卖，就置办了一大船货物和船上所需要的一切，然后说："大姐、二姐！你们是愿意待在家里等我出完这趟远门回来呢，还是想和我一道出这趟远门？"

她俩忙说："我们跟你一道走吧，因为我们离不开你呀！"

于是我就带上她俩一道上路了。行前，我把自己的钱一分为二，一半随身带走，另一半则藏在家里。心想："天有不测风云，万一船遇上什么事，而人却能虎口余生，那我们回来，也能有些钱财救救急。"

我们乘船走上几天几夜，船迷失了航向，连船长也认不出航线了。有很长一段时间，我们并没有觉察，船驶进的海域根本不是我们要去的地方。我们又顺风走了十天，远处出现了一座城市，我问船长："我们临近的这座城市叫什么名字？"

船长说："凭真主起誓，我也不知道。我从来没有见过这座城，平生也没有到过这片海域。不过咱们既然安然无恙地到了这里，那就只能随遇而安了。你们可以进城把货物摆出来，好卖就卖，货物出手后再收购一些当地的土特产；若是货不好卖，咱们就在这里歇息两天，再置办些吃的、喝的，继续上路走咱们的。"

船靠岸后，船长先进了城，过了一个时辰，跑回来对我们说："你们快进城去看看，为真主对世人的惩罚感到惊骇吧！你们可千万不要惹恼了真主呀！"

我们听了船长这话，就往城里走去。我走到城门口，就见到一些人手持棍棒在守着城门，可是等我走近一看，却发现他们早已化成了石头。我们进城之后，就发现城里所有的人都化作了黑石头，全城没有一个会喘气的活人。我们感到很惊奇，走进市场，只见一应货物和金银钱财都原封未动，这倒让我们挺高兴，心想："这说不定倒是件好事呢！"

于是我们分散开来，在大街小巷各走各的，每个人都只顾想法发财、捞钱、捡便宜，顾不上别人了。

我爬上一座城堡，发现那里原本是一座法院，我又走进王宫，发现宫里所有的器皿不是金的就是银的。这时，我看见国王正坐在宝座上，周围是文武百官。国王的那身衣服华贵得令人难以想象：那是一袭金丝绣制的袍子，上面缀着的每颗珍珠都像星星一样熠熠生辉；而国王所坐的那个宝座更是镶嵌着各种珠宝玉石。国王四周还有五十名侍卫，穿着丝绸衣服，手执明晃晃的大刀站在那里。我看着那一切，不禁惊呆了。

随后，我又走进了后宫，我发现那里四周挂着锦绣的帷幕。王后正在安睡，她穿着一身用珍珠缝缀起的衣服，凤冠上也镶嵌着各种珍珠宝玉，脖子上挂着一串串项链、璎珞。她身上的一切穿戴都原封未动，完好如初，唯有她本人已经化成了黑石头。

这时我发现有一道敞开的门，便走了进去。只见门里有一个七

磴台阶的阶梯，我便顺着阶梯往上爬。于是我看到那里有一间用大
理石装修的屋子，地上平铺着用金丝编织成的地毯。我还发现屋里
有一张用雪花石制的镶嵌各种珠宝的床。这时，我看到有一处地方
闪闪发光，走近一看，竟是一颗有鸵鸟蛋大小璀璨的宝石，放在一张
小椅子上，而那张小椅子竟也像燃烧着的蜡烛似的熠熠生辉，那宝
石和那小椅子亮光闪闪，映照在那张锦绣的床上，让人看了真是眼
花缭乱。

我观察这一切，感到莫名惊诧。我还看到那间屋子有些点燃未
熄的蜡烛，心中暗想："肯定是有人点燃了这些蜡烛。"

随后，我又走进了别的房间。我到处查看，那里的种种情景令
我惊奇，看得我如痴如迷，竟忘记了身在何处。

我陷入了沉思之中，竟不知何时夜幕已经垂下，我本想出宫回
去，却认不出哪里是门，哪里是路了。我只好回到那间点燃着蜡烛的
房间。我在那张床上坐下来，读过几节《古兰经》之后，便扯过一床
被子盖在身上，想睡了，但我却睡不着，心中总有些忐忑不安。

到了半夜，我忽然听到有人在读《古兰经》，声音虽然不大，但
悦耳动听。我喜出望外，不禁爬起来，循着声音找去，只见一个套间，
我推开门进去，发现那是一个做礼拜的地方，屋里挂着灯，点着蜡
烛，灯烛通明。地上平铺着一块拜毯，上面坐着一个长得非常英俊的
青年人，正在读面前的一本《古兰经》，我见了心里不禁纳闷儿："全
城的人，怎么只有他一个人安然无恙呢？"

我走进屋去，向他打招呼，他抬头看见了我，就回应了我的招呼。
我对他说道："我要求你以你诵读的《古兰经》起誓，照实回答我的
问题。"

那青年瞧着我，笑着说："姑娘，你得先告诉我你怎么会进到这
里来的？我再告诉你我的经历，告诉你这座城市居民的遭遇，我又
为何幸免于难的。"

于是，我就把自己的来历告诉了他，他听了也很惊奇。随后，我便问他这座城市的居民到底出了什么事情？他说："先别急，听我慢慢对你说。"

说罢，他合上经书，把它放进一个缎子做的袋子里，又请我坐在他身旁，我仔细端详着他，这才发现他长得眉清目秀，雄姿英发，气宇轩昂，仪表堂堂，英俊得似一轮挂在天上的明月。

我对他真是一见钟情，又是爱慕，又是赞叹，满腔情愫，溢于言表。我对他说："我的朋友，请回答我的问题吧！"

他说："听你的，照办就是！你要知道，好姑娘，这座城市是先父的城邦，他就是你看见的坐在宝座上已经化成黑石的国王。你看到的那个王后则是我的母亲，他们和城邦里的所有人都是袄教徒，不崇拜威力无比的真主，却崇拜火。他们发誓的时候也是指火、光、影、热和旋转的天体发誓。先父一直没有子嗣，到了晚年才有了我这么一个儿子。先父抚养我长大，也是我有福气。那时我们那里有一个老太太，心中暗自信仰真主和他的使者，外表则迎合我家里的人，与他们保持一致。先父看她忠厚老实，就很信任她，也十分尊重她。先父原先以为她与他信的是同一种宗教。等到我长大了，先父便把我托付给她，对她说：'你把他领去，好好教育他，要把有关我们的宗教知识传授给他，你既要伺候他，也要好好培养他！'

"老太太把我领去之后，向我传授的却是伊斯兰教的知识：如何做小净、大净，又该如何礼拜等，还让我背诵《古兰经》，说：'除了至高无上的真主，你什么都不能崇拜。'当我照她的吩咐，完成了那些功课时，她便嘱咐我：'孩子，这事你可得瞒着你父王，不能让他知道，否则他会要了你的命的。'

"我就把这事一直瞒着先父。过了不久，那位老太太死了。城邦的居民却变本加厉地信仰他们的那些异端邪说，在离经叛道的道路上越走越远。

"正在他们执迷不悟的时候，有一天，他们忽然听到有人在用一种雷鸣般远近都能听到的声音向他们大声呼喊：喂！这座城邦的居民们！你们不要再拜火了，要崇拜仁德的真主。

"听了这声音，人们不禁有些恐慌，就聚集到先父——这座城邦的国王——跟前，问他道：'这是谁在讲话呀？我们听了都感到不安呢。'先父则对他们说：'千万别让那些话吓唬住，不要听信那一套而吓得放弃自己的宗教信仰。'

"那些人听信了先父的这番话，继续专心地拜火，更加执迷不悟。就这样，从第一次听到警告的声音之后，过了整整一年的光景，他们又听到第二次警告，随之，又听到了第三次警告。三年中，每年一次，可是他们对这些警告充耳不闻，我行我素，依然故我。直到后来有一天天亮之后，苍天终于降下了怨怒，把他们和所有的牲畜都化成了黑石头。全城上下只有我一个人得以幸免。

"从出事那天起，我就过上了现在这种生活：礼拜、把斋、读《古兰经》……只是没有人和我做伴，为我消愁解闷儿，我实在忍受不了这种孤独、寂寞。"

听了他这番话，我早已倾心于他，就对他说："这位大哥，你是否愿意同我一道去巴格达？在那里你可以结识一些学者名流，开阔眼界，增长见识。你要知道：在你面前的这位姑娘可是一个一呼百诺的大家闺秀，手下男奴女婢成群，自己还有一艘商船。是命运驱使我们来到这座城市，使我们能了解到这些事情。我们能在这里相见，也是一种缘分。"

我待他一直很温柔，体贴入微，可谓千娇百媚，致使他最后终于接纳了我……

第二天一早，我们起床后，就进国库里，专门挑拣一些值钱又便于携带的细软、财宝带走。我们走下城堡，来到街上，碰见船长和那些奴仆们正在找我。他们一见到我,特别高兴,问我为什么一夜未归。我把自己的所见所闻告诉了他们,向他们讲述了那位青年的故事,还把那座城邦为何因为遭天怒而落到这步田地的原因一五一十地全部告诉了他们,他们听了全都咋舌称奇。

我的两位姐姐看见那位英俊的青年同我在一起,不由得妒火中烧,恼怒得竟对我心怀叵测。

随后,我们兴高采烈地上了船,由于各自都发了一笔意外之财,大家乐得简直要飞了。最让我高兴的是有那位青年陪伴着我。我们呆在那里等顺风了便扬帆起航。

归途中,两位姐姐同我坐在一起闲聊起来。她们问我:"妹子,你打算怎么对待这位漂亮的小伙子呢?"

我就坦率地说:"我想嫁给他。"

我回头望着那青年,并走到他跟前,说:"先生,我想对你说点事儿,你可不要反对,那就是到了我们那座城市——巴格达之后,我就嫁给你,让你做我的丈夫,我做你的妻室,伺候你。"

他乐滋滋地说:"我听你的就是。"

我又回头望瞭望我的两个姐姐,对她说:"我有了这位可心的人,就心满意足了,所有的这些钱财全归你们俩好了。

她们说:"那太好了。"

她们嘴里虽然这样说,心里却对我怀有歹意。

我们一路顺风,船驶出那片可怕的海域,进入了安全地区。我们又走了几天,眼看就快到巴士拉了,连城墙都隐约可见了,这时,天黑了下来。可是就在当夜,趁我们睡着的时候,我的两个姐姐悄悄地把我连同床铺一起抬起来,丢进了大海,又把那个青年也照样丢进海里。那青年不会游泳,在海里淹死了。至于我,我倒是想和他死在一起,可是我命不该绝,落水的时候,真主竟让我身边漂着一块木板,我趴在上面,被海浪冲到一个海岛上,因而得救了。

我连夜在那个岛上到处走，一直到第二天早晨，太阳出来了，我才发现有一条狭窄的小路，把海岛与大陆连在一起，最窄处只有一脚宽。于是我在太阳底下晒干了衣服，在岛上采了些野果吃，又喝了些泉水，就沿着那条小路艰难地走去。

我走呀走呀，眼看就快到城市所在的那片陆地了，就在这时，我突然发现一条有椰枣树干粗细的大蟒左右扭曲着身子拼命向我爬来，后面有一条矛枪一样的又细又长的毒蛇，想咬死它，对它穷追不舍。那蟒爬到我跟前，又累又怕，伸出舌头，直流眼泪，我见此情景，不禁动了恻隐之心，就捡起一块石头，直朝那毒蛇的头上砸去，那毒蛇当场就死了。那条大蟒却张开双翼，飞上天空，一会儿就消失得无影无踪，我见状大为惊奇。当时我也累了，便躺倒在地，睡了一会儿。

当我醒来时，发现有一个女郎正好坐在我的脚跟前，为我按摩腿，面前还蹲着两条狗，我很不好意思，就坐了起来，问她道："妹子，你是什么人？"

她莞尔一笑，说："大姐，你好大的忘性呀！这么快就把我给忘了，难道你不记得了？是你施恩，杀了我的仇人，把我救出来的。我就是你从那条毒蛇口里救出来的大蟒呀！我是一个精灵，那条毒蛇是一个妖魔，是我的仇敌。这回全依仗你，我才能死里逃生，你救了我之后，我就立刻飞到你的两个姐姐把你从上面丢下海的那条船上，我把船上所有的财物都搬回你家里去了，然后把船弄沉了。至于你的两个姐姐嘛，我把她们俩变成两条黑狗。当初你是如何对待她俩的，她俩又是如何对待你的，这一切我都了解。至于那个小伙子，可惜！他已经淹死了。"

说罢，她施魔法，带上我和那两条黑狗飞进了城，把我们放在我家的房顶上。我下来一看，船上所有的财物都一一放在屋里，什么也没有丢失。

随后，那条蟒对我说："凭着我们的主公苏莱曼王戒指上刻的字发誓：你一定要每天各抽她们三百皮鞭，否则的话，我会找上门来，把你也变得同她俩一样！"

我只好说："听你的，照办就是。"

信士的长官，从此后，我就天天都要那样鞭打她俩，同时又可怜她俩。

这就是我的故事，我的经历。

哈里发听了之后，感到非常惊奇。接着他问第二个女郎："那么你呢？你身上的鞭痕是怎么来的呢？"

第二个女郎的故事

第二个女郎走到哈里发面前，说：

信士的长官，先父死的时候，留下大笔遗产。因此有一段时间，我的日子过得挺富裕。不久，我嫁给了一个当时最有名气的富家子弟，但是不幸，我同他只过了一年的夫妻生活，他就死了。依照教法的规定，我从他那里继承了八万第纳尔的遗产，从而成了远近闻名的富孀，光是一千第纳尔的衣裳，我就做了十套。

有一天，我正好坐在家里，忽然有一个丑八怪似的老太婆走了进来。她长得可真是够丑的：只见她脸上皱巴巴的，眉毛光秃秃的，两眼迎风流泪，牙齿残缺不全，还流着鼻涕，歪着脖子，弓着腰，驼着背，蓬头垢面的，真是三分像人，七分像鬼，正如诗人所说：

老妖婆可真是诡计多端，
魔鬼都要请教她如何行骗，
即使有一千头骡子走散，
她用蛛丝也能把它们驱赶。

那个老太婆走了进来，向我问候之后，就跪在我面前磕了一个头，对我说："我是一个寡妇，只有一个女儿。今天是我陪送她出嫁的日子，可我不是本地人，在这城里谁都不认识。为这事，我们母女俩伤心苦恼极了，我到你这里来是要求你行行好，出席我女儿的婚礼。城里的那些太太们要是听说您去了，她们也都会去的。这样一来，您就会让我那个无依无靠的女儿转忧为喜了。"

说罢，她哭哭啼啼地亲吻我的脚，并吟道：

> 您若是屈驾到来，
> 将是我们的光彩，
> 您若是不能出席，
> 无人可将您取代。

听了她的话，我不禁动了恻隐之心，就说："行！我答应你就是。"

我又对她说："看在崇高的真主的面子上，我也赔送她点什么吧，就把我的衣裳、首饰送给她好了。"

老太婆喜不自胜，低下头来，又亲吻我的脚，说："真主会报答您的好处，您让我快活，真主也会让您快活的。不过，太太，这事您也不必太麻烦，收拾好了，等开晚宴的时候我来接您。"

说罢，又吻了我的手，走了。

老太婆走后，我收拾打扮了一下，她就来了，说："太太，这城里的太太小姐们都到了。我告诉她们您要参加婚礼，她们都很高兴，全都盼着您大驾光临呢。"

我带上女仆就随老太婆出了门。我们走到一个小胡同，胡同打扫得干干净净的，地面上还洒了花露水，微风吹过，香气扑鼻。我们来到一家门口，那门楼好气派，上面是一个大理石的圆形建筑，门里是一个高耸云天的宫殿，大门上写着：

　　本房专为喜庆盖，
　　终生幸福乐开怀，
　　院中喷泉喷出水，
　　洗却忧愁和不快，
　　一年四季香满园，
　　争奇斗艳百花开。

　　我们到了那家门口，老太婆敲开门后，我们便走了进去，只见一条长廊铺着地毯，一路看去，处处张灯结彩，珠光宝气，一片灿烂辉煌，我们沿着长廊走进一间无比富丽堂皇的大厅：丝绸铺地，空中是点燃的吊灯，两旁是点亮的蜡烛。厅中有一张雪花石做的镶嵌着各种珠宝玉石的床，床上挂着一顶锦制的帐子，忽见从帐子后面闪现出一个闭月羞花的美貌少女。她见到我，忙说："欢迎，欢迎，万分欢迎尊贵的姐姐。"

　　接着，她吟诵了这样几句诗：

　　这院墙如果知道，
　　是谁的大驾光临，
　　它一定会欢天喜地，
　　把客人的脚印亲吻。
　　那情形好像是要
　　捧出它的一颗红心：
　　欢迎，欢迎你们！
　　欢迎尊贵的嘉宾！

　　那少女坐下来，对我说："大姐，我有个哥哥，在一次婚礼上见过您，他是一个英俊的小伙子，比我还漂亮。他对你是一见钟情，因为您才貌出众，又美丽又贤惠。他听说您是一个一呼百诺的大家闺秀，其实他也是一个发号施令的名门子弟，可谓门当户对。他想同您结为伉俪，于是就给了这个老太婆一些钱，让她把您请来。她就玩了这么一个小花招，让我先与您会见。我哥哥是想按照真主和穆圣订下的规矩，对您明媒正娶，合情合理又合法，没有什么丢人现眼的。"

听了那少女这番话，想想自己已经进入了人家的深宅内室，就顺水推舟地说："就听你的吧！"

那少女听了我这句话，高兴极了，拍了拍手，打开了一道门，于是从门中走出一个小伙子，他衣冠楚楚，仪表堂堂，眉清目秀，英俊潇洒，真是让人一见就心荡神迷，如同诗人所说：

他那英俊的脸，
如同月挂中天，
洋溢着幸福，
好似珠光闪闪。

更有诗云：

他简直就是美的化身，
真主竟能够创造这么美的人！
世人会被他的美迷住，
他可真是俊秀绝伦！
美在他的脸上写着：
我作证：唯有他才叫英俊！

我对那青年不禁一见倾心，爱上了他。他走过来，坐了下来。这时只见一个法官带着四个证人走了进来，他们向我们问候过之后，就坐下来，为我与那青年写下婚约，然后便走了。那青年回头深情地望着我说："这真是个喜庆的夜晚！"

继而又说："夫人，我要向你提一个条件。"

我说："先生，有什么条件，你说吧。"

他起身递给我一本《古兰经》，说："你要发誓：不能再看上别人，而对我变心。"

我就依他发了誓。他非常高兴，拥抱着我，我也全身心地爱着他。佣人们端上饭菜，我们吃饱喝足了之后，便同床共枕，相拥一夜，直到天明。

我们就这样欢欢乐乐，甜甜蜜蜜地过了一个月。

蜜月之后，有一天，我请他允许我上街去买些衣料什么的，他答应了。我穿戴好之后，便带上那个老太婆一道去了市场，我们来到一家那个老太婆认识的年轻商人开的铺子。她便对我说："这是个精明的小伙子，父亲死后给他留下了很多的钱财，他这个店铺买卖又大，货又齐全，要什么有什么，全市场谁家的货也比不上他家的好。"

然后，她又对那个小老板说："快把你这里的衣料拿出来给我们太太看看。"

小老板连忙说："是！是！听您的吩咐就是。"

老太婆唠唠叨叨不住地夸奖那个小老板，我忍不住对她说："咱们到这里来是要买咱们需要的东西，然后回家。你何必要唠唠叨叨地夸他呢？"

小老板拿出我们要的货，我们选好了之后，掏出钱要付给他，他却不肯收，说："这些就算我今天招待你们的好了。"

我听了之后，便对老太婆说："他若是不肯收钱，那就马上把衣料退还给他！"

这时小老板却嬉皮笑脸地说："凭真主起誓，我什么也不要你的，只要你肯让我吻一下，这一切都白送给你。对于我来说，我这店铺里所有的一切都抵不上在您的芳腮上深深的一吻。"

"你亲一下嘴有什么用呢？"老太婆听了小老板的话，一方面对他这么说，另一方面却又纵容我说："孩子，这小伙子说的话，您都听到了。他要是亲您一下，您也损失不了什么，却可以把您要的货拿到手。"

我看了她一眼，对她说："你难道不知道我是发过誓的吗？"

老太婆不以为然地说："您就一声不响地让他亲一口，这对您并无损害，却可以把这笔钱省下了。"

她花言巧语没完没了地向我唠叨这件事，以至于让我终于上了圈套，稀里糊涂地答应了这件事。我紧闭了两眼，用长袍的一角遮住自己，不让别人看见，那小老板在我的长袍里把嘴贴在我的腮上。他吻我的时候，使劲咬了我一口，把我的腮帮子都咬破了。我顿时昏了过去，那老太婆就势把我抱在她怀里，当我醒来的时候，发现那铺子已经关了门，小老板也已经逃之夭夭了，我脸上还流着血。老太婆表现出一副很忧伤的样子，唉声叹气地说："唉，这可真是真主的安排，谁也没有办法。"随之，又对我说："咱们还是起来回家去吧，到家你就躺下装病，我给你蒙上被子，再去找药，涂在这咬伤的伤口上，用不了多久，这伤口就会好了。"

过了一会儿，我撑着，站了起来，忧心忡忡，惶恐不安一步一步地挪回到家，自己就像得了一场大病。到了晚上，丈夫一进屋就问我："怎么了，夫人这次上街碰到什么不痛快的事了？"

我说："没什么，只是我有点不舒服，有点头痛。"

他瞅着我，又点上蜡烛，在我面前照了照，问道："你脸蛋上的这块伤是怎么回事？"

我支支吾吾地说："今天白天我得到你的允许上街买布的时候，一匹驮着柴火的骆驼挤撞了我，把我的面纱划了一个大口子，把我的脸蛋儿——就像你看到的一样——碰伤了。这城里的道路真是太窄了。"

他听了之后说："那我明天去找总督，让他把城里那些卖柴火的全都绞死！"

我忙说："看在真主的分上，您可不能这样做，这事儿您谁都不能怪！我是骑了一头驴，那驴绊了一下，把我摔倒在地上，正巧碰到了一根木棍上，把我的脸蛋戳破了。"

他听后又说："那我明天去找贾法尔，把这事跟他说说，让他把城里所有的驴夫全都处死！"

我又忙说："你怎么能由于我就去草菅人命呢？我遭遇的这些事情全是命中注定的呀！"

他说："我非要那么办不成！"

他刨根究底，非要我说出个所以然来。他很激动，很恼火，我却支吾其词，躲躲闪闪，又出言不逊，顶撞了他。于是，信士们的长官呀！他就对我起了疑心，说："你违背了誓约！"

接着他大吼一声，门一开，跳进七条大汉——都是黑奴。他下令叫他们把我从床上拖下来，丢在院子当中，让其中一个黑奴抓住我的肩膀，骑在我的头上，让另一个骑在我的膝盖上，按着我的两腿，第三个人则手握一把屠刀，问道："少爷！我是不是一刀把她剁成两截，再大卸八块，我们每人扛上一块，丢进底格里斯河里，让她喂鱼去。让人们看看，这就是不守信义的报应。"

我丈夫真是恼火透顶，就吟了这样几行诗：

如果有人插足，
有第三者存在，
我的灵魂就会拒绝再爱，
因为我的情感受到了伤害。
我会对自己说：

倒不如一死，

因为如何能与情敌，

共同分享自己所爱。

然后，他对那个黑奴说："把她砍了吧，赛阿德！"

"太太，你可以念'认主词'了，你想想还有什么要说的，就留遗嘱吧，你死到临头了！"

我就说："好人呀！你再宽限我一会儿，好让我念'认主词'，留下我的遗嘱。"

说罢，我抬起头，看了看自己的处境，想想自己原是养尊处优的名门闺秀，如今竟成了这么低三下四的阶下囚，忍不住泪如雨下，放声大哭起来。我丈夫横眉怒目地瞪着我，我回头望着他，吟出了这么几句诗：

是你让我登上爱情之路，

而后，你却稳坐如山。

是你，使我彻夜难眠，

而你，却睡得坦然。

要知道，你的地位，

是在我的心与双眼之间：

心不能将你忘怀，

泪水无法将我的情感隐瞒。

你曾经对我山盟海誓，

要忠贞不渝，信誓旦旦。

可当你占有了我的心，

却不守信义，将我背叛。

不珍惜我对你的情感，

也毫不在意我对你的声声哀叹。

你这样狠心，

就不怕会遭灾遇难。

凭着真主起誓，一旦我死去，

请照此写在我的墓碑上面：

"这里埋葬着一个痴情的人，

为情而死，死得好惨。"

但愿会有一个多情的人，

明白何为痴情，何为热恋。

但愿他经过这座墓前，

对墓中的死者予以垂怜。

　　我吟罢这几句诗，不禁痛哭流涕。那狠心的人听了我吟的诗，又见我伤心地哭泣，更加火冒三丈，也吟了几句诗：

我抛却了心爱的人

并不是由于厌腻，

而是她犯了罪过，

导致要将她抛弃。

她要在我们的爱之间

再插进另一个伴侣，

而我却是一心一意，

只信仰爱情的专一。

　　听他吟完诗，我又哭了起来，我哀求他，心想："我就在他面前低三下四地说些软话吧，也许他能饶我一命。只要能不杀我，哪怕他把我所有的一切都拿去，我也在所不惜。"

随后，我向他诉说自己的伤感之情。又吟了这几句诗：

你若是真的公平，

就不会要我的命，

但是离弃的判决，

哪会有什么公正！

我本是一个小女子，

真可谓弱不禁风，

可你偏偏要我把

爱情的重担独自承担。

我倒并不在意，

自己会失去灵魂。

想不通的是，除了你，

我这身体岂有他用？

我吟完诗后，不禁放声大哭。他瞅着我，又是呵斥，又是骂不绝口，随即吟道：

你无心将我照管，

而忙于将别人陪伴：

你对我显然疏远，

咱们原先可并非这般。

你既已忘却了旧情。

我就会把你抛却在一边。

你既然对我推三阻四，

我就会对你阻四推三。

你既然另有所爱，

我就自会向别人求欢。

绝情的责任在你，

而不应该由我承担。

他吟完诗，就对那个掌刀的黑奴大声说道："把她劈了吧，我们留下她也没有什么用了。"

当那个黑奴举刀向我走来时，我相信自己已经是必死无疑，早已断绝了会活下去的念头，无奈地把自己的一切都托付给真主——听天由命吧！不料，那个老太婆突然跑了进来，扑倒在我那个狠心人的脚下，吻着他的脚，苦求他道："孩子，看在我把你抚养长大的分上，你就饶了少奶奶吧，她没有犯下什么值得你如此对待她的罪过。你还年轻，我怕她死都不会饶恕你，要对你诅咒一辈子的。"

说着说着，老太婆竟放声大哭起来，跪在那里，死活不肯起来，一定要他饶了我。直缠得他没有办法，最后只好说："行，我就饶了她。可我一定要在她身上弄出一点痕迹，让它一辈子都褪不掉。"

随后，他下令那些黑奴扒下我的衣服，把我按倒在地，他找来一根榅桲棍，一下接一下地打在我脊背和两肋上，直打得我昏死过去，我当时都觉得自己非昏死在他手下不可。

打完之后，他又吩咐那些奴才，让他们找那个老太婆带路，连夜把我送回老家去。那些奴才便遵照他们主子的命令行事，当天夜里，把我往原先的家门口一丢，就回去交差去了。

直到第二天早晨，我才从昏迷中醒来，我只能自己照顾自己，用膏药敷在伤口上，又吃药调理。伤愈之后，胸口上却一直留着被鞭打过的痕迹，怎么也去不掉。这，你们也看到了。

我当时身体非常虚弱，卧床休息了四个月，身心才算复原了，在这之后，我曾到发生这一切的那座宅子去了一趟，却发现那里已是一片废墟，整条巷子从头到尾都被破坏殆尽，我也不知道这一切究竟是怎么回事情。

后来，我就投奔到我这位干姐姐这里，就看到她身旁有两条黑母狗。我向干姐姐问候过之后，就把自己的经历一五一十全讲给她听了。她对我说："妹子，你大难不死，必有后福。现在总算平安无事了，这就应当感谢真主。"她还吟诗道：

> 世道如此，不必奇怪，
> 劝君切要安心忍耐。
> 一旦境况更加艰难，
> 亦要等到否极泰来。

然后，她也对我讲述了她的经历，讲述了她与两个姐姐间发生的事情以及她们的结局如何。从此以后，我们住在一起，嘴里从不再提起婚嫁之事。后来，那位干妹子也来陪伴我们了，她负责跑街，每天上街为我们采购各种所需物品。我们就这样过着自己的日子，直到昨天晚上。

昨晚，我们这位干妹子照例上街去替我们采购，接着就发生了这一切：先是那位脚夫来了，后来又来了这三位流浪汉，再后来，就是你们装扮成商人模样来了。今天一早，我们也不知道是怎么回事，就稀里糊涂地被带到您的面前。这就是我们的经历。

哈里发听了她们的故事后，大为惊奇，就下令史官记录下来，作为史料存放在皇家档案馆里。然后，他向头一个，也就是当家的女郎说："那个把你的两个姐姐变成狗的女精灵，你知道她在哪儿吗？"

女郎答道："信士的长官，她曾给过我一绺她的头发，并对我说'你什么时候要叫我，就从这绺头发中拿出几根烧一下，我哪怕是在卡夫山后，也会马上赶到你面前。'"

哈里发说："那你就把那绺头发给我拿来！"

那女郎遵命去拿了来。哈里发拿着，从中取出几根，用火一烧，随着那头发冒出一股焦味儿，宫殿都晃动起来，人们只听见一阵轰轰隆隆、吱吱嘎嘎的声音。随之那位女精灵一下子就出现了，她是个穆斯林，就向哈里发行"色兰礼"道："愿你平安，哈里发——真主的代理人！"

"也愿你平安，愿真主怜悯你，赐你幸福！"哈里发答礼道。

那女精灵说："您知道，这位女郎有恩于我：她救过我的命，杀死了我的仇敌。我无法报答她的这种大恩大德，当我知道她的两个姐姐对她的所作所为时，便觉得一定要替她向她的两个姐姐进行报复。我本想把这两个家伙杀死，但又担心她这个当妹妹的会于心不忍，便把这两个家伙变成两条黑狗。如今，信士们的长官，如果你要我把这两个家伙解脱出来，我就会看在您和那位女郎的分上，把她俩解脱出来，因为我也是个穆斯林呢。"

哈里发便说："你先把她俩解脱出来吧！然后咱们再着手处理那位挨打的女郎的事。调查一下，看她究竟是怎么回事儿？如果真是像她说的那样，我一定要替她申冤报仇。"

女精灵说："信士们的长官，喏，我先把那两个家伙解脱出来，然后还会告诉你，是谁那样对待这位女郎的：冤枉了她，还占有了她的钱财。那人其实还是你的一个最亲近的人呢！"

女精灵说罢，取出一碗水，对它念念有词，然后把水朝那两条母狗的脸上一喷，说道："恢复你们原来的人形吧！"

那两条狗便应声变成原先两个少妇的样子。

随后，女精灵说道："信士们的长官，打这位女郎的不是别人，正是您的太子艾敏。当初他听说了这位女郎才貌双全，就设法娶她为妻。其实也不能怨他打她，因为原先他对她有约在先，又让她起过重誓，不能有失检点，他怀疑她有悖誓言。他本来想处死她，但他敬畏真主，才把她打成了那样，并把她送回老家。"

哈里发听了女精灵这话，感到莫名惊诧，说道："赞美崇高、伟大的真主，蒙他重恩，让我了解这位女郎受了鞭打的原委。凭真主起誓，我一定要做一件可以名垂青史的好事。"

于是他传唤了太子艾敏，让他站在自己的面前，问起有关那女子的事，太子照实说了出来。然后，哈里发又叫来法官、证人、那三个流浪汉和头一个当家的女郎及她的曾经被魔法变成狗的姐姐，把他们姐妹三人嫁给了那三个自称当过国王的流浪汉，又把他们任命为自己的侍臣，赏赐给他们所需要的一切，按时发给他们俸禄，让他们定居在巴格达城中。

哈里发又让那个受委屈挨打的女郎与太子艾敏复婚，重修了婚书，赏赐给她许多钱财，并下令为她重建一座比原先更好的宫院。

最后，哈里发自己娶了那位跑街的女郎，为她单修了一座宫院，专派一些宫女伺候她，吃穿花用皆不用她操心。

一时间，哈里发这种慷慨、宽容、大度及睿智在人间传为美谈。

驼背的故事

　　古代，中国的京城中住着一个裁缝，他天性快乐，喜好玩笑嬉戏，他时常带着老婆出门散步玩乐。

　　一天，他们夫妇清晨出去散步游玩，直到日落时才尽兴而归。他们在路上碰到了一个驼背人，这驼背人显得滑稽可笑，他的言谈举止，使人会一下子忘记烦恼。这时候，裁缝夫妇走上前去，一时兴起，便邀请他随他们一道回家，以便夜晚大家一起同饮同乐。

　　那驼背巴不得有人请他，便与裁缝夫妇一起走到他们家，裁缝马上出门到市场购物，那时天已经黑了。裁缝买回了煎鱼、面包、柠檬和甜食。他把煎鱼放在驼背面前，大家坐下来，围着餐席大吃。

　　裁缝的老婆拿了块很大的鱼肉塞进驼背嘴里，用手开玩笑似的捂住他的嘴，说道："以真主的名义起誓，你一口就能吞下这整块的鱼，不要耽误工夫，一口吞下去吧！"

　　驼背狠命一咽，那块鱼里面有一根大鱼刺一下子卡在他的喉管里，噎得他喘不上气来，很快地他就被鲠死了。裁缝吓坏了，叹道："毫无办法，只凭万能的真主拯救了！这个可怜的人，怎么就这样死了，怎么就偏偏死在我们的手里！"

他的老婆焦急地埋怨裁缝:"你还不赶快想办法呀?你没听见诗人这样说过:

一事令人烦恼又悲伤,
莫说无可奈何无主张;
何必坐在熊熊烈火上,
坐等不动结果必遭殃。

裁缝回答她说:"那你说我该怎么办呢?"

裁缝老婆说:"你起来,把他抱在怀里,我在他的脸上蒙上一方丝绸手帕,然后我在你前面先出门,你跟在我后面。趁天黑,把他给抬出去。你就说:'孩子,这是你妈,我们带你去看医生,去给你治病呀!'"

裁缝听了老婆的话,就把驼背抱在怀里。裁缝老婆说道:"哎哟!我的儿啊,你要平安无事才好啊,你哪里难受啊?你怎么就得了天花,这么容易就传染上了啊?"

看到他们夫妇俩的人都说:"他们俩的孩子得天花了。"

他们俩一直走着,打听医生的家,他们终于找到犹太医生的家,就敲门。

那医生的黑女仆听到他们敲门,为他俩开门。看见裁缝抱着孩子,孩子的母亲跟着。她问道:"有什么事吗?"

裁缝的老婆说:"我们带孩子来看病,拿上这枚四分之一的金币,去交给你的主人,让他为我们的孩子看病,这孩子身体很虚弱啊。"

女仆转身上楼叫医生,那裁缝老婆就跨进门槛,对丈夫说:"快把驼背放下,我们赶快逃走。"

裁缝匆忙放下驼背,让他靠着门槛里面的墙,裁缝夫妇出门走了。

再说那女仆去见犹太医生,对他说:"门口有一对夫妇带着一个很虚弱的孩子来看病，他们让我把这块四分之一的金币交给你，请你去替他们的孩子看看。"

医生接过金币，很高兴，立刻起身，摸着黑下楼来看病人。

不料他的一只脚碰到了死了的驼背，他就说："啊！我的天啊，摩西啊，十诫哟！亚伦哟！我怎么会一脚踢到这个病人了，把他踢倒下去就跌死了，我怎么把这个死人从家里弄出去呀！"

医生背着驼背的尸体进屋去，给妻子看，把刚才发生的事情告诉妻子。医生妻子说："你怎么还坐着不动呢？坐到天亮呀！那时我们可就没命了！快来呀，我们两个把他抬到房顶的平台上，再放到隔壁的邻居穆斯林家那边去。我们这邻居是王宫的御厨总管，经常会有猫到他家去吃他带回家的肉、吃那里的老鼠。夜里头，狗也会从屋顶平台爬过墙头，爬下去偷吃肉。"

所以这犹太医生夫妇两人，一个提着驼背的双手，一个抬着他的双脚，把他抬上平台，又沿着墙把他慢慢地放下去，让他靠着墙角。然后两人下来了，回到自己家。

他们把驼背放在那里时，正巧那个总管回家，他打开门，点着蜡烛走进屋，立刻发现在墙角怎么站着一个人。这总管就说："以真主起誓啊！原来到我们这里偷肉的是人呀！你偷了肉、偷了油，我还一直以为是猫和狗偷吃的呢，所以我把胡同里的许多猫和狗都杀了也不顶事呢！原来是人呀！是你从房顶上爬下来偷肉偷油的呀！"

他去拿来了一把大锤子，朝驼背的胸前打去。

驼背被打倒在地，总管看见他死了，这才难过起来，说道："毫无办法，只望求万能的真主拯救了。"他担心自己要赔上性命，又骂道，"这些倒霉的油啊，肉啊！这一夜是怎么了，这个人的命就这么断送在我手里了？"

他又仔细看一看，发现这人原来是个驼背。他又说："你这个人，驼了背还不够你倒霉吗？你还要来偷肉偷油？快有个帘子吧，有个好看的帘子才好啊，来遮遮我的罪恶吧！"

总管把驼背扛在肩膀上，趁着黑夜出门了，一直走到一个市场的拐角处，就把驼背放下来，让他的身子靠在一家店铺门前。然后他自己离开了那里。

这时一个喝醉酒的基督教徒走过来了，他是王室的经纪人，此时正想要去澡堂洗澡。他摇摇晃晃地走着，念叨说："嘿，这澡堂也不远！"

他摇摇晃晃地走到驼背面前，突然看见这里站立着一个人。昨天夜间，有人抢了基督徒的缠头。现在他看见驼背站在那里，以为又有人等在这里抢他的缠头，他正在愤愤不平，于是趁着醉酒，使劲一拳打在驼背脖子上，驼背马上倒了下去。这个基督徒醉得厉害，一面大声喊叫市场的警卫"捉贼"，一面趁势扑在驼背身上，两手掐着驼背的脖子。市场警卫来了，还看见这个基督徒骑在驼背的身上打他。警卫说："快起来，松开他。"

警卫走到驼背跟前，发现他已经死了，于是说道："基督教徒打死伊斯兰教徒了。"

然后，他把那基督教徒抓起来，带往官府。基督教徒自言自语道："耶稣呀！圣母玛利亚呀！我怎么会打死人呢？我只是喝醉了酒，打了他一拳，他怎么这么不经打，就会死了？他死得多快呀！"

随后，基督徒酒醒了，恢复了理智，他和驼背一起在官府过了一夜。

次日，总督命令行刑官为基督徒搭上一个绞刑架，把他带到绞刑架下，把绞索套上他的脖子。突然，一个正在观看的路人从人群中挤进来，他就是那个御厨总管。他看见了基督教徒站在绞刑架下，就要被绞死，便分开众人，对行刑官说道："不要绞死他，这个人是我杀死的。"

总督问："你为什么杀他？"

御厨总管回答："昨天夜间，他进了我的家，我看见他从屋顶上爬了下来，要偷我的东西，我就拿一把锤子朝他当胸打过去，就把他打死了。我很害怕，就把他背到市场跟前，让他靠在一家店铺的门前。我已经杀了一个穆斯林，不能再由于我的过失，再让这个基督教徒去死呀，别绞杀这个基督教徒，绞死我吧！"

总督听了御厨总管这番话，就释放了基督教徒，对行刑官说："绞死这个自首的人吧。"

行刑官听从吩咐，从基督教徒的脖子上取下绞绳，拴在御厨总管的脖子上，把他带到绞刑架下，准备动手绞死他。

这时，那个犹太医生挤开人群，冲到绞刑架下，对行刑官叫喊："不要绞死他，这个人是我杀死的。昨天他到我家来看病。我听说了，就下楼出来找他了，不成想天太黑，我不经意一脚踢在了他身上。他跌倒了，就摔死了。所以你不能绞死这个御厨总管，就绞死我吧！"

总督就命令绞死犹太医生，行刑官听从吩咐，从御厨总管的脖子上取下绞绳，拴在犹太医生的脖子上，把他带到绞刑架下，准备动手绞死他。

突然，裁缝分开众人闯进来了。他对行刑官说道："不要绞死他，这个人是我杀死的。昨天清晨我出门散步，晚饭时分回家，碰到这个喝醉酒的驼背。他哼着小曲很开心。我当时就邀请他到我家去，我买了煎鱼招待他。我老婆拿了一块鱼塞在他嘴里，他一口咽下去，就鲠死了。我老婆和我把他带到犹太医生家里，犹太医生的女仆开了门，我对她说：'告诉你的主人，门口有一男一女带着一个虚弱的孩子，请他给孩子看病。'我还给了她一枚四分之一币值的金币。她上楼去通知主人的时候，我把驼背放在楼梯旁边，然后就带着我老婆溜走了。医生下楼，踢在驼背身上，他就猜想是自己杀死的。"

然后裁缝对犹太医生说："是这样的吧？"

犹太医生回答："对，真是这样的。"

裁缝看了看总督，说："放掉这个犹太医生吧，绞死我好了！"

总督说："这真是一个可以记录在案的事情。"

然后他对行刑官说："放掉犹太医生，绞死这个裁缝吧。"

行刑官走上前去，说："我们放掉那个，要绞死这个，又放掉这个，绞死另外一个，结果谁也没有绞死。"

然后他把绞索套在裁缝脖子上。

再说那个驼背的事儿，原来他是一个为皇帝逗乐子的人，随时伺候皇帝，皇帝时刻不能离开他。只是那晚，他喝醉了酒，溜了出去。第二天中午还不见他回宫，皇帝便向臣僚们打听他的下落。结果有人来禀报皇帝："陛下，驼背已死亡，总督捉拿了凶犯，正准备绞杀，只是接二连三地来了人，每一个人都声称是自己杀了驼背，而不是别人，他们都向总督说明了自己杀死驼背的情况。"

皇帝听了这话，立即向侍卫喝道："你快到总督那里去，把他们一干人全都带来见我。"

侍卫来到法场，看见行刑官正要开绞裁缝，于是他大喝道："且慢！手下留人！"

侍卫说："此事已经惊动皇帝，他命令带上驼背，还有相关的裁缝、犹太医生、基督教徒、御厨总管，总之是所有的人都到皇帝那里去。"

总督等一干人到达王宫，向皇帝叩头问安，向皇帝讲述了所有的经过。皇帝听后，感到十分惊奇、有趣，他命令史官将这驼背的故事记录下来。

皇帝听完他们的讲述后，吩咐人把理发师也带来，说："把理发师也带来吧，也让我们听听他的故事，大家也就都解脱了。我们再把驼背给埋了吧，让他入土为安！他昨天就死了啊，我们还要为他修一座坟墓，是他让我们大家聚集在一起的啊！"

皇帝的仆役们把理发师带来了，带着他来到皇帝的面前，皇帝看着他，仔细一打量，看出他原来是一个九十多岁的老者：黑脸、白胡须、白眉毛、小耳朵、高鼻子。皇帝看到他这般模样，就笑起来，说："听说你是一个经常保持沉默的人啊，也给我们讲讲你的故事吧！"

理发师说："陛下，为什么今天裁缝、犹太医生、基督教徒、御厨总管都在这儿呢？他们中间，还有一个死了的驼背啊，这是怎么一回事呀？"

皇帝说："你为什么要问他们呢？"

理发师说："陛下，我问他们，是让陛下知道，我并不爱管闲事，我不去管那些与我不相干的事情，人们说我多嘴多舌，我真是无辜，人们要叫我寡言君，这才名副其实。有诗为证：

你总看到有绰号的人，

细查人与外号总相称。

皇帝说："你们大家就给理发师讲讲昨天晚饭时分围绕这驼背发生的事情吧！你们把基督教徒、犹太医生、御厨总管以及裁缝所讲的故事全都讲给这理发师听听吧！"

大家又把所有人的故事讲了一遍。

理发师听了，直点头，说："真主保佑，这可是关于驼背的奇事了！你们都让开点儿，让我看看这驼背！"

大家让开点道，理发师靠近驼背的头的一边坐了下来，他把驼背的头放在自己的怀里，仔细端详他的脸，突然哈哈大笑起来，笑得倒在了地上，他说："每个人的死都是有原因的，这个驼背的死尤其值得记载下来，书写一笔呢。"

他的言行使所有的人都莫名其妙，皇帝也摸不着头脑，说道："寡言君，你给我们解释一下，你说的是什么意思呢？"

"陛下，以你的恩泽起誓，这个驼背还有气呢。"

理发师说着，从口袋里拿出了一个药膏瓶子，打开来，从中取出一点油膏，抹到驼背的脖子上；又拿出一只铁钳子，把铁钳子伸进驼背的喉咙管，从中夹出的一块鱼还带着鱼刺。在众目睽睽之下，他把鱼刺取出后，那驼背就站了起来，打了一个喷嚏，他用手抹抹脸，说道："世上无神，惟有真主，穆罕默德是他的使者。"

所有在场的人都惊奇万分，中国皇帝与大家都笑得前仰后合。皇帝说："这真是天下奇事，我还从来没有见过比这更稀奇古怪的事呢，臣民们，穆斯林们，你们亲眼见过起死回生的事吗？要不是今天最后来了这个理发师，这驼背也就活不过来了。"

大家都说："以真主的名义起誓，这真是最奇的奇事。"

然后中国皇帝吩咐：将这个故事记录在案，放入皇帝的文库。再则，赏赐犹太医生、基督教徒、御厨总管每人一件名贵袍服；让裁缝、理发师分别成为宫中御用裁缝、御用理发师，给他们丰厚俸禄；让驼背与裁缝重新和好；赏赐驼背与理发师各人一件袍服。

从此，大家各得其所，舒适愉快地生活着。

哈里发哈伦·赖施德微服私访

（真假哈里发的故事）

有天晚上，哈里发哈伦·赖施德心情烦闷，召来宰相贾法尔，说道："朕今夜烦躁，心神不宁，莫如与爱卿一起到巴格达的街上漫步，且看众百姓如何生活，但须更换衣袍假扮商人，以遮人眼目，莫叫人识破。"

贾法尔连连称善，答道："遵命。"

于是二人即刻分别脱去王袍、官服，更换衣饰，扮成商人模样，带上卫士莫斯鲁，三人悄然出行，东走西看，不觉来到底格里斯河边，见到一个老翁坐于船头，便走上前施礼，说道："老人家，请给个方便，让我们乘乘您的小船，这个第纳尔请您收下，算是您为我们辛苦一场。"

那老者道："小人却是不敢，客官不知：每天夜晚，哈里发哈伦·赖施德便乘坐上官船在河中游乐，还派人招呼道：'众百姓听着，无论老幼，无论尊卑，但凡此时敢乘船下河者，便斩首示众，严惩不贷。'此时，正是那官船就要开来的时分。"

哈里发与贾法尔连忙说道:"老人家!这两个第纳尔请您收下,务必让我们在您的船舱中暂时躲避,待那哈里发的官船一旦过去,我们立即出来就是。"

老翁认可,收下钱币,让他们进船。此时,官船已临近河心,只见烛光明亮,火把耀眼。老翁对他们说道:"我已讲过,哈里发每夜皆要来底格里斯河航行。"

片刻他又告诫道:"莫要掀开船幔。"

老翁一面说着一面将他们带进船舱,取出黑色幔帐将他们遮挡住,他们便只能在幔帐下观景。只见一人站立在官船的船头,手持赤金火把,点着沉香。他身着红袍,头上缠着曼苏尔缠头,一肩披一块红绣花面料,一肩挎一个绿丝绸口袋,内装沉香,用以点燃手中的火把;船上还立有一人,衣着与其相似,同样手持火把;船的左右两侧则站立着二百名奴仆,船的中间放着一把赤金宝座,一位美貌男子端坐其上,面容犹如满月,身着黑色长袍,缀有金线所绣的图案。他面前立着的那个人好像是宰相贾法尔,背后立着的那个手持宝剑的人,似乎是卫士莫斯鲁;此外他们还看见了二十位清客。

"贾法尔!"哈里发看见此种情景,不禁叫道。

"奴才在,主上有何吩咐?"贾法尔连忙说。

"这年轻人也许是我的一个儿子,不是麦蒙,就是艾敏。"

哈里发一面说一面继续端详着这位坐在宝座上的年轻人,但见他面容俊秀,举止文雅,不禁又回头招呼宰相:"贾法尔!"

"奴才在。"

"天哪!这青年没有忽略哈里发的任何做派,他面前立着的那个人,不就是你宰相贾法尔,他背后立着的那个人,不就是卫士莫斯鲁吗?这些清客也都像是我的清客们,这事真是让朕惊奇万分。"

"陛下,奴才何尝不是如此。"

此时,官船渐渐远去,离开了他们的视线。那老者才又将船划出来，叹道："真主保佑，总算没有叫人撞见。"

哈里发又问："老人家，那哈里发每夜都会来游底格里斯河吗？"

"回禀客官，他如此这般夜游已经整整一年。"

"老人家，明日还请您再在此处等候，我们将给你五个金第纳尔。因为我们是外地人，住在客舍，很想游玩逛景。"

那老者回答："就按客官吩咐。"

于是哈里发、贾法尔与卫士莫斯鲁一行离开老人，打道回宫。他们脱去商人的服饰，换上王袍、官服，各就各位坐定，文武百官上朝议事，待到诸事议论完毕，众官员离去。

哈里发说道："贾法尔，我们还要看那哈里发去。"

贾法尔与莫斯鲁笑起来，顿感心旷神怡，即刻更衣出门。他们从王宫便门走出，来到底格里斯河畔，看见那老艄公已经在此处等候，待他们刚上船坐定，那位哈里发的船也就驶过来了，他们扭头望去，乃见那船上的二百位随从已更换了新人，但火把依旧通明，那呼喊声仍然如同昨日一般。哈里发说道："我的宰相，这件事情，如仅仅是耳闻，我便不信；如今是目睹，却由不得我不信。"

哈里发又接着对老者说道："拿上这十个第纳尔吧，把小船划到那官船的对面。他们在明处，我们在暗处，我们能好好看看他们，他们却不能看见我们。"

老者回答："遵命，客官！"

老人接过钱，依照吩咐，在官船的暗处把小船划过去，直至到达一个花园。

他们上得岸来，走进花园，看见众多仆役站在那里，还有一个配好鞍子、辔头的骡子，那位哈里发在众人簇拥之中骑上骡子前行，前面还有火把开道。哈里发、贾法尔与莫斯鲁混在众仆役中，一同向前走着，不想在火把通明中被人发觉。人们注视着这三位身穿商贾衣服的外乡人，陡生疑惑，便将他们三人带到那哈里发面前。那哈里发看了看他们，问道："你们如何来此？为何此刻来此？"

"陛下，我们只是异乡来的商人，今日才到达，夜晚出来走走，不想碰到你们一行，就被您的仆从抓起，送到您的面前。这就是我们的故事了。"

那哈里发说道："亏得你们是外乡人，你们平安无事了；要是你们是巴格达人，就绞死你们。"随后他看了他的宰相一眼，吩咐说，"陪着这些人去，今夜，他们是我们的客人了。"

"大王，奴才遵命！"

那宰相便领着他们到达一座宫殿前，宫殿威严、雄伟、壮观，高耸入云天，木门上也用黄金珍宝镶嵌着图案。他们进得门来，又见地毯铺在地上，窗帘低低垂下，桌椅等家具一应俱全，富丽堂皇，摄人心魄，让人无词形容描绘。

只见那宫殿门上写着一副对联：

岁月流逝，这宫殿越发美丽
笔墨难书，宫殿内景色妙奇

此时，那哈里发在随从们的前呼后拥中进得门来，在铺着黄绸椅垫、镶嵌着珍珠宝石的金銮宝座上就座，卫士立其身旁，众清客也随之一一坐好。有人送上珍馐佳肴，众人尽兴品用，举杯痛饮，洗手、涮手巾，好不热闹。随后又有人端上陈酒佳酿，人们轮流取用，只是轮到哈里发哈伦·赖施德时，他不饮，于是那个哈里发问贾法尔道："你的主人为何不饮酒？"

"大王，他已经许久不饮了。"

"我们尚有其他饮料会适合你的主人，苹果汁就很不错。"那哈里发说道。并立即叫人拿苹果汁来，自行送到哈伦·赖施德面前，说道："再要轮到你喝酒，你喝这苹果汁就是。"

众人依旧轮番喝酒，以至酩酊大醉，晕头晕脑。

哈里发哈伦·赖施德对宰相说："贾法尔！这种酒器，连朕都没有一件，这青年到底为何人？"

两人正在窃窃私语，不妨已经被那哈里发瞥见，于是责怪道："众目睽睽之下窃窃私语，有失体统。"

贾法尔说："何谓有失体统？我的朋友云游四方，见多识广，结交过多少帝王将相、公子王孙，只是不曾经历过今晚这等奢华场面。但听巴格达人说道：无歌饮酒，酒会伤头。"

当那位哈里发听了贾法尔的这番话，微微地笑着，满心释然。他举起手杖，敲了一下门环，门随即打开，从中走出一个仆人，搬来了一把镶金的象牙椅子，后面跟着一位端庄美丽聪明伶俐的窈窕淑女。仆人放下椅子，这淑女就坐了上去。她的面容犹如晴朗天空中的太阳，怀抱印度琵琶犹如慈母怀抱幼子，边弹边唱。她用了二十四种方法弹奏，乐声让人销魂，然后她又回到第一种弹法，按照节拍唱下去：

> 千言万语表不尽，
> 对你痴情情义真，
> 秋波难掩泪如雨，
> 惟有相思苦在心，
> 爱你方知何为情，
> 人间难逃是命运。

那哈里发听着这女子弹唱的诗句，大声喝彩欢呼，忘乎所以，撕裂了身上的王袍，失了体面。众仆役连忙拉下帘子，拿出一套更加漂亮的王袍替他换上，他回到宝座坐定，大家再轮番把盏。又轮到那哈里发时，他再次敲了一下门环，门随即打开，从中走出一个仆人，搬来了一把镶金的象牙椅子，后面跟着一位比前一位更加端庄美丽聪敏伶俐的窈窕淑女，仆人放下椅子，淑女就坐上去。她弹奏手中琵琶的声音震十分动听，让人羡慕，让人嫉妒。她也是边弹边唱着：

> 情思如火何堪忍，
> 泪如潮涌沾满巾，
> 从此生活无欢乐，
> 唯有忧烦摧我心。

那哈里发听着这女子弹奏和演唱的诗句，再次大声喝彩欢呼，忘乎所以，撕裂了身上的王袍，失了体面。众仆役再次拉下帘子，拿出一套更加漂亮的王袍替他换上。他回到宝座坐定，大家再轮番把盏。再次轮到那哈里发时，他又敲了一下门环，门随即打开，从中走出一个仆人，搬来了一把镶金的象牙椅子，后面跟着一位更加端庄美丽聪敏伶俐的窈窕淑女，仆人放下椅子，淑女就坐上去。她边弹边唱着：

> 勿弃勿离求郎君，
> 难忘郎君在妾心。
> 痴情郁结愁成病，
> 望君对妾多怜悯。
> 一身憔悴皆为情，
> 只求郎君能欢欣。
> 世无他者能取代，
> 君如明月在我心。

那哈里发听着这女子弹唱的诗句，第三次大声喝彩欢呼，忘乎所以，撕裂了身上的王袍，失了体面。众仆役又连忙拉下帘子，又拿出一套更加漂亮的王袍替他换上。他回到宝座坐定，再轮番把盏。再次轮到那哈里发时，他又敲了一下门环，门随即打开，从中走出一个仆人，搬来了一把镶金的象牙椅子，后面跟着一位比前一位更加端庄美丽聪敏伶俐的窈窕淑女。仆人放下椅子，淑女就坐上去。她边弹边唱着：

> 离弃、怨恨何时结束？
> 让过去的欢乐能再恢复？
> 当年一家团圆多么美满，
> 温馨的日子让人嫉妒。
> 可岁月无情将我们拆散，
> 让人去室空无人居住。
> 责备我的人啊！你想让我忘怀，
> 可是我这颗心却绝不会糊涂。
> 还是让我钟情莫责备吧！
> 这颗心仍是爱恋不改情满腹。
> 纵然你可以毁约移情别恋，
> 可别以为我的心会忘却旧情有变故。

那哈里发听着这女子弹唱的诗句，第四次大声喝彩欢呼，忘乎所以，撕裂了身上的王袍，晕倒在地。众仆役还想像前几次那样拉下帘子，突然挂帘子的绳子断了。哈伦·赖施德看了那哈里发一眼，看见他的身上有被鞭子抽过的伤痕，就对贾法尔说道："贾法尔，这年轻人也许是个可耻的窃贼。"

贾法尔问道："陛下如何得知？"

"你没有看见他身上的鞭痕吗？"

一番忙碌后，众仆役终于拉好了帘子，拿来衣袍给那哈里发换上。他又回到起初与清客们聚会时的宝座上，坐定，看见了哈伦·赖施德正在与贾法尔密谈。便问道："你们所谈何事？"

贾法尔说："向王上请安，无事要瞒王上，只不过我的这位商人朋友到过许多国家，陪伴过许多王公大臣。但他对我说，他在其他地区尚不曾见过一人如今夜陛下您此等挥霍：把价值一千个第纳尔的王袍一件又一件地撕破，再一件又一件地换，实在是过于浪费。"

那哈里发说："朕所耗费的不过是本人的钱财，所撕破的不过是本人的衣袍。且朕还要将每件撕破的衣袍赏赐给在座清客，外加五百第纳尔。"

"好，愿王上如愿以偿。"

这年轻人听了贾法尔的这一席话，即送了他一千个第纳尔与一件衣袍，然后大家再轮流把盏饮酒。哈里发哈伦·赖施德对贾法尔说道："贾法尔！我们曾见他身上的伤痕，莫如乘机问上一问。"

"陛下不宜造次，常言道：忍耐是一种美德。"

那哈里发又瞥见两人在窃窃私语，再次问道："你们两人到底为何事相商，莫如把你们的事情讲给我听听，不必再隐瞒。"

"陛下！仅因我的朋友偶尔间见到陛下身上的鞭痕，甚是惊愕不解：谁人敢在太岁头上动土，敢打起哈里发来？不知个中缘由。"

那年轻人听到此话，微微苦笑道："我的话儿稀奇古怪。我的事情古怪稀奇。若是记录在案，或许能够警示后人。"

于是那年轻人开始吟诗颂词，开始讲他的故事。

他吟道：

> 我的身世最奇特，
> 命途多舛受折磨。
> 诸位落座莫言语，
> 欲想了解听我说。

话中自有教训在，

句句真言的的确。

情迷心窍几近死，

令我痴情乃绝色。

秋波闪动如利箭，

箭箭射中我心窝。

心有感应见诸位，

哈里发是我贵客。

还有宰相贾法尔，

伴君同来亦在座。

三是卫士莫斯鲁，

此话当真没有错。

平生愿望今实现，

眉开眼笑心中乐。

听了那哈里发的上述诗句，贾法尔连忙否认他们并不是上述三人。那哈里发大笑，说道：

诸位，敬请听禀：我并非信士的长官哈里发，之所以冒名来顶替，是想看看市井子民如何看待我，我本名为穆罕默德·阿里·本·珠海里，生于名士家。父亲谢世时为我留下大宗金银珍珠、玛瑙玉器、房产田地、花园浴池、商店铺子，尚有众多男女仆役。

那一天，我正好坐在我的一幢店铺里，众多随从仆役在左右伺候，突然一位骑骡女郎由三位女仆护卫欣然而至，她们面容姣好如同月亮，待她们进了我的店铺，那女郎问道："阁下可是穆罕默德·珠海里先生？"

"在下便是。愿为小姐效劳，请小姐吩咐。"

"阁下这里有适合我佩戴的珠宝首饰吗？"

"有，有！容在下把所有的珠宝首饰倾囊拿出，若是小姐喜欢哪件，便是在下的造化；若是小姐一件也看不中，就是在下没福气了。"

我拿出一百条项链，展现在她眼前，不想竟无一件让她如意。她说道："再没有比眼前的这些更好的项链了吗？"

实际上，我有一条小巧项链，比这些都好，原是先父以十万第纳尔的高价购得，便是帝王将相也无类似的珍藏，于是我对她说道："小姐，我倒还有一串项链，那是达官显贵也不曾有的珍品。"

"请让小女子一见。"

待她一见这项链，立即说道："这正是我所需，我将终生佩戴。请问价钱几何？"

"此乃先父以十万第纳尔的高价购得。"

"那么再让你赚五千第纳尔。"

"小姐赏光喜欢项链，就听小姐吩咐，在下并无异议。"

"为商总得赚钱，阁下的善意更要得到回报。"

她说毕，立即骑上骡子，又对我说道："请阁下随我们去取款。今日有劳阁下劳顿辛苦，我等却如愿以偿。"

我即起身，锁上门，关了铺子，随她们走至一个大宅院前。但见那豪宅壮丽华贵，朱门镶金嵌银，并书写了对联在门上：

忧愁不进家门，户主事事顺心。

开门欢迎宾客，来客皆为贵宾。

女郎下了骡子，走进大门，让我坐在门墩上稍事休息等候结账。我等了不一会儿，另一女郎走出来对我说道："委屈阁下在此不雅之地久等，请进大堂说话。"

我站起来，随她到达大堂，刚一坐下，就见那丝绸帘子被拉开，露出金制椅子上坐着的一位女郎,定神一看,才发现她就是那位买项链的人。此时她已将项链佩戴在脖子上,容光焕发,犹如月光闪烁,美丽俊秀,无与伦比,简直让我惊魂失魄。

那女郎看见我,就从金座椅上站了起,向我走来,说:"嘿,心肝宝贝儿,你就不会取悦一下自己钟情的人儿吗?"

我说:"美人儿,你就是美,世间没有什么美过你呀!"

"珠海里,要知道,我喜欢你,要不我怎么就把你给带到我这里来呢。"随后她就把我拉过去,搂在怀里,我们互相亲吻。她也明白了我对她的依恋,说道:"我的主!你不是要与我偷尝禁果吧?谁能因做这样的事去忍受闲言碎语?我是处女,还藏在闺中人未识。但我也并非无名等闲女子,知道我的底细吗?"

"恕我不知。"

"我叫杜尼亚,是叶海亚·本·哈立德的女儿,我的兄长就是当朝哈里发的宰相贾法尔。"

听她此言,我不敢造次,忙说:"小姐,也不能说我是贸然闯入您的府第吧?您还是有意让我来的啊。"

"不必介意,你会心想事成,我自己的事自己能做主。法官会为我作证,我请你来是为与你结为一家人。"

随后,杜尼亚就叫来了法官与证人,说道:"穆罕默德·阿里·本·珠海里向我求婚,送我这串项链为聘礼,我已经接受这桩婚事。"

他们即为我们写下婚书。

接下来就是婚礼有序进行了:喜乐高奏、喜酒入席、杯盏交错,热闹非凡。杜尼亚招来歌女弹唱助兴。

那歌女弹着琴,伴着琴声,以清脆的歌喉唱道:

我似羚羊、似柳枝、似明月,

该死的他竟不动心，他的心却冰冷如铁。
美男子啊，真主让你摆脱一场痴迷后，
美色再现，勾魂夺魄，令你情禁绝。

人们说起他来怪我总打岔，
好似我不喜欢别人将他夸。
说起别人似乎我在用心听，
其实我心不在焉总想着他

这个歌女唱罢，那个歌女登场，一个接着一个用甜美的歌喉唱着，直至十个歌女唱完。她打发众人离去，我们双双进入洞房。那里美如仙境，什物应有尽有，被褥窗帘五光十色，那女郎脱去衣服，与我同眠共枕，进入温柔乡，我平生不曾有过今夜如此这般的消受。我吟诗道：

手环玉颈心如潮，
一夜任我尽逍遥，
今夜了却平生愿，
不离不弃相拥抱。

我丢下了我的家人、我的店铺、我的故乡，在此度蜜月。整整一个月过去了，有一天，她对我说："我的眼珠儿，我的主人穆罕默德，我要到外面的浴池洗浴，你就留在家里，不要离开，等待我回来。"

我说："我知道了，遵命就是。"

她再三叮嘱我不要动窝儿，方才出门去浴池洗浴。

不想她前脚走后脚就有人来。也许她还没有走出胡同口，就有一老妇人走进门来，说道："穆罕默德先生，祖贝伊黛王后听说你文雅俊秀、善歌善词，便想见你。"

我说："以真主起誓，我不能离开家，除非我的妻子杜尼亚回来。"

那老妇人又说："我的先生！别让祖贝伊黛王后生气，她请你去只是去说说话儿，很快你就会回来的。"

我只好随同老妇人一起出门。老妇人在前，我在后，我跟着她去看望祖贝伊黛王后。祖贝伊黛夫人一见到我，就说道："我的眼珠子，看来，你是迷恋上杜尼亚小姐了。"

我说："我是您的奴才，听您吩咐。"

"人们传说你英俊潇洒，歌也唱得好，看来你确乎如此。好吧，给我唱支曲子吧！我洗耳恭听。"

我只好一边弹琴一边为王后唱曲子：

> 相恋之心情难禁，
> 相思之苦病在身。
> 男儿既欲登征途，
> 相随岂能无情人。
> 主将明月寄你处，
> 我虽未见爱在心。
> 情人所为皆可爱，
> 喜怒无常加娇嗔。

王后听罢，对我说道："果然你身材雄健，歌声动听，名不虚传。趁杜尼亚没有回家，你快回去吧！莫要她怪罪你。"

我在王后面前跪地告辞，那老妇人依旧领我回家。

我一进门，不想杜尼亚已经从浴池回来，正躺在床上养神，我赶忙坐到她的双腿旁边，她一睁眼看见了我，便把我推下床来，怒喝道："你这个背信弃义的小人，还有脸见我！你答应我不出门的，却背弃许诺，径自去会祖贝伊黛王后，要不是我担心别人议论，就会去把她的宫殿给捣毁！"

接着，她又呼喊仆役："赛瓦布，给我打这个不讲诚信的家伙，砍断他的脖子，我们不要这种人！"

仆役们走来，拿了一条布把我的眼睛蒙上了，要照死里打我。

此时，众位大大小小的女郎们闻讯赶来，替我求情："小姐，这是他第一次犯错啊！他还不了解您的性格脾气啊，再说他的错误也不至于死罪呀！"

"那也得在他身上留下些印记，让他好生记着。"她说着，又命令仆人打我，抽我的肋骨。你们看见的我身上的伤痕也就是她在我身上留下的印记了。打过之后，她又命令将我驱逐出家门，让我离开她的豪门大宅。

我只好步行回到自己的家中。找来郎中，让他看我的伤痕，他同情我，帮我疗伤，我也就渐渐痊愈了。我到浴池洗洗澡，到铺子里清点清点、盘算盘算，然后把铺子卖掉了，用所得的钱买了四百个奴仆，任何国王也不会有更多的奴仆了，我还花费五千个金第纳尔造了一条大船，自称哈里发，按照哈里发的做派设置侍卫，把四百奴仆分成两班，每夜里让二百奴仆陪我游船作乐，还派人招呼道："众百姓听着，无论老幼，无论尊卑，但凡此时敢乘船下河者，便斩首示众，严惩不贷。"我就这样过了一年，在这一年中，我既没有听见杜尼亚小姐的消息，也不曾得知过她的踪迹。

穆罕默德·珠海里说到这里，哭起来，并吟诗一首。

终生对她难相忘，
纵有他人在身旁。
赞美真主造出她，

好似明月挂天上。
令我憔悴夜不寐，
心中悲伤复惆怅。

哈里发哈伦·赖施德听罢穆罕默德·珠海里的故事，知道了他为何悲伤，知道他对恋人如何地思念，很感惊异。于是他说道："赞美真主啊，凡事皆有因。"

随后，哈里发哈伦·赖施德一行三人起身告辞，穆罕默德·珠海里应允。哈里发哈伦·赖施德私下想要对他有所馈赠。

哈里发哈伦·赖施德一行打道回府，回到王宫，更换衣饰。他坐上宝座，面前站着卫士莫斯鲁。他对宰相贾法尔说道："爱卿，把昨夜我们见到的那个年轻人带到宫里来吧！"

"遵命，陛下！"

然后，他就去找穆罕默德·珠海里，对他说："哈里发哈伦·赖施德想见到你。"

年轻人随贾法尔进宫。他向哈里发哈伦·赖施德跪地请安，祝福哈里发威严常在，心想事成，吉祥平安，无病无灾。随后他又说："祝福您，您是信士们的长官，您是宗教的护卫。"

他随之吟诗称颂哈里发：

官门好似克尔白，
入宫如同朝觐来。
人们视此如圣地，
明主皇恩深似海。

哈里发哈伦·赖施德微微一笑，用欣赏器重的目光看了这年轻人一眼，并向他问候，招呼他坐到自己跟前来，说道："穆罕默德，告诉朕，昨天夜里发生了些什么事情？听说美妙无比啊。"

"求陛下宽恕小人，让小人能惊魂稍安。"

"不必恐惧，不必伤悲，如实讲来。"

于是穆罕默德就将自己的故事从头至尾道来。

哈里发哈伦·赖施德知道这个年轻人因为离别钟情的人而伤怀、愁闷。于是对他说："你想见你日夜思念的那个人吗？朕帮助帮助你就是。"

穆罕默德连忙感谢道："陛下真是功德无量啊。"

然后，他又吟诗道：

我吻他的手指，可那不是手指，
而是打开生计、福祉的钥匙。
我感谢他的恩典，可那不是恩典，
而是带来幸福的璎珞、项链。

此时此刻，哈里发哈伦·赖施德向宰相瞥了一眼，说道："贾法尔！还不把你的妹妹杜尼亚带过来。"

贾法尔答道："陛下！奴才遵命就是。"

随后贾法尔很快地带来了妹妹杜尼亚。

哈里发问杜尼亚："你认识这个人吗？"

她回答："陛下！女子不能随意结识男士。"

哈里发笑了笑，又说道："杜尼亚，他就是你的丈夫穆罕默德·珠海里呀，事情我们都知道啦。他已经把你们的故事从头至尾讲了一遍，朕也就了解了事情的里里外外、前前后后。凡事莫隐藏，总有暴露时。"

杜尼亚说："书上也是这么说的。我的这段姻缘也为上苍所注定。小女子知错，求陛下原谅。"

哈里发哈伦·赖施德大笑起来，又请来了法官、证人，重新为穆罕默德与杜尼亚写婚书，祝愿他们生活幸福安康、不生妒意。

哈伦·赖施德还接纳穆罕默德为自己的清客。

从此他们的生活幸福愉快、安详如意。

法官妻子的故事

在古代以色列，有位法官的妻子美貌贤惠，吃苦耐劳，那法官要去圣城耶路撒冷朝觐，便委托弟弟代理自己的一应法官事宜，同时嘱咐他好生照顾嫂嫂。

这弟弟听说嫂子善良美貌，早已心生爱慕。待到法官一走，他便前来对嫂子多次纠缠调戏，遭到嫂子的坚决拒绝。这弟弟终于绝望，又害怕兄长归来后得知此事，于是恶人先告状，找人作伪证，控告嫂嫂行为不轨，与他人私通，还把状子告到国王那里去。国王按照教规判决：将她乱石打死。人们挖了一个大坑，将她推下去，大家乱石齐发，就把她给埋起来了。这时国王说："这个坑就是她的坟墓。"

夜已深沉，她的伤势严重，一直在呻吟。正巧一位返乡的村民路过此处，听到了呻吟声，忙把她从坑中拉出来，带她回家，并让妻子善待她。随着时光流逝，她的身体渐渐康复。那村民妻子为她提供了一个住所，还委托她代为照看儿子。

此时村中的一个无赖看见了她，贪图她的美色，想霸占她。她当然不从，于是那无赖决定杀死她。待到黑夜降临时分，那无赖就闯进她的房子，趁她熟睡，举刀就刺，不想刺中的却是睡在她身边的孩子。那无赖十分恐惧，急切逃走。法官妻子清晨醒来，看见被杀死的孩子，大惊失色，女主人赶来，怒斥道："你这个凶手！是你把孩子杀了。"

她不由分说地去痛打法官妻子，直想要把她打死才好，此时她男人回来了，才把法官的妻子救下来，那男人说道："这事不是她干的。"

法官的妻子就这样又得救了。

她离开那家人，也不知自己要去向何方。她身上仅仅揣着几块散碎的银子，只得漫无目的地四处流浪，不多时她路过一个村庄，看见一群人围在那里，有一个男人被吊在树上，她便赶忙问道："嗨，这个人是怎么回事？"

大家告诉她："这个人犯了罪，要么得杀头，要么交赎金。"

于是法官的妻子说道："快把这些银子拿去，把他放了吧。"

那男人在她面前忏悔，发誓愿意终身伺候她，作为报答。还为她修建了一座禅房，让她住进去念经，而自己则为她打柴送餐。法官妻子尽力修行祷告，但凡有病人、遭遇不幸的人来求助，她都会尽力相帮，直至病人痊愈、不幸者得助。从此她声名远播。以至于有一天，陷害过她的小叔子也来找她了。

常言道：善有善报、恶有恶报。她的小叔子诬告她偷情通奸，自己的脸上却长了疔疮；那位错打她的妇女患了麻风病；那个对她非礼的无赖已经病得瘫痪了。

再说法官朝觐归来，赶忙向弟弟打听妻子的消息，弟弟却谎称嫂子已经死亡，法官好不伤感，只能期待她在天国安息。

而此时人们却在传说着有一位妇女善治疾病、有妙手回春之术，法官就对他的脸患疔疮的弟弟说道："小弟，这妇人的妙手也许能治好你脸上的病呢。"

弟弟道："哥哥，那您就带我去吧。"

同样患麻风病妇女的丈夫也听说了法官夫人善于治病救人的消息，也带着妻子找她去了；还有那流氓无赖的家人也得知了消息，也带着他上路求医去了。

几路人马汇集禅房门口，那法官的妻子早已看清了这一群人，只是这些人却没有看见她，只要等待仆人通报，获得准许以后才能去见她。戴着面纱的法官妻子站在门边，透过面纱看着自己的丈夫与小叔子、错打她的妇女、企图偷情的无赖，而他们依旧没有能认出她。于是法官的妻子对他们说道："嗨，你们这些人呀，忏悔吧，承认自己的罪过，才会得到解脱。真主的奴仆们只有承认自己的罪过，向真主忏悔，真主就会原谅他，满足他的愿望。"

法官赶忙向弟弟说道："向真主忏悔吧，别再顽固不化，治病最要紧呀！"人们的舌头都是这样说：

> 今日好人、坏人聚集在一堂，
> 往日的秘密，真主今宣扬，
> 此处犯罪者没有好下场，
> 顺从真主者则可以把头昂。
> 我主会把真理宣示清，
> 纵然罪犯不满怒气生，
> 斗胆挑战、惹怒真主者，
> 岂敢不怕真主之严惩？
> 切记，追求荣华富贵者，
> 荣华就在敬畏真主之中。

此时，只见法官的弟弟说道："那我就说实话吧，是我对嫂子非礼，是我调戏她，又诬陷她，我犯了罪。"

那麻风病女人说道："我有位女客人，我不知道是不是她干的坏事情，就认定是她干的，我就狠狠地打她，这是我的罪过。"

那个瘫子说道："我闯进了一个女人的家，欲行不轨，她奋力反抗，我就想把她给杀了，结果错杀了她的一个孩子，这就是我犯下的罪过。"

这时候，法官的妻子说道："作恶者就会卑贱，诚恳才是本分。至慈至尊的真主无所不能，会让病人痊愈。"

此时，法官凝视着他的妻子。他的妻子则问道："你为什么这样看着我？"

法官说道："我曾有妻室，不幸她已经亡故，要不然，我真会说，你就是她。"

于是法官的妻子与丈夫相认了，他们共同赞美至慈至尊的真主让他们夫妻团聚。

而法官的弟弟、那想偷情的无赖、那打人的村妇则恳请法官的妻子原谅他们，她也就原谅了这些人。于是他们向真主顶礼膜拜，并愿意终生为法官的妻子效力。

飞毯的故事

很久很久以前，印度国王有三个儿子，大王子名叫侯赛因，二王子叫阿里，三王子叫艾哈迈德。他们个个勇敢善战，很得父王喜欢。他们的叔父有一个女儿，名叫奴妮哈，聪敏美貌，三位堂兄同时爱上了她。这可难坏了他们的父王，总不能让三位王子都娶这位堂妹为妻呀！于是他前思后想，终于想出了一个办法。一天，他将三位王子叫到跟前，对他们说道："我的儿子们呀！我知道你们都喜欢你们的堂妹奴妮哈。可是，我让你们当中的谁来娶她为妻呢？只能让真主来决定了。你们都出远门吧！到很远很远的地方去，寻找稀奇的珍宝，一年之后再回到这里来。谁得到的东西最稀奇珍贵，谁就娶她为妻吧。"

三位王子都连连称善，说："感谢父王安排。"

于是每人都打扮成商人模样，带上随从，骑着马，上路了。他们同时出发，不一会，来到了一家旅店，门前不远处就是一个三岔路口，于是三位王子在此分手，每位王子各选一条路向前走去。

大王子侯赛因，选择了去毕斯那的路，他与一个商队同行，在路上走了三个月，才到达毕斯那城，他与随从们住在市中心的一家旅店里，离旅店不远处，就是一个大市场，人们在这里买卖货物与各种古玩、绸缎、布匹、玻璃、瓷器、金银、珠宝等，应有尽有。大王子侯赛因不时到市场上走来走去，对一些古玩十分感兴趣。一天他看见一个商人手持一块毯子叫卖："真丝毯子，四万金币。真丝毯子，四万金币。"

大王子侯赛因听见商人的叫卖声，忙问道："你的毯子有什么好处，敢叫如此高的价格？"

商人说道："客官有所不知，我替我家主人办事，主人是不允许我卖低价钱的。要说这块真丝地毯，确实是非同寻常，这原来是一块飞毯，谁要是坐在飞毯之上，想飞到哪里，飞毯就会带他飞到哪里。"

大王子侯赛因一听，心想这可真是一个难得的宝物，稀奇古怪得很，要是我将它带回国去，父王一定会喜欢的，我也就可以娶堂妹为妻了。于是他立刻问商人说："你怎么能证明这飞毯的神奇功能呢？"

商人说："只要你坐在这块毯子上，心里想着一个地方，这块飞毯就会飞起来，带你到那个地方去，咱们可以试验一下的。"

商人一面说着，一面便将地毯铺在地上，与大王子侯赛因一起坐在上面，大王子侯赛因心里刚一想到要回旅馆去，这飞毯就升到空中，带他们到了旅馆。大王子侯赛因高兴异常，立即付款，买下这块飞毯。他心想有了这件宝物，便可以回国娶堂妹奴妮哈为妻了，只是现在为时过早，还不到父王约定一年的日子，他准备在旅馆里等待一段日子再起程。

此刻二王子阿里参与了另一商队前往波斯，四个月后，到达波斯京城，他与他哥哥一样在商场寻找珍奇物品，一天，他看见一位商人手里拿着象牙管在叫卖，开价也是四万金币。

二王子阿里对他的随从说道："这人真是疯了，一根小小的象牙管子，居然要这么高的价钱。"

随从说道："波斯多古玩，也许这是什么特别的宝物呢！"

说着，便招呼那个商人过来，问道："你这个象牙管有什么功用呢？要卖这么贵的价钱。"

商人忙说："要说我这个象牙管可不是一般物件，它确是一件神物。你从这个管子的一头看去，就会看见很远很远的地方，看见你想看的人和物。"

此时此刻，二王子阿里正想着他的父王，于是他从这个管子的一头看去，立即看见他的父王坐在王位上；他想看见堂妹奴妮哈，于是他立即就看见了堂妹奴妮哈正在和侍女们谈笑做游戏。二王子阿里一看大惊，连连称奇！想道：就怕是在全世界，也没有什么东西比这个象牙管子更加奇怪的了。我买下它吧！就可以回国娶堂妹奴妮哈为妻了。

再说三王子艾哈迈德。三王子艾哈迈德一行到了撒马尔干，他在城市里观光游览，寻找着珍奇物品，有一天，他看见一个人叫卖苹果："神苹果，神苹果，四万金币一只神苹果。"

三王子艾哈迈德说道："你这苹果这么贵，它到底有什么神奇的地方？"

那商人说："这神苹果真是不同一般，这苹果能够起死回生，无论什么人，无论什么病，只要闻上它一下，病也就立即好了。我已经用这苹果治好了几百个人的病了。所以你用一个金库的金子来换它也是值得的，莫说是四万金币。"

三王子艾哈迈德拿这话当真，于是便买下了这个神苹果，他感到世间再无什么更好的物件可以同他的神苹果相比。他得此苹果，便可以回国娶堂妹奴妮哈为妻了。于是他打道回府，来到了他们三兄弟分手的那家旅店，发现他的两位哥哥已经在这里等候他了。三兄弟各自拿出自己得到的宝物来介绍。

大王子侯赛因拿出了飞毯，说："我的弟弟们，我这个毯子可不是一般的毯子，这是一块飞毯，谁要是坐在飞毯之上，想飞到哪里，飞毯就会带他到哪里。"

二王子阿里拿出了象牙管，说："兄弟们，要说我这个象牙管可是一件神物，你从这个管子的一头看去，就会看见很远很远的地方，看见你想看的人，看见你想看的东西。"

三王子艾哈迈德拿出神苹果，说："两位哥哥，我的神苹果真是不同凡响，它能够起死回生，无论什么人，无论什么病，只要闻上它一下，病立即就会好了。"

弟兄们在谈论着，大王子侯赛因从二王子阿里手里拿过象牙管看看，此时他心里正想着堂妹奴妮哈，于是从象牙管中看见了堂妹。他一看便不由得叫道："弟弟们呀！你们快来看呀！堂妹面黄肌瘦，快要病死了。"

于是二王子阿里与三王子艾哈迈德都从象牙管里看见了他们病着的堂妹。

三王子艾哈迈德说道："哥哥们，我有神苹果，如果我们赶到堂妹那里，让她闻闻神苹果，她的病就会好的。"

大王子侯赛因说："弟弟们，我有飞毯，我们坐在飞毯上，心里想着堂妹，我们便会立即赶到她那里的。"

说话间，三位王子乘上了飞毯，飞毯立刻将三兄弟带进了堂妹奴妮哈的房间。奴妮哈的侍女们还没有来得及惊讶，三王子艾哈迈德已经拿出神苹果，冲到了堂妹跟前，放在她的脸旁边，一会儿工夫，堂妹奴妮哈睁开了两眼，似乎是从梦中醒来，微笑着看她的堂兄们。

三位王子看见堂妹已经恢复健康，便向她告辞，去见他们的父王，向父王问好。国王高兴地同他们拥抱，听他们叙说各自的经历，看他们得到的宝物。不一会儿国王忧愁起来："我的孩子们，我怎样才能够决定你们当中的谁能够娶你们的堂妹奴妮哈为妻呢？她得了重病，没有阿里的象牙管，你们不知道她病了；没有侯赛因的飞毯，你们不可能赶到她的身边；没有艾哈迈德的神苹果，也不能够治好她的病。可是你们的堂妹奴妮哈只是一个人，不能嫁给你们三个，我该怎么办呢？"国王想了一想，又说道，"只能再想一个办法了。你们明天到这里来比赛射箭吧！谁射得远，谁就娶你们的堂妹奴妮哈为妻吧！"

次日，三位王子来到了父王面前，开始比赛射箭。大王子侯赛因一箭射出，射得很远很远；二王子阿里又射出一箭，射得更远；三王子艾哈迈德最后射箭，他的箭却没有了踪影。大家开始寻找，终是没有找到。国王说道："二王子阿里的箭比他哥哥射得远，应该娶堂妹奴妮哈为妻。"

这样，堂妹奴妮哈成了阿里的新娘。

大王子侯赛因失望至极，于是离开了家乡，当了一名苦行僧。而三王子艾哈迈德却不甘心找不到自己射出的箭。于是他朝着射箭的方向走去，一直走，一直走，走了九公里之后，他才发现自己射出的箭落在一块大石头上。他感到神秘莫解："这是怎么回事？我自己是决不会有这样大的力气将箭射得这样远的。"

他沿着这块大石头徘徊，转来转去，最后发现了一扇大门，他推门进去，看见门内是一个院落，后面则是一排宫殿式的房屋。一位美貌的女郎正在等候他的光临，三王子艾哈迈德立即向她问候，那女郎也回礼道："欢迎你的光临，艾哈迈德王子，我已经等候你多时。"王子十分奇怪："你怎么会知道我的名字？"那女郎微笑着说："我名叫费丽巴若，是神的女儿，因此知道人间的事情。我知道你们三位兄弟都希望娶你们的堂妹奴妮哈为妻，分别远行，得到了飞毯、象牙管、神苹果，也知道你的哥哥已经娶堂妹奴妮哈为妻。我看见你温文尔雅，十分敬佩，将你射出的箭抓住，放在这块石头上，在此地等候，看你是否来取，如果你能够来取，证明了你我有缘分相见。"

艾哈迈德王子听了这番话，十分高兴，天下竟然还有这等奇怪的事情！还有这样一位仙女在等待他的来临。他走向前去，对仙女说道："你是世界上最美丽的仙女，我们有缘分相见，我愿意做你的奴仆。"

费丽巴若仙女忙说："我在此等候你的到来，绝不是让你当我的奴仆，我要你当我的夫君，我们仙女可以自己选择丈夫的。"

艾哈迈德王子听了此话，满心喜欢。真想不到自己还有这等福气，能够娶得仙女为妻。

二人喜结良缘。快乐的日子过得快，不知不觉地过了六个月。一天艾哈迈德王子对费丽巴若仙女说："我的爱妻，我离开家乡已经有六个月，很是想念我的父王，他年老体衰，一定思念我们弟兄们，想我为寻找射出的箭而失踪多日，他该是如何地惦记我呀！请你允许我回家乡几天看看父王。"

费丽巴若仙女同意了，只是嘱咐他："我的夫君，只是希望你不要同别人谈起这里的事情，不要谈起我们的婚姻，要不然，遭人嫉妒，我们会不得安宁。你可以告诉你的父王你很快乐就可以了。"

艾哈迈德王子骑马回家，很快回到了他的父王面前。他向父亲说道："我的父王呀！那日我去寻找射出的箭，走得很远很远，到了一个快乐的地方，就住了下来，一直住到今天。以后，我还要住到那里去，不过会常常来看望您。"

国王说："你一定要常来看望我，免得我思念。"

过了几日，艾哈迈德王子辞别父王回到费丽巴若仙女那里，二人相见，都十分欢喜。此后，艾哈迈德王子每隔一个月就去看望父王一次。天长日久，果然国王的一位大臣嫉妒起来，对国王说道："陛下，您没有问问三王子，他到底居住在什么地方。他不愿意天天同您生活在一起，一定是为了没有娶他的堂妹奴妮哈为妻而嫉恨陛下，而他住在外面，操练兵马，准备有朝一日来夺取您的王位，再把您关进监狱，您要想办法对付他才是。"

国王年老昏聩，听信了谗言。他找来了一个女巫，要她去探望艾哈迈德王子到底住在什么地方。

等到下一次艾哈迈德王子来看望父王之后，准备回到费丽巴若仙女那儿的时候，女巫就跟在他的身后，女巫看见王子走到一块大石头旁边，左转右转，突然没有了踪迹，只得打道回府向国王禀报如此如此，没有找到王子的下落。

女巫准备下一次行动。

一个月之后，艾哈迈德王子又来探望父王，当他返回的时候，女巫已经预先藏在那块大石头之下。她看见王子一行向大石头走来，经过大石头的时候，她装作跌倒在地，摔伤了腿，一边呻吟，一边哭诉："我的老爷呀！我生着病，又摔了一跤，真是痛死我了！"

王子看看四处无人家，只得将女巫带到费丽巴若仙女面前，希望费丽巴若仙女照顾她。

费丽巴若仙女一眼识破女巫的诡计，对王子说道："我的夫君，虽然你仁慈好善，可是你要知道，这个老女人是个骗子，她在骗我们呢。我们没有什么得罪她，不知什么缘故她要骗我们。"

尽管如此，她还是让仆人给了女巫一些药，祝她早日康复。女巫治好了病，便在费丽巴若仙女的宫殿中东看西看，想认识认识这到底是什么地方。等她看完了所有的地方之后，就向王子夫妇告辞，费丽巴若仙女让人将她送到门外。等到女巫回头一看时，一切都不见了，只是自己孤零零地站在大石头旁边。她默默地向京城走去，向国王禀报："你的三王子娶了仙女，他有钱有势，长期下去，你的王位会不保。"

国王听罢不知所措。女巫出主意说道："你就一件一件地向他要宝贝吧！先向他要一顶小帐篷，打开可以放得下千军万马，收起来则可以放在手里。等到你的宝库里都是宝贝，而他再也没有宝贝的时候，他就不敢到您的面前来了。"

等到艾哈迈德王子下一次来看望父王的时候，国王就向他说道："儿啊！我知道你娶了一位仙女，她十分有本事，现在我需要一顶小帐篷，打开可以放得下千军万马，收起来则可以放在手里。让你的妻子给我这个帐篷吧！"

艾哈迈德王子说："这是一件很困难的事情，因为这不是我能够做到的。如果是我做到的事情，我一定会去做的。"

等到艾哈迈德王子回到费丽巴若仙女的宫殿时，闷闷不乐，费丽巴若仙女走过来问道："我的夫君，为什么这样难过？"

艾哈迈德王子便把父王要帐篷的事情告诉了费丽巴若仙女。仙女说："我的夫君，不要难过，一定是有坏人在挑唆你的父王。说要那帐篷，本是一件小事情，我去拿一顶给你带给他就是。"

一个月之后，艾哈迈德王子将这个帐篷带给了他的父王。可是国王受到女巫的挑唆，又对艾哈迈德王子说："儿啊！你给了我帐篷，我很高兴。只是我年老体衰，听说狮子泉的泉水能治疗百病，给我带一些狮子泉的泉水来吧！"

艾哈迈德王子只得回家后再一次求他的妻子。

费丽巴若仙女说："我会满足他的要求的。只是略微有一些危险，因为狮子泉的泉水一直有四只狮子看管着，其中两只醒着，两只睡着，你带上瓶子与四块羊肉，骑上快马，等到了狮子泉的时候，将两块羊肉给两只醒着的狮子吃。这两只狮子来吃羊肉，就会叫醒另外两只狮子，你再将另外两块羊肉扔给那两只狮子吃，这时候，你赶忙用瓶子去装泉水，赶忙回家。"

第二天清晨，艾哈迈德王子便按照费丽巴若仙女的嘱咐取来了狮子泉的泉水，送给了他的父王，说道："尊敬的父王，每当您有病的时候，喝上一口这狮子泉的泉水，您的病就会好的。"

国王显得很高兴的样子，又提出了新的要求："我的儿啊！我想要一个护卫，他人高三尺，胡子长三十尺，手拿一根铁棍子，替我做护卫。"

艾哈迈德王子只得又去求费丽巴若仙女。费丽巴若仙女说:"我的夫君,不用发愁,这个人便是我的哥哥。我请他来一趟就是,只是你见到他时不要害怕。"

说着点燃起一包香料,费丽巴若仙女的哥哥随着香料的烟雾来到。他人高三尺,胡子长三十尺,手拿一根铁棍子,就如同国王所要求的一般。费丽巴若仙女见到哥哥来到忙说:"我的好哥哥呀!这是我的丈夫,他是印度国王的三王子。因为我们相距太遥远,今日才请得您来见面,现在他的父王想见您,我的丈夫会同您一起去的。"

费丽巴若仙女的哥哥听罢,立即说:"我们这就去吧!"

同时,费丽巴若仙女也把大臣进谗言,女巫探路并挑唆国王等等事情都告诉了哥哥。

次日,费丽巴若仙女的哥哥与艾哈迈德王子一起来到国王面前,国王一看费丽巴若仙女哥哥的模样:他人高三尺,胡子长三十尺,手拿一根铁棍子,如同国王所要求的那般。只是国王从来不曾见到过这样的人,竟然被活活吓死了。费丽巴若仙女的哥哥反倒气愤起来:"我见到了一个懦夫!他的胆子是如此的小,既然要见我,又为何怕我?!"

接着他说:"快把那个进谗言的大臣、打探艾哈迈德王子住所的女巫给我带来!"

于是两人被带到他的面前,他举起铁棍,一人打一下,就把这两个人打死了。

国王死后,艾哈迈德王子十分悲伤,只是国不能无君。

艾哈迈德王子在诸位大臣的拥护之下做了国王,费丽巴若仙女成了王后。

而他的那位有飞毯的哥哥仍在外乡游荡。

乌木马的故事

传说古时候有一位权势显赫、威震八方的国王。他有三个公主，美丽得如花似玉。还有一个王子，英俊得好似当空皓月。

有一天，国王正在宝座上理政，忽见有三个方士走进宫来。其中一个带着一只金孔雀，第二个带着一只铜号角，第三个则带着一匹用象牙、乌木雕成的马。

国王见了，就问他们道："你们带的这是些什么玩意儿？有什么用途呀？"

带金孔雀的人道："这只孔雀的用处就是：不管白天黑夜，每过一个钟头，它就会振翅鸣叫，报告时辰。"

带铜号角的人道："如果把这只号角放在城门上，它就会担负起守城的任务：敌人若是进犯京城，它就会呜呜吹响起来，人们便会闻声把敌人逮住。"

带乌木马的人则说："国王陛下！这匹马的用途是：它能行走如飞。一个人如果骑上它，想到什么地方，它就能把他送到什么地方。"

国王听后说道："我要试验一下。如果这些玩意儿果真有你们说的那些用途，我再赏赐你们。"

他先试了孔雀，又试了号角，发现它们果真同它们主人说的那样：一个能报时，一个能报警。于是国王对两位方士说道：

"你们希望得到些什么就提出来好了。"

两位方士便说："我们希望陛下能恩准将公主下嫁给我们。"

国王答应了他俩的要求，将两位公主分别许配给了他俩。

这时，第三位方士，也就是那个带乌木马的人走向前来，在国王面前跪下叩头道："恳请陛下开恩，能像赏赐我的朋友那样，也赏赐予我。"

国王对他说："那也得让我试试你带来的那玩意儿才行。"

正在这时，王子走上前来，对国王说："父王！让我骑上这匹马，试试看它有什么用途吧！"

国王便说："孩子，你愿意试就试吧！"

王子闻声骑上了马，用两脚后跟踢着马肚子，马却一动不动。王子便对那位方士嚷道："你不是说它能行走如飞吗？可它怎么连动都不动呀！"

这时，那位方士走到王子跟前，把让马腾飞的旋钮指给他看，告诉他："你拧一拧这个旋钮！"

王子拧了一下那个旋钮，马一下子就动了起来，驮着王子腾空而起，飞到了天上。飞呀飞呀，一直飞得在人们眼前消失了。

王子惊慌失措起来，后悔不该冒失地骑上这匹马，心想："一定是那个方士耍了花招想要害死我。这可真是毫无办法，只能托靠伟大崇高的真主了。"

想罢，他开始仔细地察看马的各个部位，忽然发现马的左右肩头各有一个类似公鸡头的东西。王子心想："我看除了这两个旋钮再也没有别的什么机关了。"

于是他拧了一下马右肩头的那颗旋钮，只见马在空中升得更高。王子赶紧松开手，再去拧左肩头那颗旋钮，只见马竟然减慢速度，由升变降，驮着王子一点儿一点儿朝地面降去，吓得王子紧紧伏在马背上，不敢大意。

王子见此情景，才算知道了这匹马的奥妙，心中不由得大喜，连忙感谢真主的大恩大德，使他能转危为安，免去一死。

整整一天，王子都在往下降，因为那木马驮着他飞得实在太高太远。这期间，他试着随意地调拨马头，想升便升，想降便降。摆弄够了，他便直朝地面降去。

临近地面，王子放眼一望，只见下面全都是些他平生从未见过的陌生的国度和城市。其中有一座城邦建筑得非常漂亮，四周绿草如茵，林木葱茏，溪流萦绕。王子心想："若是能知道这座城邦叫什么名字，处在什么方位就好了。"

当时已经夕阳西下，天快黑了。王子骑在马上，绕着那城在空中转悠了半天，左看右看地仔细打量了一番，心想："我看我再也找不到比这更好的过夜的地方了。我何不在这里住一宿，待明天早晨再回家，向父王和家人告知我经历的一切和看到的一切？"

想到这里，王子就开始为自己寻找一个安身的地方，让别人看不到他和他的马。这时，他忽然看到城中央有一座巍峨的宫殿，高耸入云，四周是宽阔的围墙，还带着高高的望楼。王子心想："这可真是个好地方！"

于是他拧动那颗让木马下降的旋钮。那马驮着他徐徐下降，一直落到了那座宫殿的平顶上。王子下了马，连声赞颂真主保佑他平安无事，随之，他围绕着那木马转着圈，仔细地察看，不禁自言自语地说道："好一匹宝马！凭真主起誓，把你造成这个样子的那位方士可真是个能工巧匠。如果这次真主能让我大难不死，安然无恙地返回家园，再见到父王，我一定要嘉奖重赏这位方士。"

王子在宫殿的平顶上坐了下来，又饥又渴，苦不堪言，因为从离开他父王的宫中之后，他还粒米未进呢。他忍着饥渴，直到知道人们都进入了梦乡，心想："像这样一座宫殿总不会找不到吃喝的。"

于是，他撇下马，打算下去找点儿吃的。他发现有一架梯子，便顺梯而下，只见脚下是大理石铺的地面，庭院修建的既富丽堂皇又幽雅别致，王子见了不由得赞叹不已。只是他发现整座宫殿无声无息，连个人影也没有。他站在那里暗自诧异，东张西望地不知如何是好。随后，他想："我最好还是上去，呆在那匹马跟前过夜，等到明天一早，再骑马而去。"

他正站在那里这么想着，忽见有点点亮光朝着他所在的地方移动。他仔细地打量那亮光，发现亮光处正有一群宫女簇拥着一位好似月亮一般俊美的姑娘款步而来。正如诗人所说：

> 她不期而至在暮色昏暗里，
> 好似一轮明月当空放光辉。
> 花容月貌、婀娜多姿世无双，
> 千娇百媚、仪态万方多俏丽。
> 我看见这人间尤物近前来，
> 不由得将万能真主来赞美；
> 我求世上万物之主保佑她，
> 可别被人们嫉妒的毒眼毁。

那位姑娘正是这座城邦的公主。国王视她如掌上明珠，百般宠爱，竟为她专门修建了这座宫殿。每逢她胸中感到郁闷的时候，便带上专门伺候她的宫女到这里来，少则住上一两天，多则住上十天半个月的，为的是消愁解闷，散散心，然后再回到自己的宫闱闺房中去。

正巧那天晚上公主带着一群宫女和一个佩剑的男仆出来散心。她们进了那座宫里，布置好一切，点上香炉，就嬉闹起来。她们正玩得开心，王子猛然扑向那个男仆，一拳把他打倒在地，并从他手中夺过剑来，扑向那些宫女们，吓得她们东躲西藏得乱作一团。

公主一见这位王子长得那么英俊、潇洒，就说："你大概就是前些日子对我父王提亲，我父王说你长得丑而回绝了你的那个人吧！凭真主起誓，父王那样讲可真是撒谎骗人。你可够得上仪表堂堂的了！"

原来印度的王子曾对她父亲提过亲，向她求婚，因为相貌太丑，被他回绝了。公主还以为求婚的是这位王子呢。

公主对这位王子一见钟情，竟春情难抑，直向他走来，并同他拥抱、亲吻，拉着他一道坐了下来。

宫女们见状，忙七嘴八舌地告诉她："公主！这个人可不是那个对国王提亲向你求婚的人，因为那个丑，这位俊。那个连来为这位当小厮儿都不配呢！公主！这位公子可是一表人才呀！"

宫女们说罢，走到那个被打倒在地的男仆跟前，唤醒了他。那个男仆惊恐得一跃而起，忙去摸剑，没有摸到。宫女们对他说："那位夺走了你的剑把你打倒在地的人，现在正同公主坐在一起呢。"

那个男仆原是国王指派专门保护公主的。

那男仆忙起身去撩开帷幔，只见公主正坐在那里同那位王子聊天。男仆见此情景，忙问那位王子："我说这位爷！你是人还是妖精啊？"

王子怒对他道："你这个狗奴才，真该死！怎么胆敢将王子皇孙诬为妖魔鬼怪？"

说罢，他提剑在手，又道："我现在就是国王的驸马了。国王已经把公主许配给我了，并让我今夜就与她同床共枕。"

那男仆一听这话，忙说："我的爷！如果你真是像你所说的那样，是人不是妖，那你同公主可真是天生的一对，地设的一双，再般配不过了。"

男仆说完，直奔王宫跑去，边跑边撕扯着自己的衣服，往头上扬着土，大喊大叫个不停。国王听见他的喊叫，忙问："你这是出了什么事？弄得我都心慌意乱的。快说！别啰嗦！"

男仆道："陛下！快去救救你的公主吧！一个打扮成人，装扮成王子模样的妖魔把她给迷住了。你快去降伏他吧！"

国王一听这话，气得真恨不得把这没用的奴才杀了，就说："你怎么会对公主这样不经心，以至于让她遭到这种不测?!"

国王赶紧向公主所在的宫殿跑去。待他赶到，只见宫女们都站在那里，他忙问："公主怎么样了？"

她们告诉他："陛下！当时我们正同公主坐在那里，不知不觉之间，只见这个小伙子持剑向我们扑来。说实话，他长得可真英俊，就像十五的月亮，我们还从没见过有谁的相貌比他还俊秀的。我们问他是什么人，他说是你的驸马，说你已经把公主许配给他了。除此之外，我们对他也一无所知，搞不清他是人是妖。不过他倒是规规矩矩、彬彬有礼的，没做什么非礼不轨的事。"

国王听了她们这么一说，才算松了口气。他悄悄地掀起幕帘，往里一看，只见那位王子正同他的公主聊天，那王子面如明亮的满月，的确英俊无比。见到王子同公主那种亲密的样子，国王不禁顿生妒意，竟抽出宝剑，掀开幕帘，闯了进去，像中了魔似的向他们扑去。

王子见状忙问公主："这是你父亲？"

公主答道："正是父王。"

王子闻听，一跃而起，双手持剑，向国王大喊了一声，吓得国王一愣。国王本想举剑向对方扑去，可又一想，自己分明不是眼前这小伙子的对手，就将剑插回鞘中，原地站住了。王子走过来，两人就此握手言欢。国王问："年轻人，你究竟是人还是妖？"

王子闻听这话，好不气恼："我若不是顾及你的权势，并看在你女儿的面子上，早就一剑结果你了。我本是堂堂正正的王子皇孙，你怎好诬我为妖魔鬼怪？老实说，像我们那样的泱泱大国，若想攻占你们这么个小小城邦，让你交出权柄，乖乖地下台，并把你们国家所有的财物洗劫一空，那还不像探囊取物，不费吹灰之力！"

国王听他这么一说，不由得大为恐慌，但还是对他说："你如果真像你自己说的那样是一位王了，那么为何未经我的许可就闯进我的宫里来，败坏我的门风，私会我的女儿。还诡称是她的丈夫，胡说什么我已经将她许配给你了。要知道，当初不少国王和王子前来求婚，都在我的刀下丢了性命。如今我一呼百诺，只要我一声令下，我的随从马上就会将你剁成肉泥，看谁能救你的命，让你逃脱我的掌心？！"

王子一听这话，就对国王说道："你这个人真让我感到奇怪，你怎么会这么没有眼光？你难道还奢望能为你女儿找到一个比我还好的丈夫吗？你可曾见过还有谁比我更坚强勇敢、文武双全、兵多将广、有权有势吗？"

国王摇了摇头道："凭真主起誓，那倒的确没见过。不过，年轻人！我要你当着证人的面，正式向我女儿求婚，所谓明媒正娶，我才能把女儿嫁给你；如果我就这样不声不响、偷偷摸摸把女儿嫁给了你，那你岂不是让我丢人现眼，遭人耻笑吗？"

王子想了想说："你说的倒也是！不过，国王陛下！你若是像你刚才所说的那样，纠集起你手下的奴仆、士兵把我杀了，那你可是要留下千古骂名，让别人从此再也信不过你了。我看，你倒不如考虑考虑我的意见。"

国王说："有什么话，你就快说吧！"

王子道："我的意见是：要么你我两人单独来一次决斗，谁赢了，谁来当国王；要么你让我度过今宵，明天一早，你再调兵遣将，纠集起你的人马，来与我决一雌雄。你说，你有多少人马？"

国王答道："有骑士四万，还有其他的奴仆，也有这个数。"

王子说："明天，天一亮，你就把他们全都带到我这里来，对他们说：'这个人到我这里来向我女儿求婚，我提出的条件是，他必须同你们全体决一死战。他说你们全都不是他的对手，他能将你们打得落花流水，而你们却对他无可奈何。'然后你就让我同他们决斗。他们若是杀死了我，一了百了，正好灭口，不怕你的秘密会泄露出去，同时也保全了你的面子。若是我打败了他们，那么我想咱们门当户对，国王陛下还是愿意有我这样一个乘龙快婿的。"

国王听他这么一说，忙说这个主意不错。他虽然觉得王子的这番话绝不可等闲视之，为王子竟敢同他所有的人马决斗暗自惊奇，但还是同意了这项提议。事情既已定下，两人便索性坐下聊起天来。

此后，国王唤来仆役，叫他马上去找宰相，让他调动所有的兵马，全副武装待命。宰相得令，连夜召集全军将士，让他们披挂整齐，跨上战马，以备明日大战。

这边，国王一直与年轻的王子聊了一个通宵。王子的谈吐、才智、修养都深得国王的赞赏。

两人聊着聊着，不知不觉天已大亮。国王赶忙起身上朝坐殿，命令全军将士上马迎战。他还让人从他的御马中为王子选了一匹好马，备好鞍鞯。王子对他说："国王陛下！我得先亲眼看看你的军士，然后再上马。"

国王说："那就请便吧！"

王子随国王一道来到校场，只见果然是兵强马壮，阵容齐整，好不威风。只听国王喊道："全军将士们！有个小伙子来向我女儿求婚。我倒是从未见过有哪一个年轻人比他更英俊威武，更坚强勇敢的。可他不该口出狂言，说他单枪匹马便能把你们打得落花流水，还说什么你们即使有十万大军，对他来说也不在话下。若是他同你们交起手来，请你们枪尖剑刃下绝不要留情！这是他自己找死。"

国王又回过头来，对王子道："孩子！要怎么打，怎么杀，你请便吧！"

王子说："国王陛下！你这可是对我有失公允，你的人都骑在马上，我却步行，这让我如何同他们交手呀！"

国王说："咦！我早就让你骑上马，是你不肯嘛！喏！那里有的是马，随你挑一匹就是！"

王子摇头道："不行！你的那群马，我一匹都看不中。我只要我骑来的那匹马。"

国王问："你的那匹马在哪儿呀？"

王子答："就在你的宫殿上面。"

国王以为听错了，疑惑地又问："你说在我宫殿的什么地方？"

王子说："就在你宫殿的房顶上。"

国王听他这话，更加诧异，就说："你这可是有点儿神经不正常了。见鬼！好端端的马怎么会到房顶上？不过正是在这种时候，倒是可以检验出你说的话到底是真是假。"

国王回头对身边一个侍从说："你去到宫殿里，看看房顶上有什么东西，把它带到这里就是！"

人们听了这位不知从哪里来的年轻人的话，不禁十分诧异，议论纷纷："马怎么能踏着梯子从房顶上上来下去的呢？从未听说过会有这种事！"

国王派回宫去的那个侍卫爬到房顶一看，就看到了那匹马立在那里，远远望去，他还从未见过比那还标致的马呢。可待他走到跟前仔细一看，却发现那马是用乌木和象牙雕成的。随着上来的还有国王的一些心腹，他们仔细地打量了那匹马，不禁哈哈大笑说："就凭这匹马，那个小伙子就敢说那样的大话？这人一定是发疯了。不过他究竟有多大能耐，过一会儿我们就会弄清楚了。也说不定他真有一手呢。"

说着，他们把马抬起来，一直来到国王面前，把马放了下来。人们立即围上来，察看那匹马。看到那马造得那么精良，鞍鞯、辔头那么漂亮，人们不禁感到惊异，赞不绝口。国王看后，也对那马感到惊奇，赞叹不已，问王子道："年轻人！这就是你的马？"

王子答道："是呀，国王陛下！这就是我的马。它让你吃惊的事还在后面呢。"

国王便对他说："那你就骑上你的马吧！"

王子说："得要让你的军士都离它远一点，我才能上马。"

国王只好让他周围的军士远离开那马有一箭射程之遥。王子随后说："国王陛下！我现在可要上马，向你的军队进攻了！我将会把他们打得落花流水，让他们胆战心惊。"

国王便对他说："随你的便吧，你不必对他们客气，他们对你也不会客气。"

王子走到自己的马跟前，骑了上去。国王的军士们也早已对他摆好了阵势，在那里交头接耳，议论纷纷。

有的说："等这小子进了阵中，咱们就让他在枪尖刀刃之下有来无回，结果了他！"

有的说："凭真主起誓，这可使不得！这个小伙子长得这么英俊、标致，我们怎好就把他杀了呢"

还有的说："凭真主起誓，我看要想靠近他身边都绝不是一件容易的事。这小伙子若不是自恃勇敢善战，本领高强，他岂敢这么说，这么干！"

王子在马上坐稳了，就拧了一下上升的旋钮。周围的人不禁向他望去，想看看他究竟要搞些什么名堂。只见那马摇摇晃晃动了起来，做了一些普通的马从不会做的稀奇古怪的动作，又从腹中喷出气来，尔后腾空而起，向高天飞去。

国王一见王子骑着那马竟腾空飞去，不禁对他的将士们大喊："你们这群废物！快抓住他！别让他跑了！"

于是文武百官就对他说："国王陛下！谁能追得上飞鸟啊？这家

伙一定是个不得了的魔法师。真主既然让你安然无恙，你就感谢真主让你摆脱了那家伙，免遭他的毒手吧！"

国王回到了宫中，见到女儿，就把他同王子在校场上发生的一切原原本本告诉了她，结果发现女儿对王子的离去非常伤心。后来，她竟大病一场，卧床不起了。

国王见女儿这种状况，便把她搂在怀里，吻着她的眉心，说道："孩子！你该赞颂真主，感谢他让我们摆脱了那个狡诈的魔法师才是！"

随之，国王又再三地向公主讲述了自己亲眼所见的那位王子的所作所为，描述了他当时是如何腾空飞上天的。可是公主对父王所讲的一切根本不想听，只是放声大哭，泪如雨下，心中暗自想道："凭真主起誓，除非能让我再见到他，否则我就不吃不喝。"

国王为此非常苦恼。女儿这种状况叫他怎能不忧心忡忡、坐立不安！他竭力想安慰她。可越是好言好语地安慰她，她越是更加怀念那位王子，害了相思病。

这里按下国王与公主的话头暂且不提，回过头来再说说那位王子。

话说王子骑着那马腾云驾雾飞在天上，独自一人，不禁思念起那位公主如何美丽、俊俏，如花似玉。他曾向国王手下的人打听过那座城邦的名字，也问起过国王与公主的名字。原来那座城就是萨那城。

王子在马上不停地飞行，一直飞到了他父王城邦的上空。他绕着城邦转了一圈，然后又朝他父王的宫殿飞去，最后落在了宫殿的房顶上。

王子把马撇在那里，自己下去拜见父王。只见国王正为他的远离愁眉不展、闷闷不乐。如今一见儿子归来，愁云不禁为之一扫，赶紧迎上前去，把儿子紧紧地搂在怀里，真是喜不自禁，心花怒放。

父子相见之后，王子向父亲问起那位创制了那匹乌木马的方士："父王！这些日子那位方士怎样了？"

国王道："愿真主让那个方士不得好死！遇上了他可真是倒霉透顶了！因为正是他害得我们父子差一点就再也见不了面了。孩子！从你失踪那天起，我就把他关进牢狱里去了。"

王子听罢，忙请父王下令把那位方士放了，并把他请到面前，待若上宾。方士来到之后，国王对他大加赏赐，恩宠备至。不过并没有将公主许配给他。方士为此大为恼火，后悔不该将宝马轻易地献出来，因为这时他已经知道王子了解了那木马的秘密并掌握了驾驭它的方法。

此后，国王对王子说："我看你从今往后再也别靠近那匹马，更不要去骑它了！因为你并不了解这马究竟是怎么回事，自己却还自以为是，认为对它已经了如指掌了呢。"

王子把自己同那位城邦的公主以及同她父王之间发生的一切都原原本本地告诉了父亲，父亲对他说："那个国王如果真要杀你，早就把你杀了。只不过你的寿限还未到罢了。"

王子并未听进国王的话。他焦躁不安，心乱如麻，因为他已经深深地爱上了萨那城邦的公主。于是，他走到那匹乌木马跟前，骑了上去，拧动那颗上升的旋钮。顿时那马驮着他腾空而起，飞上了高天。

第二天清早，国王要找儿子，却发现他早已了无踪影。他急急忙忙地爬上宫顶，发现儿子早就飞走了。他为儿子的再次离去伤心不已，后悔没把那匹乌木马收拾起来藏好，心中暗想："凭真主起誓，这孩子这次若是回来，我一定不再留下这匹妖马，免得再为儿子提心吊胆的，放心不下。"想到这里，他又难过得老泪纵横、痛哭流涕起来。这里按下国王的事暂且不表。

话说那王子在空中直飞到萨那城，在他原先降落的老地方落了下来。他悄悄地走到公主原先所在的地方，却发现那里空无一人，不仅没见到公主，连她的宫女和负责卫护她的那个男仆也都不在那里。这真有些出乎王子的意料。于是，他在宫中四处寻找公主，却发现她在另外一间厅里，正卧床不起，四周都是宫女、保姆。

王子走了进去，向她们问候、致意。公主一听见他的声音，立即起身，向他扑了过去，双手抱住他的脖颈，亲吻他的眉心，又把他紧紧地搂在怀里。王子对她说："公主！这些日子你让我想得好苦！"

公主说："是你才让我想得好苦呢！你若是再不来，我肯定连命都保不住了。"

王子说："公主！我同你父王的关系搞成那样一种局面，他又是那样对待我，这事儿不知你是怎样看的？啊，小佳人！若不是因为爱你，我早就把他杀了，好让人们引以为戒。可是为了你，我会敬爱他的。"

公主对王子说："你可不能再离我而去了！你若走了，我活着还有什么意思啊？!"

王子便问她道："那你能顺从我的意思，听我的话吗？"

公主答道："有什么话，你就直说吧！我一切都听你的，你让我怎么做我就怎么做，绝无二话！"

王子就对她说："那你跟我走，随我到我的祖国、我们的王国去好了！"

公主说："行！一切由您做主！"

王子一听公主这话，真是喜不自胜，忙拉着她的手，同她一起为此向真主发了誓，随后又带着她爬上宫殿的房顶，自己先上了马，又让公主骑在他的后面，紧紧地搂住他的腰。王子拧动那马肩头上管上升的旋钮，只见那马腾空而起，飞上了蓝天。

见此情景，宫女们不禁大喊大叫起来，并赶紧去告诉公主的父王、母后。

国王和王后一听到这个消息，便急忙爬上了宫殿的房顶。国王向空中望去，就看见那匹乌木马驮着王子和公主在天上飞驰。国王见状，急得抓耳挠腮不知如何是好，只好朝着天空大声喊："喂，那位王子！我求求你，看在真主的面上，可怜、可怜我们老两口吧！别让女儿离开我们吧！"

王子明明听到了，却置之不理。随后，他又心中暗想："公主离开了她的父母，会不会后悔？"于是就问她道："喂，小佳人！你要不要让我把你送回你的父王母后那里？"

公主忙说："我的主人！凭真主起誓，我并不想那样。我只想无论你到哪里，我都跟随你在一起。因为我全心全意地爱着你，把一切，甚至连父母都置之脑后了！"

王子听了她这话，非常高兴，就让马走得慢一些，稳一些，免得公主提心吊胆地怕掉下去。

王子带着公主骑在马上飞呀，飞呀，飞到后来，他朝下一望，只见下面有一片碧绿如茵的草原，草原上还有一泓清泉潺潺地流淌。他们便落在那里打尖。

两人吃饱喝足之后，王子重跨上马，让公主坐在身后，怕她有什么闪失，还用带子将她捆紧在马上，然后带着她在空中飞奔，一直飞到了他父王城邦的上空。王子一见分外高兴。他有意想要向公主炫耀一下他们父子的权势，想让她知道他父王的王国要比她父王的王国大得多，于是就让她降落在城郊一座他父王经常去赏花观景的花园里，领她进了专为他父王准备的厅堂。他把乌木马停放在那座厅堂的门口，嘱咐公主看管好它，并对她说："你就坐在这里等着好了，过一会儿，我会派人来接你。我现在要到我父王那里去，好为你准备一处宫殿。我要让你看看我有多大的权势！"

公主一听这话，分外高兴，忙说："你请便吧！"

公主心想，自己一定会被体体面面、排排场场地接进宫里，以不失她这种金枝玉叶的身份。

王子离开公主，走到城里，进宫见了父王。

老国王一见儿子来，不禁喜出望外，赶紧趋步向前欢迎。王子对父亲说："父王！我把我过去曾对您说起过的那位公主带来了。我让她在城外一座花园里等着。我自己前来向您禀报一声，以便安排仪仗，出城迎接；顺便也显示一下您是如何兵多将广，威加四海的。"

国王满口答应："言之有理！就照你说的办好了！"

国王随即下令让全城百姓张灯结彩，将城郭装点一新，他自己同满朝的文官武将也都骑上高头大马，披挂打扮整齐，率领着三班六房，列队准备迎接公主进城。

王子则为公主从自己的宫中搬出种种衣物、首饰以及历代国王珍藏的金银珠宝，还为她专门准备了一处寝宫，用五颜六色的绫罗绸缎装饰得焕然一新。挑选了一些印度、罗马、埃塞俄比亚的宫女，安排在那里好侍候公主。此外，他还在那座宫里摆放了一些奇珍异宝、罕见的古玩。

王子见寝宫布置停当，就让人们等着，自己先出城，来到那座花园，走进他把公主留在那里的那间厅堂。他却未找到她，连马也不见了。情急之中，他又抽自己的嘴巴，又撕扯自己的衣服，急得像丢了魂似的在花园里团团转。后来，他醒悟过来，心想："难道是她乘马飞走了？可我关于这件事什么也没告诉过她，她怎么会知道这马的奥秘呢？也许是造了那匹马的波斯方士发现了她，把她带走了，以报复父王对他的不公？"想到这里，王子找来花园的守卫，问他们道："你们可曾见到有什么人到这花园里来过？"

守卫们说："只有一个波斯方士进园来，说是要采草药，此外，再没见过有什么人来过。"

王子一听这话，马上明白了，把公主带走的肯定就是那个方士。

原来是无巧不成书，也是命运的安排：当王子把公主留在花园中的那座厅堂里，自己先去见父王，以便做好安排的时候，那个波斯方士正巧进了那座花园想采一点草药。他忽然发觉那地方弥漫着芳香气味,原来那香气正是从公主身上散发出来的。

那方士循着香味找到了那座厅堂,看到他亲手制造的那匹乌木马正立在厅堂门口。方士一见那马,不禁心花怒放,喜不自胜,因为他就为那马的出手不胜惋惜。他走到那木马跟前,仔细察看它的各个部件,发现它们依旧完好如初。他本想骑上马就走,可又一想:"我得看看那王子把什么东西带了来,把它同马一起留在了这里。"

于是那方士走进了厅堂,只见一个姑娘坐在那里,好似晴空的朝阳一样亭亭玉立、光彩照人。他一见那姑娘,就知道她可是非同小可、来历不凡:是王子乘马把她带到这里,让她留在这座厅堂里,自己进城,为她准备仪仗,好体体面面、排排场场地把她迎进城。于是,他走向前去,在公主面前跪下叩拜。公主朝他一看,发现这家伙獐头鼠目,相貌奇丑,便问:"你是什么人?"

方士眼珠一转。答道:"公主!我是王子专门差遣来的。他吩咐我把你送到城边上的另一座花园里去。"

公主听他这么说,就问:"王子现在哪儿?"

方士答道:"他现在正在城里他父王那里。他马上就会带着仪仗和大队人马来接你进城。"

公主不禁又问:"难道除了你,他就再也找不到什么别的人可以派到我这里来了吗?"

听了这话,方士会意地一笑说:"公主!人不可貌相。你可不要看我长得丑就小瞧我。你若是也能像王子那样受到我的侍奉,你肯定就会对我刮目相看了。王子就是因为我的长相丑得吓人才专门派我到你这里来的呢。因为他实在太爱你了,生怕有什么闪失。否则,他手下的奴仆、侍卫、随从无数,为什么不派别人单单派我来呢?!"

公主听了这话,觉得挺合乎情理,就信以为真,忙把方士扶起来,拉着他的手说:"老爹!你让我坐什么跟你去呀?"

方士说:"公主!就乘你来时坐的那匹马呀!"

公主说:"我自己一个人可不会骑。"

方士听她这么一说,知道她已上了自己的圈套,不禁狡黠地笑了笑说:"那就让我同你一道骑好了!"

方士说罢上了马,让公主坐在他身后,并用带子把她捆紧。这时的公主还对他的阴谋一无所知。

方士拧动了管上升的旋钮,只见马肚子往外喷气,晃动起来,随之便腾空而起,飞驰起来。那马在空中飞呀,飞呀,直飞到连那城市的影儿都看不见了。公主有些奇怪,便问:"喂!你不是说是王子派你来接我到一个什么地方的吗?那地方在哪儿呀?"

方士说;

"愿真主让那个王子变成个丑八怪!他是个流氓、无赖。"

公主一听话头不对,气愤地说:"你这个家伙真该死!你怎敢不听主子的吩咐,还在背后咒骂他!"

方士冷笑道:"哼!他根本就不是我的主子!你知道我是谁吗?"

公主道:"你刚才不是告诉了我你是怎样的一个人了吗?除此之外,我对你是一无所知了。"

方士不由得得意地一笑:"我那样对你说,只不过是略施小计来对付你和那个王子罢了。你身下骑的这匹马本是我亲手精心制成的,却被那个王子得了去,害得我一直伤心不已。现在好了,我不仅把马重新弄回来了,而且把你也弄到了手。他当初不是让我忧心如焚吗?如今我也让他尝尝忧心如焚的滋味!哼!从今往后,这马他连碰都不用想再碰了!你就心悦诚服地跟着我走好了,跟着我要比跟着那个王子强多了!"

公主一听他这话,禁不住拍着自己的两颊,哭喊起来:"哎呀!这可苦死我了!这头得不到我心爱的人,那头又未能留在父母跟前。"

公主想到自己的处境,不禁泪如雨下,泣不成声。

方士带着公主骑着那木马不停地飞，一直飞到了罗马的地面，在一片河汊纵横、绿树成荫的草原上降落了下来。离草原不远是一座城市，城里有位权势显赫、威震四海的国王。

那天正巧赶上那位国王出城野游、打猎，经过那片草原，看见那个方士站在那里，身旁是那匹马和公主。还未等方士察觉，国王手下的仆役就扑了过去，把他连同公主和那匹马一道带到国王面前。

国王见那方士长得獐头鼠目、丑陋不堪，再看那公主则是如花似玉、美不可言，便问她道："小姐！这个老头是你什么人呀？"

方士赶忙抢先回答说："她是我妻子，也是我的堂妹。"

公主一听他这么说，赶紧辟谣道："国王陛下！凭真主起誓，我根本就不认识他，他当然更不会是我丈夫。是他施用诡计硬把我骗来的。"

国王闻听公主这话，就对手下的人下令，把那个方士打了个半死，然后又吩咐他们把他带到城里，投进监牢。随从们得令，一一照办不误。

就这样，公主和那匹马又从方士手里落到了这位国王手中。只是国王并不知这马的奥秘，也不知该如何驾驭它。

这里按下方士和公主的话头暂且不表。

却说那王子见公主和乌木马都失踪了之后，心情十分沮丧。他换上了出远门的装束，带上了所需的钱财，赶紧上路，去追寻公主和乌木马的踪迹。

他日夜兼程，走过了一地又一地，去到了一个城市又一个城市，每到一处他都要向人打听乌木马的下落。可是每个听他谈起乌木马的事儿的人都惊异得目瞪口呆，认为他是在吹牛。

就这样，过了好长一段时间，纵然他四处打听，八方寻找，可是公主和乌木马仍然杳无音信。不得已，他曾到过公主父王统辖的城邦，打听有关她的消息，结果，没听到任何关于她的音讯，却发现她的父王因女儿的失踪而悲痛欲绝。

王子只好再去罗马的地面，寻求公主和乌木马的踪影，打听他们的下落。

有一天，王子在一家客栈投宿，正好碰见一伙商人坐在那里聊天，他也凑近跟前，听他们闲聊。他听见有一个商人说："喂，伙计们！我可是遇见了一桩怪事……"

大家忙问："快说！什么怪事？"

"前些日子我在某某城市（他说出了公主所在的那座城市的名字）的一个地方，听那里的人正谈论一件怪事。说是那座城邦的国王有一天率领着一帮文武官员和随从、仆役出城打猎。他们到了野外，经过一片绿色的草原，看见有一个老头站在那里，旁边坐着一位姑娘，还有一匹用乌木雕的马。那老头长得要多丑有多丑，丑得吓人；可那姑娘却长得要多俊有多俊，相貌漂亮，身段也苗条。说起那匹乌木马呢，那可真叫绝了！外形那个漂亮，做工那个精细，那真叫盖世无双、无与伦比！"

大家忙问："那位国王把他们怎么样了？"

那人接着说："国王把那个老头抓了起来，问那个姑娘是他什么人，他说是他妻子，也是他的堂妹。可是那个姑娘却说他胡说八道，根本就不是那么回事。国王把姑娘从那个老头的身边带走了，还让人把那个老家伙痛打了一顿，关进了监狱。至于那匹乌木马的下落，我就不得而知了。"

王子听了那个商人说的这些话，赶忙凑到他跟前，和颜悦色、客客气气地向他进一步打听。那商人就告诉了他那座城市叫什么名字，那位国王又叫什么名字。王子知道了那城市和国王的名字后，竟兴奋得一宿未合上眼。

第二天一清早，王子便离开那家客栈，上了路。他一路风尘，走了好久，终于来到了那座城市。他正想要进城，不料却被守城的卫兵抓了起来。他们要把他带到国王面前，好问问他是什么人，为什么要到那座城市来，还要问问他会什么手艺。原来这是这里国王的习惯，凡是有异乡人来，他总要问清人家的情况，了解人家会什么手艺。

王子到达那座城门时已是晚上了。这种时候不经国王特准是不能进宫见驾的。卫兵就把他带到监狱，想把他关进去。狱卒们见他英姿勃勃、仪表堂堂、威武英俊的样子，实在不忍心把他关进狱中，于是就让他在监狱外面同他们坐在一起。给他们送来晚饭时，他们还请他一起吃。吃饱喝足之后，大家聊开了天。狱卒们凑近王子跟前，问他道："小伙子！你是什么地方人？"

王子答道："我是波斯大帝国人。"

狱卒们听了这话，不禁笑了起来，其中有一个人说："嗬，波斯大帝国人！有关他们的事儿，我的所见所闻也不算少了，可是从未见过，也没听说过有什么人比咱们监狱中关的那个波斯人更能说谎吹牛的了。"

另一个狱卒说："我也从未见过有什么人比他的长相更丑恶，容貌更难看的了。"

王子问他们道："你们怎么知道他是说谎吹牛呢？"

狱卒们说："那家伙说他是个方士，是国王在去打猎的路上遇见他的。当时他还带着个姑娘，那姑娘长得真是花容月貌，杨柳细腰，又俏丽又苗条，要多美有多美。此外，那家伙还有一匹乌木马，做得那么精美，那么漂亮，我们真是一辈子从未见到过。那位姑娘现在国王那里。国王挺喜爱那个姑娘，可是那个姑娘却疯了。带她来的那个老家伙若是真像他自己说的是个方士，就该能治好她才是。国王现在正千方百计地为姑娘求医找药，一心想治好她的病。那匹乌木马现在保存在国王的宝库里。至于把姑娘拐来的那个老丑八怪，则被关押在我们这座监狱里。每天，天一黑，他就又哭又嚎的，自己觉得伤心委屈得不得了，弄得我们也睡不好觉。"

王子听狱卒们这么一说,心中顿时想出了一个主意,以不虚此行。

狱卒们要睡觉了,就把王子关进了牢房,锁上了门。王子在牢房里听见那个方士一边痛哭流涕,一边用波斯语自怨自艾地唠叨着:"我这真是作孽呀!我那样对待那个姑娘,不放人家走,自己的目的也未达到,这不是既害了自己,又害了那个王子了吗?!这一切都怨我自己做得不对。我当初是想为自己追求我本不该得到的,像这种人也不配得到的东西啊!谁追求他不配得到的东西,必然会落得像我这样的下场……"

王子听了方士的唠叨,就用波斯语对他说:"老头!你这么又哭又嚷的,还有完没完?难道你以为这世上倒霉遭殃的只有你一个人吗?!"

那方士听到王子这话,又是乡音,感到很亲切,就把自己的来历和所吃的苦头全都告诉了他。

第二天清早,那些守城的卫兵带王子去见他们的国王。他们告诉国王,这个人是昨天晚上就到了的,因为时间太晚,未能及时见驾。国王就问他道:"你是哪国人?叫什么名字?有什么本领?到这座城里来做什么?"

王子答道:"我的名字照波斯语的叫法是哈尔杰,我是从波斯国来的。我算是个有知识的人,特别是医学方面的知识懂得的更多一些。普通病和精神病,我全都能治。因此,我常在江湖上行走,为的是开阔眼界,增长见识。一旦遇到个病人,我就给他治治,因为这是我的本行。"

国王听他这么一说,喜出望外,就对他说:"积德行善的大夫啊!你来得可正是时候!"

国王随之就把公主的事儿告诉了他,并对他说:"你若是能治好她的病,让她不再发疯,我这里所有的东西,你要什么,我就给你什么。"

王子听了国王这话,就说:"愿真主保佑国王永享荣华富贵!请您对我说说您所见到的她发疯的种种表现。还要请您告诉我，她这疯病犯了有多少天了？您是怎么把她和那匹马，还有那个方士带回来的？"

国王就把这件事的来龙去脉一五一十地对王子讲了一遍，然后告诉他："那个方士现在关在监牢里。"

王子忙问："洪福齐天的国王陛下！您把他们带来的那匹马弄到哪儿去了呢？"

国王说："还在我这里呀！那匹马直到现在还在我这里的一间屋子里保存得好好的呢！"

王子心中暗想："我最好能先去察看一下那匹马，它若是完好无损的话，那我就可以如愿以偿，一顺百顺；假如我看到它已经坏了，不能动了，那我就得另想办法脱身了。"想到这里，他朝国王望了望说："国王陛下！我应该去看看刚才提到的那匹马，说不定我能从那马身上找到点儿什么东西，有助于我用来治好那姑娘的病呢！"

国王满口答应："就照你说的办好了！"

国王说罢，拉着王子的手，走到存放马的地方。王子围着那木马转来转去，仔细地察看，发现那马仍然完好无损，不禁喜出望外，就说："愿真主保佑国王永享荣华富贵！国王陛下！我现在想要进去看看那个姑娘是怎么回事，我希望真主保佑，能让姑娘由于这匹马而在我的手中霍然痊愈。"

国王听他这么一说，就下令让人看管好那匹木马，然后带着王子走进了公主所在的房间。王子一进去就发现公主在那里疯疯癫癫地胡闹乱来。

其实，公主并没有疯病，她不过是装出那副模样，以防别人近身。王子一见她这种样子，就对她说："喂，小佳人！你别怕！"

然后，他对她百般温柔，万般亲切，直至让她认出他来。

公主一认出王子，就由于兴奋过度，禁不住大叫一声，昏了过去。国王在一旁还以为那是姑娘让这小伙子吓得又犯了病，赶紧退了出去。

王子乘机俯下身子，对公主悄声耳语道："喂，小佳人！你我这两条命全看你的了！你要打起精神，挺得住！在这种地方咱们要坚强，还要筹谋策划好，以便咱们能逃脱这个心怀叵测的国王的手心。我有一计，我出去就对国王说：'她得的的确是疯病，不过我向你保证我能治好她。'我要向他提出个条件，就是让他放了你，你就好了。国王若是再进来，你要对他好声好气、好言好语地说话，以便让他认为你经我的手的确是痊愈了。那样一来，咱们就可以一切都称心如意，大功告成了。"

公主说："我听你的就是。"

此后，王子从公主那里出来，高高兴兴地走到国王跟前，对他说道："洪福齐天的国王陛下！托陛下的福，我已经了解了她的病症，也清楚该怎么治。事实上，我已经为你治好了她。你现在就可以进去看她。你对她说话要温和些，亲切些。她喜欢怎样，你就答应她怎样。这样一来，你想要她怎样就能怎样。"

国王听罢，就起身走进公主的房间。公主一见国王，就赶紧趋步向前，在他面前跪下叩头请安，欢迎他大驾光临，喜得国王眉开眼笑。然后，国王吩咐宫女、仆役好好侍候她，扶她进浴室，为她备好首饰、衣物。宫女、仆役闻声赶紧进来，向公主请安。公主也用温柔的语调、亲切的话语对他们一一回礼。他们给她穿上皇家华丽的衣服，给她戴上珠宝项链，又带她去沐浴、为她按摩、梳洗打扮。待她从浴室出来时，让人看上去简直就像一轮圆月，光彩照人。

公主走到国王面前，向他跪拜请安。国王见了自是喜形于色，更加高兴，便对王子说："这一切全都是多亏了你呀！愿真主保佑，让我们能更多地享受你的好处。"

王子对他说："国王陛下！要想让她完全痊愈，做到尽善尽美，你还必须带上你所有的文武百官、军士、随从，到当初你发现她的那个地方；此外，你还要带上原来同她在一起的那匹乌木马。那样一来，我就可以在那里将那个让姑娘发疯的病魔拴住，把它囚禁起来再杀掉，让它再也无法去缠着姑娘。"

国王说："行！就照你说的办好了！"

然后，国王让人把乌木马弄到当初他发现姑娘、那马和波斯方士的那片草原上，他自己则骑上马，带上公主陪着他，在军士们的簇拥下来到草原。直到这时，他们全都蒙在鼓里，不知道王子的葫芦里究竟卖的是什么药。

到了草原后，冒充医生的王子吩咐把姑娘和木马安置在远离国王和军士们的地方，虽远，却仍在他们视野之中。然后王子对国王说："请您恩准，依照规矩，我要焚香念咒，把疯病病魔囚禁在这里，让它永远不能再缠住姑娘。然后我将骑上乌木马，让姑娘骑在我的身后。那样一来，那木马就会动起来，跑到您跟前。到那时，就一切万事大吉，此后您对那位姑娘就可以爱怎么着就怎么着了。"

国王闻听这话，不禁眉开眼笑，喜出望外。随后，王子骑上乌木马，让姑娘坐在他身后。国王和他的军士们则远远地注视着他的一举一动。王子用带子将公主在马上系牢，又让她紧抱住自己，然后拧动马上管上升的旋钮，只见那马驮着他俩腾空而起，飞向蓝天。军士们眼睁睁地看着他们在眼前消失了。

那国王等了足有半天，盼望他们还能回来。结果自然是白等一场，弄得他灰心丧气，后悔不已，尤为公主的逃离感到特别伤心、沮丧。最后，只好带着他的人马垂头丧气地原路回城。真可谓乘兴而来，败兴而归。

按下这方的话头不表，却说王子心花怒放、喜不自胜地乘马直奔他父王的城邦而去。一路飞驰，最后终于降落在自己的王宫里。

王子将公主在宫中安顿好，就去拜见父王、母后。请过安之后，王子告诉父母,他已经把公主接了回来。老两口一听这消息,顿时眉开眼笑,乐得合不拢嘴。

这里暂且不说王子、公主和乌木马这边,再说说罗马国王那边。国王一回到城里,就躲进宫中,闭门不出,成天愁眉苦脸、闷闷不乐。大臣们都知道他的心病,于是进宫好言劝慰他道:"国王陛下!把那位姑娘带走的那个家伙肯定是个魔法师。应当感谢上帝,使你没受到他的魔法巫术和奸诈诡计的伤害。"

就这样,大臣们对他不断地劝慰,终于使他渐渐把那位公主忘却了。

这里再接着说王子:王子举办了盛大宴会,款待全城百姓。他与公主喜结良缘,喜事前后办了整整一个月,洞房花烛,男欢女爱,好不快活。

王子的父亲——老国王担心儿子再出什么差错,就把那匹乌木马劈了个粉碎,让它再也无法动弹。

后来,王子给公主的父王写了封信,信中向岳父禀报了公主的近况,告诉说他已与公主成亲,公主在他这里一切安好,不用挂念云云。信写完后,王子专门派了一个使者前去送信,随信送去的还有许多珍贵的礼物和土产。

那位使者到了公主父王的城邦——也门的萨那,向国王呈上书信和礼品。国王读了信,喜出望外。他接受了驸马的礼物,热情地款待了来使。随后又为自己的驸马——那位王子准备了一份厚礼,让来使带回去。

使者带着那老国王的回礼回到王子面前复命,告诉他公主的父王得知女儿的消息后如何欣喜若狂,王子听了也无比高兴。从此以后,王子每年都与岳父互通音信,相互送礼,可谓礼尚往来不断。

后来,王子的父亲——老国王驾崩,王子继位,执掌王国大权。

王子治国公正严明、爱民如子，深得百姓的拥戴，全国上下真是政通人和，国泰民安，百姓们家家丰衣足食，人人幸福美满。他们就这样生活，直至归真：唯有真主能摧毁欢乐，让众人散落，让宫殿变得荒芜，让人们住进坟墓。

　　赞美归于永生不死的真主，一切君民的命运莫不由他做主。

阿里·米斯里的故事

传说过去在开罗有个原籍是巴格达的珠宝商,名叫哈桑。他非常有钱,真可谓金玉满堂,财宝无数。真主赐福,让他生了个儿子,长得眉清目秀,无比英俊,起了个名字叫阿里·米斯里。阿里自幼就在父亲的教导下习诵《古兰经》,兼学文理各门学科,以至于长大后博学多才,样样通,样样精,在父亲手下经商。

天有不测风云,人有旦夕祸福。阿里的父亲——那位珠宝商哈桑得了病,而且病情越来越重。他自知来日无多,就把儿子阿里叫到跟前说道:"孩子!尘世终将毁灭,来世才会永存;每个人迟早都要尝到死亡的滋味。孩子!现在我就要死了。临死前,我要嘱咐你几句话。你如果照着去做,就会一生一世都过得平平安安、快快乐乐,又幸福又美满。否则,你就会倒霉,遇到不少的麻烦,为不听我的嘱咐而后悔不已。"

儿子忙说:"爸爸!孝顺您,听您的话,这对于我这个做儿子的是理所当然的事,我怎能不听您的话,照您的吩咐去做呢?"

父亲又说:"孩子!我死后将把田产、店铺和无数的家业、钱财全留给你。你即使每天从中花费五百个第纳尔,也不过是九牛一毛,这一辈子都花不完这些钱财。可是，孩子！你必须敬畏真主，遵循真主规定的准则，还要遵照穆圣在《圣训》中的教导行事。他让做的才能做，他不让做的一定不去做。为人一定要乐善好施，要经常接济那些贫苦无依的人们，千万不要小气、吝啬；交朋友一定要慎重，要结交好人、有学问的人，千万不要结交那些为非作歹的和不三不四的人。对佣人和家中老少一定要体恤，以仁慈为本。对你的妻子更要体贴入微。人家是大家闺秀，还身怀六甲。但愿真主赐福给你，让她为你传宗接代，让你的后代都有出息，能光宗耀祖。"

老人一边不断地叮嘱儿子，一边泣不成声地说道："孩子！我要祈求伟大万能的真主让你总能逢凶化吉，转危为安，事事称心如意。"

儿子听罢，也不禁痛哭流涕地说道："爸爸！凭真主起誓，您的这些话倒好像是临终遗言，让我听了真是难过死了。"

老人说："你说的对，孩子！我的病情自己最清楚。不论怎么说，你可千万别忘了我的嘱咐啊！"

说罢，老人念起了认主词："万物非主，惟有真主；穆罕默德是真主的使者。"

他还念了其他一些祈祷词。弥留之际，他挣扎着吃力地喊儿子道："孩子！来，到我跟前来……"

阿里走近父亲身边。老人亲吻了儿子，长叹一声，就溘然长逝了。

老人的逝世，使阿里悲痛欲绝，全家上下也是哀声一片。老人生前的亲朋好友闻讯纷纷前来吊唁。

对老人的殡殓、葬礼搞得很体面、很隆重。家人和亲友为他作了祈祷，把灵柩发送到墓地，下葬之后，人们又念诵了有关的《古兰经》经文。葬礼过后，人们回到阿里家中，对他又再三安慰，劝他忍痛节哀，然后都各自归去了。

阿里是个孝子。在父亲死后的四十天祭期里，他出资让人们在聚礼日专为他父亲追悼，并为他念诵全本《古兰经》经文。在这期间，他深居简出，除了去清真寺就是整天呆在家里。每逢星期五聚礼日，他总要去为父亲上坟。

就这样，阿里一直谨守拜功，诵念《古兰经》经文，祷祝真主赐福。有一天，一些同龄的商家子弟去看他，问候过后，他们对他说道："你成天愁眉苦脸、悲悲切切的，丢下生意买卖什么事也不干，抛开亲朋好友什么人也不来往，这种状况要到什么时候才算完？你不能总这样下去！再说，长此以往，你的身体也要垮了呀！"

这些人来的时候是魔鬼陪伴着他们一道来的，他们受了魔鬼的教唆，就花言巧语地怂恿阿里同他们一道到外面的花花世界中去戏耍。魔鬼也诱惑阿里赞同他们的想法，以至于阿里最后竟同意与他们一道出游。于是他们说："骑上你的骡子，带我们一起到花园去走走！让咱们赏赏花、观观景，也好让你消消愁、解解闷。"

于是阿里骑上骡子，带上奴仆，同他们一道去了他们说的那座花园。

到了那座花园，有人去置办了饭菜，端到园中，于是大家坐下来大吃大喝，边吃边聊，说说笑笑，直至黄昏才尽欢而散。

第二天一早，那伙人又来到阿里家中，对他说："走啊！"

阿里问："上哪儿？"

他们说："到某花园去呀！那里比昨天的那座花园还要美丽，还要好玩！"

于是阿里又骑上骡子，同他们一道朝他们所说的那座花园走去。

到了园中，又有人去置办饭菜，端到园中。吃饭的时候，有人把带来的酒也拿了出来，阿里问道："这是什么？"

那些人就对他说："这可是好东西！它能让人消愁解闷，让人舒心快活！"

他们竭力地对他夸赞酒的好处，以至于竟说服了他也同他们一起畅饮起来。他们边聊边喝，边喝边聊，又是直到黄昏才尽欢而散，各自回家。

阿里喝得有些头昏脑涨，醉醺醺地进了家门。妻子见他这副模样，便问他道："你怎么变成这个样子了？"

阿里答道："我们今天本来痛痛快快玩得挺开心，只是有一个朋友给大家带来了一种水，大家伙都喝了，我也就跟着他们一道喝了。喝过之后，我就觉得有点头晕。"

妻子听了便对他说："夫君！你难道忘记父亲的嘱咐了吗？他不是不让你同那些不三不四的人来往吗？"

阿里忙分辩说："那些人都是些商家子弟，根本不是什么不三不四的人，只不过是些大家一起热热闹闹寻开心的朋友罢了。"

就这样。他每天都同这伙朋友出去，今天到这个地方，明天到那个地方，成天都是大吃大喝，寻欢作乐。后来，有一天，他们不客气地对他说："我们做东请客，都轮完了，现在该轮到你了。"

阿里听后忙说："好的，好的，让我来！别客气！"

第二天一早，他就准备了所需的吃喝，其数量足有往日别人带的几倍；此外，他还带上了厨师、仆役和煮咖啡的，同那伙人一道来到选定的大花园里。他们在那里成天吃喝玩乐，整整呆了一个月。

一个月过后，阿里眼见自己已经花掉了一大笔非常可观的钱财，可仍旧是鬼迷心窍，执迷不悟。该死的魔鬼似乎在对他说："你每天照这个样子花，那只不过是九牛一毛，你的钱财是花不完的！"

于是他照样大手大脚，挥金如土。就这样过了三年。在这期间，妻子曾再三劝他，提醒他别忘父亲的临终遗言，可他却把她的话当成耳旁风，根本不听。

后来，所有的现金都花光了，他就拿出珠宝去卖。花光了之后，他又卖房地产，一块又一块的田地、一座又一座的园圃都卖了出去。等到只剩下了他自己居住的那座房子，他又把大理石、木材拆卸下来卖。卖完花光之后，他发现实在再也没有什么可卖的了，就索性把那座住房也卖掉了，供自己挥霍。

过了不久，买主前来收房，对他说："你是不是再给自己找个地方？我现在要用我的这座房子了！"

阿里·米斯里无奈，只好找了一间草棚子住了下来。他看看自己这种状况，不由得感慨万分：当初奴仆成群，钱财无数；如今却是除了妻子、一儿一女之外，他是一无所有。既没有了钱财，也没有了奴仆，若不是妻小需要有个栖身的地方，真是连有家没家都无所谓了。当初他享尽了荣华富贵，如今竟一贫如洗，全家连口饱饭都吃不上。

妻子埋怨他道："当初我就警告过你，可别弄到这步田地，我还再三让你别忘了你父亲的遗嘱，可你就是不听我的劝告。这可真是除了托靠伟大真主的救助之外毫无办法的事。你拿什么来养活孩子啊？我看你还是出去转转，找找你的那些商家子弟的朋友，也许他们能给你点儿什么东西，好让咱们今天能吃上饭。"

阿里听了这话，便起身硬着头皮挨家挨户地去找他的那些朋友，可是那些家伙不是有意躲着他避而不见，就是对他冷嘲热讽，说些非常难听的话，谁也没给他任何东西。他只好垂头丧气地回到家中，对妻子说："他们什么也没给我。"

妻子无奈，只好自己动身到邻居家去，想给全家人要点什么吃的，好度过那一天。于是她去找一个旧日相识的女邻居。

她一进门，女邻居见她那副穷苦可怜的样子，一边热情欢迎，一边竟心疼得哭了起来，问："大妹子！你们这是怎么的了？"

她就把丈夫败家的经过一五一十地都对女邻居讲了。女邻居听后，对她说："欢迎你来我家。你尽可以把这里当成自己的家一样，需要什么尽管向我要好了，我都可以无偿地供给你。"

她不由得感激涕零地说："太谢谢你了！愿真主奖赏你！"

女邻居慨然送给了她很多东西，足够他们全家整整吃一个月的。

她把这些东西带回家,丈夫一见,羞愧地哭了起来,问她道:"你这是从哪儿弄来的?"

妻子告诉他说:"是向往日相识的一个女邻居要来的。她听了我们的遭遇后就慷慨相助,还对我说:'你需要什么,尽管向我要好了。'"

阿里·米斯里听了妻子这话,就对她说:"既然这样。我就想出外到一个地方闯闯,也许真主保佑能让我们摆脱这种窘境。"

他征得了妻子的同意,又吻别了子女之后,就走出家门。他漫无目的地走啊走啊,一直走到了布拉哥,看到码头上正停着一艘开往杜姆亚特的船。这时正巧他父亲的一位老朋友与他邂逅,同他打过招呼后就问他:"你这是要到哪里去呀?"

他不好意思细说,就随便扯了个谎道:"我想上杜姆亚特去看望几个朋友就回来。"

他父亲的那位朋友信以为真,就把他带回自己的家中盛情款待,又为他准备了路上吃的干粮,还给了他一些盘缠,然后送他上了那艘开往杜姆亚特的船。

到了杜姆亚特,上了岸,他还是茫然失措,不知何去何从。正在他流落街头,四处徘徊观望的时候,一个商人见状,不由得对他动了怜悯之心,就把他带回自己家中,当作客人一样招待。

他在那位商人家里住了好长一段时间,自己也有些难为情,心想:"我这么呆在人家家里,要呆到什么时候才算完呢?"

有一天,他从那位商人家里出来,看到有一艘开往叙利亚地区的船,就乘机回去向主人辞行。那人又为他准备了路上吃的干粮,送他上了那艘船。

他随船来到了叙利亚地区,上岸后一路流浪,来到了大马士革。有一天,他在街上闲逛,又碰上了一个好心的商人,把他带回家中,他就又在那人家里住了好些日子。

　　此后，有一天他出门见到一个商队正要到巴格达去，就想同他们结伴而行。于是他赶紧回到接待他的那位商人家中，向他辞行，然后就随商队上了路。

　　应当感谢真主，让同行的一个商人大发善心，一路上把他当成亲人一样照应，同他一起吃，一起喝。

　　商队离巴格达只剩一天的路程了。不料，却遇上了一帮匪徒拦路打劫，把他们带的货物洗劫一空，只有少数商人幸免于难。因此，遭劫之后，商队就散了摊子，人们也各自东西逃难去了。

　　阿里·米斯里还是直奔巴格达而去。到了城门口已是黄昏时分，只见守城的正要关城门，他忙喊："劳驾，请放我进去吧！"

　　守城的让他进了城，问他道："你这是从哪儿来？要到哪儿去呀？"

　　他说："我是从开罗来的商人，带着大队骡马，驮着大批货物，还跟着大群奴仆、小厮。我比他们先行一步，以便找个地方好安置货物。我骑着骡子打前站，不料半路上，却遇上了一伙强盗，把我所有的东西连同骡子洗劫一空。我好容易才逃了出来，算是捡了条命。"

　　那些守城门的人听了这番话后，对他颇为同情，就热情地接待了他，说："欢迎你！你今晚就在我们这里将就一宿吧！明天一早我们再替你找个合适的住处。"

　　阿里·米斯里摸了摸口袋，发现口袋里还有一个第纳尔，那还是他父亲的老朋友。——布拉哥的那个商人送给他的盘缠中剩下的。他把那个第纳尔掏出来交给一个守城门的说："把这点钱拿去，给咱们弄点儿吃的来！"

　　那人接过钱来，替他到市场买了些大饼和熟肉，他就同他们一起饱餐了一顿。饭后，他就睡在他们那里，直到天亮。

　　第二天一早，一个守城门的把阿里·米斯里带到一个巴格达商人那里，并对商人讲了他的遭遇。那人信以为真，猜想他一定是个拥有大批货物的富商巨贾，就把他引进自己的店铺里殷勤招待。然后把他带回家中，找出一套高级的衣服，让他换上，又带他到澡堂子去洗了个澡。

洗过澡后，那商人又把阿里·米斯里带回家里设宴款待，饭后对一个仆人吩咐道："马斯欧德！你带这位先生去看看那两所房子，他看中了哪一所，你就把那房子的钥匙交给他好了。"

阿里·米斯里随着那个仆人来到一条巷子，只见有三所新盖的房子，相连在一起，全都上了锁。仆人打开了第一所，让阿里进去看了看，走了出来；随后又打开第二所，让他进去观看。看过之后，仆人问道："你看我是把哪所房子的钥匙交给你呀？"

阿里指了指另外一所房子问："这所大房子是谁的？"

仆人说："也是我们主人家的。"

阿里说："那你为何不也打开来让咱们瞧瞧！"

仆人说："你根本用不着看。"

阿里颇为诧异："那为什么？"

仆人说："因为那所房子里闹鬼。谁头一天晚上住进去，第二天早上准死无疑。死了人，我们都不敢开那所房子的门把死人抬出去，而是爬上挨着它的其余那两所房子的凉台上，把尸体弄出来。就为了这个，我家主人让它闲置起来，说：'我再也不让人住进去了！'"

阿里·米斯里心想："这不正合乎我的心意吗！我住进去，就此死去，一了百了，也免得再像现在这样不尴不尬的。"

想到这里，他就对那个仆人说道："你把门打开！让我进去看看好了。"

那个仆人只好遵命，打开了门。阿里·米斯里进去一看，发现那房子宽敞无比，就对那个仆人说："我就看中这所房子了，给我钥匙吧！"

那仆人忙说："这事我可不敢做主，我得请示过主人才能给你钥匙。"

说罢,他忙去请示主人道:"那位埃及商人非要住那所大房子不可。您看这事怎么办呢?"

主人听了就来找阿里·米斯里,对他说:"先生!你没有必要非去住那所房子嘛!"

阿里·米斯里说:"我偏要住这所房子,才不在意别人说什么闹鬼不闹鬼的呢。"

主人见劝不过他,就无奈地说:"你若一定要住,就要在你我之间立下个字据,说明你如果出了什么事,由你自己负责,与我无关。"

阿里·米斯里说:"行!就照你说的办好了。"

主人从法院请来了一位公证人,让阿里·米斯里当面立下字据,收了起来,然后把钥匙交给了他。

阿里·米斯里接过钥匙,打开锁,进了那所房子。房东——那个商人派了一个仆人给他送去了行李,替他在门后的石台上铺好后就回去了。

阿里·米斯里四处看了看,发现院子里有口井,在井架子上面,吊着一只桶,他便取下打上水来,做过小净后做了礼拜。他坐下休息了一会儿,那个仆人又从主人家里给他送来了晚饭,还给他送来了油灯、蜡烛、烛台、脸盆、汤壶、水罐等一应用品,然后撇下他回去了。

他点上蜡烛,吃了晚饭,又做了宵礼,心想:"我还是拿上行李,到楼上睡吧!那儿要比这儿凉快、舒服。"

于是他抱起铺盖上了楼,只见楼上是间富丽堂皇的大厅:天花板是金漆的,地板和墙壁则是用五光十色的大理石镶砌成的。他铺好被褥,坐下念了几节《古兰经》经文。这时,他突然觉得有个人在喊他,对他说:"哈桑的儿子阿里呀!你要不要我把金子撒给你?"

阿里不经意地问:"你要撒的金子在哪儿呀?"

他的话音未落,只见颗颗金豆子铺天盖地地向他撒来,一直撒满了整个大厅。撒完后,那个变化成人样的妖魔对他说:"我已经完成了我的任务，把你寄存的东西交给你了，你就放了我，还我自由吧！"

阿里·米斯里惊异地说："凭着伟大的真主起誓，你一定得告诉我这些金子究竟是怎么回事！"

那妖魔答道："这些金子是很早就为你保存的。过去每逢有人进到这幢房子，我们都会走来问他：'哈桑的儿子阿里呀！你要不要我们把金子撒给你？'可是他听了我们的问话，总是吓得要死，拼命地大喊大叫，我们见状就扑上前掐断他的脖子而去。这次你来了，我们喊你和你父亲的名字，问你：'你要不要我们把金子撒给你？'你却反问我们：'金子在哪儿呀？'于是我们就知道了你是这些金子的主人，我们就把它们撒给了你。除此之外，你在也门还有一个宝库，如果你到那里把那些财宝取回来就更好了。现在我要求你把我放了，还我自由吧！"

阿里·米斯里说："那不行！凭真主起誓，你只有把我在也门的那些财宝取回来，我才会放了你。"

妖魔问："我如果把那些财宝带来，你果真会放了我，并且也放了看管那个宝库的奴仆吗？"

"那当然！"

"你对我发誓！"

阿里·米斯里就对他发了誓。那妖魔正要走，阿里·米斯里又叫住了他："我还有一件事要你替我去办。"

"什么事？"

"我的妻子和孩子还住在开罗某个地方，你要把他们安然无恙地带到我这里。"

"行！如果真主愿意，我一定把他们接到你这里，而且是让他们坐着轿车，在男奴女婢大队人马簇拥下，带着你在也门的那些财宝一道来。"

那妖魔请阿里允许他在三天之内完成这一切，然后就上路了。

阿里在大厅里转悠起来，想找一个藏金子的地方。他发现在大厅一角的一面墙上有一块大理石，上面有一个旋钮。他把那个旋钮一转，那块大理石就移向一边，现出了一道门。他打开门一看，里面竟是个大仓库，仓库里有不少已缝好的布口袋。于是他取出口袋，装上金子，一袋一袋地全搬进那个仓库里藏好，然后关好门，把旋钮再一转，那块大理石又移回原位。

一切都搞好了，阿里才下楼，在门后那块石台上坐了下来。他正坐在那里，忽听有人敲门。他起身开门一看，只见来人是房东的那个仆人。

那个仆人一见他安然无恙，不由得惊喜地赶紧跑回去向主人报告这个好消息："老爷！住在那幢闹鬼房子里的那位商人竟然好好的，正坐在门后的那个石台上，一点事儿也没有。"

房东一听也喜出望外，赶紧让人带上早饭，随他直奔那所房子而来。他一见到阿里，高兴地又是拥抱他，又是亲吻他的眉心，问道："这一宿你是怎么过来的？"

"一切都很好啊！我不过是在那间用大理石铺砌的大厅里睡了一觉罢了。"

"有什么东西出来过吗？或者说，你看见过什么东西没有？"

"没有呀！我只是随便念过几节《古兰经》经文，就一觉睡到了大天亮。然后我就起床，做了小净，又做了晨礼，就下楼坐在这个石台上休息。"

"这可真要感谢真主保佑你平安无事。"

房东说罢回去又打发来一大帮男奴女婢，把那所房子上上下下打扫得干干净净，里里外外装饰得焕然一新。完后，又留下三个保镖、三个男仆、四个丫鬟专门侍候阿里。

这样一来，阿里·米斯里就声名远扬。商人们闻讯纷纷前来拜访、送礼。礼品中有奇珍异宝等贵重物品，亦有吃喝穿戴的日常用品，真是应有尽有。他们还把他带到市场上自己的店铺里殷勤款待，问他："你的货什么时候到啊？"

"快了！再过三天就可以到了。"

过了三天，那个原先看守宝藏、在那所大房子里撒金子的妖魔回到了阿里的身边，对他说："你快去迎接你的妻儿子女和我从也门给你起运回来的那些财宝吧！我把那些财宝弄成像一大批商队的货物，又让一些妖魔鬼怪变成骡马、驼队和奴仆、保镖，才运回来的。"

原来那个看守宝藏的妖魔奉命到了开罗，找到了阿里的妻子和孩子们，发现他们在这段时间早已处于一种衣不蔽体、食不果腹的悲惨状况，就赶紧让他们乘轿车出了城，又用从也门宝库中取出的华丽衣物把他们修饰打扮得焕然一新，一帆风顺地来到了巴格达。

阿里·米斯里听那个妖魔这么一说，喜不自禁，立即去找那些商人，对他们说："喂，诸位！我请你们大家赏光，陪我一起到城外去迎接我的商队；同时也请你们诸位的夫人赏脸，一道去见见贱内。"

商人们欣然答应道："太好了！听你安排就是。"

他们随即打发奴仆请来自己的家眷，同他们一道出城，聚集在城郊的一座花园里，坐等阿里的家属及商队一行的到来。大家坐在那里正聊着天，忽见远处尘埃飞扬。人们忙站起身来要想看个究竟，只见尘埃开处露出大队人马，浩浩荡荡又唱又跳地迎面走来。领队的走到阿里·米斯里跟前，亲吻他的手，向他报告道："老爷！我们在路上耽搁了。我们原想早几天赶到，可是担心盗匪拦路打劫，就在原地又呆了四天，直到打听到那伙强盗已经了无踪迹，没有危险了，我们才敢动身前来。"

商人们骑上自己的骡子，同商队一道走在前面。他们的女眷则与阿里的妻小在一起拖拖拉拉地跟在后面。商人们对骡马驮的一箱箱贵重货物惊羡不已，而让他们的妻女惊羡的却是阿里·米斯里妻子儿女的穿戴，她们小声嘀咕道："像这么穿金戴银、珠光宝气的，别说是商人家，即使是巴格达的国王或是别的王孙公子、达官贵人家也没有啊！"

商人们陪着阿里，他们的女眷则陪着他的妻小，大家一路说说笑笑进城来到阿里栖身的那所大房子，把骡马牵进院子里，卸下货物，收藏进仓库里。那些太太小姐们随着阿里的妻小被让进了大厅里，只见厅里的陈设五光十色，简直像座姹紫嫣红的花园，看得人们眼花缭乱。

大家兴高采烈地坐了下来，说说笑笑地直到中午，仆人们摆开宴席，端出午饭款待客人。那顿吃喝真可谓珍馐佳肴、琼浆玉液。男男女女吃饱喝足后，又洒过蔷薇水，熏过香，然后向主人告辞，各自回家。

商人们都千方百计地想巴结阿里·米斯里，回去后就又依照各自的情况给他送来了礼品。他们的夫人们也都想讨好阿里的妻子，便给她也送来了礼，以至于阿里一家一下子就收到了很多男奴女婢和粮食、糖果之类的东西，要人有人，要物有物，样样俱全，应有尽有，数不胜数。至于那位房东，对阿里更是倍加亲切、关心，与他形影不离，还对他说："你干脆让你的那伙奴仆赶着那些骡马、骆驼之类的牲口住进另一座院子里好了，那样住起来也舒适一些。"

阿里说："不必了，他们今晚就动身到别处去。"

他随即让那些奴仆赶着牲口先到城外，晚上天一凉快就起程。那些变作奴仆、牲口的妖魔一听这话喜出望外，赶紧遵命来到城外，随即一个个飞向空中，各奔东西了。

阿里同房东坐下来聊天，一直聊到小半夜，房东才告辞回去。阿里这时才算腾出空来与自己的妻小相会谈心。他问："我走后这些日子你们是怎么过的？"

妻子就把她们那段缺吃少穿、饥寒交迫的苦难遭遇对他述说了一番。他听后不由得又是一番感慨："感谢真主保佑你们，总算平平安安地渡过了这道难关。那么你们又是怎么来到这里的呢？"

妻子就告诉他："夫君！昨天晚上，我和孩子们睡得正香，不知不觉间有人把我和孩子们举离开地面，飞上了天空，倒是没受到一点儿伤害。后来，我们就降落在一个形似游牧人帐营的地方，只见那里有很多驮满了货物的骡马、骆驼，还有一辆由两匹大骡子拉的轿车，周围都是奴仆和小厮。我问他们：'你们是些什么人？这些货物是什么人的？我们又是在什么地方？'那些人就说：'我们全都是珠宝商哈桑的儿子——商人阿里·米斯里的仆人。他打发我们来接你们到巴格达他那里去。'我又问他们：'从我们这里到巴格达的路程远不远？'他们说：'不远！一夜的工夫就到了。'随后他们让我们坐进了轿车，今天一早就平平安安地到了你这里。"

阿里·米斯里又问："你们的这些衣服是从哪儿来的？"

妻子说："是商队的那个领队的打开了骡队驮的一只箱子，从里面拿出了这些衣服，让我和孩子们一人一套都穿上，然后锁上箱子，把钥匙交给我，叮嘱我说：'你先好好儿地把它收起来，以后再交给你丈夫。'喏，这钥匙还保存在我这里。"

她说罢就把那把钥匙掏了出来，交给了丈夫。阿里又问她："你还认得那只箱子吗？"

她点点头："认得！"

阿里带着妻子走进库房，让她察看那些箱子。她仔细地辨认，最后指着其中一只箱子道："这就是他从里面拿出那些衣服的那只箱子。"

阿里拿出妻子交给他的那把钥匙，打开了那只箱子一看，发现里面有很多很多的衣服，还有其他所有箱子的全套钥匙。于是他用那些钥匙将所有的箱子逐一打开，欣赏箱子里那些连任何帝王也没有可以与之媲美的奇珍异宝。看过之后他又把那些箱子锁好，收好钥匙，同妻子回到楼上的大厅里，惊喜地对她说："这真是真主的恩赐呀！"

然后，他又领着妻子走到那块有旋钮的大理石跟前，转动旋钮，打开了那个暗仓的门，带她进去看了他放在里面的那些金子。妻子惊讶地问他："你从哪儿弄来这么些金子？"

于是他就告诉她："这也是真主的恩赐。当初我离家出来，真不知该往哪儿去。我信步溜达到了布拉哥，见有一只船要到杜姆亚特，我就胡里胡涂地上了船。到了杜姆亚特碰到了我父亲在商界的一个老朋友，把我带回家热情招待，问我要到哪儿去，我就谎称要到大马士革去看朋友……"

随后，他就把自己离家后的情况从头到尾一五一十地对妻子说了一遍。妻子听后感叹地对他说："夫君！这都是托你父亲祈祷的福啊！他临终前为你祷告说：'我求真主保佑你，万一遭到什么灾难，让你很快就能逢凶化吉。'感谢真主不仅让你逢凶化吉，而且对你的补偿还远远超过了你的损失。凭真主起誓，夫君！你今后可再也不要和那些不三不四的人交往了！你要真心实意地敬畏真主，明里暗里都要只做好事，不干坏事……"

听了妻子的叮嘱，阿里坦诚地对她说："你说的对！我求真主让那帮坏小子离我们远远的，让我们只顺从真主，遵照先知的教导办事。"

从此，阿里·米斯里一家子过上了无比幸福美满的生活。他在繁华的商业区开了一家店铺，带着儿子和仆役经营珠宝生意，成了巴格达城里最大的商人。后来，连国王都听说了他的事，就派了个钦差大臣请他进宫。钦差找到他，对他说："国王要召见你。请你奉旨进宫吧！"

阿里听了不禁有些受宠若惊，连忙答应："遵命！"

接着，他赶紧准备进贡的礼品，拿出四只纯金的箱子，再在里面装满世上连君王也不会有的奇珍异宝，带着进了宫。见了国王，他连忙给国王跪下磕头，祝他万寿无疆，永享荣华富贵，极尽赞颂溢美之能事。国王听了颇有得色，对他说："商家！你来此经商，的确为促进敝国的繁荣做出了贡献。"

阿里听了连忙称谢，乘机说："大王陛下！奴才还带来了一点儿薄礼孝敬陛下，望陛下赏脸笑纳。"

他随即把四只箱子献到国王面前。国王打开一看，里面都是些他见所未见价值连城的奇珍异宝，就喜形于色地说："商家！你的礼品我收下了。若是真主愿意，我会同样地奖赏你。"

阿里很高兴，亲吻了国王的手，然后告辞回家。他走后，国王召集文武百官，问道："你们可知有多少国王曾向我的公主求过婚？"

众人答道："那可太多了。"

国王又问："他们之中可有人给我送过这样贵重的礼品吗？"

众人又异口同声地答道："那可没有。因为他们谁都绝对不会有这类珍贵的东西。"

国王就说："我想把公主许配给这位商人，你们有何高见？"

众人忙说："陛下英明！"

于是国王吩咐太监们把四箱礼品抬进后宫。随之国王会见王后，把箱子摆在她面前。王后打开一看，里面全是些她见所未见的奇珍异宝，就问："这是哪位国王送来的？莫不是哪个向公主求婚的国王送的？"

国王忙说："不是！这是一个来到咱们京城经商的开罗商人送给我的。我听说他来了之后，就派人召他进宫，以便同他交往，为的是也许我们以后发现他那里有些什么珠宝，可以买来为公主做嫁妆。他就奉旨带着这四箱礼品进宫来了。我看他是个英俊、潇洒的青年，既庄重又聪明，同那些王子不差上下。一见面我就对他很有好感，打心眼儿里喜欢他，想招他为驸马。我让满朝文武观赏那些礼品，问他们：'你们可知有多少国王曾向我的公主求过婚？'他们说：'那可太多了。'我又问：'他们之中可有人给我送过这样贵重的礼品吗？'他们异口同声地说：'那可没有。他们谁都没有那么珍贵的东西。'我就对他们说：'我想把公主许配给他，你们有何高见？'他们说我英明。不知你有什么看法？"

王后说："凡事都由真主和君王陛下做主，真主想要怎样就一定会怎样。"

国王说："对！若是真主愿意，咱们一定要招这个年轻人为驸马。"

第二天早晨，国王上朝就下令召阿里·米斯里和巴格达所有的商人进宫。国王请他们坐下后，又让人请来了大法官，对他说："法官！请你为我的女儿与商人阿里·米斯里写婚书，我要招他为驸马。"

阿里听了忙说："请国王陛下饶恕！像我这样一个商人是不配做驸马的。"

国王便说："这是我对你的奖赏。此外，我还要奖赏你做宰相。"

国王说罢，马上下令赏给阿里一袭宰相穿戴的朝服。于是阿里坐上了宰相的交椅，说道："国王陛下！对于你这种奖赏，我深感荣幸。但请陛下听我说……"

"有什么话你就说吧！不必害怕。"

"陛下既然下令为公主招亲，我觉得让她与我儿子成亲更合适。"

"你有儿子吗？"

"有一个。"

"那何不马上打发人把他接来。"

"听陛下的吩咐，照办就是。"

于是阿里·米斯里派了一个跟班去把儿子接来。阿里的儿子来到国王面前，跪下磕过头后，就彬彬有礼地站在一旁。国王见他眉清目秀、英俊魁伟、仪表堂堂，若与公主相比，真是有过之而无不及，不禁暗自欢喜，便问他道："孩子！你叫什么名字？"

"回皇上的话，我叫哈桑。"

当时他十四岁。国王便对法官说："请你为我的女儿侯思奴·乌珠蒂与商人阿里·米斯里的儿子哈桑订婚写婚书吧！"

于是法官奉命写了婚书，当场举行了订婚仪式。满朝文武百官与在场的商人都纷纷上前祝贺，然后尽欢而散。

阿里·米斯里既已跃居宰相之位，商界的同人对他更是刮目相看，都纷纷跟在他后面来到他府上，向他热烈祝贺。客人散了之后，他进屋去见妻子。妻子一见他穿着宰相的朝服，不禁惊诧地问："这是怎么回事？"

他就把事情的经过原原本本地对她述说了一遍，最后说："国王把我们的儿子哈桑招作驸马了。"

妻子听了喜出望外，两口子一宿高兴得不知如何是好。

第二天一早，阿里·米斯里进宫上殿，国王对他非常客气，让他坐在自己身旁，亲切地对他说："爱卿！我想咱们还是早点儿举行婚礼，把孩子们的喜事办了，你看如何？"

阿里忙说："皇上！陛下认为怎样好就怎样好。"

于是国王下令为公主与宰相的儿子成亲举行婚礼。婚礼持续了三十天，整个京城张灯结彩，热闹非凡。人们欢天喜地，快乐无比。

王后非常喜欢这位驸马，对他的母亲也是一见如故，感到分外亲切。婚礼过后，国王下令为驸马小两口建一座寝宫，于是哈桑和公主很快就住进了专为他们建筑的一座富丽堂皇的宫殿。哈桑的母亲爱子心切，常来住上几日，再回自己的家。王后看见她来往奔波，就对国王说："夫君！哈桑的母亲不能撇下宰相长住在儿子这里，又不能撇下儿子不管而总住在宰相府里。咱们得替他们想个两全其美的法子才好。"

国王说："夫人说得很对。"

于是国王下令，在哈桑的寝宫旁边再修一座宫殿。只几天的工夫，又一座宫殿修建了起来，宰相夫妇搬了进去。这样一来，三座宫殿紧挨着，国王若是有事要同宰相商量，晚上步行就可以过去，否则，打发人去请他来也很方便。同样，哈桑同父母之间的来往也方便多了。他们就这样在一起过着幸福快乐的日子。

光阴似箭，日月如梭。多年之后，国王年纪大了，变得体弱多病，就把朝中大臣召集到跟前，说道："我现在是重病缠身，怕是要一病不起了。我把你们召来，是有件事要同你们商量，请你们替我拿个好主意。"

众人忙问："不知陛下有何事要同奴才们商量？"

国王说："我现在年纪大了，又身染重病。我担心自己百年之后，敌人会乘机侵犯这个国家。因此，我想请你们商定出一个人来，让我生前就把王位传给他，你们也就此可以了却一份心事。"

众人想了想，都说："我们一致认为宰相的公子——驸马哈桑是最合适的人选，因为他知书达理，精明强干，知人善任，明察秋毫。"

国王又问他们："你们都这样认为吗？"

众人答道："是的，都这样认为。"

国王似乎还不放心，追问道："也许你们是碍于情面，才在我的面前这样说，而在背后则会另说一套吧？"

众人忙说："凭真主起誓，我们这样说是表里一致，始终如一的，我们对哈桑驸马的为人早就心悦诚服，佩服得五体投地了。"

国王听罢便说："既然这样，那么明天就把大法官和朝中其他的文武百官全召集到这里，隆重地举行继位大典好了。"

众人应道："遵命照办就是！"

群臣退朝后，分别通知了文武百官、王公显贵、绅士名流。第二天一早，这些人都来进宫朝见国王："皇上！我们奉召都到齐了。"

国王便说："**巴格达的王公权贵们！在我之后，你们认为谁最适合继承王位？请告诉我，以便趁我还在世，可以当着你们全体的面来宣布这件事。**"

众人议论了一会儿都说:"我们都一致认为宰相的公子——驸马哈桑最合适。"

国王听后说:"既然如此,你们就去把他叫来吧!"

众人奉命一起去到哈桑宫中,对他说:"请驸马随我们一道去见国王陛下!"

哈桑颇为惊奇,问道:"为什么?"

众人答道:"是为了一件无论是对你还是对我们都有好处的事。"

哈桑随众人进了王宫,对国王行了跪拜礼。国王对他说:"坐下吧,孩子!"

待哈桑坐下后,国王接着说:"哈桑!这些文武百官全都同意在我之后由你继承王位。我也打算趁我在世的时候就把王位正式传给你,也算了却我的一件心事,免得夜长梦多。"

哈桑闻听这话,连忙起身,再向国王跪倒叩头道:"皇上!满朝文武百官之中,尽有年纪比孩儿大的,有能力比孩儿强的,孩儿才疏学浅,实在担心有负厚望,还是请皇上另选贤能吧!"

满朝文武百官、王公显贵齐说:"我们只愿驸马继位做我们的国王。"

哈桑又说:"我与家父是一家,家父年长,若说继位,他也理应位在我前。"

阿里·米斯里一听儿子这话,忙说:"我也完全赞同诸位弟兄们的意见。大家既然看中了你,一致赞成你继承王位,你就不要违背国王的旨意,也不要辜负大家的厚望,不要推辞了!"

国王见哈桑低头不语,就再次征询朝臣们的意见:"你们都赞成由哈桑继位吧?"

大家也再次异口同声地说:"赞成!"

于是大家一起为此念诵了七遍《古兰经》的《开端章》。然后,国王吩咐道:"法官!请你写下一份契据,证明这些朝臣显贵们一致拥戴驸马哈桑继承王位，承认他的权势。"

于是文武百官宣誓效忠新国王，老国王正式宣布逊位，让哈桑登基坐上国王的宝座，法官遵旨为此写下了契据，并签了字。此后，朝臣、显贵纷纷上前亲吻新国王哈桑的手，再次表示对他竭诚拥戴。就这样，哈桑从那天起开始临朝执政，大赏文武百官。散朝后，哈桑又进内宫，拜见岳丈——老国王，亲吻他的手，一再谢恩。老王嘱咐他道："哈桑！你今后可一定要敬畏真主，善待百姓啊！"

哈桑答道："凭着父王对我的祝福，我一定会万事如意的。"

哈桑回到自己的后宫，母亲、妻子和家人见到他都分外高兴。大家亲吻他的手，庆贺他登基继位，说："今天可是个大喜的日子！"

哈桑又离家前往父亲的相府，相府上下又为他的登基继位欢天喜地，一片欢腾。父亲高兴之余，免不了又谆谆叮嘱他要敬畏真主，体恤百姓。

哈桑喜不自胜，高兴得一夜都未睡好觉。第二天一早，他做完晨礼后就上朝听政。文武百官也都上殿向他朝拜、启奏。于是他坐在宝座上发号施令，要人民弃恶扬善，对官员有任有免，奖惩分明。

他就这样整整一天都忙于治国安民诸事务，直到傍晚才退朝回到内宫。他见到岳丈——老国王更加病弱不堪，便安慰他说："父王御体一定会康复如初的，请多加保重。"

老国王闻声勉强睁开双眼，对他说："哈桑……"

哈桑赶紧趋前俯下身子，应道："父王！我在这里。有什么吩咐，我听着哩！"

老国王便对他说："孩子！我快不行了。你可要照顾好自己的妻子和她的母亲……我把她们母女俩全都托付给你了。你要虔诚，要孝敬父母，敬畏真主。须知，真主一向是教导我们要公正无私，乐善好施的呀！"

哈桑毕恭毕敬地答道："我听明白了，一定遵命照办！"

老国王又勉强支持了三天，终于驾崩了。全国举哀，为他隆重地举行了葬礼，还为他设坛念经、追祭了四十天。

哈桑登基继位后，治国有术，安民有方，深受百姓的爱戴与拥护。在他执政期间，人民都安居乐业，全国上下一片喜气洋洋。他父亲阿里·米斯里仍旧做右丞相，同时他又选任了一位左丞相。就这样，他在巴格达执掌朝政，国泰民安，不知过了多少春秋。在此期间，他同公主生了三个儿子。

哈桑百年归真后，他的儿子继承了王位，享受着说不尽的荣华富贵，直至寿终正寝。赞美永恒的真主！生死予夺皆操纵在他的手中。

航海家辛德巴德的故事

　　在古代的巴格达城，在信士的长官哈里发哈伦·赖施德时代，有一个脚夫叫辛德巴德，是个穷人，日子过得十分艰难。他把别人让他运送的沉重货物顶在头上，日复一日，天天如此地往来运送。一天，天气炎热，他顶着货物，大汗淋漓，劳累异常，途经一家富商门口，看见那里洒扫庭除，空气清新，门旁边有着宽敞的台阶，便将头上顶的货物取下，放在宽敞的台阶上，休息休息，呼吸这里清新的空气。

　　辛德巴德呼吸着清新空气，又有和风伴着芬芳香气、和谐的乐曲声从门内传来，令他陶醉。他索性坐在台阶上，听那悦耳的曲调和那动听的悠扬歌声。赞美真主，他细听着的那美妙乐声中，还包含有鹧鸪、黄莺、金丝雀、夜莺、鹧鸪等一应鸟儿的鸣啭歌唱。辛德巴德惊奇不已，便走到大门前，向内望去。他看见了一个漂亮的大花园，仆从、奴婢来来往往，一派君主帝王之家才有的景象。随着微风，又飘过来了各种美味佳肴与上等饮料的气味。他不禁仰望天空，叹道："赞美真主！您创造人间万物，您给人类提供衣食，您按照自己的意愿乐善好施，不求回报。真主啊！求你宽恕我的罪过，接受我的忏悔，您的裁决、您的能力不可抗拒，不用问您的作为，因为您是万能的，你要谁富谁就富；你要谁穷谁就穷；你要谁高贵谁就高贵；你要谁卑贱谁就卑贱。世上无神，唯有您是唯一的主宰，您至高无上、威力无穷！处事周到！在您的奴仆中，您愿意赏赐谁就赏赐谁。就说这个房子的主人吧，他尊贵至极！他品尝可口饭菜，饮用上等饮品，尽享荣华富贵。您按照自己的意愿判断行事！有人贫穷劳碌，有人清闲富足，有人幸运，有人受苦，就像我吧，劳累、卑贱至极！"

辛德巴德感叹着，口中吟道：

多少人受苦受难，
风吹日晒，不得安闲。
我就是这样一个倒霉蛋，
负担和苦难总是有增无减。
别人则不像我总是重负在肩，
他们不吃苦，只享清闲。
他们荣华富贵，吃喝玩乐，
日复一日，年复一年。
人人都是父母精血造就，
我同这人一样，这人同我一般。
可是在我们之间，
却如同酒和醋，差得这么远！
我说这话可并非是胡言乱语，
你可以公正地作一个判断。

辛德巴德吟完，准备顶上货物起程。突然看见门内走出一位面容俊秀、举止得体、衣着华丽的男童。他拉起脚夫的手，说道："进来吧！我们主人请你呢。"

脚夫辛德巴德虽然婉言推辞，但主人盛情难却，他便将货物放在门廊，随同那男童进门。他看见这房舍巍峨绮丽，和谐得体，威风八面。他又看见厅堂上坐着一些名流雅士、要人显贵，席上摆放着香味扑鼻的鲜花、各种水果与坚果、各种做工细腻的美食、各种特色饮品，艺人们手持乐器，吹拉弹唱，乐声悠扬，美女们按次序站立一旁。

厅堂的正中坐着一位尊贵老者，仪表堂堂、相貌端庄、和气大方、气派高雅。见此，脚夫辛德巴德大惊，暗自猜度："凭真主起誓，这地方要么是天堂的一角，要么是帝王的宫殿。"

他礼貌地向大家问候，在他们面前叩头问安，然后低头谦恭地站起。主人让他坐在自己身旁，他便靠近主人落座。主人与他亲切交谈，欢迎他的到来，款待他品用各种美味佳肴。

脚夫辛德巴德吃饱之后，说道："真是赞美真主！"

他洗了手，感谢主人款待。

主人则说："欢迎你，祝福你！你叫什么名字？做什么营生？"

"先生，我叫辛德巴德，是个脚夫，为别人头顶着货物往来运送，以此赚钱要糊口。"

主人笑起来，说："这位脚夫，你可知道，我还与你同名呢！我是航海的辛德巴德。我想请你再吟诵一遍你刚才在门前吟诵的那首诗。"

脚夫辛德巴德羞愧难当，说道："莫要责备我！我整日劳累，艰苦操持营生，手头无钱，也就让我缺少礼貌，缺少教养。"

"不必客气，我已把你看作我的兄弟，刚才你在门前吟诗让我惊奇，还是让我再听一遍吧。"

此时，脚夫辛德巴德只好听命，再次吟诵一遍他刚才在门前吟诵的那首诗。主人听后，十分欣赏与感动，对他说："脚夫兄弟，你要知道，我也有故事呢。我会对你讲我的全部经历，讲述我在获得这样幸福生活之前的遭遇。我现在过着这种享乐安康的生活，是在我经历了困苦劳累、巨大灾难之后获得的。我初次航海就经历了艰难险阻无数，而我共计航海七次，每次航海都有惊心动魄的故事。这一切都是命中注定的！命中注定的事情是无法解脱的。"

航海家辛德巴德开始讲故事：

第一次航海的故事

尊贵的先生们：我的父亲原是个商人，属于富商巨贾之流。他有万贯家财，为人慷慨好施。在我幼小的时候，他就不幸故去，给我留下了丰厚的钱财、房产土地与商铺。我长大成人，自己管理着这些财产。我吃着美味，喝着名品，穿着华丽衣裳，结交年轻的朋友，与知心朋友们混在一起，自以为好景会长在：这些家产能足够我挥霍潇洒了！未成想好景不长在。坐吃山空，我发现自己的钱财渐渐耗去，生活渐渐难以为继，那些朋友也陆续离我而去。我晕头晕脑，忧愁苦闷，突然想起父亲先前曾经讲过的一个故事，就是像我们的先知苏莱曼·本·达伍德王所教训的那样：三样事情比三样事情好："死的那天比生的日子好，活的狗比死的狮子好，进坟墓比受贫穷好。"于是我站立起来，收集了我仅存的家具、衣物，变卖掉，又卖掉了我的房产和我手头的其他物品，换得三千金币，我决定出门到别的国家去旅行经商。我想起了有些诗人曾经说过的：

吃多少苦，才能享受多少甜，
谁求功名，就常得熬夜不眠，
要求珍珠，必须潜入大海，
只有拼搏，才能升官发财，
不下功夫，却一心想富贵，
只能是痴心妄想，白费时间。

此刻，我已经下定了决心。我买来了货物以及航海所需的一切，决定从海上开始我的旅行经商生涯。我登上船只，与一群商人一起，从海上航行到了巴士拉。我们在海上航行了几个昼夜，经过了一个又一个小岛，一片又一片海域，一块又一块陆地，每到一个地方，我们都又买又卖，或者是以我们的商品换取当地的别样货物。

一天，我们又来到一个小岛，岛上景色美丽，犹如天堂里的花园。船长抛锚靠岸停泊，船上的旅客们纷纷下船上岛，大家各忙各的，有的生火做饭，有的洗洗涮涮，也有的在岛上信步留连，欣赏岛上风景。我就属于那信步流连的一族，在岛子的各处漫步走着，自得其乐。大家吃饱了，喝足了，玩够了，突然看见船长站在船边高声喊道："乘客们，赶快呀！赶快上船！扔掉你们手里拿的东西，逃命要紧呀！生命安全最重要！你们以为这是一个什么岛子吗？不是！这是一条漂在海上的大鱼呀！日子久了，它的背上堆满了沙土，沙土上又长出了树木，看起来就像一个岛子。你们在这大鱼背上生火做饭，温度高了，这大鱼就动弹了。这大鱼动弹起来，你们还不都要葬身海底吗？你们面临灭顶之灾呀！还不快找生路吗！把东西都扔掉，赶快上船吧！免得葬身海底呀！"

大家听到船长的呼唤，赶忙丢掉手里的东西，奔向船去。可是有的人赶上船了，有的人未等赶上登船，那个"岛子"就已经摇动起来，带着没来得及登船的人沉在大海里，海水汹涌，恶浪滔滔。

我也属于那没有赶上船的一群人，我们未能幸免于难，随着"岛子"的下沉，掉到了海里。不过真主拯救了我，让我免于溺水身亡。真主让我抓住了一块从船上掉下来的大木头盆。这是船上人们洗洗涮涮用的大木盆。我赶忙紧紧地抓住它，趴在上面，漂在水上，两只脚在水中不停地划行，就像木桨划水一般，任凭风浪一会将我吹向东，一会又将我吹向西。船长起锚，带着那些上了船的人，起航了，他甚至都没有朝我们这些溺水者看上一眼。而我还一直眼盯着这艘大船，直至它扬帆渐渐远去，在我的视野中消失。我心想我必死无疑。

黑夜降临，我就这样在海上漂流了一天一夜。我得助于风浪，随波逐流着漂向一个高高的岛屿岸边。那岛子上大树的树枝低垂至海面，我抓住树枝爬上岸，从面临死亡的阴影中得救了。

我发现我的两只脚已经伤痕累累，那是双脚划水被鱼群咬过留下的痕迹，而我过度劳累与疲乏，竟然对此毫不知觉。我爬到岛上，犹如死人一般，惊恐劳累，失去了知觉。直到第二天，太阳出来了，太阳照到我的身上，我才醒过来，发现自己躺在岛上。我两脚肿痛，步履艰难，挪动几步，又用双膝爬行一段。

岛上水果很多，又有多处泉眼，流淌着清清的泉水。我吃着这些水果，喝着这里的泉水，这样又过了好几个昼夜，自己感觉身体渐渐恢复，精神也好些了，行动也能够自如了。我一面在岛上漫游，一面作打算。我折了根树枝当拐杖，靠着这根拐杖在树林间漫步穿行，感受真主的创造，就这样又度过了数日。直至有一天，我仍在漫步时，看见了远处有一个影子，起初，我还以为那是山中野兽，要么是海中的水怪。我向它走过去，却发现它原来是一匹高头大马，被拴在海岸边，我继续走近它，它却仰天长嘶，把我吓得发抖，只好想退回去。突然从地下钻出个人来，走到我面前，喊道："你是谁？从哪里来的？到这里来做什么？"

我回答说："先生，我是个异乡人，乘船旅行，不幸和船上的一些人一起落水，真主保佑，我抓到船上掉下的一块大木盆，趴在木头上，随着海浪漂流，才漂到了这个海岛上来的。"

他听我这样说，就拉着我的手，对我说："跟我来！"

我就跟着他走，随他来到一个地洞。他带我进入一个大厅，让我坐在大厅的中央，为我拿出一些食品。我正饿着呢，就大嚼起来，饱食一顿后，心里也舒服多了。他又问及我的身世、我的经历，我便把自己的情况一五一十从头到尾告诉他。他对我的遭遇很是惊奇。

我说完后，又对他说："先生，求真主保佑，莫要责备我。我已经把我的经历告诉你了，我对你的事情也很好奇呀！你为什么会坐在这个地洞的大厅里？为什么要把那匹马拴在海边？"

他说："你要知道：我们是一个群体，散居在这个岛上的各个角落。我们是马哈拉坚国王的马夫，掌管着他的所有马匹。每当月初的时候，我们就牵来一群没有交配过的骒马，拴在海边，我们自己便等候在这个地下大厅中，而马匹不能看见我们，此刻海马闻到骒马的气味，就会奔向这些拴着的骒马，向它嘶吼，用头撞它，用蹄子踢它，与它交配。我们听到嘶吼声，知道交配过程已经完成，便跑出洞来，大声喊叫，海马害怕我们，就逃遁到海里。那骒马则已经受孕，日后会产出良种马驹。这良种马驹无比珍贵，与宝库等值。现在就是海马上岸的时候。真主保佑，让我带你去见见马哈拉坚国王吧！让你看看我们的国家吧！你要知道，要不是你遇见我们，你就不会看到任何人，会必死无疑。死了，也不会有人知道你的。但是你遇到了我，我会拯救你的生命，让你重返你的故土家园。"

我赶忙感谢他的恩德、他的善举。

正当我们说话的时候，有匹海马从海中上岸了，极力长嘶，扑向骒马，想把它带走，但是它不能够。马夫手拿着宝剑、盾牌，从地洞大厅的门里跑出来了，他还大声呼唤他的伙伴们道："快来赶海马呀！"

他一边喊一边用宝剑敲打着盾牌。众人都手持长矛大喊大叫着从四面赶来，海马不知所措，匆忙逃回，像水牛一样潜入海里。这时，马夫坐下来，稍事休息。过了一会，他的那些马夫同伴们每人牵着一匹良种马走过来。他们看见我后，就问我的事情，我像先前讲过的那样又把我的经历叙述了一遍。他们听了，同情我，亲近我，要我和他们一起吃饭，我就和他们一起吃饱了饭。他们又都站起来，骑上马。他们也叫我骑在一匹马的马背上，我们一起出发了。一行人到达了马哈拉坚国王的都城,他们先期进入,向国王通报了我的事情,随后才邀请我进宫,让我站在国王的面前,我向国王致意,国王也回了礼,向我表示欢迎与尊重。他又问及我的情况,我再次从头至尾地向他陈述了我的身世与我的经历。他对我经历的一切事情甚感惊奇,对我说道:"孩子,真主保佑,你已经平安脱险了。要不是你命大福分大,就会难逃如此灾难,感谢真主让你安然无恙。"

国王款待我,尊重我,亲近我,用言辞宽慰我,用同情心善待我,还让我在管理港口的地方当了一名文书,负责登记过往港口的船只。我尽力勤勉工作,也就深得国王宠爱。国王多方面地照顾我,赠送我富丽堂皇的锦缎衣服,我在他那里就成了很有面子的人,也能够为他人的利益讲个人情、办个事什么的。

我如此这般地生活了很长一段时间。但是每当我在海边散步,就会向过往的商人和航海家门询问巴格达的方位,希望有人能告诉我巴格达的消息,那样,我就会和他一起走了,我要回到我的家乡去。但是没有人能告诉我巴格达的消息,也没有人知道如何到那里去。我心中烦闷,已经厌倦了这种异乡的生活,这种日子又持续了一段时间。

有一天,我拜见马哈拉坚国王,在他那里看到了一群印度人。我向他们问好,他们也回了礼,然后就问起了我的国家。当我问到他们的国家的时候,他们告诉我,他们是属于不同的民族,有的属沙克里亚族,这是一个最尊贵的民族,从不会欺压虐待任何人;还有人属于婆罗门族,他们从不喝酒,淳朴善良、聪敏美貌,善养马匹、家畜。他们还告诉我印度有七十二个邦,这些都令我十分惊奇。

我看到在马哈拉坚国王的王国中,有诸多岛屿,其中有一个叫卡比勒的岛子,人们在这个岛子上可以成夜地听到打鼓弹琴的声音,岛子上的居民与旅行家都告诉我们:岛上居民办事努力认真、精明强干。我还在那个岛上看见过一条大鱼,其面目如同猫头鹰,在旅行中，我了解的奇闻逸事可就多了，要是我对你们也详细叙述起来，那可就说来话长。

我仍然像往常一样，拄着拐杖，在这些岛屿上漫步行走。

一天，我正站立在海边，突然看见一只大船驶来，船上有很多商人，船长指挥水手卷起风帆，靠岸泊船，再把船上的货物仔细地卸到岸上，我站在那里，一一做登记。我问船长："船上还有货物吗？"

船长说："先生，船舱里还有一些货物，但是货主在和我们一起航海时溺水身亡，他的货也就一直放在这里，我们代他保管着，我们正打算卖掉这些货，得的钱带回去交给他在和平之城巴格达的家属。"

我向船长问道："那么这货主叫什么名字呢？"

船长说："叫辛德巴德，人称航海家，已经溺水身亡。"

我听了船长这样说，就仔细地盯着他看，我认出他来了！我激动得大声喊叫："船长！你不认识我了？我就是你所说的货主！我就是你说的航海家辛德巴德！那一天，我们把那大鱼的背当成海岛，我的确与一些商人下了船，上了岛。当大鱼动起来的时候，你喊我们快上船，可是上了船的人得救了，其余的没有来得及上船的人就掉到海里去了，我也是那落水的一员，托真主保佑，我抓住一个船上掉下来的乘客们洗洗涮涮用的大木盆，我趴在木盆上，两腿当桨划，风浪就把我推到这个岛子上，我登上了岛，真主助我脱险，我又遇到了马哈拉坚国王的马夫，随同他们来到了这个城市，他们又带我去拜见马哈拉坚国王，我向国王讲述了我的遭遇，承蒙马哈拉坚国王的关照，让我当了这个港口的一名文书，我尽心尽力，国王也就接纳了我。现在该说说你船里的那些货物，那可就是我的财物啊！"

那船长听了我的这番话，立即说道："没有什么办法，只有真主裁决了！世间还有诚实与公正吗？"

我又说："船长！你这是何意？我给你讲了我的经历，你不是听到了吗？"

船长说："因为你听我说到货主已经溺水身亡，你就想霸占这批货物，才编出话这样讲的，这很不道德。我们是亲眼看到货主和其他一些旅客一起溺水身亡的，没有一个人得救，你怎么可以佯称自己是货主！"

我再解释："船长，你听我诉说我的经历，你应相信我的诚实。撒谎是不讲道德人的恶习！"

我又向船长提起我们二人之间共同经历的一些往事。以此来向船长和其他商人证明我的诚实。

他们终于认出了我，纷纷祝贺我的平安获救，一起说道："真主保佑，我们原来都以为你淹死了，没想到你平安得救，真主又给了你一条命。"

他们把货物还给我，我发现货物上面还写有我的名字，所有货物都不曾损坏。我打开货箱，从中挑选出一些最贵重的，作为礼物，与水手们一起，去献给国王。我告诉国王：我原先乘坐的那只商船来了，带来了我的货物，货物全部完好，这些礼物就是从中取出的一部分。国王对此感到十分惊异，他相信了我对他叙说的我的故事，对我更加宠爱、更加尊重了。他也回赠了我许多礼物。

我卖掉了货物，赚了钱，又在那个城市购买了一些当地土特产，希望船上的商人帮我把货物装到船上。我去和国王告别，感谢他对我的器重与好意，国王允许我回故乡去与亲人团聚。

国王接受我的辞别，在我临行的时候，又赠送我一些当地物品。我登上了船，与商人们一起开始了海上的漂泊生活。在海上日夜航行，终于平安地到达巴士拉城。我在巴士拉住了一段时光，我为自己能够平安返回自己的国家而感到高兴，随后，我又来到和平之城巴格达，我随身带来了不少贵重物品，我回到亲人中间，进入了自己的家园。许多亲朋好友都来看我。

我开始兴家立业，买了奴仆、佣人，建造了房舍，我购买的房产、地产比先前我父亲遗留给我的还要多，我广交朋友，渐渐地我忘掉了我所经历的劳累、他乡流落的艰辛以及旅行途中的种种灾难，我尽情享受吃喝玩乐，就这样过了一段时光。

这就是我第一次航行的故事。

真主保佑，明天，我再给你们讲我七次航海历程中的第二次航海经历。

随后航海家辛德巴德招待脚夫辛德巴德吃饭，又给了脚夫一百砝码的黄金，对他说道："今天，你的光临让我们愉快。"

脚夫辛德巴德感谢航海家辛德巴德，带上了他的馈赠回家。他一直都在想着自己今天的奇遇，想着他所听到的别人的故事，感到十分奇怪。当晚，脚夫美美地睡了一觉。次日清晨，他又到航海家辛德巴德的家来了，进了门，主人欢迎他的到来，招待他，让他坐在自己身边，待到其余宾客都一一光临的时候，主人吩咐摆上茶点、饮料，大家一块儿吃着、喝着，乐着。

航海家辛德巴德开始叙述他的第二次航海经历：

第二次航海的故事

兄弟们：昨天我和你们谈过了，我第一次航海旅行回家后所过的幸福愉快的生活。可是有一天，我又想起去别的国家去旅行，向往到海外诸国与诸岛去经商、游览、赚钱。

我取出一大笔钱，购买商货与旅行所需的各种物品，捆绑包装后，携带上路，我到达海港的时候，看见那里有一艘很适宜的新船，已经装载着旅客和商货，我也同其他商人一样，赶忙把我的商货也搬上船去，与他们结伴出行。

我们就这样出发了，天气晴好，旅途顺利，我们从一个海域航

行到另一个海域,从一个海岛航行到另外一个海岛。在所到之处,我们会见了当地的商人、官员、小贩、买主,我们又卖又买,或者以物易物。

我们就这样打发出海经商旅游的时日。一天,命运把我们带到了一个宜人的小岛,那里树木众多,成熟的水果累累,繁花似锦,河流清澈,小鸟儿在鸣啭歌唱。只是并不见一座房舍,不见人间烟火。船长泊船,众商人上岸,大家在林间浏览散步,赞美真主的神奇创造。我是与那些商人一起上岸的,当时我坐在林间一个清澈的泉眼旁,吃着我带来的食品,和风缓缓吹来,此情此景令我心旷神怡。我便悠悠然打起盹来,我沉醉在美景中,竟然深深地睡去,享受着和风的吹拂,沐浴在和谐的氛围中。当我醒来的时候,竟然不见一个人影,四周寂静无声。船已经带着乘客离我远去了,商人们、水手们,没有一个人想起我,他们忘记我还在这儿。我左看看,右瞧瞧,还是没有一个人影,只有我孤身一人。我顿时觉得恐慌,我愤怒、悲伤、劳累。我还有尘世间的什么东西呢?我没有吃食了,没有水喝了,我仅仅是孤单一人,我身心疲惫,几乎对生命绝望,我自言自语:"俗话道:'瓦罐难免井边破。'井边上的瓦罐不会每次都打不破的!一个人会总有好运气的吗?上次,我沦落海岛被人救,带我找有人烟的地方。这次,还会有谁来带我到有人烟的地方去呢?"

我不禁垂泪,继而嚎啕大哭,我迷惑、不知所措。我埋怨自己不好好待在家里享清福,尽享锦衣玉食、绫罗绸缎的安逸生活,我本不需要金钱,也不需要商品,我后悔我不该从巴格达城跑出来,又出海旅游经商,我明明第一次出门已经历尽了艰苦,差点没了命。

我只好对自己说:"我们属于真主,我们要回到真主那里去。"

我简直快要发疯了,我不安地站起身来,在岛上左走走,右走走,我不敢坐在同一个地方,我爬上了一棵大树,极力向四周眺望,我只能看见天空、海水、树木、飞鸟、沙砾、小岛。我继续眺望,我看见这个岛子的远处有一个巨大的白色影子，我赶忙从树上爬下来，向白色影子的方向走过去。我还没有走到跟前，就看见那是一幢巨型建筑的白色圆顶。我走近它，围绕它转了一圈，没有看见它的大门。这建筑墙面光滑，我无法爬上去。我围绕这建筑走一圈，用步子丈量一下，发现它的周长是五十步，我一直急着想走进去。此时接近黄昏，正是太阳西下的时分，突然太阳被遮住了，周围一片黑暗。我真奇怪，太阳怎么一下子就不见了呢？是乌云遮住了太阳吗？可是那时正值夏季呀！我甚感奇怪，于是再抬头凝视天空，只见一只大鸟在空中飞翔，它身躯庞大、翅膀宽阔，遮住了岛上的太阳。我更加感到奇怪了，我想起曾经有人跟我说过，说是在古代，一些旅行家在海岛上看见的一种大鹏鸟，会抓住大象来喂养它的幼雏。我知道了，我看见的那幢白色圆顶建筑原来就是一个大鹏鸟的蛋呀！我更加赞叹真主的造物之功。此时，大鹏鸟落在了蛋上，它用翅膀护住蛋，向后将两脚直伸到地面，趴在蛋上睡了。

应该赞美那些黑暗之中不眠的人！

此时，我站起来，从头上解下了缠头，把它搓成绳子一般，把一头拴在我的腰上，另一头拴在大鹏鸟的腿上，拴得牢牢的！我自言自语："但愿这只大鹏鸟能把我带到有人烟的地方去，到那里总会比我困守海岛要好！"

当夜，我不敢合眼睡觉，担心在我睡着了不清醒的时候，大鹏鸟起飞。次日清晨，曙光微露，大鹏鸟从蛋上下来，站起来，长叫一声，带着我向空中飞去，它越飞越高，我感到它已经飞到了天的尽头，后来，又带着我下落，落在一处高地。一落地，乘大鹏鸟还没有感觉到的时候，我胆战心惊地解开拴在它腿上的缠头，之后，又解开了拴在我腰上的缠头的那一头。我离开了大鹏鸟，直了直身子，朝前走去。

那大鹏鸟从地面上抓起一个什么东西，又飞向天空。我盯住细看，才发现它抓住的原来是一条粗大的蟒蛇，它抓住蟒蛇，带着它向天空飞去。我惊奇感叹，随后，我就在这个地方向前走着，发现自己身处高地，下面是一个大峡谷，宽阔深广，旁边则是高高的山峰，高耸入云天。没有人能看见山峰的顶端，没有人能够攀登上去。我又责备自己这次的冒险举动，对自己说："也许我还是留在那个岛子上要好一些呢，那里总会比这个穷乡僻壤要好一些吧！在那岛上，要是饿了，我就去摘野果子充饥，渴了，我就去喝河水呀！可是在这里，既没有树，没有野果子，也没有河流。毫无办法，只靠伟大的真主保佑了。我才离开一场灾难，又陷入另一场更深重的灾难，真是叫：才离虎口，又入狼窝！"

我站起来，抖擞精神，走进山谷，我看见这里遍地钻石，硬度极大，能够钻穿玉石、金属、瓷器、玛瑙等，它实在太坚硬了，任何石头、铁器对于它来讲，都是无济于事的。除了一种子弹石，任何物品都休想把它打碎。这山谷还有蟒蛇无数，其粗大的身躯如同椰枣树，要是大象前来，也会被蟒蛇给吞下去，这种蟒蛇昼伏夜出，就是为了躲避大鹏鸟、秃鹰的袭击，而我，正身处这样的山谷！我对自己的作为后悔死了，我对自己说："我这是自己找死还唯恐来不及呢！"

我在山谷间行走，眼看太阳西下，夜幕来临，我想寻找一个地方栖身，我害怕蟒蛇把我吃了。我已经忘记了饥与渴，我突然发现眼前有个山洞，便走过去，那洞口窄小，我钻进洞去，用洞口旁边的一块大石头把洞口堵上，心想：我就在这个洞中躲避一下吧，待到天明之后，我再去寻找出路。

我在洞内四处看看，突然在洞中央看见一条大蟒蛇正趴在蛇蛋上呢，我浑身发抖，我抬起头，把我的命运交给上苍。我彻夜不眠，饥饿、恐惧，等待黎明来临，才移开了昨日我堵在洞口的石头。我犹如醉汉一般跌跌撞撞走出洞来，仍然在山谷中徘徊，突然空中掉下一大块牲畜的肉，我并没有看见一个人呀，我正万分惊奇，又想起我从商人、旅行家那里听来的一个故事：在盛产钻石玛瑙的大山峡谷，人们通常难以到达那里，商人们想出了一个好主意来取得这些钻石玛瑙：把羊宰杀了，剥掉皮，剔出肉，扔到大山峡谷去，那羊肉就会沾上钻石玛瑙，商人们则躲避半日，待到大鹏鸟、秃鹰叼上这些羊肉，飞向天空的时候，商人们就出来了，大喊大叫，大鹏鸟、秃鹰飞走了，沾着钻石玛瑙的羊肉就掉在地上，商人们前去，取下钻石玛瑙，把羊肉扔给大鹏鸟、秃鹰与野兽，而商人们自己，则带上钻石玛瑙返回家园。要想得到钻石玛瑙，听说只有用这个好办法呢。

我看着那块羊肉，想着这个故事，就走到羊肉的跟前去，的确羊肉上沾着钻石珍宝，我拿了很多钻石珍宝，放进我的口袋、衣服、缠头和所有能放东西的地方。我用缠头把自己拴在羊肉上，把羊肉放在我的胸前，我平躺在地上，抓住羊肉，突然秃鹰飞来，用利爪抓住羊肉，腾空飞去，我也就随着飞升到半空，秃鹰继续飞翔，直到在山顶降落，准备啄食羊肉，突然秃鹰的身后传来敲打木板的声音，它闻声后重又飞向高空，我赶忙从身上解下了那块羊肉，站在一旁，我的衣服已经被羊肉染污。这时候，呼喊着哄赶秃鹰的商人朝着羊肉跑过来，他看见我站在一旁，没敢和我说话，我的出现把他吓坏了，他战战兢兢地拿起羊肉，翻过来倒过去查看，结果什么也没有找到，就大声叫嚷起来："真倒霉，毫无办法，什么地方出来的魔鬼抢去了我的钻石宝贝！求真主保佑我们不受伤害！"

他悔恨地拍打着手掌，说："背运呀，到底是怎么回事情呀？"

我见他伤心难过，就朝他走过去。他问我："你是谁？你到这儿来干什么？"

我对他说："别害怕，我是一个好心人，是一个商人，有着离奇的经历和遭遇，我为什么到这个峡谷来？这实在是一件稀奇古怪的事情！你不必伤心难过，我有许多钻石宝贝，给你一些就是，让你满意就好！我给你足够的钻石珍宝，会比你期盼得到的还要多。你不要害怕，不必担忧。"

那商人感谢我,招呼我,和我交谈。其余的商人们听见我和他们的伙伴说话,也走了过来,向我表示问候与祝福,要我和他们在一起,我给他们全体讲了我旅途中所遇到的悲惨故事,告诉他们我到这个峡谷来的真实原因,我赠送那块羊肉的主人很多钻石珍宝,他非常高兴,一直感谢我的馈赠。商人们说道:"真主保佑,你会延年益寿,因为没有一个到这个峡谷来的人能绝处逢生,但是真主保佑了你平安无事!"

我与他们一起,到达了一个舒适的地方。我从蟒蛇峡谷平安脱险,来到有人间烟火的地方,与商人们在一起,真是愉快高兴极了!次日,我们一起下山,还回头看了看峡谷中的众多蟒蛇。

我们一直向前走去,到达一个宜人的岛上花园,这里樟脑树密布,每一棵树都枝叶繁茂,树下可容百人纳凉。人们要想取得樟脑油,只要在樟脑树的树枝上打一个洞,胶状的樟脑液就会从中流出,这就是樟脑蜜,待到樟脑液流干,樟脑树就会枯萎,成为烧柴。

岛上还有一种野兽叫犀牛,就像我们国家的黄牛、水牛,只不过它的身躯比骆驼还要高大,它们吃水蛭,它们的头顶中央长着一根粗粗的独角,大概有十尺长。岛上还有几种牛,航海家、旅行家们说,这种犀牛能够用它的独角顶起大象,在岛上、在海岸边行走而不感到费力,它顶在独角上的大象死了,炎热阳光烤化了大象身上的脂肪,流进了犀牛的眼睛里,犀牛就变成了瞎子,不能行走,躺在海岸,大鹏鸟飞来了,用利爪抓住犀牛连带犀牛独角上的大象,将它们的肉带回去喂养幼雏。

我还在岛上看到我们家乡所没有的各种水牛。

我拿出我从峡谷带回的放在口袋里的钻石珍宝去交换各种货物,也换回了许多金钱。我们仍然在各个国家旅行经商,从一个山谷走到另一个山谷,从一个城市走到另一个城市,我们又卖又买,最后我们回到巴士拉城,我们又在那里停留了几天,然后,我们回到了和平之城巴格达，我回到了自己的街区、自己的家。我带回了很多的钻石玛瑙、珍宝金钱、商品货物，我见到了我的亲朋好友，向他们赠送礼物，给穷人施舍财物。我又好吃好喝起来，穿着华丽衣服，与亲朋聚会，忘掉了我所经历的残酷岁月。我沉醉在安逸享乐的宁静生活中，胸怀释然，嬉戏终日。人们听说我旅行归来，纷纷前来祝贺，询问我的旅行经历，旅途所经过国家的情况，我一一地告诉了他们，向他们叙说我的第二次航海的险境。人们对于我遭遇诸多艰难险阻却又平安归来赞叹不已。

这就是我第二次航海的经历了。

然后，他又说道："明天，真主保佑，我再给你们讲我第三次航海的经历吧。"

航海家辛德巴德对脚夫辛德巴德讲完他的冒险故事，在座的人无不无比惊奇，他挽留大家共进晚餐，又给了脚夫辛德巴德一百矻码的黄金，脚夫辛德巴德接过，感叹航海家辛德巴德的离奇旅行经历，感谢了他的馈赠，然后告辞离去。航海家辛德巴德欢迎他明日再来。

次日清晨，天放亮，晨曦微露，脚夫辛德巴德起床，做过晨礼后，按照航海家辛德巴德的约定来到了他的家，航海家辛德巴德欢迎了他。与他坐在一起，等候其余客人来临一起用餐，吃饱喝足潇洒玩乐。

航海家辛德巴德开始讲述他第三次航海经历：

第三次航海的故事

兄弟们：听我讲我的第三次航海的故事吧，比起先前的航海故事来，这是更奇特的故事了。

真主预知前因后果，裁决最英明公正。

我昨天对你们讲过，我第二次航海归来，又过上了极其平静享乐愉快的生活，我赚得了很多钱——就像我对你们所说过的那样——真主对于我的付出给予了充分的补偿,我在巴格达城又度过了一段时光,我幸福安逸、清闲享乐至极,又渴望着旅行与冒险,迷恋起经商、赚钱,获得更多的利润。真是鬼使神差!我又去置办货物,准备出海旅行。

我带上货物,从巴格达来到巴士拉,我来到了海边,看见了一条大船,上面载有众多善良的商人、乘客、好心肠的水手、宗教人士、知名人物,我和他们一起登船开始了航程。承蒙真主的佑护与帮助,起初我们一路平安,我们从一个海域到达另一个海域,从一个岛屿到达另一个岛屿,从一个城市到达另一个城市,所到之处,我们都游览风景,买卖货物,愉快幸福至极。

一天,船在波涛汹涌的海上航行,突然船长站在甲板上望着大海大声地喊叫着,他拍打着自己的面颊,又拔胡子,又撕扯衣服,还卷起了风帆,抛下了锚,我们忙问道:"船长,有什么事?"

他回答道:"平安的乘客们呀!你们要知道,风浪已经把我们的船推到了海中央,不幸的命运要把我们扔进狒狒山了。这狒狒如同猴子一般,没有人敢到这里来呀!人来了就休想平安离开呀!"

我感到揪心,我们全都要面临死亡吗?

船长刚说完这话,狒狒们就来了,它们将我们的船团团围住,它们数目众多,犹如蝗虫,出现在船上、出现在海面上,我们担心,如果我们杀了一只狒狒,或者是打了它、驱赶它都会招惹它们向我们袭击,杀死我们,它们可是为数众多,以势压人啊!而我们则只有担心害怕的份了,担心它们进攻我们,抢夺我们的货物商品。

狒狒面目丑陋,周身黑毛,如同狮鬃,看它们一眼都会让人心悸,没有人明白它们的语言,没有人知道它们的信息,它们野性十足!它们小眼睛、黑面孔、身材矮小,仅有四拃。它们爬到船的桅杆上,咬断绳索,弄坏风帆,又咬断了船上的所有缆绳。船身随着风向倾斜了,搁浅在它们的狒狒山边。它们把船上所有的商人、乘客赶上岸,掠夺了船上所有的货物，把船拖到我们谁也不知晓的地方去，然后四散开来，把我们困在荒岛。

我们只好摘野果充饥，喝河水解渴。突然岛中央有一幢人们居住的房舍映入我们的眼帘，我们赶忙跑过去看看，发现这是一幢建筑牢固的宫殿，围墙高高的，两扇檀木大门敞开着，我们走进门去，看到了一个栅栏围住的场院，开阔宽敞，如同一个大庭院，四围有很多门窗，中央则是一座大高台，各个角落里摆放着厨房用的各种器皿，周围则堆着很多的骨头，只是不见一个人影。

这情景让人感到恐惧与惊奇。我们在这个场院中坐了片刻，困倦了，于是大家便睡着了，从白日睡到太阳西下。突然，在我们的脚下，地面颤动起来，空气中传来一种回声，一个身躯巨大的巨人从宫殿的顶端走下来，他皮肤黝黑，个子很高，像是一棵枣椰树；他两眼喷火，像是点着的蜡烛；他有着野猪牙一般的牙齿，张着的大嘴就像是一个水井口；他的嘴唇像骆驼唇，垂在胸前；他的两个耳朵像两块毯子，垂在肩上；他的手指甲好像野兽的爪子。我们一看到他这般模样，立即吓得魂不附体，过度的恐惧与惊怕让我们灵魂出壳，变得如同死人一般。再说那巨人走到场院的高台子上，坐了一会儿，然后走到我们面前，从我们的伙伴们中，抓住我的手，把我抓出来，放在他的手中细看。我在他手中，就是他的一口肉了，他看我就像是看被宰杀的羊羔，只不过是由于旅途的劳累，我瘦骨嶙峋，身上没有什么肉，他看着看着，就把我从他手上扔掉了。他又抓起我的一个伙伴。像对待我一样把他放在手中翻看，又像扔掉我一样把他扔在地上。巨人仍旧在一个一个地审视我们，直到他走到船长面前。那船长生得粗壮结实，身体胖胖的，肩膀宽宽的，气力很大。巨人看中了船长，把他一把抓起来，就像抓羊羔，又把他扔在地上，用脚踩住船长的脖子，把脖子踩断。然后那巨人拿来一个长长的扦子，把船长的身体串起来，生起一盆火，把串着船长身体的扦子放在火上烘烤，他转动着那扦子，把船长的肉烤熟，放在自己面前，像人们吃鸡鸭鱼肉那样子来吃船长，他用那长长的指甲撕拽着船长的肉，吃下去，然后把骨头一扔了事。随后，他在高台上坐了一会儿，睡着了，鼾声大作，如被宰杀的羔羊或牲畜的哀叫声。他这一觉一直睡到天明，然后他起来，大步流星走出去了。

我们这才互相敢开口说话，我们都哭了，为我们自己的生命忧心忡忡。有人说道："也许，我们掉到海里淹死，或者给那狒狒吃掉，也比由这巨人放在炭火上烤着吃好。求真主保佑啊！我们已经毫无办法了，我们是必死无疑了。死了，还不会有人知道，我们如何才能得救啊？"

我们站起来，走出场院，在岛子上走着，希望找个地方藏身，或找个逃走的办法。即使是我们死了。也不要把我们的肉放在火上烘烤啊！我们一直没有找到藏身之所。夜幕降临，我们十分恐惧，只得回到那幢宫殿里栖身，刚坐了一会儿，下面的地面又颤动起来，那个黑人又来了，如同昨日一般，在我们中间一一寻找，找到一个满意的人，就把他抓起来，如同昨日对待船长那样对待他，烧烤他，吃了他，然后一觉睡去，只待到半夜，鼾声大作，如同被宰杀的羔羊或牲畜的哀叫声。天明了，他起来了，大步流星走出去，像昨日一样，任我们留在那里。

我们议论起来，我们不能等死啊！一些人对另一些人说："我们去投海吧！死在海里也会比叫火烧烤死要好啊！这样的死法太残忍了！"

有一个人说："你们听我一句话，要我说，不如想一个办法，把这个巨人给杀了！我们自己得到了解脱，也为穆斯林们除掉一个凶狠暴虐的敌人！"

我对大家说："兄弟们，你们也听听我的主意吧，如果一定要杀死他，就要先找木材，把这些木材运出去，做成木舟，如同船一般，我们设法把那个巨人杀死了，就乘坐这个木舟逃跑。我们乘着木舟，航行在海上，真主会拯救我们；要不然，我们就坐在这里，直到一个大船能够驶过来，我们可以乘大船走。要是我们没有能力杀死这个巨人，我们就只能跳海了，就是掉在海里淹死了，也比让这巨人抓去，烤着吃要好啊！就是说：我们要么平安得救，要么葬身海底当烈士！"

大伙都说："真主保佑！这是个好主意，我们同意：就这么办吧！"

我们开始干起来，先从宫殿向外面搬运木头，做成木舟，拴在海边上，放上干粮，再回到宫殿里去。晚上，我们脚下的地面又颤动起来，那个像恶狗一般的黑巨人又来了，他把我们一个一个地掂量一番，就像他先前所做的那样，选中我们中的一个人，吃了他，然后在高台上一觉睡去，鼾声如雷。这时，我们立刻站起来，拿起两个铁扦子放在火上烧红了，举起来，向那鼾声如雷的巨人的眼睛扎过去。我们下了决心：一起用力猛扎！他痛得狂叫狂喊，我们的心都在发抖。他从高台子上爬起来，想寻找我们抓我们，我们就东躲西藏，他瞎了眼，也看不见我们。我们仍然十分恐惧，相信这是决一死战的时刻，得救的希望是渺茫的。

此刻，那巨人摸索着、狂叫着出了大门，让我们非常恐怖，我们撵着他，也跟出门去。

这时，我们脚下的地面又剧烈颤动，那个巨人又回来了，后面还跟着一个更加高大、更加野蛮的雌性同类。我们只觉得毛骨悚然，害怕至极，便跑向海边，解下我们先前做好、拴好的木舟，登上去，准备推舟离岸。那两个巨人却跟了过来，他们每人手里都拿着巨大的石块，用来砸我们，把我们的好多同伴都砸死了。最后只剩下三个人：我以及我的两个同伴。

木舟带着我们三个人漂向一个小岛。我们登上小岛，一直走到天黑，夜幕降临，我们睡着了，不一会就惊醒了，一条可怖的粗大蟒蛇围住了我们，正在吞食我的一个同伴，已经吞食到他的肩膀，还在吞食其余的部分，我们听到了被吞食的同伴骨骼在蟒蛇腹中折断的响声。蟒蛇又离开了。

已经到了这步境地，我们极度的恐怖与为同伴的死亡悲伤的程度可想而知！我们感叹："真主呀！事情就是这么残酷！每一个人的死亡都会比先前一个人的死亡更加恐怖吗？我们曾经得意于从巨人口中得救，从溺水身亡的状态中摆脱出来，可是我们剩下的两个人怎样才能避免被蟒蛇吞噬呢？毫无办法，只求真主拯救！"

我们站起来，在岛上走着，以野果充饥，以河水解渴，夜幕尚未降临，我们看到了一棵大树，就爬了上去，准备睡觉。我爬到了树顶。夜幕降临时分，周围一片漆黑，那蟒蛇又来了，东西寻觅，居然也爬上了我们栖身的大树，发现了我的蜷曲在树上的同伴，便把他吞食了，一直吞到他的肩膀，我听到被吞食的同伴骨骼在蟒蛇腹中折断的响声，蟒蛇把这同伴全部吞食下去了，这是我亲眼所见。

然后，蟒蛇又从树上爬下来，离开了。

那一夜的其余时间，我一直留在树上。

次日，天亮后，我从树上爬下来，胆战心惊地，我已经像一个死人，我想去投海算了，结束我的苦难，让我得到安逸。只是死也不是一件容易的事情，生命应该得到尊重！

我找到一块宽木头板子捆在我的前面，又找一块宽木头板子捆在我的左边，再找一块捆在我的右边，再分别找两块捆在我的肚子下边和我的头顶上边和后边，我把这些木板统统拴牢，这样我的四周都围上了木板，我可以安然睡在其中，好像置身在一个大的木头鸟笼子之中。夜里，蟒蛇像前次一样又来了，在我的周围转来转去，可是，它不能够接近我。我用眼睛盯着它看，虽然我胆战心惊、魂飞魄散，可是那蟒蛇也奈何我不得。它一会离我远些，一会儿又爬过来，如此这般，从太阳西下，直至清晨，它就是不能接近我，不能把我吃了，我的周围有木板挡着呢。太阳普照大地的时候，那蟒蛇扫兴与气愤地离去了。

这时候，我伸出手，解开了我拴着的木板，我曾经在蟒蛇吞噬的死亡威胁下过了这样一夜。我在岛上走着，一直走到尽头，我向大海遥望，我竟然看见汪洋之中的一只船，我赶忙折下一个树枝，挥动着，向着船的方向呼叫。船上的人看见了我，就说："我们一定要去看看，说不定这个人在叫我们呢。"

他们把船朝我驶过来，听清楚了我的呼喊，来到我的身边，把我带到船上，询问我的情况。我便把这次出海遭遇的艰险磨难从头到尾对他们叙说了一遍。他们听后，十分惊奇。随后，他们拿出衣服给我换上，又给我拿来了干粮和一些淡水，我吃饱喝足了，心情也好起来，又充分休息了一会儿，精神头更好了。是呀！在我几度面临死亡之后，真主拯救了我，给我生命！我衷心赞美广施恩泽的真主！我感谢了真主，经历过死亡的考验，我的心境也变得更加坚强，那些过去了的经历犹如梦境。

我随船航行，托福真主的关照，我们一路顺风，直至我们又来到一个叫作塞列哈特的岛屿，船长吩咐泊船，商人们、乘客们一一下船，带着他们的货物商品上岸，又卖又买做生意。船长一回头，瞥见了我就对我说道："听我的话，你这个异乡的穷人，你曾经告诉我们说，你遭遇过那么多的凶险灾难，我想对你做点好事，让你赚点钱回家，你有生之年都为我祈祷祝福吧！"

我对他说："我会的，我会为你祈祷祝福。"

他说："你要知道，原来有一个商人同我们一起旅行，中途却走失了，至今我们不知他的生死，也没有听说过他的任何消息。他留下一些货物在船上，我想：你把这些货物拿到岛上卖了，所赚的钱，你拿一部分，作为你的辛苦费，其余的，我们带上，带到巴格达去，待打听到他的家属下落再交给他们。现在你就带上货物到岛上去吧，像商人一样卖掉它。你愿意办这件事情吗？"

我说："先生,我听明白了,照办就是,感谢你的一片好意。"

我感谢了船长的美德。船长吩咐脚夫与水手把货物搬到岛上,把货交给我,船上的文书问道:"船长,这批货物是怎么回事呀?货主写谁呀?"

船长说:"你就写:这批货物货主的名字是航海家辛德巴德,曾经与我们一起出海,中途在一个海岛溺水,我们一直不知道他的任何消息。现在我们托这个异乡人把他遗留在船上的货物卖掉,所得的钱财,付他一些辛苦费,其余的,将带回到巴格达,如果我们能够见到航海家辛德巴德,就交给他本人;如果我们没有见到他,就交给他的在巴格达的家人。"

文书说:"您说得很对!"

当我听见船长说出我的名字的时候,就自言自语道:"真主啊!我就是航海家辛德巴德!我是在一个岛上与一些船上的人溺水了。"

我没有把话说出来,我忍住了。等到商人们从岛上回来,上船后,大家聚集在一起,谈论着做买卖情况的时候,我走到船长面前,说道:"先生,你还知道你交给我去卖的这批货物的主人情况吗?"

他说:"我现在不知道,只知道他是巴格达人,人称航海家辛德巴德,我们的船在一个小岛上停泊的时候,有一批人溺水了,他是其中之一,至今,我们也不知道他的消息。"

此刻,我大声喊道:"船长,你可知道,我就是那个航海家辛德巴德,我并没有溺水,那时,船靠岛停泊了,商人们、乘客们都上岸了。我也是其中一员,我带了一些食品到岛子上,然后,我就坐了下来品尝,不知不觉睡着了,我睡得很沉,等到我醒来的时候,船已经开走,我见不到船,也见不到人……这钱就是我的钱,这商品就是我的商品呀!那些在钻石山看见过我的商人可以为我作证明:我就是航海家辛德巴德,我曾经告诉过他们,是你们把我忘记在海岛上,而当时,我睡着了,我醒来的时候,就没有看见一个人。"

商人们、旅客们听了我的话之后，就围拢过来，对于我讲的话，他们有人相信，有人则认为我在撒谎。此刻，有一个听我说提到钻石峡谷的商人站起来，走到我面前，说道："大家听我说，原来我告诉过你们，我在旅行中经历的一件奇怪的事情：按照习惯做法采钻石，是把屠宰的羊肉扔在峡谷中，我也和同伴们一起把屠宰的羊肉抛到峡谷，结果发现有一个人挂在我扔的那片羊肉上回到了山顶，你们都不信我说的话，反而说我在撒谎。"

大伙说："是的，你跟我们说过这件事情，我们都没有相信。"

这商人又说："就是这个人挂在我扔的羊肉上，他还给了我很多无比名贵的钻石珍宝，作为他挂在我扔的羊肉上的回报。我还陪他一起去过巴士拉城，后来我们分手了，分别回到自己的家乡。我说的就是这个人，他告诉过我们他是航海家辛德巴德。他对我说过，他坐在一个岛子上休息的时候，船开走了。好了，今天这个人到我们这里来了，就是证明我以前对你们说的话是真的，这些商品也都是他的了，此刻他与我们相聚对我们说的话也都是真话了。"

船长听了这商人的话，走到我跟前，凝视着我，问道："你的货物有什么标记吗？"

我说我的货物的标记是这样的……我又向他诉说了我们之间共同经历的往事，说出了我从巴士拉上船后的情景，他才相信我就是航海家辛德巴德，他热情地拥抱了我，问候我，祝福我平安，他对我说道："先生，以真主起誓，你的故事真是太离奇了。真主保佑我们大家。现在，把你的商品、你的钱财都拿去吧！"

货物物归原主，在这次出海经商旅行中，我又赚了一大笔钱，我庆幸我的平安得救、我的钱财失而复得，我在海岛上做买卖，后来我们到达了杏德国，我还是在做买卖，还在那个海域看到、了解到无数的奇闻轶事，我看到的大鱼形状像水牛，或是看到的海兽形状像驴子，看到的飞鸟从海中飞出，能在海面上产卵与孵化而永不离开大海，不到陆地着陆。

真主保佑，我们继续航行，和风把我们带到了巴士拉城，我又在这里休息了少许时日，随后我到达了巴格达，回到了我的街区、进了我的家。见到了我的家人与亲朋好友，我庆幸自己平安回到我的国家、我的故土、我的家乡，和家人、亲友团聚。我广做善事，馈赠寡妇、孤儿，我会聚朋友、请客、吃喝玩乐，又过起锦衣玉食安乐享受的生活，忘记了我旅途中所经历过的大灾大难。

我在这次出海经商旅行中，所赚的钱财已经无数，这就是我第三次出海的奇异经历了，明天，真主保佑，你们再来吧，我会对你们讲我第四次出海旅行的经历，还会比这一次更神奇呢！

然后，像往日一样，航海家辛德巴德又给了脚夫辛德巴德一百砝码的黄金，然后他吩咐摆上餐桌，大家共进晚餐，大家都感到这些故事神奇有趣，关心其后的结果。晚饭后，众人纷纷离去，脚夫辛德巴德接过馈赠，也告辞离去了，他实在欣赏与赞叹他所听到的航海家辛德巴德讲的故事，当晚安歇。

次日清晨，天放亮，晨曦微露，脚夫辛德巴德起床，做过晨礼后，他又走到航海家辛德巴德的家，进了门，航海家辛德巴德欢迎了他，等候其余客人来临的时候，大家用餐，吃饱喝足潇洒玩乐着。

随后，航海家辛德巴德开始讲述他第四次航海经历：

第四次航海的故事

兄弟们：当我回到了巴格达，回到了亲人和朋友之间，过起了更加安逸、平静、舒适的生活，又忘记了过去为赚得更多的钱财所经历过的惊险。沉醉在寻欢作乐、谈天说地的日子里，我的日子更加舒坦了。时光荏苒，我的内心又向往起海上的经商旅行的生涯，向往那些做买卖赚钱的日月。我购买了适宜于海外的商品，我决计带上比往常更多的货物，我从巴格达城到达巴士拉城。带着我的货物上船了，与我一起出海的还有巴士拉城的一些富商巨贾。

真主保佑，船带着我们在大海中乘风破浪航行，起初的日日夜夜，旅途顺利，我们从一个海岛到另一个海岛，从一个海域到另一个海域。有一天，突然风向改变，狂风大作，船长担心沉船，就吩咐立即抛锚停泊，将船停在大海中，我们则向真主祈祷，渴求真主保佑。就在这时，狂风向我们袭来，吹折了桅杆，打碎了船帆，船上的人与货物钱财全都沉入大海，我也与大家一样沉到海里。我在海里挣扎了半天，真主保佑，我抓到了一块漂来的木船板，我赶忙与几个商人一起趴到木板上，我们聚集在一起，在惊涛骇浪中用脚划着水，在海上漂流了一天一夜。

次日早晨，风浪更加强劲，海水将我们吹向一个海岛，我们缺少睡眠、疲劳、寒冷、饥渴、害怕，就像快要死的人。我们只得在岛上漫无目的地走着，看见岛上的植物众多，就采摘一些野果充饥，当夜，就睡在海滩上。

又一天清晨，天刚亮，我们就起来了，开始在海滨寻觅，我们左走走，右看看，突然看见远处有一座房屋，便向前走去，站在那房屋门前。我们正站在那里张望，门内走出一群裸体人，他们什么也没有说，就把我们抓起来，带到他们的国王面前。国王叫我们坐下，我们也就坐下，他们又为我们摆出一桌食品，这是我们从未有见过的从不知道叫什么的东西。我不想吃这东西，就一点都没有吃，我的同伴们则狼吞虎咽一番，承蒙真主眷顾，因为我吃得很少才活到了现在。

我的同伴们吃了那些东西，就变得丧失了理智，疯疯癫癫的，形象都变了。那些人又拿椰子油叫我的伙伴们喝，往他们身上抹，伙伴们喝了这种椰子油，眼光呆滞，就更加愿意吃这里的食物了，就像他们往常习惯地吃家乡的食品那样。

见此，我心中忐忑不安，为我的伙伴们忧虑与遗憾，也担心裸体人会同样地对待我。

我注视着裸体人，发现他们是拜火教徒，他们的国王就是妖魔。每一个进入他们国家的人，或者是在山谷、在道路上行走被他们发现的人，都会被带国王面前，给他们这样的食物吃，给他们涂抹这样的油，让那些人越吃越多，丧失理智、不会思考，变成呆傻，他们吃这样的食品就更多了，直至变得肥胖粗大，就把他们给宰了，送给他们的国王吃掉。至于国王的这些随从陪伴，则是些食人肉的生番，他们不煮不烹调，就把人生吞活剥了。

当我了解了这些事情，就更是对我的同伴们、对我自己的处境悲伤忧虑。而我的伙伴们，已经丧失理智，任那些人摆布，不知道自己面临的险恶。裸体人群把他们交给了一个人，这个人每日在岛子上像放牧牲畜一般放牧他们。至于我自己，极度的担惊受怕与饥饿让我十分瘦弱，我骨瘦如柴，肉贴骨头，裸体人群看见我已经是这个模样了，就任我待在一旁，把我给忘了，他们之中没有一个人还想起我。我从这里走出去，走到了外面的岛子上，走到不远处，就看见一个放牧人坐在一个高地上，他就是那个放牧着我的伙伴如同放牧牲畜的那个人，他的周围还有很多与我的伙伴相同境遇的人。这人一看到我，知道我没有丧失理智，就远远地指示我说："你向后转，靠右走，就可以找到正路。"

我按照这个人的指示，向后转，就看见右边有一条路。我一会**快跑**，一会慢走，让我自己能够适当歇息，渐渐我在那个放牧人视线**中消失**。我看不到他，他也看不到我了。太阳西下，天黑了下来，我坐下来休息，想睡上一觉。可是这一夜，我担心害怕、饥饿、劳累，却怎么也睡不着。夜半时分，我起来了，继续我的行程。直至东方发白，天已大亮，太阳出来了，阳光撒满山顶与河谷，我走累了，饥渴难耐，便在岛上采些野菜野果充饥，吃完就继续往前走，就这样整日整夜地走着，饿了吃野菜野果，吃完就继续走。一直走了七天七夜，我忽然看见远处有一个人影,我向他走去,直到日落山,才走近他。因为有了先前第一次、第二次遇险的教训,我在稍远一些的地方就开始打量他,发现这是一个团体,他们正在采胡椒。

我靠近他们的时候,他们也就看见了我,从四周把我围拢起来,问道:"你是谁?你从哪里来的?"

我对他们说:"大家伙儿,我是个可怜人……"

我告诉他们我的所有情况,我所经历的深重灾难。

他们说道:"向真主起誓,你的故事真是离奇,他们裸体人那么多,你怎么能逃脱呢?你在这个岛上怎么行走?怎么避开他们呢?他们可是吃人生番,怎么能允许你逃脱呢?落在他们手里的人,还没人能逃离呢!"

我告诉他们我在那里的经历,说那裸体人如何给我的伙伴们吃东西,而我一人未吃等等。

他们祝贺我的脱险,惊叹我所经历的奇事!就让我坐在那里,等待他们忙完自己的活计。他们还给我好东西吃,我的确饿了,就吃起来。又过了一会儿,他们带我乘船到他们自己居住的岛上去,引我去见他们的国王,我向国王表示问候,他也对我表示了欢迎,问起我的情况,我就再次向他讲述我离开巴格达直到我如何到达这个岛子的这一段经历。国王与来宾们都十分惊异,国王让我坐到他跟前,我落座后,他吩咐仆从拿食品招待我。真主保佑,我吃饱、洗手后,感谢他的款待。然后我在他的都城参观游览。

这是一座人口稠密的繁华城市。餐馆处处、市场繁荣、商品琳琅满目,买卖人来来往往。我能来到这座城市,心中还是感到喜悦。我向这座城市的居民打招呼,似乎我是他们之间的一员,在他们的国王与大臣百姓中,我都受到了尊重。

我看到这里达官要员以及平民百姓骑任何骏马都没有马鞍,很奇怪,就问国王说:"陛下,你们骑马为什么不用马鞍?有了马鞍,骑手会感到舒适，会更有力量啊！"

国王说："马鞍是什么东西？我平生还没有见过，也不知道怎么骑呀！"

我说："请允许我给陛下做一副，陛下骑上试试，看看怎么样！"

国王说："你就做吧！"

我又说："我需要一些木料。"

国王按我的需要一一提供了，又按我的要求配备了一个能工巧匠，我坐到他身边，教他做马鞍架，然后拿来羊毛，填充进马鞍架，再拿来皮子，打磨平滑，蒙在马鞍架子上面，打上纹饰，配上金属饰品。此后，又从国王的诸多骏马当中牵来一匹，安上马鞍、马镫、辔头，带去见国王。国王一见，十分高兴，很感谢我，又骑上去试试，感到很满意，就重重地赏赐了我。

宰相看见国王的这个马鞍，也要求我给他做一副同样的，我就照吩咐又做了一副。于是达官贵人们全都要求做这样的马鞍子了，我一一都为他们做了，我教会木匠制造马鞍架、教会铁匠制造马镫，我们就做出了很多的马鞍子了，卖给大小官员和名人显贵，赚了很多的钱。我在他们之中也更有地位了，人们越发爱我、尊敬我，我在国王、王族、名门望族、显贵要人面前都很有面子。

有一天，我坐在国王那里，心情愉快高兴至极，国王对我说："你知道，你已经成为我们尊敬爱戴的人，成为我们中的一员，我们不能离开你，也不能让你离开我们国家了。我是说，我有一件事情对你说，你不要拒绝我呀！"

我说："陛下，您有什么话要说呢，我是不会拒绝的，您对我关爱有加，无微不至，真主在上，您的大恩大德，我感激不尽，我是陛下的仆从。"

国王说："我想让你在我们这里成家，想把一个善良、聪明、美丽、富有的姑娘许配给你，让你成为我们这里的永久居民，让你住在我的宫殿里，你可不能拒绝我呀。"

我听了国王的话，很是害羞，沉默不语，没有立即回答国王。

国王又问道："孩子，你还没有回答我呀？"

我这才说："这事就由陛下做主吧。"

国王就要随从请来法官、证人，写下婚书，把一个尊贵善良、出身显赫、美丽富有且广有田产、地产的姑娘嫁给我为妻了。国王又送我豪宅大院、仆从使女。我又过上了闲适舒坦、平静享乐的生活，忘掉了我曾经经历过的劳累与困苦，我自言自语："如果我回国去，就一定带上我的妻子同行。"

其实，人们的命运都是早已经注定的，没有人能预知自己的未来。我爱妻子，妻子爱我，我和妻子相处和谐，相亲相爱，生活甜蜜。我们就这样度过了一段好时光。

有一天，我邻居的妻子归天，那邻居曾是我的好朋友。我马上到我的邻居家里去吊唁，我看见他的处境很是糟糕，他一派愁眉苦脸，凄凄惨惨的样子，我劝他说道："不要过于为夫人悲哀难过，愿真主补偿你，让你重婚再娶，娶个更漂亮的，让你延年益寿！"

他哭了，对我说："兄弟！我还怎么能再娶，真主怎么补偿我？我只能活一天了。"

我说："兄弟，清醒点，别说不吉利的话。你的身体很健康。"

他又对我说："兄弟，以你的生命起誓，明天，你就失去我了，永远看不到我了。"

我问："为什么会这样呢？"

他答："今天，人们把我妻子埋葬在坟里，也会把我埋葬在她的旁边。我们这个国家的习惯是：妻子死了，要丈夫陪葬；丈夫死了，妻子也要陪葬。就是说：夫妻二人，少了一个，另一个也不会再享受生活的乐趣。"

我说："凭真主起誓，这习惯太丑陋！谁能接受？"

正当我们谈话的时候，城里的许多人也都赶来为我的邻居的妻子、也为他自己吊唁、送葬。

按照习惯，他们抬来了棺材，把死了的妻子放进去，带着那个丈夫出发了，他们来到了城郊的一个山脚下，掀开了盖住洞口的一块大石头，把死者放进这个山洞里，然后就拿出粗绳子把我的邻居从胸部拴好，将他也吊进洞里，同时为他放进一水罐淡水、七个面饼。我的邻居下到坑洞中后，就把拴在他身上的绳子解开了，上面的人就把绳子收上来，然后用大石头盖上洞口，回家去了，将我的活着的朋友和他死了的妻子一起丢在洞里。我感叹道："真主在上，这个陪葬的人会比他的妻子死得还要艰难痛苦！"

我进宫去见国王，问道："陛下，贵国的人死了，为什么要拿活人陪葬？"

他说："你要知道，这是我们国家的风俗习惯呀，丈夫死了，妻子陪葬；妻子死了，丈夫陪葬，让他们生生死死不分开，这习惯是老祖宗传下来的！"

我又说："陛下，一个异乡人，比如像我这样的，如果妻子死了，你们也会像对待我的邻居这样拿我去陪葬吗？"

国王说："是的，我们会把你葬在她身旁，就像你所看到的那样。"

听了国王这番话，我为自己感到忧愁与悲伤，我神情恍惚，担心妻子先我而死，就拿我这个大活人去陪葬。我又自我安慰道："但愿我死在妻子之前，没有人能知道谁先死、谁后死这样的事情。"

我沉浸在忙忙碌碌的事务中。此后，没有过多长时间，我的妻子就病倒了，仅几天时间，她就死掉了。按照习惯，人们来了，吊唁与处理丧事，安慰我，安慰妻子的娘家的人，国王也来吊唁了。按照习惯，他们给我妻子清洗，让她穿上最华丽的衣服，戴上项链与珠宝首饰，把她放进棺材，把她抬到城外的山上，揭开了那盖在洞口的一块大石，把棺材放进去，然后所有的来宾以及我妻子的娘家人过来与我告别。我大声向他们呼喊："我是异乡人，不遵守你们的习俗。"

可是他们不听我的呼叫哀求，把我抓起来，生气地把我绑起来，同样放上一罐水，七个面饼，用绳子把我吊放进这个宽大的洞穴中。他们对我说道："把你身上的绳子解下来吧！"

我没有解，他们就把绳子的那一头一扔，用大石头盖住洞口，扬长而去。

这个宽大的洞穴位于山脚下，我看见里面有很多尸骸，恶臭难闻。我又埋怨自己："真主在上，我落得如此被活埋，还不如前几次死掉更好呢。"

我在洞中，也不知道是白天还是黑夜了，我不吃不喝，直到饥渴实在难熬，才吃点喝点。我担心：我就有那么点面饼、那么点水，吃完喝完就得饿死渴死。我对自己说：毫无办法，只靠伟大的真主保佑，谁叫我到这个城市来结婚的呢！每当我从一场灾难解脱出来，就会落入一场更深重的灾难，现在的这种死法可真是最惨、最倒霉的死法啦！就让我淹死在海里，或者陈尸山野，也比这样被人给活埋了强一些呀！我怎么就落得这么一个倒霉下场呢？我责备自己，自怨自艾，我乞求真主保佑我，我倒在死人骨头上睡下了，我觉得这种状况实在难熬，我希望着快一点死了算了。

当饥饿又吞噬着我的心，当干渴的感觉似火烧，我又去摸了摸面饼和水罐，啃几口饼，喝一点水，我就硬撑着站起来，在洞内各处走动，看到洞底宽敞，洞的中央部分空空荡荡，只是接近地面部分堆满了不同时期的尸骨。这样，我就在这个宽阔的洞中、在远离尸骨的地方，为自己找到一个安身之所，我在这里睡着了。

我担心干粮吃完水喝完之后的日子，所以每次只吃几口饼、喝一点水，我的干粮和水还是越来越少，有一天，我坐在那里思考，要是我真的面临干粮吃完水喝完的局面，我该怎么办？突然，一阵响动，洞口的石头被移开了，人们把一具男人尸体和一个活着的女人放进洞里来了，那女人哭哭啼啼的，随同男人尸体和女人一起放下的还有干粮和水。我把那女人看得清清楚楚，可是她没有看见我。人们又用石头盖上了洞口，离去了。我拿起一根死人骨头，朝那女人的头上打下去，把她打昏在地上，又打了她两下，三下，她死了。我看见她佩戴着金银玉器、珠宝首饰，我拿了她的水、干粮与饰物，在自己原先准备好的栖身地方坐下来、睡下来。

我吃了一点点干粮，仅能让我维持生命，不至于很快饿死、渴死，我就这样在洞中生存了一段时间。只要外面送来死人，我就杀了那个陪葬的活人，夺走他的干粮、饮水，供自己吃喝，维持生命。

有一天，我正睡着，突然我听见洞的一侧有声音，我惊醒了，心里想："这是什么声音？"

我站起来，拿着一根死人腿骨，朝着声音的方向走去，原来是一只野兽，它感觉到我了，就逃走了。我跟着它向洞的前面走去，看见一缕光线射进洞中，就像天上的星星一般，时隐时现。我朝那亮光走，越是走近，越是明亮，走到跟前，发现这是一个通往外面的一个裂口。

我自言自语："原来这个洞还有另一个洞口呀，就像他们丢我进来的那个洞口一样的，或许是谁开钻出来的一条通道呢！"

我仔细地考虑考虑，走到光亮处跟前，看见这个洞口在半山之上，是野兽刨出来的。它们从这个洞口进来，偷吃死尸之后再出去。看见了这个洞口，我的心情平静下来，相信自己可以从死亡的边缘得救。我如在梦境一般，爬出了洞口，站在半山腰。这座山位于两海之间，山的一边是城市，一边是海岛，人迹罕至。我赞美真主，心情好起来！

我又钻回洞中，搜罗了我留在里面的干粮、淡水和一些细软，拿出几件死人的衣裳，换上一身我以前没有穿过的死人衣裳，我还带上各种项链、珍珠、玉翠、金银财宝，把这些东西拴在我的衣服上，拴在死人的衣服上，从洞口爬到山脚，站在海边。随后的日子，每天我都钻进洞里，再爬出来，杀掉那些陪葬者，无论是男是女，我拿走他们的干粮、淡水、物品。

我静坐在大海边，等候我可以搭乘的过往船只，带上我从洞中获得的拴在我的衣服上的各种珍宝物件。真主呀，保佑我！

一天，我又坐在海边等着船只，一面还在思索着我自己的这些事情，突然在海面上，在狂风巨浪之中出现了一艘船，我把从死人身上扒下来的白衣服挂在树枝上，沿着海岸奔跑着，一边挥动树枝一边呼救，船上的人中，有人听见了我的声音，就放下了一条小船，坐着几个人，朝我划过来，划到我跟前的时候，他们问道："你是谁？为什么在这个地方？怎么来的？我们平生从来没看到有人到这里来啊！"

我告诉他们："我是商人，我乘的船沉了，我趴在一块木头板子上，在海上漂流。承蒙真主保佑，我是漂流到这个地方来的。"

他们帮助我把我所带的绑在衣服上的金银财宝一起搬上小船，带我上了大船去见船长。船长问我："你怎么到这儿来的？这座山后面的远处是座城市，这里人迹罕至。我历来都在海上航行，除了飞鸟走兽，从没见过任何人能到这里。"

我对船长说："我是个商人，乘一艘大船在海上航行，突然船破，我的所有伙伴落入水中，我带着这些你所看到的布匹、衣料，我把这些东西放在船上掉下来的一块大木板上，命运帮助我，带我来到了这座山，我一直在等待，等待着有谁可以带上我离开这里。"

我没有告诉他们我在这个城市里的经历及在山洞里的事情，我担心：要是乘客中，有那个城市的居民呢。我拿出一些钱财，送给船长，对他说道："先生，您救了我的命，送您这点礼物，以报答您对我的恩德。"

他不接受我的馈赠，说道："我们从不要人家的回报。我们要是看见有人溺水，就救起他们，给他们提供吃喝；要是他们裸体，我们就给他们衣服穿，到达了平安的陆地，我们还赠送给他们一些物品让他们生活。我们对他人施恩施德，是看在真主面上去做的。"

我听了船长这话，就为他祈祷，祝福他终身幸福。

我们就这样在大海中航行，从一个海岛到达另一个海岛，从一个海域到达另一个海域，我希望获救，我终于得到了平安，每当我想起我在山洞里陪伴我故去妻子的日子，简直会魂飞魄散。

承蒙真主保佑，我们平安回到了巴土拉城，我上岸住了几日，就回到了巴格达。我又回到了我的街区，进了我的家，见到了我的家人、我的朋友。我向他们表示问候，他们也很高兴，祝贺我平安归来，我拿出我的行李物品，广做善事，馈赠寡妇、孤儿，高兴快乐至极。我又回到了往日的会聚朋友、吃喝玩乐的生活中。

这就是我第四次出海的奇异经历了。

兄弟们，像往常一样，在我这里吃晚饭吧。

明天，我会对你们讲我第五次出海旅行的经历，会比此前的更惊险，更离奇！

他吩咐给脚夫辛德巴德一百砝码的黄金。随后摆上餐桌，大家共进晚餐后，各自离去，大家都感到：这次的故事比以前的更加惊心动魄。脚夫辛德巴德快乐高兴至极，他回到了自己的家，当夜安歇。

次日清晨，阳光普照，脚夫辛德巴德起床，做过晨礼后，他又走到航海家辛德巴德的家，进了门，航海家辛德巴德欢迎他，请他坐下，等候其余客人来临的时候，大家用餐，吃饱喝足，潇洒玩乐着。

随后，航海家辛德巴德开始讲述他第五次航海经历：

第五次航海的故事

朋友们：我第四次航海旅行归来后，又整天沉浸在享乐的生活中，忘记了我过去旅行中为了赚钱而遭遇的各种凶险。欲望又驱使我、引诱我到海外做生意、观光游览。我又购买了许多易于销售的名贵货物,决定再次出海,我从巴格达来到了巴士拉。我在海岸边行走,看见一艘漂亮舒适的大船正停在那里,我很是喜欢,于是出钱将它买了下来。我雇了船长和水手,叫来奴仆佣人,装上了货物。一批商人也赶来了,装上了他们自己的货物,给我付了佣金。我们就高高兴兴地出发了,期待平安与赢利。

我们的船在大海中航行,从一个海岛到另一个海岛,从一个海域到另一个海域,途经众多的岛屿与地区。每到一个地方,我们都下船,去做买卖。

直至有一天,我们的船到达一个大海岛,那里无人居住,空旷贫瘠,仅有一个巨大的白色圆顶似的大鹏鸟蛋。我们走近大鹏鸟蛋跟前,而一些商人走过来后,想弄个明白、看个究竟,于是他们就拿块大石头来把这个大蛋砸破了,宰杀了里面的雏鹰,取出了很多的肉。我当时正在船舱里,不知晓他们的所为。这时一个乘客对我说:“先生,你去看看那个像白色圆顶的大鹏鸟蛋吧。”

我走过来了,看见了正在砸大鹏鸟蛋的商人们,我冲他们喝道:“你们不能乱来,大鹏鸟要是飞过来报复,会砸了我们的船,让我们都淹死。”

商人们不听我的话。此刻,突然太阳不见了,周围一片黑暗,我们的头顶乌云密布。我们抬头看看,太阳怎么一下子就不见了,原来是大鹏鸟的一只翅膀把太阳光遮住了,致使周围一片黑,那大鹏鸟发现自己的蛋被打破了,朝我们长声吼叫,雌鹏鸟飞过来了,两只鹏鸟张开翅膀,笼罩在我们船的上空,大声吼叫,其气势如同雷声震耳。我喊来船长、水手们,对他们说:“快开船找个平安地方吧,大难要临头了。”

船长马上行动起来,待商人们奔上船,立刻开船,离开荒岛。我们希望尽快摆脱大鹏鸟,摆脱大鹏鸟所在的土地,我们的船快速行驶着。可是两只大鹏鸟追来，向我们逼近，它们的每只爪子都抓着从山上抓来一块大石头。突然，一块大石头朝着我们的船砸过来，船长紧急转向躲避，大石头重重地落在船一侧的海中，激起大浪翻滚，使得我们的船大起大落，我们甚至能够看见海底。雌大鹏鸟又抛下一块比前一块小些的石头，砸碎了船尾。船碎裂了，碎成二十多块，船上和人与货物全都沉入大海。

我尽力挣扎着，真主保佑，让我抓住一块船板。我坐上去，双脚划水，风浪推我前行，船沉的地方靠近海中的一个岛屿。真主佑助，命运把我推到了这个岛上。我登上岛，生命已经垂危，极度的劳累、艰险、饥渴，让我临近死亡。我在海边上歇了一会，心情安定下来，精神也好些了，开始在岛上走动，发现这个海岛犹如天堂的乐园：树木繁茂，果树众多，鲜花盛开，鸟儿在鸣唱，清澈的河水在欢快地流淌，一派和谐景象。我摘水果充饥，喝河水解渴。感谢真主！

我就这样在岸边坐着，直到夜晚，劳累与害怕，我就像一个死人，没听见声音，没看见一个人，直到第二天清晨，我站起来，在丛林中漫步，我看见一条小溪从一个泉眼中流出来，小溪旁坐着一位面目慈祥的老者，树叶遮着他的下身。我想："莫非这个老人也和我们一样船破溺水而来到这个岛上的吧！"

我走到他跟前，问候他，他用手示意我表示问候，但是没有说话，我又问："老人家，你为什么坐在这里呢？"

他摇摇头，显得有些忧虑，他打着手势示意我，要我背他到另一条小溪旁。我想：就做个好事，把他背过去吧！也许会有好报呢！我就把他扛在肩膀上，按照他的意思带他去到他要去的那个地方。我说："老人家，你下来时，慢点儿。"

他没有从我的肩膀上下来，两条腿却紧紧地夹住了我的脖子。我一看他的两腿像又黑又粗的水牛皮，惊恐起来，想把他摔下来。可是他的腿夹得太紧了，简直让我窒息，我摔不下来他，自己喘不过气，死人一般晕倒在地上。他却抬起两腿，在我的背上、肩膀上踢打，把我打醒，我痛得要死，站了起来，他依旧骑在我的肩膀上，我累极了。

他指示我走进树林，走到有最好果子的地方，我若违背他，他就打我、踢我，比用鞭子抽还疼痛。他不停地用手指指向任何他想去的地方，我就得扛着他前往，若是稍慢点懈怠点，他就打我。我就像他的俘虏一样。

我们进入了岛中的丛林地带，他终日骑在我的脖子上，甚至把尿撒在我的肩膀上。他日日夜夜不下来，要想睡觉时，就更加把两腿夹紧，夹住我的脖子。睡一会醒来又打我，我就得赶紧站起来，扛着他，丝毫不敢违抗他的这种虐待。我责备自己，我真不该有同情心去怜悯他。

我如此受煎熬的日子又过了一段，我自叹：怎么我做好事，竟然有恶报！真主呀，我终生不敢再做好事了！我乞求真主赐我速死，以便从这种不堪忍受的劳累与苦难中解脱。

终于有一天，我又扛着他到了岛中的一个地方，那是一块瓜地，有些瓜已经熟了、干了。我拿起了一个大瓜，在上面打开了一个小洞，掏空，又走到葡萄树下，摘了些葡萄放在里面，再把洞口封好，放在阳光下，过了几天，就酿成葡萄酒。我每天喝上几口，以缓解这个魔鬼带给我的劳累。每当我有些醉意，精神也总会好一些。

有一天，我又喝葡萄酒了，他看见就问："你喝的是什么好东西？"

我说："一种让人心旷神怡的好东西。"

我已有醉意，扛着他在树林中跳起来，我边唱边跳，心绪释然。

他看见我如此这般，示意我，要我把瓜瓢递给他，也让他喝点儿。我怕他，只得依从他，把瓜瓢递过去，他一口气把瓜瓢里剩余的葡萄酒都喝了，把瓜瓢扔在地上。他喝醉了，在我的肩膀上摇摇晃晃，后来醉得厉害了，身上的肌肉也松软了，倒向我肩膀的一边。我知道，他醉得迷迷糊糊了，就双手抓住他夹着我脖子的两只脚，把他摔在地上。我自己都不相信，我就这样得救了，我摆脱了灾难。

我担心他酒醒后会惩罚我，就在树林间找到一块大石头，朝着昏睡的他的头部砸过去。顿时，他血肉模糊，死了。真主不会怜悯这样的恶人。

那以后，我就在岛上愉快地生活着，来到海边我曾经待过的地方，仍然靠吃野果、喝河水为生，一心只盼望有船只从这里经过。有一日，我坐在那里，思考着自己所经历过的各种遭遇，感叹：真主保佑，让我摆脱灾难，就不能让我快点回到巴士拉与亲人团聚吗？

竟然这一天来了！我看见一艘船出现在波涛汹涌的海面上，向着这个岛的方向驶过来，旅客们上了岸，我赶紧走到他们中间去，他们看见我，立刻把我围起来。询问我的经历，询问我到岛上来的原因。我告诉他们我的遭遇，他们都感到十分惊奇，对我说道："骑在你脖子上的那个人叫海老头，被他控制的人，还没有人能逃脱呢，你是唯一的幸运者！真主保佑你平安。"

他们给我食品，让我吃个够，他们给我衣服穿，带我上船。

我们的船不分昼夜地航行，命运又把我们带到了一个城市，这里建筑物高大，所有的建筑都濒临大海，称作猴子城。每当夜晚来临，城里的居民都要离开家出海，在大船上、小舟上过夜，担心猴子夜间从山上下来骚扰。我登岸进城游览，尚未归来，船已经开走，我真是后悔不该进城去玩，想起上次碰到狒狒的经过和我同伴们的遭遇，我简直悲伤难过得哭起来。

一个当地人走到我面前，对我说："先生，你好像是个异乡人。"

我说："是的，我是异乡人，一个可怜人。我乘船到达这里，我上岸游览，我回来的时候，船开走了。"

他说："起来吧，到小舟上去过夜吧。你如果夜晚留在城里，猴子会杀害你。"

　　我听从他的话,站起来,跟他走到小舟上。大家划着小舟,到离海岸一里远的海上过夜;次日清晨,又划着小舟进城,各自忙着各自的事情。按照习惯,夜夜如此度过。没有人敢夜里留在城里边,否则,猴子会伤害他们的。在白天,猴子们都到城外去了,到果园中吃水果,到山上睡觉;到晚上,它们则到城里来祸害人。

　　这座城位于苏丹国的边缘处,我在这个城中碰到了最奇怪的一件事情。当夜,与我同在小舟上过夜的一个人对我说:"先生,你是异乡人,那你白天忙什么呢?"

　　我说:"兄弟,我没有什么事情做。我也不知道做什么。我本是个富裕商人,我有一艘大船,装满钱财货物,不料中途沉船,人与货都落入大海,蒙真主保佑,我抓住一块船板,才得救。"

　　那人站起来,给了我一个布口袋,说:"给你这个布口袋,进城捡了石头装进去。去吧,跟大伙一块进城去,我让他们陪着你,他们怎么做你就怎么做吧,也许你会有所得,你回家时,也就可以带回去了。"

　　然后,这个人带我出了城,我往布口袋里装小石头,装满为止。

　　这时,一群人从城里出来,这个人就嘱咐他们说:"这是一个异乡人,你们带着他吧,教他一下,让他挣点口粮吃,你们会有好报的。"

　　那些人答应:"我们遵命就是。"

　　这些人欢迎我,关照我,带我同行。他们每人都带着一袋石头,像我所带的那样。不多时,我们来到一个宽阔的山谷,这里的林木又高又大,且数目众多,无人能攀登上去,山谷里有很多猴子,猴子一见我们,就很快爬上树去。我的同伴们从口袋里拿出石头,朝树上的猴子们打过去,猴子则去摘树上的果子还击。我一看,猴子扔下来的果子,原来是椰子。我看着大家这么办,也走到一棵爬着猴子的大树跟前,学着别人的做法,向那些猴子扔石头,猴子立即摘下树上的椰子,扔过来回击我,我也像别人那样把椰子拣起来,我的石头扔完了,也拣了很多的椰子。这时伙伴们都已经扔完了石头，换回了椰子，每个人尽可能地多拿上椰子。下半天我们回到了城里，我找到那个为我认识这些伙伴牵线搭桥的朋友，把椰子送给他，感谢他对我的恩德。

他对我说："你自己拿上这些椰子吧，拿出去卖，赚些钱来用。"

他又给我他的房舍中一间房子的钥匙，说道："你卖剩下来的椰子，就放在这个小屋里。你每天都可以跟着大伙儿，按今天的样子做下去，把拣来的椰子卖掉，卖得的钱自己用，也许你可以积攒起你回家的路费呢。"

我说："真主保佑你。"

我按他说的办：每天背一袋石头，与伙伴们一起出发，按照他们的做法做，他们会帮助我寻找椰子多的树，我就可以尽量多地拣到猴子扔下的椰子。我这样干了一段时间，收集了不少优质椰子，卖出去，赚了钱，购买我欣赏的、适宜的物品，在这个城市里，我的生活过得好起来。

有一天，我正在海边逗留，看见一艘船向这个城市行驶过来，并在海边停泊。船上有商人和他们的商货，他们下船做买卖，所买的仅仅就是椰子，我立即去找我的朋友，告诉他：有一艘大船来了，我要搭船回家。

他说："你自己的事情自己决定吧。"

我向他告辞，感谢他对我所做的一切善举。当日我就走到大船跟前，见到了船长，谈妥租船事宜，我把我的椰子和其他的物品都搬到船上，随船出发了。

船带着我们在大海中航行，从一个海岛到另一个海岛，从一个海域到另一个海域，泊船上岸，做买卖，我所卖的就是椰子，我也拿椰子交换其他货物，赚了很多钱，补偿了我以前的损失还有余。

我们又经过一个岛，那里出产桂皮与胡椒。有人对我们讲过，他们看见每一串胡椒上面都盖着一个大树叶，下雨的时候为胡椒挡雨；雨停了，大树叶就翻转过来，垂在旁边。我用椰子换回许多胡椒和桂皮。我们经过了出产卡玛里沉香的快乐岛。五天航行后，又经过一个盛产中国沉香的大海岛，中国沉香比卡玛里沉香还要贵，但是岛上的居民的生活状况与宗教信仰都比快乐岛上的居民要差得多，他们道德败坏，酗酒，不懂宣礼与祷告。之后，我们又到达珍珠产地，给潜水员很多椰子换回珍珠，我对他们说道："你们这次是为我潜水，看我的运气怎么样？"

他们潜入水中，带上来很多价值昂贵的大珍珠。

他们对我说："先生，真主保佑，您的运气真是好极了！"

我将他们为我打捞出的珍珠放在船上，真主保佑我们继续前行。不几日，船到巴士拉，我上岸休息了几日，随后到达巴格达。我回到了我的街区、进了我的家。见到了我的家人与亲朋好友。他们祝贺我平安归来，我将所带回的商品、货物入库。我广做善事，馈赠寡妇、孤儿，礼赠亲朋好友，真主对我四次出海所经历的灾难困苦给予了充分补偿，我赚的钱比我带出的花费多四倍。我又回到了起初的会聚朋友与吃喝玩乐的生活中。

这就是我第五次出海的奇异经历了。

请留下用餐吧！

大家用罢晚餐，航海家辛德巴德吩咐给脚夫辛德巴德一百砝码的黄金，脚夫辛德巴德接过馈赠，告辞离去，他实在欣赏与赞叹他所听到的航海家辛德巴德讲的故事，当晚安歇。

次日清晨，脚夫辛德巴德起床，做过晨礼后，他又走到航海家辛德巴德的家，进了门，问候过，航海家辛德巴德让他坐下，他坐在主人身边，主人尚未开口，其余的客人到了，大家开始谈起来，他们铺上了地毯，吃着、喝着，尽兴地玩乐。

航海家辛德巴德开始讲述他第六次航海经历：

第六次航海的故事

兄弟们：我第五次航海旅行归来，处于安逸平静快乐的日子里，忘记了我曾经的出海旅途中的种种艰辛与灾难。有一天，我坐在那里，与朋友们谈笑风生、乐不可支，突然一伙客商带着旅途的劳顿来到我的家，我才想我旅行归来渴望着返回家园和家人亲朋好友见面时的豪情满怀，我又向往起出海旅行做生意的生涯。我决心再度远行，购买了易于推销的货物，打点好行装，从巴格达又来到了巴士拉，看到那里有只大船满载商贾要员、珍贵物品。正待启程，我便把我的货物行李也装到这艘船上，与他们一起从巴士拉城出发了。我们从一个地方到另外一个地方，从一个城市到另外一个城市，我们做着买卖，在别人的国土上游览，感受着旅行生活的乐趣。

我们就这样平静地在旅途中过了一天又一天。那天，船长突然大叫，他扔掉了缠头，拍打自己的面颊，扯着胡子，极度地忧虑与悲伤，跌倒在船中央，商人们、乘客们纷纷聚拢过来，问道："船长，发生什么事情了？"

船长说："你们知道：我们迷路了，我们的船偏离了航线，进入了一个不知名的海域，如果真主不挽救，我们就都得死在这里了。**快求求真主，救救我们吧！**"

船长爬上桅杆，想放下船帆。此时，狂风劲吹，**波涛翻滚**，向船尾打来，随之又打碎了船舵，此时，船正靠近一座高山。船长从桅杆上下来，说道："毫无办法，只求伟大的真主保佑了！谁能够阻止自己的厄运呢？"

我们落入了痛苦的深渊，没有人能够摆脱厄运，没有人能够得救，大家都哭起来，获救的希望破灭了，人们最后作永别。此时，船向大山倾斜，最后撞到山上，被撞碎了，船上的一切都沉入水中，商人们都掉进了大海，一些人已经淹死，另一些人抓着绳子，向上爬。我也爬到了山上，这是一座大海岛，海滩上有很多船只的遗骸，还有一些随着海水漂流到岸上的遇难乘客遗物，那些行李物品、金钱财宝等等，让人看得胆战心惊、眼花缭乱。

我登上岛，在岛上走着，发现了一股温泉水从山的这一面流出来，又从山的另一面渗下去。此时，乘客们也都陆续登上了岛，他们在海滩上看见了这些随海水漂来的溺水者遗留下的行李物品、金钱财宝，还都高兴起来，迷迷糊糊的，发疯一般。而我，则在泉眼中发现了珠宝、金银、玛瑙，就像石头一样撒在水道上，把这泉眼周围的土地也照得闪亮发光。我看见了岛上有一些名贵的中国沉香和卡玛里沉香。还看见了一眼龙涎香泉，由于太阳光的照射，龙涎香就像蜡一般，遇热溶化了，流到了海边。海里的鲸鱼闻到这芳香的气味，就把它吞下去，再游回海里，吞在肚子里的龙涎香发热，鲸鱼又从口中把它吐出来，龙涎香凝固了，结成块状，漂浮在海面上，它的颜色与形状都改变了，海浪把它推到了海岸上，那些识货的旅客、商人们便去拣起来，拿去卖。那些没有被鲸鱼吞食的龙涎香，就还在泉水边流淌，凝固在地上，太阳一晒，就溶化成液体流淌，芬芳香气在山谷间飘荡；太阳落山后，它又会再次凝固。龙涎香所在的大山被海岛包围，人们难于到达那里。

我们在岛上转来转去，看到了真主所创造的奇迹！我们仍然为自己的安全担心害怕。

我们在海边还找到了一些干粮，就把它储藏起来。每天或者每两天吃一点，担心干粮吃完了，我们就饿死了。每当我们之中有人死去，我们就为他清洗，用从海边拣来的被大浪冲上岸的溺水者遗留的衣物为他包好。死者越来越多，剩下的人更少了。我们都由于喝海水而腹痛，短时间内，我的伙伴们一个接着一个都死光了。每一个人死的时候，我们都把他埋葬好。只剩下我一个人了，曾经不算太少的干粮只剩下一点点，我哭泣起来感叹着："我要是死在伙伴们的前面，还有人给我清洗与埋葬。现在，我却毫无办法，只盼伟大的真主拯救了。"

一段时间过去了。在海岛的一侧，我为自己挖了一个深坑，自言自语地说道："我已经很衰弱，即将死亡，我就先睡在这个坑里，死在这里边吧，让风吹来沙土把我掩埋。我就这样葬在这里！"

我又责备起自己愚笨无知，我离开我的国家、我的城市，到海外经历过第一、第二、第三、第四、第五次的惊险旅行，每一次面临的灾难都比前一次更凶险，以至于我自己都不相信能否得救逃生，返回故土，我后悔背井离乡、出海旅行，我并不需要钱财，我已经有花费不完的万贯家财，在我余下的生命中，即使是我家财的一半，也足够我享用而绰绰有余，我这样想着，自言自语道："真主在上，这海岛中河流既有源头，也会有终点，总会流到有人烟的地方去。我何不想一个好主意：做一只小船，能容我坐上去，船会顺水漂流，我若能求得生路，真是感谢真主；若是遭遇不测，无法逃生，那就葬身河里，也比死在这个地方好一些！"

我为自己的命运悲伤叹息。

我行动起来，动手收集岛上的中国沉香木料和卡玛里沉香木料，放在河边。从破船上拿来绳子将它们捆成排，又拿来一些同样的船板，放在捆好的沉香木排上，捆绑好，小船就做成了。我把在小岛上拣到的珍珠宝贝等好东西都放在船上，又放上我仅存的干粮，把小船推下水，再分别在小船的左右两边装上木板当桨。正像诗人所吟唱的那样：

　　遇有劫难须离去，
　　凶宅何必把身栖。
　　茫然四顾无人迹，
　　此处唯有一空地。

夜有凶险别惊慌，

否极只有泰来时，

命中注定何处死，

不会身亡在别地。

何必差人管闲事，

凡事还得靠自己。

小船在河中顺着河水漂荡，我在思考着自己的命运，不久，河流流经一个山洞，小船也随着河水进入山洞中，里面一片黑，在一处河道狭窄的地方，小船难以通过，我的头已经抵着洞顶的石崖，我进退两难，我责备自己又干了一件愚蠢的事，简直是拿自己的生命做赌注。心想：这河道这么狭窄，小船过不去，我不就得困死在这山洞里！我进退两难了，只得把脸紧紧地贴在小船的船帮上。小船仍在漂流，由于山洞黑暗，我也不能区别是白天还是黑夜，死亡的恐惧向我袭来。我仍处于顺水漂流中，忽而河道宽阔，忽而河道狭窄，只不过黑暗一直包围着我。我打了一个盹，渐渐地，我的脸就靠在船帮上睡着了，我不再知道睡了多久、经过了什么事情，只是待到我醒来时，眼前已经是一片光明，我睁开两眼，看见一片宽阔地带，小船已经被拴在小岛边，我的周围站满了印度人和埃塞俄比亚人。他们见我醒来，赶忙和我说话，我也听不懂他们讲什么，还以为因为河道狭窄。自己又怕又累，而处在梦中。他们还在和我说话，我听不懂，也就无法回答，这时走过来一个人，用阿拉伯语对我说："你好呀！兄弟，你是谁呀？从哪儿来的？到这里来做什么？你怎么经水道来的？山那边的地方是什么样子？那边向来没有人到我们这里来，山那边到底是什么地方？"

我对他们说："你们又是谁呢？这是什么地方？"

他说："兄弟，我们是种地的，我们到这里来种地、浇地，看见你睡在小船里，就把小船拉住，拴在岸边了。告诉我们：你为什么要到这里来呢？"

我说："先生，真主保佑你。给我点吃的吧，我实在太饿了。我什么事情都会告诉你们的。"

他们立即拿来吃的，我吃饱了，缓过精神。感谢真主，让我离开那狭窄的河段，来到他们中间。我将我的经历、我途经的那条河以及遭遇狭窄河道的事情从头到尾对他们叙说了一遍。他们听后，相互议论道："我们应该带他去见国王，让他给国王讲讲他的故事。"

他们带着我、带着我的小船和小船上的钱财、珍珠宝贝、金银首饰，一起去见他们的国王，告诉国王刚才发生的事情。

国王问候我，欢迎我的到来，询问我的情况、我的遭遇。我又把自己的遭遇全部复述了一遍，从头讲到尾。国王听后，感到十分惊奇，他祝福我平安得救。这时候，我起身，从小船中拿来很多的金银珠宝玉石和龙涎香，送给了国王，他接受了，对我敬重有加，要我住在他的王宫里。从此我与王公大臣为伍，他们也都十分尊敬我，我也就不离王宫了。

到这个岛上来的人也常常会来看我，问我关于我的祖国的事情，我就讲给他们听，同样地，我也问起关于他们国家的风土人情，他们也讲给我听。

有一天，国王问我关于我们国家的风土人情和巴格达城的哈里发管理制度情况，我告诉他：哈里发执政严明公正。国王对此很欣赏，说道："向真主起誓，哈里发决策英明，办事让臣民们满意。你的介绍让我很敬爱他，我想送他一份礼物，托你带给他。"

我回答道："陛下，我唯命是从，我一定会把陛下的礼物送给他，对他说：您诚心诚意爱戴他。"

我仍然住在王宫里，受人尊重与关照，生活舒适，这样又过了一段时间。有一天，我坐在王宫里，听到一个消息，说这城里的一些人要准备船只，出海到巴士拉的方向去。我就暗自思忖："我应该跟随这些人一起出海了，这是再好不过的。"

我赶忙行动起来，拜见国王，亲吻他的手，告诉他：我想跟随那些准备出海旅行的人一起出海，返回家乡。因为我思念亲人、思念家乡。国王说："悉听尊便！你如果继续留在我们这里，我们也会好好款待你的，你与我们相处的日子已经带给我们带来了快乐。"

我说："凭真主起誓，是我承蒙了陛下的惠顾关照，只是我思念故土与亲人。"

国王听我此言，就招来那些准备出海经商的商人们，将我托付给他们，赠送我很多东西，替我付了租船的费用，又托我带一批贵重的礼物赠送给巴格达城的哈里发哈伦·赖施德。

我辞别了国王、辞别了所有与我过从甚密的朋友，与商人们一起登船。我们开始了航行，和风吹来，旅途甚是愉快，我们祈求真主保佑我们一路平安。我们从一个海域到另一个海域，从一个岛屿到另一个岛屿，承蒙真主保佑，我们平安地到达巴士拉，下船后，我在巴士拉又停留几天，然后带着我的行囊回到了和平之城巴格达。

我去了巴格达城的哈里发哈伦·赖施德的王宫，把带来的礼物交给他，告诉他，我这次出海的经历，然后携带上我的所有钱财物品，返回我的街区、我的家。亲人们、朋友们都来看望我，我向他们赠送了礼物。

过了一段时间，哈里发召我进宫，问我：赠送他礼物的原因是什么？这些礼物来自何方？我对他说："信士的长官，向真主起誓，我也不知道那个国家在哪里？不知道那个国家的名字，也不知道如何到达那里？只是在那个时候，我们所乘的大船沉没，我登上了一个海岛，岛上有一条河流，我自己造了一只小船，乘上船，在河里漂流，到了……"

我对哈里发讲述了我在旅途中如何遇险、如何在河中漂流到了那座城市因而得救、我如何在城中生活、国王如何托我赠送礼物等等情况，哈里发甚感惊奇，命令史官把我讲的事情记录下来，收录历史档案库，留给后人阅读。此后，他就格外器重我，我就像起初那样住在巴格达城中，忘记了我在旅途中自始至终所经历过的大灾大难。我又过起了锦衣玉食的生活。

兄弟们，这就是我第六次航海的经历了。

明天，真主保佑，你们再来吧，我会对你们讲我第七次出海旅行的经历，还会比这一次更让人惊讶、更神奇呢！

然后他又吩咐摆上餐桌，大家共进晚餐。再吩咐赠送脚夫辛德巴德一百砝码的黄金，脚夫接受了馈赠，离去了。众人也纷纷离去，大家都感到：这些故事十分神奇有趣。

脚夫辛德巴德听了航海家辛德巴德第六次航海的故事，十分惊叹，回到家中，当晚安歇。

次日清晨，脚夫辛德巴德做过晨礼后，又来到航海家辛德巴德的家，其余的客人也相继来齐了。

航海家辛德巴德开始讲述他第七次航海经历：

第七次航海的故事

兄弟们：我第六次航海归来，又回到了我起初所过的那种平静、安逸、享乐、嬉戏的生活中，日以继夜地寻欢作乐。我已经赚了很多的钱财，只是心中又向往起观赏异域风光、结伴航海旅游、出门赚钱、听奇闻逸事的生活。我决定再次打点行装，准备了很多华贵的货物，从巴格达城运到巴士拉，我看到那里有一艘载满货物和商人的大船正准备起航，我立即登上这只大船，与船上的商人们结伴远行。

我们的船顺利行进，和风吹拂着，直至到达了中国，我们每个人都兴高采烈，谈论着旅行与经商的事情。突然间暴风骤起，吹向船头，大雨倾盆，淋湿了我们的货物与衣衫，我们担心大雨会把货物淋透，就祈求真主保佑，寻找我们能够找到的任何可以遮风挡雨的东西把货物盖住。这时候，船长紧了紧腰带，爬上桅杆，左右察看，向船上的人们望了望，他拍打着自己的面颊，扯着自己的胡须，我们赶忙问："船长，怎么了？"

船长对我们说："快求真主保佑吧！我们大难临头了！我们哭吧，相互告别吧！你们要知道：飓风已经把我们的船吹刮到海洋的尽头了！"

然后，船长从桅杆上爬了下来，打开了一只箱子，拿出一个布袋子，解开袋口，从口袋里面抓出一把土，就像是一把灰尘，用水和上，过了一会儿，拿到鼻子跟前闻闻，又从箱子里拿出一本小书，读着，对我们说："乘客们，你们要知道：这本书里记录了种种离奇的事情，书里说，谁要是到这个地角来，不会生还，必死无疑，这个地角叫作帝王角，这里有先知苏莱曼·本·达伍德王的坟墓，坟内有面目可憎巨大无比的大蟒蛇，每当船只经过这个帝王角，海里就会游出鲸鱼将船只全部吞噬。"

我们听了船长的话，感到离奇古怪极了。

船长的话还未说完，船就忽起忽落颠簸起来，我们听到了吼叫声，犹如电闪雷鸣。我们浑身颤抖，就像是死人，相信必死无疑。此时大山一般的鲸鱼向我们的船只靠过来，我们惊恐得大哭起来，只能等死了。我们盯着这条巨大无比的鲸鱼时候，第二条鲸鱼又扑过来了，它比前一条更大。此时，我们只能相互作最后的道别了，我们正在悲叹命运的时候，比前两条更大、更凶猛的第三条鲸鱼又游了过来。极端的害怕与恐惧，我们已经是魂不附体了，这第三条鲸鱼围绕着我们的船直打转，看来它想吞噬我们的船与船上的一切。狂风又刮起来，波涛汹涌，船大起大落，终于触礁撞碎了，船上的乘客、商人、货物全都落水。我立即脱掉身上的长衫，只留下了一件单裤子，赶忙抓着一块船板，趴在上面。大浪与狂风在海面上肆意扑打呼啸，我紧紧趴在木板上，大浪打得我时起时落，我已经处在极度的害怕、恐惧、饥寒交迫中。我再次责备自己的愚蠢举动，稍息一会，我埋怨自己道："航海的辛德巴德呀！你每次遭难，都不好好忏悔，不忏悔你的鲁莽举动，不取消再出海的念头。即使你忏悔，也是虚情假意，你就该是一个受苦受难的命！"

所有这一切都是命呀！一切都是由真主注定的！一直要到我回心转意，不再贪婪钱财的时候吗？我经历的一切都是对我贪得无厌的惩罚啊！我已经有了足够的钱财了！

我不断责备自己，渐渐地清醒起来，慢慢地恢复了理智，告诫自己："这次航海，我向真主诚恳忏悔：我有生之年，我嘴上再不说、心中再不想出海航行的事情了。"

我仍然哭着向真主祷告，请求救助。随后我又回忆起曾经拥有的闲适、快乐、享受、谈天说地的好日子。这样过了第一天、第二天，直到我登上了一个大岛，这里树木繁茂、河流交错，我吃了树上的果实，喝了河流中的水，精神渐渐缓过来，意志坚定了，郁闷的心胸释然了。我在岛上漫步，在岛的另外一边看见了一条大河，水质甜美，但水流湍急。我想起上次面对河流时我自己曾经做过一只小船，心想："我应该像上次一样再做一只小船，但愿我还能得救，要是这次能够脱险逃生，那么我就向真主忏悔：不再出海；要是我此次死掉了，我的心也就从此安歇，不再去品尝人间的劳累与艰辛。"

随后，我在树林间动手干起来。在那些前所未见的高大的檀香树上收集木料，而当时我对这种树木的情况还一无所知；我又在岛上收集了一些树枝和干草，搓成绳子，用以捆绑小船。我对自己说："要是我能平安逃生，全靠真主救助。"

随后，我登上小船，顺水漂流，离开了这个岛子，我继续在漂流着，一天、两天、三天……我睡了三天，一直没有吃东西，只喝些河水。劳累、饥饿、恐惧都到了极点。小船将我带到一座高山面前,而河流就从山洞中穿过,我担心又如上次我所遭遇过的情况:河道在山洞内变得过于狭窄,而我不能过去。于是我打算停船靠岸上山,但是湍急的流水将小船连同我冲进山洞。情况既然如此,我只好说,毫无办法,只靠真主救助了。小船未漂流出多久,就到了一处开阔地带,那是一片谷地,河水水量充沛,水流奔腾直下,声势浩大,如雷贯耳,如飓风呼啸。小船在波浪中颠簸,或东或西,我在船上担惊受怕,生怕掉下水去,便急忙用手抓着船帮。我动弹不得,无法上岸登陆,直至小船漂到一个大城市跟前,那里气势壮观、建筑物高耸、人烟稠密。人们看见我在急流中的小船上,赶忙向小船扔过来网和绳子,把小船拉到岸边,将我救到陆地上。我极度的饥饿、缺觉、恐惧、一时瘫倒在地,如同死人一般。

在我面前的这一群人中,有个长者,热情地照顾了我,给了我很多衣服穿,我赶忙穿在身上,他又带我到澡堂去洗澡,给我喝提神的有香味的饮料。我们从澡堂子出来后,他就把我领到他的家里,他家的人们见到我都很高兴,让我坐在尊贵的地方,用丰盛的饭菜招待我,我吃饱了,赞美真主,再次让我得救。随后,仆人又端来热水,我洗过手;婢女又送来丝绸手巾,我擦了嘴、擦了手。随后那位长者又吩咐腾出一间房子给我住,吩咐仆人们伺候我,听我差使。他们家就这样如此盛情地接待了我三天,我吃得好、喝得好、休息得好,一切都好,我精神安定下来,心情愉快。第四天,那位长者来对我说:"孩子,你让我们欣慰,感谢真主保佑你平安。你愿意和我一起到海边去看看,再去去市场,好卖掉你的货,你拿上钱,要是你看上了什么合宜的东西,也可以买呀!"

我沉默片刻,暗自思忖:"我哪有什么货物呀?他说这话是什么意思?"

那长者又说:"孩子,你不要多虑,跟我到市场去吧,要是谁给你的价格你满意了，就卖掉它；要是没有合适的价格，你就把货存放在我的仓库里，等价格看涨时再说。"

我只好说："老伯伯，恭敬不如从命，我一点儿也不想违背您的意思，我们就到市场去看看。"

来到海边，我看见我所乘坐的小船已经被人拆开，那些造船用的檀香木都放在那里。商人们竞相出价要买这些檀香木，所出的价格不断攀高，直升到了一千个第纳尔，商人们不再加价了。

这时，长者回头看看我，说："听着，孩子，你的货物今天也就是这个价了，你是愿意卖呢，还是放在我的仓库等一等，看看行情，我们再帮你卖呢？"

我说："老伯伯，这事情由您定夺吧。"

他说："孩子，我就在那些商人所开价格的基础上再增加一百个第纳尔吧，你看可好？"

我说："好的，我很愿意卖给您。"

那长者吩咐仆人把檀香木板搬回家中的仓库，我则与他一起回到他的家，他按约付清了钱，又拿来一个钱口袋，将钱放好，再放进一个铁箱子里，锁起来，把钥匙交给了我。几天后，老人又对我说："孩子，我有件事情要对你讲，望你能满足我的愿望。"

我问："什么事情？老伯伯。"

他说道："你可知道，我年事已高，并无一子，只有一女，小女年少，面容俊美，尚算富有，我想把她许配给你为妻，你们就在我们的国家过日子。以后，我的钱财就由你掌管，我所执掌的事情此后也就由你来执掌，你代替我的位置，成为商界首领。"

我沉默不语。

他又说道："孩子，我说的这些话应该说也是为你好，你娶了我的女儿，也就是和我儿子一般，我所拥有的一切全由你掌握。今后你若是要出海经商做生意，也没有人能够拦阻你，你要怎么办就怎么办。"

我这才说:"真主保佑!老伯伯,您就如同我的父亲一般,我多灾多难,已经没有什么好主意了,这事情就全部听您的,您怎样安排就怎样办。"

这时候,长者吩咐仆人请来了法官和证人,请他们作证,他把女儿许配给我为妻,并举行了盛大的婚礼,热闹非凡。我们进入洞房,我这才看见新娘极为标致、漂亮,打扮得恰到好处,她佩戴着非常漂亮的金银首饰、珠宝项链,价值千万金,以至于无人能准确地估算出其价值。我一见她如此容貌,实是惊叹,我们一见钟情,相亲相爱地度过了一段好时光,幸福美满至极。其后,我的岳父故去,我们将他埋葬了。我接了他的班,掌管了他原先掌管的各项事宜,他所有的仆从都成了我的仆从,为我服务,听我吩咐;商人们也拥戴我作为他们的首领,就像以前对待我的岳父一样,那时他们一旦办理什么事情,也都要通知他并且要得到他的认可,我替代了他的位置。

当我和城里的人来往多了的时候,就发现每个月他们的情况都会有些异样:他们纷纷会长出翅膀,飞向天空,而没有人落后,城里就只剩妇女和儿童了。我暗暗想:"月初,我就找他们中的一个人问问,也许他们会带上我,一起飞到他们去的地方。"

月初的时候,他们的颜色与相貌都变了,我问他们中间的一个人:"真主保佑你,你们飞行上天往返的时候,能带上我吗?"

他回答:"这不可以。"

我再三求他,他怜悯我了。

我抓着他,他带着我和他们一起在空中飞起来,我家里的亲人、仆从对此事一无所知,我骑在那人肩上,那人带着我在天空中飞翔,越飞越高,直达苍穹,我听见天使赞颂真主,也感叹起来,说道:"颂扬真主!赞美真主!"

我的赞颂声还没有完,只见天空出现一团火焰,几乎要烧到同伴们身上,他们赶快下降,将我丢在一座高山上,他们对我十分生气,一起离我而去,每当我摆脱一个灾难的陷阱,就会有一个更深的陷阱在等待着我!我一个人留在荒山上,不知道何去何从。此时,突然有两个少年走来,他们美丽可爱得像月亮,每人手挂着一根金拐杖。我问候他们说:"真主保佑你们,能告诉我,你们是谁吗?你们在忙什么呢?"

他们俩说:"我们是真主的奴仆。"

二人给了我一根红色的金拐杖,随后离去,将我一人留在那里。

我站在山顶,挂着金拐杖,思索着两个少年的事情,突然一条大蟒蛇从山下爬来,嘴里衔着一个人,已被它吞到肚脐,那人大喊大叫道:"谁能救我,真主会让他摆脱一切灾难。"

我向蟒蛇跑去,举起金拐杖打它的头,蟒蛇一松口放掉了那个人,那人得救了,他走到我面前说;

"你把我从蟒蛇口中解救出来,我就不愿再离开你了,在这个山上,你就是我的伙伴。"

我对他说:"我欢迎你。"

我们在山上走着,面前走过来一群人,我盯住他们看,在他们中间,我发现了那个把我扛在肩上、带我在天空飞翔的人,我赶忙走过去,向他道歉,请求他原谅,我对他说道:"朋友,朋友怎么能这样对待他们的朋友呢?"

那人对我说:"你在我肩上的赞颂词差点把我们给害死了!"

我说:"别责备我,我什么也不知道,今后,我不再多说话了就是。"

他听后,答应带我回城里,只是有个条件:不许我提起真主,不许我在他的肩膀上赞颂真主。

他像第一次带我飞行那样背起我,飞向天空,降落在我的家门口,我的妻子出来迎接我,祝我安全归来,对我说:"以后同这些人往来，你就小心点吧！不要同他们过从甚密了，这些人是魔鬼的兄弟，他们不愿赞美真主。"

我问："那你父亲以前怎么和他们相处的呢？"

她说："父亲不属他们一伙，也不干他们那一套事情。要按我说：父亲已经过世，你就可以卖掉咱们的全部财产，带着钱回到你的家乡去，回到你的亲人中间去，我会与你同行。我父母双亡，已经没有必要留在这座城市里了。"

这样，我就将岳父留下的遗产一点一点地陆续卖掉，只等待本城有谁要出海时，便和他结伴同行。我在等待着，后来听说本城有一群人想出海，没有找到船只，只好收买木材，打造成一只大船，我向他们租了船，付清了租金，带上妻子和财宝登上了船，留下了房屋和田地，我们出发了。我们在海上航行，从一个海岛到另一个海岛，从一片海域到另一片海域，和风习习，与我们做伴，伴送我们平安到达巴士拉城，我们不再停留，而是租了另外一条船，带上全部细软，航行至巴格达，进了我的街区，回到了我的家，见到了我的亲人、朋友，把我所带回来的物品放入仓库。

我这次离开家乡外出航海经商旅行，时日已久了。家人们计算这七次航海旅行花费了整整二十七年的时间，以至于他们不再期待我返回家乡。当我回到他们的面前，将我所经历的事情告诉他们，他们非常惊喜，纷纷为我的平安归来祝福。然后，我向真主忏悔：不再外出经商旅行，不管是从陆路去，还是从海上去，这第七次航海旅行就将成为我航海生活的终结，我将割断我的贪欲。我感谢真主、赞美真主，正是真主保佑才使我返回到亲人中间、返回到我的家乡、返回到我的祖国。

你看！陆地上的辛德巴德，你看我经历了多少事情！多少灾难！多少传奇！

脚夫辛德巴德对航海家辛德巴德说："真主保佑，不要责怪我，我误解了你。"

　　他们仍然和谐相处，尽情欢乐，直至相继寿终正寝，人群散去，宫殿倾倒，坟墓变成荒丘。

　　赞美真主，只有真主永生不死！

朱德尔三兄弟的故事

有个埃及商人名叫阿迈尔。他有三个孩子，老大叫萨利木，老二叫赛里姆，老三叫朱德尔。父亲培养三个孩子长大成人，但是父亲尤其喜欢老三朱德尔。两个哥哥见父亲格外喜欢弟弟，心生不满，父亲对此也有所觉察。

阿迈尔想到自己年事已高，担心自己死后，诸子因分配家产不均而产生矛盾。为了让他的孩子们日后能够安居乐业，他请来了族长、法官作证分家，他说："乡亲们，把我的金钱、布匹都拿出来，分成四份吧。"

他们将他的一应物品拿出，平均分为四份，三个孩子各取一份，他自己和老伴儿取一份，在证人面前分割完毕。

他说道："我们今日分家，三兄弟所分得的家产平等，并不存在任何偏差，我也再没有另外财产，他们相互间也无财产纠葛。余下的一份为我与他们的母亲养老之用。如果我归天，他们兄弟无须争执，我有生之年已经为他们作好了安排，为他们分割了财产；我和他们母亲的这一份财产可以维持他们母亲的生活。众人为证，希望日后大家生活相安。"

分家之后不久，商人阿迈尔一命归天。

朱德尔老老实实过日子，他的两位兄长则不满足，一心要找朱德尔再分家财，说："父亲分家不公，家财都分给你了。"

朱德尔据理说明当日分家乃是公平均分不果，只得与两位兄长寻找法官，对簿公堂。那些当初参与他们分家的穆斯林们纷纷前来作证，证明当初均分财产的情况，法官就阻止了两位兄长的欺诈伎俩，可是因为这场争执钱财的官司，朱德尔与两位兄长都损耗了自己的资财。

两位哥哥还不愿就此罢休，更是越来越坏，他们又买通一些为非作歹的人来打官司，结果是钱财都喂饱了这些为非作歹的人，而他们三兄弟都成了穷人。

两兄长又来欺负他们的老母，对母亲笑里藏刀，把她的钱也拿走了，然后又打了她，还将她赶出了门。老母无法为生，只得来找朱德尔，说道："你的两个哥哥不成器，做了如此下作事体，用光了自己的积蓄，又霸占我的财物，还将我赶出了家门。"

朱德尔安慰她道："母亲，不必再责怪他们俩，真主会按他们的行为惩罚他们的。不过，母亲，我现在很穷了，我的两个兄长也很穷了。他们屡次找我打官司，用了不少钱财，在法官面前，我与他们俩**争执**不下，一点用处都没有，只是我们把父亲留给我们的钱财都打**官司打光**了，还在人们面前留下了笑柄，可见家不和，就要遭穷困。**我也不可能**再因为你去找他们两人打官司了，这事不能再做了。你**就在我这里**住下，与我一起过活就是。我有吃的面饼，你就吃吧，真主总会给我们膳食，说起两位哥哥，就让真主惩罚他们好了。正如诗人所言：

不必理会蠢人对你的欺负，
且等待时机，向这坏蛋报复。

莫要横行霸道欺压他人，

山若对山欺压，也会粉身碎骨。

母亲心里安定下来。从此，朱德尔母子一起过活。

朱德尔每日拿上网，到海边、池塘边或是湖泊边打鱼，总之，到有水的地方去打鱼，有时候，一天能打十条鱼，有时能打二十条，有时能打三十条，他卖掉鱼，赚得钱养活母亲，渐渐的有吃有喝了，日子也一天天过得好起来。

而他的两位兄长，不干活，不做买卖，游荡终日，懒散放纵得不可救治。他们又挥霍了从母亲那里抢走的钱财，成为两个贫困潦倒的浪荡汉，空着两手又来找他们的母亲，诉说日子艰难、饥饿难熬。母亲的心总是充满了仁慈与温情，虽然在朱德尔家里没有新鲜的东西吃，她还是给两个儿子从厨房找来了一些熟食。对他们俩说："你们快吃快走吧，别等到你们的弟弟回来看到了心里不高兴，责怪我。"

二人吃完，赶快离去。

有一天，他们俩又来了。母亲为他们端来了熟食和小吃，二人正在吃的时候，他们的弟弟朱德尔回家来了，母亲感到很不好意思，很是羞于见他，担心他发脾气，于是低下了头，而朱德尔则向两位兄长笑笑，说道："欢迎你们，祝福你们呀！你们一向过得怎么样啊？你们今天来看我，今天真是一个好日子。"

他欢迎了他们俩，尊重他们俩，还把自己带来的吃喝拿出来供他们俩享用，对他们俩说道："祝你们好运，吃点喝点吧。"

两位兄长的脸都红了，显出尴尬的样子，回答道："弟弟呀，我们曾经有那么一些过节，你是以德报怨来对待我们啊。"

朱德尔又说："不怪你们俩，真主宽恕你们啦。真主对于行善事的人总是不忘回报的。"

两位兄长说："真主保佑你。"

朱德尔又对母亲说道:"母亲,好好招待我的两个兄长啊。有什么东西,就给他们俩拿上,不要让他们嫌弃我们家啊。有时候,他们手头不方便,我呢,真主把给他们俩的那份膳食都一并放到给我的膳食里了。"

次日清晨,朱德尔像每日一样,外出打鱼,回来见母亲与兄长,带回了真主赏赐的膳食,分给了大家享用。

又一天,朱德尔带上网与渔具,到很远的池塘边打鱼,他站在那里,把网撒下去,没有打着鱼,心里好生奇怪,第二天、第三天,天天如此,网网落空,直到过去了七天。他想:我今日得换个地方打鱼了。于是他掉转方向,向前走去,他走了很远,来到了卡伦湖边。他站在那里,正准备撒网的时候,突然看见一个摩洛哥人走过来,他骑着一头骡子,穿着华贵的衣裳,带着一个褡裢,褡裢两边的袋子里分别装有一个盒子。他们一见面的时候,那摩洛哥人就说:"你好啊,朱德尔·本·欧迈尔。"

"你好,哈吉先生。"

"你可以帮帮我的忙吗?"

"怎么帮忙法呢?"

"你把我捆起来,扔进湖里,你再等上一个时辰,要是我的手伸出水面来,你就撒网,赶快把我拉上来;要是你看见我的脚露出水面,那意思是:我已经死了,你就牵走这头骡子,去找犹太人谢米尔,你会在商人聚集的市场找到他的,他就坐在那市场仓库门前的椅子上。你把骡子给他,会得到一百个第纳尔。"

朱德尔说:"这事情有死亡的危险啊!"

摩洛哥人说:"朋友,这就是你帮助我的方法了。我是在寻找一个东西,我希望你能够接受这个方法为我提供帮助。如果我得救了,则你可以向我索要任何你想要的东西。"

然后摩洛哥人就强行要求朱德尔把他捆起来,扔进湖里,最后朱德尔站起来,捆起了摩洛哥人。摩洛哥人说:"把我扔进湖里去吧。"

朱德尔就把他推进了湖里,看见他淹没在湖水中。朱德尔站在那里,等了一个时辰,突然摩洛哥人的双脚露出水面,朱德尔知道:他已经死了。于是牵着骡子,向商人聚集的市场走去,看见了坐在仓库门前的犹太人,那犹太人看见了骡子,就说:"他死了,他就是太贪心才死的。"

他从朱德尔手中接过骡子,给了朱德尔一百个第纳尔,并且嘱咐朱德尔说:"要保守秘密。"

朱德尔接过钱,走开了,他要去面包房,为购买的面包付账。他对面包房老板说:"你拿上这个第纳尔吧!"

老板接过了,算了算这次需要付的钱,说:"余下的钱存在我这里,还够你两天用的。"

朱德尔又来到肉铺子,给了肉铺老板一个第纳尔,称了肉,对肉铺老板说:"余下的钱存在你这里,以后算账。"

同样地,他又到了菜圃,买了菜。

朱德尔回家了,看见两个兄长正在向母亲要东西吃,而母亲对他们说:"等一等,忍一下,你们的弟弟就要回来了,现在我这里什么吃的东西都没有。"

朱德尔进了门,对他们俩说:"拿上,吃吧。"

那两个人扑上食物,立即狼吞虎咽起来。

然后,朱德尔把其余的钱都交给母亲,说:"拿上,母亲。如果我的兄长们来了我又不在家,就拿这些钱给他们买东西吃吧!"

一夜过去。

第二天,朱德尔又带上网出门打鱼了,他来到了卡伦湖,站在那里,准备撒网,突然又见一个摩洛哥人走过来,骑着一头骡子,衣着打扮比起上次死了的那个摩洛哥人更胜一筹,他也带着一个褡裢,褡裢两边的袋子里分别装有一个盒子。他们一见面的时候,那摩洛哥人就说:"你好啊,朱德尔·本·欧迈尔。"

"你好,哈吉先生。"

"昨天有一个摩洛哥人骑着像这个骡子一样的骡子,到你这里来过吗?"

朱德尔害怕起来,他否认了,说:"我没有看见。"

他担心的是如果说看见了,那么人家要问他:"这人在哪里?"那可怎么办呢?要说是淹死在湖里,人家说:"是你把他推下去的!"那可怎么办呢?

他只有否认了。

于是那摩洛哥人又说道:"可怜的人啊!这是我的兄弟,已经先我而去了。"

"我什么事情也不知道。"

"你把他捆了起来,扔进湖里。他对你说过:你再等上一个时辰,要是我的手伸出水面来,你就撒网,赶快把我拉上来;要是你看见我的脚露出水面,那我就已经死了,你就牵走这头骡子,去找犹太人谢米尔,你会在商人聚集的市场找到他的,他就坐在那市场仓库门前的椅子上。你把骡子给他,会得到一百个第纳尔。"

朱德尔说:"既然你什么都知道,何必再问我?"

那摩洛哥人说:"我请你做的事情,就像你为我的哥哥所做的事情是一样的。"

他说着,掏出一条绸带子,对朱德尔说:"拿着,把我捆起来,扔进湖里,就像你对我哥哥所做的那样,等一个时辰,要是见到……牵上这头骡子,去找犹太人,从他那里拿一百个第纳尔……"

"那你上前走一步吧。"

摩洛哥人上前走了一步,朱德尔把他捆起来,扔进湖里,看见他沉下去,等了一个时辰,看见他的脚露出水面,说道:"他也死了,真主保佑啊,每天都来一个摩洛哥人,都要我把他们捆起来,他们淹死了，每一个死人还让我得到一百个第纳尔。够啦。够啦。"

然后，他牵上骡子，去找犹太人谢米尔，当犹太人看见他的时候，就说："又一个人死啦。"

朱德尔说："你可得好好活啊！"

"这是对贪心者的惩罚！"

他从朱德尔手中接过骡子，给了朱德尔一百个第纳尔。朱德尔接过钱，回家又交给了母亲，母亲说："你从哪里搞到的钱啊？"

朱德尔把事情告诉了她。她说："你不要再到卡伦湖去了，我担心还会有摩洛哥人到那里去报复你的。"

朱德尔说："母亲，不是我要把他们扔进湖里去的，是他们自己要求我的呀！那有什么办法呀？他们每个人还给了我一百个第纳尔，真主保佑，我不能不去啊，要是摩洛哥人都死了，也就没有人再去那里了。"

第三天，朱德尔依旧去了卡伦湖，他刚站好，就又走过来一个骑着骡子的摩洛哥人，背着褡裢，衣着打扮比起前两次死了的摩洛哥人更胜一筹。他说："你好啊，朱德尔·本·欧迈尔。"

朱德尔心想：怎么他们每一个人都知道我的名字呢？然后，他回答了问候。对方说："有摩洛哥人到这里来过吗？"

朱德尔说："来过两位。"

"他们都在哪里呢？"

"他们要我把他们捆起来，扔进湖里，淹死了。你跟着又来了。"

那人笑了，说："可怜的人啊，每一个活着的人都有自己的许诺啊。"

他下了骡子，又说："朱德尔，我请你做的事情，就像你为他们两个所做的事情是同样的。"

他说着，掏出一条绸带子。朱德尔对他说："你转过身去，我把你捆起来，我还急着要办事呢，时间等不及的。"

那人转过身，朱德尔把他捆好，推进湖里，看见他沉下去，等了一个时辰，看见他的手露出水面了，说道："可怜的人，快撒网啊。"

朱德尔撒网，把他拉了上来。他站在朱德尔面前，手里还抓着两条鱼，每只手抓一条，鱼的颜色像珊瑚那样红。

他说："打开褡裢袋子里面的两个小盒子，每个里面放一条鱼，再把盒盖子盖好。"

然后他就抱住了朱德尔，亲吻他，一会吻他的左面颊，一会吻他的右面颊，说道："愿真主拯救你，让你免灾免难。感谢真主！要不是你及时撒网，把我拉出来，我只能是一手抓一条鱼沉在水里淹死了，我自己是不能从水里出来的。"

朱德尔问摩洛哥人："真主保佑你，哈吉先生，你给我讲讲那两个淹死的人的事情吧，讲讲这两条鱼以及那个犹太人的事情吧！"

那摩洛哥人讲起来：

朱德尔，你要知道，那两个淹死的人都是我的兄长，大哥叫阿卜杜·萨列姆，二哥叫阿卜杜·阿哈得，我叫阿卜杜·萨迈特，那个犹太人也是我们的兄弟，名字叫阿卜杜·赖希姆，他实际上不是犹太人，而是马力克教派的穆斯林。我们兄弟四人，父亲叫阿卜杜·瓦杜德。我们的父亲教给了我们一些办法，去解开奥秘、打开宝藏、破除魔法。所以我们能够与精灵与魔怪来往，还让他们为我办事。

父亲死后，给我们留下大宗财产，我们平分了父亲留下的宝藏、金钱、观天象图书，我们得到了他的一些存书。他有一本绝本书，名叫《古人秘笈》，是无价之宝，不能与珍珠宝贝相提并论，因为书中记录了宝藏所隐藏的地点和揭开符咒秘密的办法，这本书是我们父亲的至爱，我们只是记住了其中的一些零碎的东西，我们每一个兄弟都想得到这本书，以便了解其中的所有内容，于是我们在瓜分这本书的时候有了矛盾，有一位长者来参与了我们的讨论，他是父亲的先生，曾经教过父亲魔法与相术，他名叫克黑尼·艾卜特，他对我们说道："拿出这本书来。"

我们把书给了他，听他说道："你们都是我徒弟的孩子，我不会亏待你们当中的任何一个人，你们谁想得到这本《古人秘笈》，就去打开谢曼岱宝库，带回戒指、宝剑、天象水晶球和眼药瓶。那戒指，里面有位妖魔专门为他服务，妖魔的仆人名叫霹雳，任何帝王无人能与其匹敌，他可以占领任何面积的土地；那宝剑，则所向无敌，一旦宝剑出鞘，会电光闪、大火烧，杀死所有敌军；天象水晶球的拥有者，无论坐在家里或者是外出旅游，只要随意转动它的朝向，都可以看清楚东、西方的所有国家，如果他对哪座城市发怒，便将那座城市映在天象水晶球上的方位转向太阳，那么他想要烧毁的那座城市即刻就会化成灰烬；说到这个眼药瓶，就更为神奇了，用这个药瓶的眼药点眼睛，就会看见地下的宝藏。不过，对于你们，得有一个条件，谁要是不能打开这个宝藏，谁就不能得到这本书；谁要是打开了这个宝藏，就要把这四件宝贝送给我。"

我们都同意这个条件。老者接着说："孩子们，你们要知道，谢曼岱宝库由红国王的孩子所管辖，你们的父亲曾对我说过，他曾经想打开那座宝库，但是没有打开，但是红国王的孩子们逃到埃及一个名叫卡伦湖的地方了，他追到埃及，也没能赶上他们，因为他们已经潜入卡伦湖底，而这个湖已经被魔咒禁锢，你们的父亲不能打败红国王的儿子们，他无功而返。你们的父亲向我诉说了这一番情况，他说这个宝库不能打开，除非找到一个名叫朱德尔·本·欧迈尔的埃及孩子，他会成为抓住红国王孩子的前提，这个孩子是一个渔夫，有时会来卡伦湖打鱼，要想寻宝，就要让朱德尔把自己捆起来，扔进湖中，去同红国王的孩子们搏斗，如果幸运，就能够战胜红国王的孩子，湖面上会露出两只手；如果不幸，就被红国王的孩子所打败，湖面上露出两只脚。湖面露出两只手的时候，说明已经平安无事，需要朱德尔撒下网,把他拉上岸。

我们兄弟一听这话,就说:"我们愿意去寻宝,即使面临死亡。"

我也说:"我也愿意去。"

只是我的一位哥哥,就是那个犹太人装束的那位,他说:"我不愿意去。"

我们商量后,统一了意见:他扮成犹太商人的模样去埃及,如果我们当中的一个人死在湖里了,他就在那里接受骡子和褡裢,然后给出一百个第纳尔。第一个到你这儿的人是我的一位哥哥,他被红国王的孩子杀害了;第二个哥哥的遭遇也一样,也被杀害了;我呢,他们没有能战胜我,而我抓住了他们。

朱德尔问:"你抓住他们,放在哪儿呀?"

"你不是看见我把他们放在盒子里了吗?"

"你放进去的是鱼呀。"

那摩洛哥人说:"那可不是鱼,而是鱼形状的妖魔。但是,朱德尔,你要知道,这打开宝库的事情,还要看在你的面上,你愿意与我一起,到非斯城去吗?我们去打开宝藏,你需要什么,我会给你什么。你就是我的亲兄弟了,真主保佑,你会平安地回到你的亲人们之间的。放心吧!"

朱德尔听了摩洛哥人的这一番话,说道:"哈吉先生,我很愿意跟你去寻找宝库,只是我还要养活母亲,还有两个哥哥也要靠我周济。"

那摩洛哥人说道:"这也算不上什么理由,如果只是生活花费问题,那我先给你一千个第拉尔,让你母亲先用着,还可以补贴你的哥哥们,让他们等待你安然回家。只要四个月的时间,你就可以安然回家的。"

朱德尔听到有一千个第纳尔,就说:"哈吉先生,要是给我母亲一千个第纳尔,我也就可以和你一道去了。"

那摩洛哥人掏出一千个第纳尔，递给朱德尔。

朱德尔即回家，把钱交给了母亲，把今天遇到摩洛哥人的情况都告诉了她，说："母亲，你先用上这一千第纳尔，也可适时接济哥哥，待到四个月后，我回来的时候，我们就不会再缺钱花了。你为我祈祷吧！"

母亲说："孩子，我还是很想念你，很为你担心的。"

"母亲，真主会保佑我，那摩洛哥人看待我如同兄弟一般，我想不会有什么差错。"

"孩子，愿真主保佑你一路平安，你就跟他去吧，也许他还会报答你的。"

朱德尔告别了母亲，来见摩洛哥人阿卜杜·萨迈特。

阿卜杜·萨迈特问他："你和母亲商量好了吗？"

"商量好了。她已经为我祈祷了。"

阿卜杜·萨迈特说："你就骑上骡子，跟在我后面走吧！"

朱德尔骑上骡子，二人向着非斯城的方向出发了，从中午走到太阳落山，朱德尔饿了，他也没有看见阿卜杜·萨迈特带什么干粮，于是说道："哈吉先生，也许你忘记带吃的东西上路了。"

阿卜杜·萨迈特问道："你饿了吗？"

朱德尔回答："是的。"

阿卜杜·萨迈特从骡子背上下来，说道："把褡裢拿过来。"

朱德尔拿过来了。

阿卜杜·萨迈特问："你喜欢吃什么？"

"有什么可吃呢？"

"你只要告诉我，你喜欢吃什么？"

"大饼、奶酪。"

"小可怜儿，大饼、奶酪太不符合你的身份了。再要点好吃的吧！"

"这个时候什么东西都好吃啊！"

"红烧鸡,爱吃吗?"

"爱吃。"

"再来点米饭拌蜂蜜。"

"好的。"

然后阿卜杜·萨迈特一口气说出了二十四种吃的东西。朱德尔想:他一定是疯了,他自己什么炊具也没有带来,没有厨房,没有厨师,自己一口气说出这么多的名堂,谁给你做呀?既然这样,就赶快说够了算了。于是他说:"够了,够了,哈吉先生,我什么东西都没有看到,你说这么多好吃的东西是想让我馋死呀!"

阿卜杜·萨迈特说:"欢迎你,朱德尔,你伸手到褡裢里面去拿吧。"

朱德尔伸手去拿,他拿出了一个金盘子,上面摆着两只红烧鸡,他又伸手到褡裢里,他又拿出了一个金盘子,上面摆着羊肉串,他再次伸手进去,又拿出……他一共拿出二十四种刚才说到的东西,一样也不少。

朱德尔愕然,忙问:"哈吉先生,你怎么把厨房也装进在这个褡裢里了?"

阿卜杜·萨迈特笑笑,说道:"这个褡裢曾被施过魔法,里面自有仆人服役,就是你要上一千种美食,它也会提供给你的。"

"这个褡裢,太妙了!"

二人吃饱后,继续赶路,再把空盘子放进褡裢,阿卜杜·萨迈特又从褡裢里取出一把水壶,二人喝水。然后他又将小盒子放进去,把褡裢放在骡子背上,自己骑上去,说道:"骑上骡子,朱德尔,我们出发。你知道,我们从埃及到这里走了多少路了?"

"真主保佑,我可不知道。"

"我们已经走了一个月的路了。"

"怎么会呢?"

"朱德尔，你知道：我们骑的骡子也是妖魔变的，一天就能走一年的路程哩。但是你感觉起来，它还是走得很慢的。"

二人继续骑骡子，向摩洛哥进发，当晚上住宿，就从褡裢里取出晚饭，当早起的时候，就从褡裢里面取早餐，一直走了四天。

每当夜晚，他们就下了骡子安歇，天亮再接着前行。所有朱德尔感兴趣的东西，阿卜杜·萨迈特就从褡裢里面拿出来。

到了第五天，二人已经到达非斯城。

他们进城去，每当走到一个地方，不断有熟人向阿卜杜·萨迈特问好，亲吻他的手。二人一直来到了一座房舍前，一敲门，便有一个月儿般的美丽姑娘走过来开门，阿卜杜·萨迈特说："我的女儿，拉赫蔓，快去把宫殿大门打开。"

"知道了，我就去，我的老爹！"

他们进门，风卷起她的衣角，朱德尔神魂不定，在心里说："真是美得像公主一般！"

姑娘已经打开了宫殿的门，阿卜杜·萨迈特从骡子背上拿下褡裢，对骡子说："祝你好运，走吧！"

大地裂开，骡子钻了下去，大地又合上如初。

朱德尔说："感谢真主，我们终于从骡子背上下来了。"

阿卜杜·萨迈特说："别奇怪，朱德尔，我已经对你说过，这骡子是妖魔。但是它带我们来到这座宫殿。"

他们走进宫殿，朱德尔实在惊奇：这宫殿富丽堂皇！他看见陈设在宫殿各处的名画奇景、珍宝古玩。二人坐下，阿卜杜·萨迈特又吩咐姑娘道："拿锦袍包袱来！"

她手托着锦袍包袱走到他们的面前，放在父亲的手上，阿卜杜·萨迈特打开了包袱，取出一件价值一千个第纳尔的锦袍，说道："嗨，朱德尔，穿上吧，欢迎你呀！"

朱德尔穿上了锦袍，就像是摩洛哥王国的一位国王。

阿卜杜·萨迈特又将褡裢放在面前，取出很多的各式各样的盘子，上面摆满各色各样的食物，有四十种之多。

阿卜杜·萨迈特说："嗨，我的王，来吃吧，别客气，我们也不知道你喜欢哪种食品，你就点吧，以后我们知道了，上菜的速度也就快了！"

朱德尔说："哈吉先生，我喜欢吃这所有的食品，哪样也不讨厌。你给我什么我就吃什么，你也不用问我了。你只管按照你的想法拿来就是，我就只管吃了。"

时间过得很快，不知不觉就过去了二十天。朱德尔丰衣足食，他穿着漂亮的长袍，到了吃饭的时候，不用去买菜，买肉，做饭，只要从褡裢里去取，即使是水果，也可以取来。

第二十一天的时候，阿卜杜·萨迈特对朱德尔说道："朱德尔，今天该是我们进谢曼岱宝库的日子了。"

朱德尔立即准备和阿卜杜·萨迈特一起出发。二人各自骑上一匹骡子，带着仆人上路了，他们出了非斯城的城门，来到了一条河边，阿卜杜·萨迈特从骡子上下来，说："朱德尔，你也从骡子上下来吧！"

阿卜杜·萨迈特又说："咱们就要开始工作了。"

阿卜杜·萨迈特用手指着两个奴隶，那两人立即接过骡子的缰绳，把骡子牵走了，他们走后，过了一会，其中一个奴隶带来了一个帐篷，搭起来，另一个奴隶带来了毯子，铺在帐篷里，沿着周围铺好。

其中的一个奴隶又拿来了装鱼的盒子，另外一个拿来了褡裢。摩洛哥人站起来，说道："过来吧，朱德尔。"

朱德尔走到他旁边坐下，摩洛哥人取出餐盘，二人吃午餐，此后，摩洛哥人拿起那个小盒，念了咒文，只听盒子里面有声音说："卜师啊，可怜一下我们吧！"

盒内两个声音求饶，而阿卜杜·萨迈特仍在念咒文，以至于盒破了，破成碎片，四处飞散。而从盒子中冒出来两个被捆住的人，他们俩说："卜师啊，你要我们做什么，就请吩咐吧！"

"我要烧死你们，要不然，就要你们为我打开谢曼岱宝库！"

他们俩说："我们愿意打开谢曼岱宝库，不过你必须带来渔夫朱德尔，因为宝库只有在他的面前才能打开，别人不能进入宝库，也只有朱德尔才可以进入宝库啊！"

"你们所说的那个人，我已经把他带来了。他就站在这里听你们说话呢。"

那两人许诺打开宝库，阿卜杜·萨迈特就放了他们俩。

然后，阿卜杜·萨迈特拿出一根芦苇秸和几片红玛瑙，将红玛瑙片串在芦苇秸上，又拿来一个火炉，放上煤，朝上面吹了一口气，火炉子就燃起火来，一时烟雾缭绕，他说道："朱德尔，我要念咒文了，我念的时候，不再能说话，否则，咒文会失灵的，所以现在我要告诉你怎么做，你要记好，才能达到目的。"

朱德尔答应道："好的，请您教给我吧。"

"我念咒文的时候，河水便渐渐干涸，河床上会出现一道有城门那么大的金门，那门上有金属门环，你走到门前，去拉住门环，轻轻地敲一下门，等一下；再略微重一点敲第二次，再等一下，就连续敲三次。

"门里的人会问你：'是谁在敲门？怎么不知道符咒就敲门呢？'

"你要告诉他：'是我在敲门，我是渔夫朱德尔·本·欧迈尔。'

"听到你的话后，便有一个手持宝剑的人为你开门，对你说：'如果你真是渔夫朱德尔·本·欧迈尔，那么，就伸出头来，让我把你的头砍下来！'

"你就伸出脖子，不要害怕，那人举起宝剑，朝你的头砍来，他不能伤害你，反而会倒在你面前，过了一会，你再看他已经成了一个没有灵魂的躯壳。他打你，你不要说话，其实不会对你有任何伤害；如果你违背他的意思，他反而真的会杀掉你。这样你已经破掉了他的咒文。

"你继续往前走，这时，你又看见第二道门在你面前，你就再次去敲第二道门，又有一个肩膀上扛着长矛骑着一匹骏马的骑士为你开门，对你说：'这是任何人、任何鬼怪都不能来的地方，你怎么就进来了。'他用长矛向你刺来，你敞开胸脯抵挡，他又来打你，不等他打到你，就倒在地上，你会看到他变成一个没有灵魂的躯壳。如你违背了他，他真的会杀掉你。这样，你进入了第二道门。

"这时，你会见到一位手持弓弦、箭在弦上的人，他一见你，举弓就射，你同样敞开胸脯，迎接他的箭，他要来打你，不等他的弓箭射到你、打到你，他就倒在你面前死去，变成一个没有灵魂的尸体。如你违背了他，他真的会杀掉你。你已经进入第三道门了。

"之后，你准备进第四道门，等待你的是一头张牙舞爪的狮子，它张着大口，想把你一口吞下去，你不要害怕，不必逃避，当它走到你面前的时候，你就将一只手伸给他，不等它的嘴碰到你的手，它自己反而会倒地而死，不会对你有伤害。

"你在第五道门的门口敲门的时候，开门的是一个黑奴，问你：'谁在敲门？'你就回答：'是渔夫朱德尔·本·欧迈尔。'他又问：'如果你真是渔夫朱德尔·本·欧迈尔，你就去开第六道门吧。'

"你向前走去，你去开第六道门，就说伊萨告诉穆萨开门，门即打开了，你会看见两条蛇一左一右、张着大口向你扑来，你也不必害怕，你将一双手都伸给它们。两条蛇都要来咬你的手，它们咬不到你的手就会死去，你如果不让它们咬，它们就真的咬死你。

"来到第七道门的时候，你敲门，为你开门的人的面庞长相同你母亲一个模样，她对你说：'儿啊，走过来，让我看看你。'

"你要说：'滚远点，把你的衣服脱下来！'

"她说：'儿啊，我是你母亲，哺育你长大，你怎么让我赤身露体呢？'

"你要说：'你若不脱掉衣服，我就杀掉你！'

"这时，你看看右边，你会看见墙上挂着一柄宝剑，你拿着宝剑，拔剑出鞘，对她说：'你要是不脱衣服，我就杀死你。'她会欺骗你，希望得到你的怜悯。你不能同情她，要坚持到她脱下最后一件衣服。这样，她也会倒地而死。

"这时，你解开所有的魔咒，你是平安无事的，你就可以走进宝库的大门。进门后，你会在宝库内见到堆积如山的金银财宝，你都不要取。在那宝库的中央，你会看见一个小房间，挂着帘子。你拉开帘子，你会看见谢曼岱宝库的卜师正躺在一个金床上，他的头上有一个圆形的东西像月亮一般在闪光，这就是天象水晶球，他腰间佩带着宝剑，手上戴着戒指，脖子上挂着的就是眼药瓶了。你只要取这四样宝贝，否则，我们都会后悔的。

"我讲的事情，你千万不要忘记，你不要拧着他们的意思做。否则你就会后悔，或者有害于你自己。"

阿卜杜·萨迈特嘱咐朱德尔一遍又一遍，再三再四地嘱咐着，直到朱德尔说："我记住了，都记住了。可是谁能够面对你提到的那些符咒，忍受这么大的灾难呢？"

阿卜杜·萨迈特又叮嘱说："朱德尔，你不要害怕，你将要见到的那些全是没有灵魂的幽灵幻影，你尽管放心。"

朱德尔说："全靠真主保佑了。"

然后摩洛哥人阿卜杜·萨迈特开始施放烟雾，念咒文，河水渐渐干涸，露出河底，金门出现。朱德尔按照阿卜杜·萨迈特的吩咐，走进了门，他敲门，听见门里的人问道："是谁在敲门？怎么不知道符咒就敲门呢？"

朱德尔说："是我在敲门，我是渔夫朱德尔·本·欧迈尔。"

门开了，走出来一个手持宝剑的人，说："伸出你的脖子。"

朱德尔伸出脖子，那人举起宝剑，结果他倒下了。

同样地，朱德尔进了第二道门，一直到过第七道门的时候，他看见那个像他母亲一样的女人从门里出来了，对他说："你好啊，我的孩子。"

朱德尔回答："你是谁呢？"

她说："我是你的母亲啊，我哺育你长大成人啊，我怀你九个月啊，我的孩子。"

朱德尔说："脱掉你的衣服！"

她说："你是我的孩子，怎么能让我光着身子呢？"

朱德尔说："你若不脱掉衣服，我就用宝剑杀掉你！"

他伸出手，去摘挂在墙上的宝剑，掂了掂，说："再不脱衣服，我就杀你了。"

他费了好一顿口舌，又说了好些威吓的话，她才脱了一件衣服。

他说："把其余的都脱掉！"

她说："我的孩子，我养育你多年，你难道会让我一丝不挂，赤身裸体？"又说，"孩子，你真是铁石心肠，让我出丑，那是被禁止的事情呀！"

他说："你说得对，就不要脱了吧！"

他这句话一出口，只听这女人大喊："他错了，把他打出去！"

随后，朱德尔挨了一顿痛打，棍棒像雨点一样落在他身上，宝藏的仆人们聚集起来，一起打他，他平生不曾经历过如此的痛打。他被推了出来，扔在宝库的门外，此时只见金门已经关上，同他们来的时候是一个样子了。

那摩洛哥人阿卜杜·萨迈特一见朱德尔被推出门外，赶忙走过去，在朱德尔身边念咒，直到他苏醒过来，大喊了一声。摩洛哥人问道："小可怜儿，你是怎么了？"

"我过了一道道关口，见到了我的母亲，我们纠缠了好长一段时间，我坚持要她脱衣服，只剩下内衣了，她就对我说：'不要再让我出丑。'我怜悯起她来，不再坚持要她脱衣服了。突然她大喊：'他错了，把他打出去。'那些我都不知道在哪里的人们都出来打我，打得很厉害，都快把我打死了。他们又推我出门，随后的事情我就不知道了。"

阿卜杜·萨迈特对朱德尔说："瞧，我不是对你说过，不要害怕，你已经只差一步了，你要知道，那个女人不是你的母亲，是幽灵变作你的母亲的模样来欺骗你的。如果你能坚持要她脱掉衣服，那她就会倒地而死。现在，你害了我，也害了你自己。本来我们已经快要达到目的了。只要她脱完衣服，我们就达到目的。但是现在要再等上一年了，明年的时候，我们再来吧。"

阿卜杜·萨迈特他叫上两个奴隶，收起帐篷，他们收好后，走开了一会，牵来了两只骡子，让二人每人骑一只骡子，回到了非斯城。

朱德尔住下在阿卜杜·萨迈特的家，每日好吃好喝，衣着华丽，一年过去。

第二年终于到来，阿卜杜·萨迈特说道："今天是约定的日子，我们再走吧。"

朱德尔答应："是的。"

他们再次到非斯城郊去，两个奴隶牵着骡子，他们二人骑上骡子，出发了，来到了河边。两个奴隶搭上帐篷，重复着去年所做过的一切，阿卜杜·萨迈特取出芦苇秸和红玛瑙片，就像上次做的一样，点起火，烟雾缭绕，他说："朱德尔，我已经再三再四地嘱咐过你了，你记住了吗？"

朱德尔说道："哈吉先生，我已经挨了一次打，难道我还不能够记住吗？"

"你一定要记住我的嘱咐。"

"是的。"

一·千·零·一·夜

"你看到的仅仅是幻影，你不要以为那是你的母亲。那只不过是变做你母亲形象的魔幻，她的目的是要搅乱你的思维。如果说你第一次错了，她还让你活着回来，那么这一次再错了，她就让你必死无疑。"

朱德尔说："如果我再错，他们会烧死我。"

摩洛哥人阿卜杜·萨迈特放了烟雾，念了符咒，河水干涸，朱德尔走下去，敲门，那门打开了，他顺利地越过了七道门，又走到了他母亲模样的那个女人那里，她说："欢迎你呀，我的孩子。"

朱德尔说："找骂呢，你是谁？我怎么会是你的孩子！"

她开始欺骗他，也开始脱衣服，直到剩下内衣，朱德尔仍旧说："再脱，你这个可诅咒的女人！"

她脱了衣服，变成了没有灵魂的幻影。

朱德尔进入宝库，他看见金银财宝，他什么也没有拿，而是径直走到宝库中央的一个小房间，他拉开帘子，看见谢曼岱宝库的卜师正躺在一个金床上，他佩带着宝剑，手上戴着戒指，脖子上挂着眼药瓶了，他的头上顶着天象水晶球。朱德尔解开宝剑，取下戒指、眼药瓶和天象水晶球。

他走出门去。突然，鼓号响了，仆人们都过来了，喊道："朱德尔，得到了他想要的东西了！"

鼓号一直响着，直到朱德尔离开宝藏，来到摩洛哥人面前，摩洛哥人停止了念咒，收起了烟雾。拥抱了朱德尔，向他祝福，朱德尔交给他这四样宝贝。他收好，叫了两个奴隶，两个奴隶收起帐篷，牵来骡子，让他们二人骑上，一行人高高兴兴地返回非斯城的家中。

回家后，阿卜杜·萨迈特打开褡裢，取出各种美食，招待朱德尔，吃饱喝足，又把这些盘子等一应物品放进褡裢里去。阿卜杜·萨迈特对朱德尔说："朱德尔，好兄弟，你为了帮助我们寻找宝藏，背井离乡，辛辛苦苦。现在，我们的目的已经达到，你有什么需要，尽管

323

说出来。真主会满足你的要求的，你的要求是你应该得到的。"

朱德尔说："先生，我希望看在真主的面上，把这个褡裢给我吧。"

"拿着，这只褡裢是你应该得到的。你要是还需要别的东西，我也会满足你的愿望。不过，小可怜儿，这只褡裢只能给你提供任何你想吃的食品。你辛苦了这么长的时间，而且我们还希望你安心地回到你的国家去，这只褡裢仅仅能够解决吃的问题。我还要给你另外一只褡裢，里面装满了金银宝石。这样你回到家乡去之后，还可以经商，你们一家就再也不会愁吃穿了。你和家人需要什么东西，都可以到这只褡裢里面取来。褡裢怎么为你工作呢？你记住：你把手伸进去，说出你所想要的东西，再说，褡裢的仆人，你把这些东西给我带来吧。他就会给你带来了，即使你一天要一千样的东西。它也会给你拿来的。"

阿卜杜·萨迈特一面说着，一面叫奴隶牵来一头骡子，将褡裢放在骡子背上，那褡裢的一边放满了黄金，另一边则放满了宝石。

阿卜杜·萨迈特又叮嘱道："骑上这个骡子回家吧，这奴隶会走在你的前面，他认识道路，能直接到你的家门口，如果你到家了，就拿下两只褡裢，把这只骡子交给奴隶，他会把它带回来。只是，朱德尔，好兄弟，你不要把我们的秘密告诉任何人，以免引起别人的嫉妒。"

朱德尔说："求真主加倍报赏你。"

朱德尔带着两只褡裢骑在骡子背上，出发了，那奴隶走在他的前面，骡子跟在奴隶的后面，走了一天又一夜，第二天清晨，就到了胜利门，他看到母亲坐在那里，沿街乞讨："好心人，给点吃的吧。真主保佑啊。"

朱德尔立即从骡子背上下来，简直失去了理智，他扑向母亲。母亲一看是朱德尔，就哭起来。朱德尔扶着母亲骑在骡子上，一起回到家里。

母亲下了骡子背，朱德尔取下两只褡裢，把骡子交给奴隶带回去还给主人。因为奴隶与骡子都是魔鬼变的。

再接着说朱德尔的事情吧。

他觉得很是奇怪，为什么母亲要去乞讨？一进家门，他就问："母亲，我的兄长们好吗？"

"都好。"

"为什么你要去乞讨？"

"孩子，我饿呀！"

"我离开家的时候，第一天给你一百个第纳尔，第二天给你一百个第纳尔，走的那天又给你一千个第纳尔，都花完了吗？"

母亲说道："孩子，你的两个哥哥算计我呀。都让他们拿去了。他俩经常来说，要买一些东西，就要钱去，他们拿走钱，又把我赶出门。我没钱，又没吃没喝，饿极了，只有上街乞讨了。"

"母亲，咱们再也不用挨饿了，这个褡裢装满了金银珠宝，用处可多着呢。"

母亲说："孩子，你可真福气，真主让你幸运，孩子，快去买点东西吃吧，我饿呀。"

朱德尔笑起来，说道："母亲，你就要吧，你要什么吃的，我立刻给你拿来，我不需要到市场去买，也不需要到厨房里去做。"

"孩子，我看什么东西也没有呀！"

"这个褡裢里就有所有的吃食了。"

"孩子，我什么吃的东西都能吃饱的。"

"母亲说得对，没有吃的时候，要吃饱，哪怕吃一点东西也好啊；日子过好了，人有了吃的东西后，就想吃好一点了，我现在什么吃的都有了，母亲想吃什么，就吩咐吧！"

"大饼、奶酪。"

"母亲,大饼、奶酪太不符合你的身份了。"

"你知道我的身份,我的身份就是要给我东西吃。"

"母亲,你的身份就是可以吃红烧肉、红烧鸡、胡椒米饭、烤羊肉、烤牛肉、羊肉串、蜂蜜拌饭、糖拌饭、各种甜点心……"

母亲笑起来,以为他在嘲笑她,说道:"嘿、嘿,你是在做梦呢,还是疯了呢?"

"你怎么就知道我是疯了?"

"你把所有的好吃的都说一遍,谁给你付账去买?谁又知道怎么去做呢?"

"真主保佑,我现在就把刚才提到的这些东西都拿来给你吃。"

"我可是什么东西都没有看见啊。"

"你拿褡裢来,就从里面往外拿吧!"

母亲看见褡裢是空的,递给了朱德尔。朱德尔伸手到褡裢中取食物,他拿出的都是刚才提到的那些食物。母亲说:"褡裢很小,还是空的,怎么能装下这么多的东西啊?"

朱德尔说:"母亲呀,这就是摩洛哥人给我的褡裢。它被施过魔法,它有仆人在工作的。如果主人想要什么东西,只要报出名字来,这褡裢的仆人都会提供的。"

母亲说:"我伸手拿也可以吗?"

"也可以的。"

母亲说:"褡裢的仆人啊,给我一盘排骨米饭吧。"

她伸手进褡裢,立即就拿出一盘排骨米饭。

随后,她又要了一些大饼和一些她想吃的东西。

朱德尔对母亲说:"母亲,要是你吃完了,就把盘子上没有吃完的食物腾出来放在别的盘子里,把褡裢里的盘子放回去,因为那是有符咒的,你要保护好褡裢。"又嘱咐道,"母亲,你要守住秘密,我就把褡裢放在你这里,你需要什么,就自己去取。要是我不在家,兄长们来了，也可以取出食物同他们一起享用。"

突然，有一天，朱德尔的两位兄长闯来了，原来他们在胡同口听到一个消息，有人说：你们的弟弟回来了，骑着骡子，前面还有一个奴隶引路，穿的漂亮衣服，以前都没见过。他们俩就议论道："也许我们不该那样对待母亲，她一定会向弟弟告状了，说我们都对她做了什么，说我们的坏话。"

一位哥哥说："我们的母亲很有怜悯心，即使她对弟弟说，弟弟更有怜悯心，如果我们再去道歉，他也就会原谅我们的。"

他们两人一同来到朱德尔的家。朱德尔站起来，热情地欢迎他们俩，对他们俩说："坐下吧。一起吃饭吧。"

二人坐下，吃起来。二人都饿极了，一直都没有吃饱饭。

朱德尔说："兄长们，把剩下的饭装起来，去救济穷人和可怜的人吧。"

两位兄长说："就让我们吃吧。"

朱德尔说："晚餐还会有更多的东西吃呢。"

二人带着剩余的饭出门了，对一个路过他们身边的穷人说道："拿去，都拿去。"

他们自己并没有留下一点点，只是把盘子带回来了，朱德尔对母亲说："把盘子放回褡裢里去。"

晚餐时刻，朱德尔回到厅室，从褡裢中取出四十种食品。随后他又走出来到餐厅与两位哥哥坐在一起，对母亲说："母亲，摆桌子，上饭菜吧。"

母亲一看，客厅中已经有了这么多好吃的，便一盘一盘往桌子上端，直到四十道菜都摆上来，摆满了一桌子，大家尽情地吃喝。晚餐后，朱德尔又从褡裢里取出甜食，大家又享用一番。还将多余的分给了邻居。

第二天，早餐同样进行。一连过去了十天。

　　随后萨利木对赛里姆说："这到底是怎么一回事啊？我们的弟弟天天招待我们，早上、中午、晚上，每顿都有那么多的好食品，直到夜间，还有甜食，剩下的吃食还周济了穷人，这简直是帝王的做派啊，他从什么地方弄来这么多不同的东西呢？弄来这么多的甜食呢？我们又没有看见他上街买东西，也没有厨师在厨房里点火做饭，东西是从哪里来的呀？"

　　赛里姆回答："真主保佑，我也不知道啊，不过你知道谁能告诉我们事情的真相吗？"

　　萨利木说："只有我们的母亲了。"

　　两个哥哥安排了一个阴谋诡计。

　　他们看见朱德尔出门了，就来见他们的母亲，说："母亲呀，我们两人饿极了。"

　　母亲说："好说，有吃的。"

　　母亲回到厅室，要求褡裢的仆人提供吃的东西，一会儿她就端出热乎乎的食品走出来了。

　　二人说："母亲呀，这食品还是热的呢，我们也没有看见你进厨房做饭呀？"

　　"这是从褡裢里面取出来的。"

　　"这褡裢有些什么本事呀？"

　　"这褡裢被施了魔法，要吃的可以从里面拿呀。"

　　她把褡裢的事情告诉了他们俩，又说道："你们俩可要保守秘密呀！"

　　"母亲，我们是最能保守秘密的了，但是你得教会我们怎么使用它。"

　　她就教会了他们俩，他们俩要的东西，就伸手从褡裢里面取出来了。而朱德尔对他们俩的作为却毫不知情。

　　二人知道褡裢的妙用之后，萨利木对赛里姆说："我们就像是弟弟朱德尔的仆人一般，等待他施舍过日子，什么时候才是个了呀？我们还不如想一个计谋呢！我们俩拿上这个褡裢逃跑吧？"

"这个计谋怎么实现呢？"

"我们把弟弟卖给一个苏伊士海峡的海霸吧。"

"我就去找海霸，让他们派两个人过来。至于弟弟嘛，我来对他说，他会相信我的。天亮前，你就看结果吧。"

二人一致同意卖掉朱德尔。

萨利木、赛里姆决定先到苏伊士海峡的海霸家里去，他们进入了海霸的家门，对他说道："头领阁下，我们有点事情来找你，也许这事情还会让你高兴呢。"

"什么事情？"

"我们是兄弟，我们还有一个倒霉的三弟，不干正经事情。我们的父亲死了，给我们留了一笔钱财，然后我们就分家了，他得了一份，但是他挥霍无度，把钱都给糟蹋了，他就来找我们麻烦，他真是坏得很，他说：'你们拿了我的钱，拿了我父亲的钱，我去找法官，和你们打官司。'打官司我们都输了钱。他忍耐了一段时间，又再次找麻烦，他真是浪子不回头，我们心里都很不安，我们想：你把他买下来算了。"

海霸对他们俩说："你们能想法子带他到这里吗？要是你们把他带来了，我就把他送到海上去。"

"我们不能把他带到你这里来。还是你作为我们的客人到我们那里去，你再带上两个人一起过来，当他睡熟的时候，我们五个人合伙就把他捆绑起来，我们把他抓住，在他嘴里塞上东西，趁着夜色，你就把他从家里带走，你们爱拿他怎么办就怎么办。"

"好了，听命了，你们卖了他，给你们四十个第纳尔怎么样？"

"一言为定。晚饭后，你们就到我们的街区来吧，你会看到在那里有一个人等着你们。"

"你们俩先回去吧。"

二人来到朱德尔家，忍耐了一个时辰，然后大哥就走上前去，吻了弟弟的手，说道："弟弟，你好呀。我有个朋友，你出门的时候，他曾经几次请我到他家里，他对我实在是太好啦真是一千个好呀，他是把我当兄弟呀，今天，我问候了他，他又请我去他家，我说：'我不能离开我弟弟啊。'他说：'把他一起带来吧。'我说：'也许他不愿意呢。但是你和你的朋友可以来我们那里做客呀。'那时他和他兄弟坐在一起，我就邀请了他们。我以为我这么说，他们会拒绝呢，没想到他和他的兄弟都很高兴。说：你就在你们街区的角落等着我们吧。我和我的两个兄弟都会来的。我不知道，他们来了对你方便不方便，你能今天晚上接待他们吗？弟弟，你常常是与人为善的。如果你实在不方便，我就请他们到邻居家去坐坐。"

朱德尔说："为什么要把他们带到邻居家里去，我们的家太狭窄了吗？还是我们没有东西来招待他们呢？你何必要找我商量呢，你是因为没有食品、没有甜食来招待他们而感到是个缺欠吗？你尽管带朋友来吧，要是我不在家，你就告诉母亲给你拿食品，还有别的什么好东西。"

他吻了弟弟的手，出门了，到那个约定的角落去等待着。

午饭后，他们来了，萨利木把他们带了进来。朱德尔看见他们，就对他们说："欢迎你们。"

他给他们让座，陪着他们聊天，全然不知道他们这场阴谋，随后他又告诉母亲为他们准备晚餐。母亲去拿褡裢了，朱德尔说："我们要……"

直到他的面前摆满了四十种菜饭。大家尽兴吃喝后，撤去桌子。那海霸还以为这丰盛的晚餐是萨利木请客呢。前半夜过去，又拿出甜点心，供大家享用。萨利木不断地在招待着大家，朱德尔和赛里姆坐着，想睡觉了。

终于朱德尔站起来去睡觉，大家都要睡觉了。这一群人则起来了，他们合伙对付朱德尔，还没有等他醒来，就把他的嘴堵上了，又把他捆起来，扛了出去，在夜色的掩护下，把他送往苏伊士，又给他的脚铐上了镣铐。

在那里，他默默地干着活，作为俘虏和奴隶度过了一年时光。

再说朱德尔的两个兄长，他们找了母亲，对她说："母亲，我们的弟弟朱德尔还没醒呢。"

母亲说："那你们俩去叫醒他吧。"

他们俩问："他睡在哪里？"

"与客人睡在一起。"

"母亲，也许我们睡着了的时候，他和客人们一起出门去了。好像我们的弟弟尝过背井离乡的滋味，他爱寻宝。我们听他和外乡人说过这事，他们对他说：'我们带你走，我们为你打开宝藏。'"

"他和摩洛哥人见面了吗？"

"他们不是我们家的客人吗？"

"也许他和他们一起走了，但愿真主为他们指路。这是一个很好的人，他一定会带来好消息。"

母亲还是哭了，因为儿子的离别，她感到伤心难过。这两兄弟则说："这个该挨骂的老东西，你爱朱德尔就爱到这种程度吗？我们来了，你也没有高兴；我们走了，你也没有难过。我们就不像朱德尔一样，是你的儿子吗？"

"你们俩是我的儿子，你们俩都是坏心眼啊，你们的父亲过世了，你们给我什么帮助了？我怎么就没有看到一点点呢？朱德尔啊，我从他那里得到的，都是好处啊，他想着我，尊重我，他照顾我，也照顾你们啊，他不在家，我怎么能不哭、不难过呢？"

二人听了母亲这番话，就又骂她，又打她，然后走进门，到处搜寻褡裢,终于搜到了装金银与珠宝的褡裢。又找出那只被施过魔法的褡裢,他们俩说:"这些都是我们父亲的财产。"

"不是,这些是你们的弟弟朱德尔的,是他从摩洛哥带回来的。"

"你撒谎,这是我们父亲的财产,我们都有份。"

两兄弟分了这些金银珠宝,又要去分那个被施过魔法的褡裢,因为两人都想要这个褡裢,互相争吵不休。

萨利木说:"我应该得到它。"

赛里姆说:"我才应该得到它。"

双方互相争执,母亲说道:"孩子们,那个装着金银珠宝的褡裢,你们已经分了金银珠宝,这个施了魔法的褡裢,你们不能分,你们把它分成两半,魔法也没有用了。就留在我这里吧,你们随时来,我都可以给你们一口饭吃的。你们不要把它撕裂,就是你们的恩德了。你们俩都要学会与人们相处啊,你们是我的孩子,我是你们的母亲,我们就这样过日子吧,要不然你们的弟弟回来知道你们的丑行,你们可怎么办啊!"

二人不接受母亲的劝告,那天夜里就厮打了起来。

正巧,当时埃及国王的臣僚有一个弓箭手在朱德尔的邻居家做客,那家人的窗户恰巧开着,透过窗户,他听见了二人争吵的全部内容,那兄弟俩都说了些什么,还有怎么分东西等等,天亮后,这个弓箭手见了当时的埃及国王夏木斯·道勒,把他昨夜所见的情况作了禀报。

国王立即派人去带朱德尔的两个兄长。两个人被带来了,国王命令给他们俩一番拷打,二人承认自己所作所为;国王又没收了两个褡裢,将二人投入监狱;命令给朱德尔的母亲提供生活费,保证她每日用度。

再说朱德尔,他在苏伊士海峡不声不响地与奴隶们为伍服劳役,度过了整整一年。这一天，他们装货上船在海中航行时，不想风暴陡起，将船只打翻，全船的人都落入水中，仅仅朱德尔幸免于难。他努力往岸边游来，上岸后走进一个阿拉伯人的帐篷，住在帐篷中的人问起他的情况，他说自己是一个海员，接着他详细叙述了自己的经历。那些人中有一位商人，是从吉达来的，很是同情他，于是对他说："埃及人，你愿意同我一起到吉达经商吗？我负责你的膳食，带你到吉达去。"

朱德尔正愁膳食无着落，立即表示愿意同吉达商人一起去经商。他们先到吉达经商，朱德尔对待商人尊重周到，他的商人主人又带他到麦加朝觐，二人到了麦加。朱德尔在天房前绕行时，无意碰到他的老朋友摩洛哥人阿卜杜·萨迈特也在绕行天房。两人互致了问候，朱德尔哭了，然后将自己的这段经历告诉了阿卜杜·萨迈特。

阿卜杜·萨迈特就把朱德尔带到自己的居所，款待他，给他换上漂亮的衣服，对他说道："朱德尔，你遭遇不幸的日子过去了。我卜了一卦，知道你的两个哥哥已经被埃及国王抓到牢狱里去。我欢迎你，你就在我这里度过朝觐期吧，你的日子就要好起来。"

"先生，我与那吉达商人一起住的，我要去问过他，我就回来。"

"你欠人家钱吗？"

"不欠。"

"你去吧，去看看那个商人有什么意见，立即回来，好人总有活路。"

朱德尔走了，去见那位吉达商人，对他说："我遇见了我的兄弟。"

"把他带到我们这里来吧，让我们招待他一下。"

"他倒是不需要，他很富有，他的仆人也很多。"

吉达商人给了朱德尔二十个第纳尔，以表示对他一路帮忙的感谢。

朱德尔到摩洛哥人阿卜杜·萨迈特这里来了，与他住在一起，直到朝觐仪式结束，二人商量归程。阿卜杜·萨迈特取出一枚从谢曼岱宝库中取回来的戒指，送给了朱德尔，对他说道："好兄弟，我们要再见了。我送你这枚戒指，会帮助你的，戒指仆人的名字叫作霹雳，会满足你的一切要求，当你需要帮助的时候，只要擦一擦戒指，戒指的仆人就会出现在你面前，来完成你要他办的一切事宜。"

说着他擦了一下戒指，那戒指的仆人出现了，问道："我的主人，你有什么吩咐呢？你是要建设一座被毁坏的城市、还是要毁坏一座完好的城市呢？你还是要杀死国王，要消灭军队呢？"

那摩洛哥人说："霹雳，现在他是你的主人了，你就按照他的吩咐办事吧！"

霹雳答应后离去。

阿卜杜·萨迈特又对朱德尔说道："我送了你戒指，你擦一擦戒指，它的仆人就会出现，听你的吩咐，不会违背你的命令，你回家去，要将它保藏好，你会用它来打败你的敌人，你可不要低估了它的本事啊！"

朱德尔说："是的，先生。我遵照您的吩咐，我要回埃及去了。"

"那你就擦一擦戒指，那仆人出现的时候，你可以骑在他的背上，如果你对他说，我今天就要回家乡，他是不会违背你的意愿的。"

朱德尔告别了萨迈特，擦了擦戒指，霹雳出现了，说："主人有何吩咐？"

朱德尔说："今天就送我回埃及去。"

那戒指仆人答应："遵命。"

说着，便将朱德尔背起来，从中午飞到午夜，就降落在朱德尔家的门前。

朱德尔进门，见到了母亲，母亲哭了，问候了朱德尔，把朱德尔的两位兄长的作为以及被国王抓去、关进监狱的事情都告诉了朱德尔，说国王打了他们俩，那被施了魔法的褡裢以及装着金银的褡裢也被国王拿去了。

朱德尔听了，并没有太在意他的两个兄长的所作所为，只是对他母亲说："不要难过，你马上就会看到了，我会把两个哥哥救出来的。"

朱德尔擦了擦戒指，戒指的仆人霹雳出现了，问他有何吩咐。朱德尔说："我希望你把我的两个哥哥从国王的监狱里救出来。"

霹雳钻地而去，他实际上是来到了国王的监狱，那萨利木、赛里姆正在忍受着监狱的劳苦折磨，他们甚至盼望死了才好，萨利木对赛里姆说："真主保佑，兄弟呀，我们如此受折磨，要到什么时候为止呀？就是死了，还是一种休息呢！"

在他们两个说话的当间，大地裂开，霹雳来到他们俩的面前，把他们俩背起来，钻入地下，两个哥哥吓坏了。

待到他们醒来的时候，就看见他们的弟弟朱德尔与母亲都坐在他们的旁边。朱德尔道："两位兄长，你们好啊，你们忘记我了吗？"

他的两位哥哥低下头，头都快低到地上去了，他们哭起来。朱德尔说道："别哭啦，这是魔鬼和贪欲挑唆你们干的坏事，你们怎么能把我卖掉呢？不过我会效仿优素夫，他的哥哥对他做的坏事，比起你们对我做的这件事情还要过分。你们快祈祷吧，求真主宽恕吧，真主是大慈大悲的，一定会原谅你们的。我已经原谅你们了，欢迎你们俩，你们俩也就不用将这事情放在心上了。"

朱德尔宽慰了哥哥们，他们俩的心情也平静了。接着朱德尔向他们讲述了自己在苏伊士海峡的经历以及后来遇到阿卜杜·萨迈特长老的事情，讲到阿卜杜·萨迈特赠送他一枚戒指的情况。

两位兄长说："弟弟呀，这次就别惩罚我们了，我们已经痛改前非了，你想拿我们怎么办就怎么办吧！"

"没有关系的，我也不会对你们怎么样了。不过告诉我，那国王又对你们做了些什么呢？"

"国王拷打了我们，威胁我们，将我们关进监狱，还拿去了两个褡裢。"

朱德尔说："我不在乎这些事。"

他擦了擦戒指，霹雳出现了，兄弟俩看见霹雳，害怕起来，还以为是弟弟要霹雳来杀他们俩呢。就赶忙跑到母亲身旁，说道："母亲，只求您宽恕我们了，求您怜悯我们了。"

母亲对他们说："孩子，别害怕。"

朱德尔说："霹雳，去把那国王库房的金银财宝都拿来，一点也别留下。还要把那被施了魔法的褡裢和那原来装金银财宝的褡裢都带回来，这些都是国王从我的兄长们那里拿去的。"

霹雳答道："遵命。"

他即刻去了，把放在库房里的原褡裢的金银财宝以及两个褡裢都平安地带回来了，把这一切都放在朱德尔的面前，说："主人，再没有其他遗漏。"

朱德尔让母亲把放金银财宝的褡裢收好，把那被施了魔法的褡裢放在自己面前，他对霹雳说："今天夜里帮助我建造一座高高的宫殿吧，要金碧辉煌、富丽堂皇。未等天明就要盖好。"

"遵命。"

霹雳仍旧钻地而去，不一会儿，朱德尔取来了吃食，大家用餐、铺床、睡觉。

再说那霹雳，他召集了所有的助手建造宫殿，有人搬石头，有人盖子，有人刷墙，有人铺地。天亮时刻，宫殿建造就绪。霹雳来到朱德尔面前，说："主人，宫殿已经建造完成，各项安排已经就绪，如果你愿意，可以去视察一番。"

于是朱德尔、母亲、两位兄长都来看这宫殿，它的布局之合理、建造之完美，是想也想不出来的。

朱德尔很高兴，那宫殿建在要道，并不影响道路通畅。他对母亲说:"你就住在这个宫殿里吧!"

母亲说:"孩子,我就住了。"

他又召来了霹雳,对他说:"给我找来四十名白皮肤的女佣、四十名黑皮肤的女佣、四十名随从、四十名奴隶。"

"遵命。"

霹雳带着四十名助手出发了,到了印度、信德、波斯,看见了漂亮姑娘和小伙,就抢过来,看见黑奴,就抓过来,一时间,就会齐了朱德尔所要求的女佣、随从与奴隶。把他们带到朱德尔的宫殿,朱德尔十分惊奇,又说:"给他们每人一套最漂亮的衣裳!"

"遵命!"

"给我的母亲一套适合的衣裳!给我一套适合的衣裳!"

霹雳为每人都带来了最好看的好衣裳。

朱德尔又吩咐这些仆人们:"我的母亲,就是你们的女主人,你们要吻她的手,不得违背她的意志,要好好为她服务,无论白皮肤的,还是黑皮肤的都一样。"

随从们吻了朱德尔的手。朱德尔的两位兄长也穿戴整齐。一下子,朱德尔就变得如同国王一般,他的两个兄长也好像是大臣。朱德尔的房子很宽敞,朱德尔让萨利木与他的仆从住一侧,赛里姆与他的仆从住另一侧,他自己和母亲住在新宫殿。他们每人在居所里过着帝王一般的日子。

再说那国王的司库,那一日,他要到库房去取一些金银用度,一进库房,却发现那库房已经空空如也。

就像诗人的描述:

蜂房原来皆是蜂,

如今蜂去房变空。

他大喊起来，以至于倒地昏厥过去。他醒过来后，没等着关上库房的门，就赶忙去找埃及国王夏木斯·道勒，说道："信士的长官，我要来禀报：昨夜，库房已经空空如也。"

那国王问："你是不是没有把我的钱财放在库房里呀？"

"向真主起誓，我可没有动分毫，我也不知道是怎么一回子事情呀！昨天我进去看过，库房还是满满的，今日怎么就空荡荡了，门也是锁着的，没有被打洞，也没有被打裂，小偷也进不去呀。"

"那两只褡裢也不见了吗？"

"也不见了。"

夏木斯·道勒国王魂飞魄散，站起身来，对司库说："你带我看看去！"

国王跟着司库来到库房，什么也没有看到，国王很是无奈，说："谁敢洗劫我的库房，就不怕王权威严！"

他非常气愤，走出库房，来到议事堂，达官要员们赶来，都在猜想国王为什么龙颜大怒，国王说："文武官员们，你们可知道：昨夜我的库房失窃，我也不知道谁竟敢如此大胆，对我的库房下手，不怕皇权威严。"

众人都说："这是怎么一回事情呢？"

"你们问问司库。"

众人发问，那司库道："昨日库房还是满满的，今日就空空如也，门是锁着的，门上没有洞，也没有裂缝。"

司库的话还是让大家听不出所以然，更让大家感到惊奇。只有那个当日夜晚听见萨利木和赛里姆谈话回来向国王禀报的弓箭手说道："陛下，昨日夜间，我看见很多工匠在盖房子，今日一早，我就看见一座无比巍峨壮观的宫殿耸立在那里，我就去打听，人们说：'朱德尔回来了，建了这座宫殿，他还拥有随从和奴仆，他带回来金银无数，从监狱中还救出了他的两位哥哥，他在他的宫中就像帝王一般。'"

国王道："你们到监狱去看看。"

人们去了监狱，没有看见萨利木和赛里姆，就回来向国王禀报，国王说："我的仇人已浮出水面，那个把萨利木、赛里姆从监狱中救走的人，就是攫取我的金钱的人。"

宰相问："陛下，那是谁呢？"

国王愤怒地喊道："他们的弟弟朱德尔，是他拿走了我的金钱，还拿走了两个褡裢。都是朱德尔所为。派五十个兵丁去，去把他抓起来！把他的哥哥都抓来，把他们的全部财产家当查封，把他们的人都带过来，我要把他们都绞死！"

国王越来越气愤，接着说："快，快，快派一位亲王率领着去，把他们都带来，我要把他们统统绞死！"

宰相奏道："陛下息怒，真主主张平和，奴仆违背主人命令，并不要急于惩罚。更何况那朱德尔既然能一夜之间造起宫殿，对他更当从容处事才是，人们有传言：世间无人能战胜他。我担心那亲王前去抓捕朱德尔会有困难，莫如先请陛下宽容忍耐，待我细作安排，从长计议，弄清事情的来龙去脉，总要给陛下一个相宜的处置办法才好。陛下以为如何？"

国王道："宰相，那就快给我安排一个计策吧！"

"陛下可派遣一位亲王前去，邀他前来王宫，然后我们再设法把他绑起来。他若答应前来，您就问问他的情况，我们见机行事。如若他力量非同寻常，我们则只能设法智取；如若他力量一般，我们就把他抓起来了事，陛下的愿望也就达到了。"

国王说："爱卿高见，就派亲王去邀他前来。"

国王派遣了名叫欧斯曼的亲王前去朱德尔家，要那亲王对朱德尔说：国王邀请你前去做客。又吩咐道："你务必要将朱德尔带来！"

可是这位亲王乃是狂妄自大的愚笨之徒。

且说他率领五十位兵丁来到朱德尔的宫殿门前，看见宫殿门前的椅子上坐着一位太监，那欧斯曼亲王见太监并没有起身迎接，他目中无人，真好像没有见着一个人，没有见到欧斯曼亲王与他率领的五十位兵丁。于是欧斯曼亲王对他说道："我说你这奴隶，快去叫你的主人去！"

那太监靠在椅子背上，回答："在宫里。"

欧斯曼亲王生气了，说："你这个奴才，真不害臊，我和你说话，你却躺靠在椅子上。"

"那你滚吧，别在这里废话。"

欧斯曼亲王一听这话，大怒，抽出指挥棒就要打这太监，他没想到这太监却是由妖魔变化的。这妖魔看见他抽出指挥棒，就站了起来，迎上前去，夺下了指挥棒，把欧斯曼亲王打了四十下。五十位兵丁见主人挨打，纷纷抽出宝剑，要来迎战太监，太监冲他们喝道："收起你们的剑！狗东西！"

太监说着，向他们迎过去，挥舞指挥棒，把他们打得头破血流，败下阵来，纷纷逃窜，太监继续追打，直到他们远离宫门。他又回到原来那张椅子上，坐下来，不去注意任何人。

欧斯曼亲王率领残兵败将回到夏木斯·道勒国王面前，将经过禀报一番，说道："陛下，我们到达那宫殿门口，我们就看见一个太监坐在宫殿门口的黄金椅子上，他狂妄自大目中无人，原先还坐着，看见我们向他走去，干脆躺下了。他就这样小瞧我们，根本不站起来，我与他说话，他也是躺着回答我，让我们威风扫地。我就抽出了指挥棒，他又把指挥棒抢过去，来打我，打我们的士兵，我们打不过他，只好逃回来了。"

国王气坏了，说："派上一百个壮汉去吧！"

欧斯曼亲王又带着一百个壮汉去了，走到宫门前，他抽出指挥棒，又被太监抢去，欧斯曼亲王又被太监打了，同去的壮汉也被太监打了。一群人逃回来了，那太监又依旧坐到椅子上。

欧斯曼亲王与那一百个壮汉中逃回的人一起来到国王面前，向国王禀报说："陛下，我们害怕他，只得逃回来了。"

国王说："派上二百个壮汉去吧！"

欧斯曼亲王又带着二百个壮汉去了，又被打败了。一群人又逃回来了。

国王对宰相说："宰相，爱卿，看来由你带上五百人去吧，速把那太监带来见我！也要把那太监的主人朱德尔以及他的两位兄长一并带过来！"

宰相说："陛下，我不需要带任何人，也不需要带武器，只是我一人去即可。"

"那就有劳宰相见机行事！"

宰相摘下身上佩带的宝剑，换上白袍，手持一串念珠，独自一人来到朱德尔的宫殿门前，看见了那个坐在门口的太监，那太监看见他没有带武器，举止斯文，就问道："你好呀！"

"你好呀！"

"人呀，你有何贵干呀？"

那宰相听见这太监称呼自己为"人"，就知道他是"妖魔"了，于是害怕得发起抖来，问道："先生，你的主人朱德尔呢？"

"是的，在宫里。"

"先生，烦请进去通报一声：'夏木斯·道勒国王邀请您前去做客，敬请光临王宫。他会殷勤接待，他祝你平安。'"

"请留步，待我进去通报。"

宰相礼貌地站在门前。太监回到宫中，对朱德尔说："夏木斯·道勒国王派了个亲王来，我把他和他带来的五十人都打走了；然后，派来了一百人，我又把他们打走了；后来他又派来了二百人，我还是把他们打走了。现在他派宰相来了，宰相没有拿武器，只是邀请你去吃饭，他们会盛情招待，你看如何答复？"

"你去把宰相请进来。"

太监出宫，对宰相说："宰相，进门与我主人说话！"

"感谢先生。"

宰相进门，面见了朱德尔，看见他比国王还气派，他所坐的宝座是国王的宝座不可比拟的，那宫殿建造精美，铺陈考究，也是国王的王宫所不能及。以至于宰相觉得自己如同穷人一般。他磕头问安。朱德尔问道："宰相，有何贵干？"

"先生，夏木斯·道勒国王景仰你，向你问候，祝你安好，希望能见你一面，特设宴款待，望你赏光。"

朱德尔说道："请代我向夏木斯·道勒国王致意，还是请国王到我的家里来做客吧。"

"感谢先生。"

朱德尔拿来了戒指，擦了一擦，霹雳出现了，朱德尔说："送来一件上等锦袍来！"

霹雳送来锦袍，朱德尔递给了宰相，说："宰相，请笑纳。"

宰相穿上锦袍，朱德尔又嘱咐："请转告国王，我欢迎他来做客。"

宰相穿上前所未有的漂亮锦袍来见国王，将自己在朱德尔那里的情况一一向国王禀报，说："他邀请陛下去做客。"

国王道："众位将官，请骑上骏马，也为我备上骏马一匹，我们一同到朱德尔那里做客去！"

国王骑上了骏马，同诸位将官一起，向朱德尔的宫殿走去。

朱德尔也赶忙吩咐妖魔道："把你的众多妖魔助手集合起来，扮成人的模样，扮成迎宾仪仗队的兵士，列队在宫殿门前，待到夏木斯·道勒国王的队列到来后，看见这气势，会惊恐战栗、心中发抖。让他知道：我的气派盛于他！"

妖魔召集了两百名妖魔，扮成兵士，手执武器，列成队列，威风凛凛。当夏木斯·道勒国王一行在行进途中，看见这威武雄壮的迎宾队列，的确心中担心害怕。

国王来到朱德尔的官殿门前，走进宫殿，看见朱德尔正端坐在宝座上，赶忙上前致意问候，朱德尔却并没有起身，也没有为国王让座，没有对国王讲"请坐"这样的话，只是任凭国王站在那里，国王内心感到害怕，不知如何是好。是坐下呢，还是走出门去？他内心自语：如果他害怕我，也不会这样对我，也许他要惩罚我，因为我对他的两个哥哥的事情而记恨于我。

只见朱德尔对他说："陛下，再没有如你一般欺压百姓，掠夺他人财产的人了！"

国王说："先生，莫责怪我，都是贪欲惹的祸！命运让我这样做。如果没有罪过，那里会要谈宽恕。"

他请求朱德尔原谅他以前的行为，希望他宽恕，以至于吟诵诗人相关的诗道：

啊，你性情宽厚，出身高贵，

莫对我做的一切加以责备，

你若不义，我们会原谅你，

我若不义，也请你宽恕我的行为。

国王卑躬屈膝，直到朱德尔说："但愿真主原谅你。"

随后，朱德尔请国王坐下，赠送他锦袍，又吩咐两位哥哥摆席，大家吃饱喝足，朱德尔又赠送了国王一行每人锦袍一件，对他们表示尊重，为他们送行。国王一行高高兴兴地回到了王宫。

国王离开朱德尔的家后，每日都来访，商量国家大事的议事堂也迁移到朱德尔的家里了。他们之间的友情不断加深，这样持续了一段时间。一天，国王召见宰相，对他说："爱卿，我看朱德尔的宫殿胜过我的王宫，他的力量也比我的大。我真担心，有一天他会杀了我，自己做国王。"

宰相奏道："陛下，不必忧虑，如果陛下担心朱德尔的权势太大，会篡夺王位；如果陛下担心为他所杀，莫如设法将陛下的公主许配他为妻，陛下就会和他成为一家人了，再无他虑。"

国王说："宰相，还望爱卿为我与他之间牵线搭桥。"

宰相道："我邀请他来王宫，我们可以在大厅作彻夜闲聊玩乐，此时公主盛装从大厅门口走进，经过他的身旁，那朱德尔看见公主如此美丽，顿时会神魂颠倒爱上她，我们心领神会，我就向他美言，会告诉他：这就是国王的公主。此时陛下进门，我则与他边谈边走出来，好让他感到陛下对此事一无所知，直到他为了公主向陛下求婚，待到公主与他成亲，陛下就与他成为一家人了，陛下从此可以心安，一旦他哪日归天，陛下也可得到他的大宗财产。"

国王道："就依宰相所言。"

此后，宰相着手筹备接待朱德尔一应事宜，前去邀请了他，他也来到了王宫，有诸多亲眷官员相陪，大家在大厅中落座，直到白日将尽，国王通知王后，将公主好好装扮，再从大厅门前走过，那王后皆按照国王嘱咐办事。待到公主走过的时候，朱德尔一眼就看见了她，无比美貌娇艳。他止不住定神细看，还不住感叹：啊，啊。宰相见此，便说："先生，你还好吧，我怎么看到你的脸色有些不对。"

朱德尔回答："敢问宰相，这是谁家女子，如此漂亮非凡。"

宰相接过话道："此女乃陛下之千金阿西雅公主，尚未许配人家，如若您有意当驸马郎，我去找陛下说说就是。"

朱德尔忙说："就请宰相玉成此事，我发誓，定当厚报宰相。若蒙陛下不弃，朱德尔就三生有幸了，陛下有何要求，朱德尔会尽心尽力。聘礼以及一应事宜，朱德尔也自会考虑。我们成了一家人，定会幸福如意。"

宰相道："愿先生称心如意。"

宰相即刻又对国王密语："陛下，朱德尔已经委托臣子前来做媒，希望陛下能够同意将阿西雅公主许配给他。陛下莫要爽约，无论陛下要多少聘礼，他都照付就是。"

国王连忙说道："聘礼，就算我收下了。公主终身大事，听凭宰相安排，朱德尔愿意与公主成亲，正合我意。"

宰相听完国王这番言语。当夜，大家安歇。

次日清晨，国王召集众官员议事，大小官员、穆斯林教长纷纷前来，朱德尔向公主求婚，对国王说道："聘礼已经送到。"

书写婚书，朱德尔派人送来那个装金银财宝的褡裢，交给了国王，作为公主的聘礼。锣鼓响起，歌声飘扬，喜庆活动开始，热闹非常，朱德尔与阿西雅公主喜结良缘，与国王成为一家人。喜庆活动举行了数天。

未过多少时日，国王竟然病重，一命归天，将官们一致要求与拥戴朱德尔登基，朱德尔推辞不过，登基为国王，他命令在夏木斯·道勒国王的坟墓上方修建清真寺，并安排了宗教筹款事宜，朱德尔的家原来在玛瑙区，他当上了国王，又修建了清真寺，人们便把这里更名为朱德尔区。

他当上了国王之后，不忘手足情谊，立即任命他的两位兄长当宰相，大哥萨利木为右宰相，二哥赛里姆左宰相。

他们这样生活了一年，两位兄长又开始谋算起他来，大哥萨利木对二哥赛里姆说道："兄弟，这种情况还要继续到何时？我们两人为兄长，难道我们就能长期为小弟朱德尔当仆人，做扶助他的事情，看来朱德尔活着，我们就不能开心与幸福。"

二哥赛里姆立即呼应道："我们想个办法把他给杀了，再把那个戒指、褡裢夺过来，不就可以成全大事了。"

大哥萨利木一看二弟赛里姆支持他，便大着胆子说道："这样来，我就想个办法，把他杀掉，我当国王，你当右宰相吧。戒指归我，褙裢归你。好吗?"

"大哥之言极是。"

两人达成协议:杀掉朱德尔,不管不顾亲情与权利。

两人密谋一番,设诡计对付朱德尔。他们对朱德尔说:"弟弟呀,我们都以你为骄傲,到我们的家里来吧,为兄的想招待招待你,我们也能得到一些宽慰。"他们继续欺骗道,"给我们一些宽慰吧!让我们招待招待你吧!"

朱德尔说:"没问题,不过在你们俩谁的家中呢?"

萨利木说:"在我的家里,在我的家里吃过以后,再到赛里姆的家里去。"

朱德尔说:"没问题。"

三弟兄来到了萨利木的家,萨利木端出饭菜,将放有毒药的那一盘菜放在朱德尔的面前,说:"弟弟,请用餐。"

朱德尔未等到吃完那盘菜,就已经瘫倒在地。那大哥萨利木连忙凶狠地来取朱德尔的戒指,朱德尔尚有微弱的力量拒绝,那萨利木便用刀砍断了朱德尔的手指头,取下了戒指,急切地擦了擦戒指,霹雳出现了,问道:"主人有何吩咐?"

萨利木道:"把我的兄弟赛里姆抓起来杀掉,把这个该杀的人的尸体、那个被毒死瘫倒在地上的人的尸体一起拖出去,拖到军营将领们的前面。"

那霹雳把赛里姆抓起来,杀掉,把他的尸体连同瘫在地上的朱德尔的尸体一起扛起来,扔到军营将领们的面前。当时他们正在用餐。一眼看见了朱德尔与赛里姆的尸体,惊恐万分,问霹雳道:"谁把国王与宰相都杀掉了?"

霹雳回答:"他们的哥哥萨利木。"

萨利木已经出现在众位武将面前,他当众宣布:"诸位武将,请你们继续用餐,尽情痛饮!我弟弟朱德尔的戒指已经落在了我的手里，这个霹雳是戒指的仆人，已经在你们的面前，是我命令他杀掉我的另一个弟弟赛里姆，以至于不再会有人同我争夺王位，因为赛里姆是个背信弃义的小人，我担心他背叛我。朱德尔已经死去，我就是你们的国王了，你们当中要是有人反对我，我只要擦一擦戒指，戒指的仆人就会帮助我把你们都杀死的，无论你们的官职大小。"

诸位武将听了萨利木这番话，只得说道："我们拥护你当我们的国王。"

萨利木就命令埋葬掉他的两个弟弟，人们排成行，参与送葬。送葬队伍的行列继续前进，来到了王宫，那萨利木就坐到国王的宝座上，诸位官员向他宣誓尽忠效力。此后，萨利木又说道："我要娶我弟弟朱德尔的妻子为妻，我要写婚书。"

文官武将说道："王上尚需忍耐，要等待她的待婚期过去方可。"

萨利木暴躁地说："我不管什么待婚期不待婚期，我今夜就要与她进洞房。"

他一面说着，就一面找人为他写下婚书，再派人通知朱德尔的妻子、夏木斯·道勒国王的女儿阿西雅公主。

公主得知此事，淡淡地说："那就让他进洞房吧。"

当晚，萨利木进了洞房，阿西雅公主表现出喜气洋洋的样子，欢迎他，同时将毒药放入饮水中，递给萨利木饮用，那萨利木正高兴得得意忘形，饮用后一命呜呼。

阿西雅公主立即从萨利木那里取来了戒指，将它砸成个粉碎，不让任何人再占有它了；她又找出褡裢，将它撕成碎片。她又去找来了文官武将、宗教长老，向他们说明了自己所做的事情，然后说道："你们推选贤明的人做你们的国王吧！让他来管理国事吧！"

白德尔王子与凤凰王国珍宝公主的故事

古代波斯国王沙赫拉曼,宫中的王后妃子等诸多佳丽数目过百,却尚无儿无女。有一天,他忽然想到自己已经垂垂老矣,尚无子嗣继承他的王位,使祖宗的帝业代代相传,因而十分苦闷、烦恼不安。

一日,他正端坐金銮殿,不想一个侍卫匆匆跑来,启奏道:"陛下!王宫门前来了一个商人,身边还带着一个美丽女郎。"

国王吩咐:"快传那商人和那女郎进宫!"

侍卫遵命,即刻把商人和女郎带到国王面前。

国王仔细一打量,见那女郎身着绣花衣裙,身材苗条。商人见了国王,揭开女郎脸上的面纱,她的美丽简直让宫室生辉:她有七根发辫,长发垂地,面容姣好,眼似秋波,腰细臀丰,亭亭玉立。

就像诗人所描述的:

我爱美女喜若狂,
文静贤惠又端庄。
身材不高亦不矮,
千娇百媚又大方。

婀娜多姿俏佳人，

羡煞几多少年郎。

秀发飘飘长过膝，

玉容靓丽似太阳。

国王看呆了，于是对商人说："老人家，您是要卖这个姑娘吗？打算卖多少钱？"

"陛下，我是花了一千第纳尔才把她从人贩子手中买来。三年来，我带她四处游历，已经花费三千第纳尔，今日才来到贵地。现在就让我把她当作珍贵的礼物，献给陛下。"

国王心中愉悦，赏赐商人一件官袍，又送给他一万第纳尔。

商人收下赏赐，吻了国王的手，向国王辞别。

国王吩咐众女仆："务必要好生伺候这位姑娘，将她所需要什物准备停当。"

沙赫拉曼国王的王国坐落在海边，其都城称作"白城"。

女仆们按国王的吩咐，安排女郎住在一幢靠海的宫殿里，那窗户面临大海，可以临窗远眺。

沙赫拉曼国王关切女郎，便走进这宫殿去探望她，只是女郎没有回应，甚至没有起身迎接国王。国王叹道："她好像没有教养，不知道礼节。难道她的族人们就没有教给她礼仪吗？"

然后他向女郎瞥了一眼，看见她真是美丽可爱，她的面容似满月，似晴空中的骄阳。国王好生感叹，由衷赞美真主造化的神奇！

他走到女郎跟前，在女郎身边坐下，吩咐摆上餐具、摆上丰盛的筵席，国王自己吃着，还把好吃的送到那女郎口中。可是那女郎仍是一言不发。国王问她姓什名谁，她也还是不言不语，仅仅是把头深深地低下去。国王实在是看她的形态美好，才没有生她的气，只是叹道："赞美真主！创造了这么一个美丽异常的可人儿，只是她竟然不说一句话。"

沙赫拉曼国王问奴婢们："她平日跟你们说话吗？"

"自从她来到这儿，还从未讲过一句话，也从不差使我们。"

于是国王命宫女为女郎唱歌，陪她嬉戏玩耍，逗她说话，宫女们无所不用其极，只是女郎仍然是不言不笑。

国王胸中纳闷，自言自语："主啊，这么标致的美人儿，为何不言不语？岂不怪哉！"

其后，国王更加钟情于这位女郎，不屑再看那些后宫佳丽，将她们都一一打发走，一心陪伴他心中的美人儿。一年过去，二人恩爱，度过一年才如同度过一日。虽然女郎仍不开口说话，可国王对她的爱却与日俱增。

有一天，他对女郎说："我的心肝宝贝，我的魂灵，我爱你爱得发昏，为了你，我已经打发那些宫娥彩女们远远走开，你是我在人世间的唯一。一年来，我对你神思梦绕，神情相伴。我祈求真主帮助我：希望你的心肠再不要那么硬，对我说话吧！如果你实在不能说话，那就对我指指点点，来表示点什么意思也好，我也就心满意足啦。赞美主啊！再让我有个孩子来继承王位吧！我孤独一人，年事已高。美人儿，你就不能开口给我一个回答吗？"

那女郎把头低得更低了，似有所思。一会儿，她抬起头，面对国王微笑着，国王以为这是闪电照亮了宫殿。那女郎突然羞答答地说："陛下！容我禀告。真主已回应你的要求：贱妾已经有身孕。如今即要分娩，只是尚不知晓胎儿是男是女。要不是为你有了身孕，我仍不愿开口说话。"

国王见女郎开口说话，惊喜若狂，吻她的手，高兴地说："赞美真主让我双喜临门：我的所爱开口说话了！我有后代了！"

国王起身上朝，命宰相开仓济贫，取出十万第纳尔，救济那些孤寡老弱贫穷病患者，以感谢真主赐福。

宰相即刻奉命行事。

国王又回到女郎身边，说道："我的美人儿，我的王后，整整一年来，我与你日夜相守，直至今日，你才开口说话。却是为何？"

女郎说："陛下可知，我乃是一个可怜的外乡人，忧愁让我心碎。我远离了母亲、兄长和亲人们，难得相见。"

国王听了此言，忙说："你说可怜是从何谈起？我爱你至深，一国的财富可供你享用，我本人也愿意听你差遣。你远离了亲人，亦不必担心，告诉我，他们住在何方？派人去接他们就是。"

"洪福齐天的国王啊！我叫海石榴花，家住大海，我的父亲是大海诸多国王里的一位。他过世后，留下了王位与财产，我们靠他的遗产平安地度日月。此时，有一位异国的海国王来侵犯我们，夺取了我们的王位，抢走了我们的财产，害得我们家破人亡。我有一个兄长，名叫萨利哈。我的母亲也是海族妇女。我曾经与兄长吵过架，赌气来到陆地，想嫁给一位在陆地上生活的人，再不回家。在一个风清月朗之夜，我从大海出来了，来到一个小岛的尽头，坐在那里。此时有一个人路过我身边，把我带回他的家，欲行不轨，我就与他打起来了，我狠狠地打他的头，差一点就把他打死了。所以他就把我带出来，卖给了那位先生，这位先生心地善良，他信仰宗教，为人文明礼貌，他把我带到这里来了。要不是陛下的宠爱，我或许会返回大海，再去找我的母亲。我现在既然已有孕在身，也不便此时去见母亲。如果我冒冒失失地回去相告：'我被一位国王重金购买与宠幸，成了他的至爱，使他远离后宫诸妃，还怀了他的孩子。'他们定会怀疑我的话，以为我干了什么坏事。"

国王听到此处，谢了海石榴花，吻了她的眼睛，说道："我的美人儿，我的眼珠子！我再也不能离开你，哪怕是一时一刻。假若有一天我看不见你，那真会要了我的命。天哪，这该怎么办呢？"

"陛下，我就快要生孩子了，一定要有我的亲人在场啊。"

“他们在海里行走，难道海水不会沾湿他们的衣衫？”

“凭着圣苏莱曼戒指上刻着的圣名佑护，我们在海里行走，也如同你们在陆上行走一般，毫无困难的。陛下，我的亲属来看望我，我还要向他们诉说我来到这里的许多故事，并请你向他们作证。我要告诉他们：你用重金买下我、收留我、善待我。他们会相信我的话，亲眼看见你的情况，知道你是一位承袭王位的国王。”

这时，国王说道：“我的美人儿！你愿意怎么办就怎么办。你要做什么，我唯命是听，仅仅希望你能够称心如意。”

那美人又说：“陛下，你可知道：我们在大海里行走，也是睁着眼睛观看万物，看着天空中的太阳、月亮和星星，跟在陆地上一样。你可知道：只是海里众生各种各类，形形色色，更胜于陆地。而陆地的一切东西，比起海里的，还真是微不足道。”

国王听了这番话，十分惊奇。

然后，海石榴花取出两块沉香，点着香炉，又掰出一点沉香，扔在炉中，吹起口哨来，随后，轻声祷告，她说什么，并无人知晓，只见炉中浓烟升起，又弥散开去。国王一直看着她。

她对国王说道：“陛下，我的母亲、兄长，众多亲人就要到来了。请先回避，待我的母亲、兄长与众多亲人到来时，你可从隐蔽处观察他们，而他们并不觉察。你可以体会到人间诸生、世间万物是如此奇妙。”

国王立刻躲藏到一间套间内，潜心观察。

只见她焚香祷告，直至海水翻腾，波涛汹涌澎湃，波涛开处，走出一个美貌青年，他面如满月，面颊红润，牙齿如同珍珠，长相、体态与海石榴花相仿。

人们通常这样来形容这样标致年轻人的美貌：

明月每月只有一回圆，

爱卿玉容完美在每天。

月亮挂在一座星座上，

你却处于人们心中间。

　　然后，跟在年轻人后面，五个花容月貌的姑娘簇拥着一位老妇人，缓缓从海水中走出，他们在水面走动如同行云流水，渐渐来到窗前，海石榴花即刻愉快地起身迎接。

　　一见面，他们便认出海石榴花，大家快步奔到宫里，互相拥抱，痛哭流涕，说道："海石榴花啊！你离开我们四年了，一去无音讯，你人在何方，我们一点也不知情，这是为什么呀？以真主名义起誓，你走后，我们心急如焚，食不甘味，无穷无尽的思念让我们彻夜难眠，终日以泪洗面。"

　　海石榴花吻她母亲、兄长的手，吻她堂兄弟姐妹的手。

　　大家围住她问寒问暖。她说："离开了你们，离开了大海，在一个小岛的尽头，一个男人把我卖给了一个商人，商人带我到了这里，国王收留了我。赏赐了那商人一万第纳尔，国王对我宠爱有加，为我舍弃了众多后妃，甚至忘理朝政。"

　　兄长听了这番话，说道："赞美万能的真主，让我们团聚。好妹妹，快和我们一起回家去，和亲人们在一起过日子。"

　　国王在套间里听到这番话，生怕海石榴花听信兄长的话离开自己而去，正不知如何是好。又听见海石榴花对兄长说："以真主的名义起誓，兄长！是这里的国王让我留下，他为人慷慨富有，乐善好施，聪明能干，性格和善，对我宠爱体贴。他还尚无子嗣，生怕离开我。我若是离弃他，就会置他于死地；我若离开他，自己也难活下去。即使父王在世，也难以像这位圣明的国王如此眷顾于我。现在我已有孕，不日将产子。赞美真主，我生为海上国王之女，长成为陆上国王之妻。但愿万能的真主保佑，赏赐我一个男孩，以便让他继承这位伟大国王的王位，治理国家。"

海石榴花的兄长和堂兄弟姊妹们听到此处，甚感宽慰，满心欢喜地对她说："海石榴花啊！你知道你对于我们是何等的重要，我们又是何等的爱你。在我们这些人中，你最尊贵。我们希望你生活美满，不遇灾难。如果不是这样，你就跟我们回到我们自己的国家去；如果你认为在这里称心如意、幸福安康，那也就是我们由衷的期盼。但愿幸福和谐与你长相伴！"

"以真主的名义起誓，我已经幸福快乐至极。"

国王在套间里听了海石榴花与兄长的这番谈话，非常高兴，定下心来。他感激海石榴花，心里更加宠爱她了。他们相互之间的爱慕之情已经深深地潜入各自的心底，现在就盼望早得贵子了。

海石榴花吩咐奴婢摆上筵席，款待亲人。她还亲自下厨烹调，备下了种种食品、甜点、水果、蔬菜，大家欢聚一堂，品味各色佳肴。席间，亲人们说："海石榴花，我们还没有见到你丈夫，对我们来讲，他还是个陌生人。我们没有得到他的允许就径直闯进他的家，而他还不认识我们，请你代我们感谢他的宽容大度吧！再说，我们吃了，喝了，聚会了，可还没有见见他，他也没有参加我们的聚会，与我们同吃同喝。你为何不把我们引见给他呢？大家见了面或许会成为同享面包和盐这样的家常朋友呢。"

他们说着说着，渐渐地面带愠色，抱怨起来。

国王在套间中看到此情此景，焦急惊怕得魂飞魄散，不知所措。海石榴花却站起身来，宽慰大家，随后来到国王躲藏的套间，对他说道："陛下，我在我的亲人面前说到了我对你的感激、对你的赞赏，你该听见了吧？他们还说要把我带回我的国家去和我的亲人团聚，你也听见了吧？"

国王忙说："听见了，看见了。愿万能的真主赐福，今天真是吉祥的日子，你我相爱，至深、至极，永不背弃。"

"陛下，善有善报，真情换真情，你爱我无以复加，你对我情深义重，你为我做了一切，你的爱、你的愿望，全都给了我，既然如此，我的心怎能再接受与你分离，怎能再跟他们回国呢？陛下，过来吧！见见我的亲人，与他们交谈，问个好，相互认识一下。陛下，我已在母亲和亲人面前谈及你、赞美你，他们都愿意在回家前见见你，说如果不见上你一面是不能回家的。"

"那太好了，这也正合我意啊。"

国王起身，离开套间，来到海石榴花的亲人之间，与他们见面，向他们致意，他们也赶忙站起来，回敬国王，大家共同坐在一起，用餐与交谈。随后，国王款待他们留宿王宫，给予他们极其盛情的招待。直至过了三十天，他们才告别国王夫妇，打道回到自己的家园。

海石榴花怀胎期满，生了一个男孩，其面貌亦如满月，十分可爱。国王一生无子女，此时暮年得子，高兴得难以言表。于是他命令全国上下、黎民百姓张灯结彩，同庆七日。在第七天，海石榴花的母亲、兄长和堂兄弟姊妹们听说王子诞生，也都赶来祝贺。国王热情地欢迎他们的到来，对他们说道："我正等待着你们来给孩子起个名字，你们恰巧就来到了，就用你们的知识见解给他起个名字吧。"

他们给太子取名白德尔·巴希姆，国王欣然同意，大家一致认为这是一个好名字。

舅舅萨利哈从别人的手里把王子抱起来，在宫中来回走着，刹那间走出宫殿，走向大海，行走在海面上，不一会儿，两人在国王的视线中消失。国王看见自己的宝贝儿子消失在大海中，好不凄惨，难过得痛哭起来。海石榴花见国王如此担心，安慰道："陛下不必担忧，尽管放心，我心疼儿子会更胜一层。孩子与我的兄长在一起，不会溺死在大海里。你要知道，任何有害于儿子的事情，我的兄长都不会去做。向真主起誓，不消片刻，兄长就会把儿子安全带回。"

说话间，只见大海波涛汹涌、奔腾叫啸，萨利哈抱着已经安睡的太子，从海中升起，平安地走过来。萨利哈对国王说："陛下，也许让您担惊受怕，我只是把王子带到海里去见识一下海底世界。"

国王说："确实担心，我真怕他会溺死海中啊。"

"陛下，陆上的国王，您不必再担惊受怕。我只是给他点了我们所熟知的一种眼药水，为他朗读刻在苏莱曼·本·达伍德王戒指上的圣名，如同每逢我们的孩子诞生时我们所习惯做的那样。这样做了之后，如果他再到海里去，就不必担心他会溺死或者会遭遇到其他的什么不测。我们在海里生活，原本同你们在陆地上一样方便的啊。"

说完，萨利哈打开了一个加了印封的口袋，开启封印，取出各种名贵宝石，有三百块翡翠，三百颗玛瑙，皆大如鸵鸟蛋，光彩闪烁，犹如太阳、月亮的光辉耀眼夺目。他对国王说："陛下，这些翡翠宝石是我们敬献给陛下的礼物。以前我们不知妹妹海石榴花的踪迹，使得我们无处找寻，现在既然得知她已经承蒙陛下宠爱，成为王后，我们也就是一家人，此次带来的薄礼仅仅略表心意。此后，每隔几天，我们就会带给陛下这样的一份礼物。在我们大海深处，各种宝石不计其数，如同陆上的石子。我们了解珠宝的踪迹，容易采集。"

国王看了看这些名贵宝石，惊奇叫绝，他说："以真主的名义起誓，只要是这其中的一颗宝石，就等同于我的全部家当了。"

他感谢萨利哈的丰厚馈赠，又看了海石榴花一眼，对她说："你的兄长送给我这么多罕见的名贵珍宝，我实在受之有愧，真叫我羞愧难当。"

海石榴花感谢兄长的慷慨大方。

萨利哈说："陛下，首先是您对家妹恩重，我们应该略表谢意。陛下不仅仅善待了家妹，还容纳我们在您的宫殿中住宿、享用珍馐美味，即使我们愿意伺候陛下一千年，也不足以相报呢。这点薄礼，也不能回报陛下于万一。"

　　国王再次深谢萨利哈，挽留他们在宫中多住些时日，这样萨利哈母子和堂姊妹们在国王的宫中又逗留了四十天，然后，萨利哈来到国王面前，磕头问安。国王问道："萨利哈，你有什么事情吗？"

　　"陛下，您如此盛情款待我们，让我们终生难忘。但是我们离家时间太长，也很思念家人、故土与亲朋，不能继续和妹妹的母子一起欢聚，享受您的盛情款待了，恳请陛下恩准我们回家。以真主的名义起誓，我们在心底里与你们难以离别，但是怎么办呢？我们毕竟在海里生长成人，也难以适应陆地上的生活。"

　　国王听了萨利哈此番肺腑之言，只得起身与萨利哈母子和他的堂姊妹们告别。诸位对国王说道："陛下，我们的分别不会太久，短期内我们还是会来拜访您的。"

　　他们说完，即向大海飞去。不多时，就在国王的视线中消失。

　　国王从此更加宠爱海石榴花，尊重她。小王子在宫中健康成长，他的外祖母、舅舅和姨妈们不时前来探望，逗留一两个月后再回大海故里。

　　白德尔·巴希姆太子健康地成长，待到他长到十五岁，就已经显得出类拔萃。他学业上进，知书达理，擅长武功，精于骑射，深谙那些名门子弟所通晓的各种技艺，因为如此出众超群，城中的男女老少对于他都是有口皆碑，赞扬不绝。

　　国王深爱太子，将他视为掌上明珠，一天，他召来了文官武将、各地显要，商讨王位继承事宜，要他们拥戴白德尔·巴希姆太子为国王。众人一致应允，宣誓辅佐王子继承王位。

　　沙赫拉曼国王圣明贤达、英明理智、对人和善、乐善好施，多做而少言、礼贤下士、关心百姓，因而深得民心。

　　商讨王位继承事宜的次日，即为白德尔·巴希姆举行登基典礼。国王与文官武将及诸多护卫随从骑着马，在宫城巡视一周，再回到王宫。国王已经对王位感到厌倦，此时他下了马。诸位文武百官也随之下马，他们将白德尔·巴希姆王子扶上马，再缓缓在王子面前走过，每人轮流为王子牵了一会马。王子骑在马上，在国王与众大臣簇拥下，来到宫殿的长廊。

随后，众人又扶王子下马，他们互相拥抱，再扶王子登上宫殿中的宝座，此时老国王与众位文武官员立于宝座前，登基仪式结束。白德尔·巴希姆王子正式掌权。

白德尔·巴希姆国王掌权后，惩治腐败、执法严明、办事公正。每日处理政务直至中午，才离开宝座，去拜会母后海石榴花。

白德尔·巴希姆国王头戴王冠，面如满月，来到父母面前，母亲刚一看见白德尔·巴希姆，立即站起身来，亲热拥抱，祝福他已经登基成国王、执掌朝政；并祝福他们父子健康长寿、战无不胜。

白德尔·巴希姆国王每日都要到母亲那里休息片刻。午后，就与父亲以及众大臣一起骑马到校场习武，直至傍晚回到宫中，人们已都聚集在他的面前，等候他的到来。就这样，他每天骑马到校场习武，然后再回宫处理一些政事，无论对达官要员，还是贫苦百姓，他都一视同仁、秉公办理事务。

不知不觉之中，一年过去了。

有时，白德尔·巴希姆国王骑马外出，打鱼狩猎，云游他治理下的各地。如同所有的开明国王那样，他给百姓带来平安，成为人们心目中的一个高贵、勇敢、办事公正的人。

不巧，有一天，白德尔·巴希姆国王的父亲不幸染病，心跳减缓，病情日益严重，自感不久于人世，临终之前，叫来了白德尔·巴希姆国王，嘱咐他：赡养母亲，善待文武百官、众多随从仆役与平民百姓。同时再次重托文官武将：辅佐国王，唯国王之命是听。

几天之后，老国王灵魂归天。

白德尔·巴希姆国王与母亲以及文武百官十分悲伤，为老国王修筑了陵墓，厚葬了他，举国哀悼，历时一月。

萨利哈母子和他的堂姊妹们也前来吊孝、慰问,他们对海石榴花说道:"沙赫拉曼国王已经归真去,难得白德尔·巴希姆国王继承了王位。他如此年少英俊、德艺超群,如一头雄狮,一轮明月,他继承大业,可以让人放心。"

此时,国家要人、诸位大臣们晋见白德尔·巴希姆国王,说道:"沙赫拉曼国王已经归真,还请陛下节哀,不必沉醉于悲痛之中,悲伤难过只不过是妇人们所为,于事无补。陛下清明廉正,犹如老国王在世一般,老国王也就虽死犹生。"

他们多方抚慰、多方问候白德尔·巴希姆国王,拥戴他前去澡堂沐浴更衣,随后,他戴上王冠,穿上镶珠嵌玉绸缎织成的锦绣帝王服,又被簇拥着坐上宝座,继续处理朝政,惩恶扬善,为穷苦人谋福利,深得百姓爱戴。

如此这般,整整一年又过去了。

此后,没过多久,他的海上亲人经常来看望他们母子,他们的生活也很愉快而安康。

一天夜里,舅舅萨利哈又前来看望海石榴花,海石榴花起身相迎,拥抱他,请他坐下,问候道:"兄长,一向可好?母亲和诸位姊妹们近来如何?"

"大家都好,只是不能经常见到你。"

海石榴花为兄长摆上了甜点小吃。

兄妹俩边吃着边聊天,不由得谈到了白德尔·巴希姆。谈到他已经成年,健壮美貌,知书达理。当时,白德尔·巴希姆正靠在床上,听到母亲和舅舅谈起自己的时候,便假装睡着,其实却在偷听他们的谈话。只听舅舅对母亲说:"孩子已经十七岁了,还未婚配,要是发生什么意外的事情,而他尚无子嗣,如何是好?莫如从众多海王国的公主们之中,为他选择一位与他品貌相当的公主。"

"不知兄长所说为何人?说起海王国的公主们,兴许我还知道一些。"

于是萨利哈开始一一介绍那些公主。只是海石榴花听了，并不认可。她说："我只想为他选择这样一位好姑娘：如他这般美貌、这般知书达理、有理智、有宗教信仰、性情温和、有家财、门第相当。"

萨利哈说："我再也数不出哪位海公主了，我已经说出了一百多个公主，你却连一位都没有认可，我还真想不出谁更合适了。海石榴花，我们如此谈论白德尔·巴希姆，你还是去看看他是否已经睡着了？"

海石榴花走过去，看了一看她儿子睡姿，认为他已经熟睡，便说道："他确是睡着了。兄长有何见教？如何要关心白德尔·巴希姆是否睡着。"

"妹妹有所不知，我想起大海王国中的一位珍宝公主，会是适合人选。如果白德尔·巴希姆国王醒着，我只怕说出这位珍宝公主来，他听见后会立即心里牵挂，一心想着她、爱着她。如果事情办得不顺利而我们不能达到目的，则白德尔·巴希姆国王本人、我们这些名门望族未免难过尴尬，岂不是自寻麻烦一场？正如诗人常说的：

爱情在开始时甜似花蜜，
达到极致则与大海相似。

海石榴花问道："兄长所言的珍宝公主是何国珍宝公主？姓甚名谁？请详细指教。妹子也认识各个大海王国里的公主们以及她们之外的名门千金，如果那公主真是合适人选，告诉妹子，妹子一定不惜重金前去向她的父亲求婚。我们如此谈话，兄长莫要担心，孩子已经熟睡。"

萨利哈说："我真担心他醒着呢。"

诗人不是说过：

提起她的模样我已对她钟情，

耳朵的爱恋有时会先于眼睛。

海石榴花说："兄长，尽管放心说话，不必顾虑他在偷听。"

萨利哈说："妹妹，以真主的名义起誓，凤凰国国王的女儿珍宝公主就是最好人选。她长得漂亮，人才出众，可与白德尔·巴希姆相匹配。无论在海里、在陆地上也难寻她这样美丽、聪明的美人了。她的两颊红红的，额头亮亮的，牙齿如珠宝般，真是会让羚羊蒙羞。她悄然出现，也会使得太阳、月亮退避三舍。真是个人见人爱的可人儿啊。"

海石榴花一听此言，叹道："兄长，确是如此。以真主的名义起誓，我记得曾多次见过她，那时候她还年幼，已很招人喜欢。其后，时过境迁，我有十八年没见到她了，没有想到她竟然出落得如此出众。以真主的名义起誓，她是我儿子最合适的人选啊。"

白德尔·巴希姆自始至终偷听了他母亲和舅舅的谈话。听到了舅舅萨利哈对于凤凰王国珍宝公主的描述，心中已经燃起爱情的火焰，他沉醉在爱情的大海中，而无人知晓。

萨利哈又看了看海石榴花说道："以真主的名义起誓，海石榴花妹妹，只不过在众海王中，凤凰国王却是一个权力至大而能力微小的一位国王，且不要让你的儿子知道：我们为他向珍宝公主的父亲凤凰国王求婚，如果他接受求亲，愿意成人之美，则皆大欢喜；如果他拒绝，不愿意把女儿嫁给你的儿子，我们再为他另择其他相宜女子。"

海石榴花说："兄长所言极是。"

二人当夜谈话至此，各自安歇。

此时，白德尔·巴希姆国王心中却点燃起爱情的火焰，想念起着珍宝公主，只是不便向母亲和舅舅言及心之所思。

第二天清晨，白德尔·巴希姆国王先与舅舅沐浴更衣，再喝些饮料，然后再与母亲一起用早餐。饭后，洗过手，萨利哈站起来，对白德尔·巴希姆母子说道："我已经在这里呆了些时间，思念老母，向你们告辞了，请允许我打道回府。"

"请舅舅再多住一日。"白德尔·巴希姆国王留下了萨利哈，又对他说道，"舅舅，我们可以到花园里去走走。"

二人一起到花园中漫步，在一棵大树的树荫下纳凉。国王似乎昏昏欲睡，想起舅舅说的关于珍宝公主这位美人儿的故事，不禁伤心流泪，他眼泪汪汪地吟道：

> 爱情的火焰已经燃起，
> 在我心中难以平息。
> 只要我思念的人儿在我面前，
> 比喝杯清凉甜水还甜蜜。

萨利哈听了白德尔·巴希姆国王的痴情表白，他手敲着手，感叹道："唉！真主是万能的，穆罕默德是他的使者。只有求真主保佑了。"随后他问白德尔·巴希姆国王："孩子，你听到我与你母亲谈到珍宝公主的事情了？"

白德尔·巴希姆国王说："是的，舅舅，听见了，听了你们对她的描述，我就思念起她来，心中牵挂着她，难以自持。"

"国王啊，把这事告诉你母亲吧，让她允许我带你到大海去，向珍宝公主求婚。如不征得你母亲的同意就带你走，你母亲会生气的，她毕竟有权对你负责啊！是因为我，招致了你们的离别。再则，国王外出，无人管理朝政，群龙无首，甚至会危害到王国安全，给江山社稷带来危害。"

白德尔·巴希姆国王听了舅舅的话，说道："舅舅，如果我去见母亲，跟她商量这件事，她会阻止我，事情也就办不成了，莫如我不见她，不商量。"

他一面说着，一面又伤心地在舅舅面前哭起来，说道："舅舅，带我去吧，不必告诉母亲，我们尽快回来。"

萨利哈听了白德尔·巴希姆国王的执着哀求，只得叹息道："一切事宜，只求真主帮助了！"

他看出白德尔·巴希姆不想见母亲，决心与他下海，就摘下一个刻着圣贤们大名的戒指，递给白德尔·巴希姆，说道："戴着这个戒指，你就不会在海里溺水，也不会遭受海族伤害。"

白德尔·巴希姆国王接过戒指，戴在手指上，跟随舅舅进入大海。来到舅舅萨利哈的宫殿，看见外祖母正坐在那里，旁边还坐着一些亲戚。白德尔·巴希姆国王与舅舅进门，先向他们问好，吻他们的手。外祖母也起身相迎，把白德尔·巴希姆搂在怀中，吻他的前额，说道："孩子，你们带来了吉祥，你的母亲为什么没有来？她好吗？"

白德尔·巴希姆说："我母亲很好。她让我问候您、问候姨妈们。"

萨利哈告诉他母亲，他和海石榴花谈起了凤凰国王的女儿珍宝公主的事情，而白德尔·巴希姆耳闻珍宝公主的事情之后，便对她爱慕起来。他把前后经过从头至尾说了一遍，随后又对大家说道："这次白德尔·巴希姆国王随我来，就是为了向凤凰国王求亲，娶珍宝公主为妻。"

外祖母听了舅舅所言，生起气来，怒道："儿啊！你竟然如此糊涂，你怎么在外甥面前说起珍宝公主的事情！你不是不知道凤凰国王的为人吗？他执拗、头脑僵化、愚昧霸道，对待女儿珍宝公主的婚事，就像守财奴看着钱。他让许许多多的求婚人碰壁，无论多少国王、王子前去求婚，他一概拒绝，没有一个人让他满意。他还侮辱人家：瞧你那德性，长得美吗？品行好吗？能配上我女儿吗？我担心的是我们贸然前去求婚，也会遇到他像对待别的求婚者那样把我们给轰了出来，而我们自己也是出身高贵、品德崇高的人，要是得到那样的结局，我们灰溜溜地回来了，那可真是自讨没趣，太没有意思了。"

萨利哈听母亲的一番言语，又说道："母亲，事情会是如此吗？我一时与海石榴花妹妹谈起了珍宝公主，不想白德尔·巴希姆听见，就爱上她，还说：我非要向她父亲求婚不可，宁愿舍弃江山与财产，也不愿舍弃这个美人，决心非珍宝公主不娶。母亲，您也知道，外甥比珍宝公主还漂亮，他父亲为全波斯的国王，他现在已经继承王位，是珍宝公主择偶的最佳人选。我要带上珍珠宝石和各种高贵礼品，去见凤凰国王，替外甥求亲。如他夸耀自己是一国之王，那么曾是王子的白德尔·巴希姆现在也是国王；如他说珍宝公主貌美，那么白德尔·巴希姆还胜她几分；如果他夸耀自己的王国强大，那么白德尔·巴希姆国王的领土更辽阔，更加兵多将广，而且财富更多。我是一定要去求婚的，去满足外甥的愿望的，或许我会面临风险，或许会让我灵魂出壳。是因为我，才让他招致了这场烦恼，是我把他丢进了这爱情的苦海，我自当尽力去办成他的婚事，让他品尝爱情的甜蜜。盼望真主相助！"

母亲又对他说道："那你就按照自己的想法办事吧！只不过处处要小心，不要惹那个脾气粗暴的人，对他的愚昧、固执、霸道的品行，你要充分了解。我担心他会对你动武，因为他是对谁也看不上眼呀！"

萨利哈说："母亲所言极是。"

萨利哈起身与母亲告别，他带上了几皮袋最名贵的珍珠玛瑙、玉石珍宝，让随从背上，带着白德尔·巴希姆国王上路了。他们一行来到凤凰国王的宫殿门前，请求接见，国王允许他们进宫。他们进宫后，吻着地面问安，恭恭敬敬地向国王问候祝福。国王也起身相迎，恭恭敬敬地回礼，并请他们坐下。大家落座后，凤凰国王说道："萨利哈，欢迎欢迎，多日不见了，真是想念呀，今日亲自光临舍下，有何要事？有什么需求？尽快讲来，我愿意满足你的愿望。"

听得此言，萨利哈站起来，又再次跪下磕头，说道："国王陛下，真主保佑，我的要求就是：求真主保佑，我是有求于陛下的，陛下犹如雄狮、慷慨大度、美名远扬，为世人传颂，又乐善好施，宽容仁慈，令众人仰慕。"

他一面说着，一面打开皮口袋，取出所带来的珍珠玛瑙、玉石翡翠，放在国王面前，接着说："陛下，请接受这些区区薄礼，给我一个面子，使我心安。"

"你为何送我礼物？请先说明原因，再告诉我，你有何要求？如果我能办到，就一定会尽力去办；如果是我办不到的事情，那也爱莫能助，只能请求真主相助。"

萨利哈站起来，第三次跪下磕头，说道："陛下，我的要求，您一定可以办到，一切尽在陛下掌握之中。我还没有发疯，不会要求陛下去做自己做不到的事。智者曾言道：

若要别人帮助，
莫要强人所难。

"我到这里所求之事，陛下完全可以做到。"

"我已说过，你有何贵干？敬请直言，到底有何所求？"

"陛下，我乃是来求婚，向陛下的掌上明珠珍宝公主求婚。万望陛下莫使我们失望。"

国王听了萨利哈此言，立刻大笑起来，笑得前仰后合，笑中包含了轻视与鄙薄。他说道："萨利哈，我以为你是个有智慧、有素养、说话通情理、办事有理智的好青年，是谁让你如此斗胆口吐狂言，甘冒风险来向一个统治诸多广阔地域的帝王的公主求婚？你真是癞蛤蟆想吃天鹅肉。你的智力就低到了如此低下的程度吗？"

萨利哈说道："真主保佑，陛下息怒。不过，我不是为我自己来向您求婚的。即使我为自己来向珍宝公主求婚，也没有什么说不过去的地方。陛下自己也知道：先父也为大海里中的一位国王，只不过今日疆土为陛下所统治，我们成了您的藩属。今天，我是替白德尔·巴希姆国王来向您求婚，他是我的外甥，他的父亲沙赫拉曼是波斯国王，国土疆域辽阔，国王权倾朝野，威力四射。如果您认为自己为一位伟大的国王，则白德尔·巴希姆国王更伟大；如果您认为您的女儿容貌美丽，那么白德尔·巴希姆国王的相貌比她更漂亮，更英武，他英勇无敌，所向披靡。如今，我来替他求婚，您若认可这桩婚事，则是您顺从天意，成全了一桩美满姻缘；您若是自高自大，目中无人，就辜负了我们，就会把这桩好姻缘错过。您的珍宝公主总是需要谈婚论嫁的，如果您愿意为她寻找到一位如意的郎君，那就选择白德尔·巴希姆国王吧，这是最美满的婚配了。"

国王听了萨利哈这番话，气得昏头涨脑，理智丧失，灵魂出壳。他怒气冲冲地吼叫道："狗杂种！你这种人也配跟我说什么'谈婚论嫁'，也配向我的女儿求婚？拿你妹妹海石榴花的儿子与我女儿相比，说他最适合做她的丈夫，真是痴心妄想！你算什么东西？你妹妹、你外甥又是些什么东西？他们能让你在我面前如此大胆放肆吗？还要向我女儿求婚！对于我女儿来说，你们统统都是狗东西！"

然后，他气急败坏地呼喊仆役，吩咐道："快来人，拿这个贱种的头来见我！"

仆役遵命，剑拔弩张，直奔萨利哈。

萨利哈一看大事不好，不敢恋战，匆忙出逃。他刚跑出宫门，就看见了他的堂兄弟们、诸位亲戚朋友、众多仆役随从等一千多人，身穿盔甲，手执长矛、利剑等各种武器聚集在那里。他们一见到萨利哈，赶忙问道："事情办得怎样了？"

萨利哈把求婚事情的经过都告诉了他们。

原来这些人是奉萨利哈之母的命令，前来援救萨利哈的。

他们听了萨利哈的诉说，了解了凤凰国王竟然如此愚昧、无知，于是纷纷下马，拔出宝剑，闯进凤凰国王的王宫，他们看见那国王此时还坐在宝座上对萨利哈生气，余怒未消；他们还看见国王的仆役随从、亲信卫队皆毫无觉察与戒备地呆在那儿。

待到国王看到他们已经手持宝剑冲杀到了跟前的时候，才惊吓得大叫，训斥他的随从仆役道："混账！快去！提着那些狗东西的首级来见我。"

说时迟，那时快，凤凰国王的一群乌合之众闯出去，却很快败下阵来，纷纷逃散。萨利哈和他的亲朋们将凤凰国王抓获。

待到他的女儿珍宝公主梦中醒来，得知父亲被人抓走，他的宫廷仆役、护卫被打伤、打死，只得出逃。她到一个岛子上，爬上一棵高高的大树，在树枝上面隐藏起来。

而凤凰国王的仆役随从已经四处逃散。白德尔·巴希姆国王遇见了他们，赶忙向他们讯问情况，他们据实相告，白德尔·巴希姆国王知道凤凰国王已经被抓，不由得为这场战事与自己的安危担心，自叹："这一切都是因为我呀！都是因为我非要向珍宝公主求婚引起的呀。他们难道不会找我算账吗？"

白德尔·巴希姆国王也只好匆忙出逃，谁也不知道他逃向何方。只是命运居然把他带到了珍宝公主藏身的那个小岛上，带到珍宝公主藏身的那棵大树下，而他自己却浑然不知。他只想休息一下，他所不知的是他梦寐以求的珍宝公主竟然出现在眼前！

且说白德尔·巴希姆想在树下休息片刻，不经意抬起了眼睛，向上一看，他的目光突然与藏身树上的珍宝公主的目光相遇。他向她望去，只见她月光般的光彩照人。他不由得叹道："天啊！真主万能，竟有如此造化之功，创造出了如此光彩的形象！赞美真主，我猜想这就是珍宝公主！我猜想她听到了战祸起，兵器相击，才逃到这个海岛来，躲藏在这棵大树之上。即使她不是珍宝公主，她的美貌容颜甚至更胜于她。"

他暗自思忖："我要抓住她,问问清楚她的情况,她若是珍宝公主,我立刻就向她求婚,这可是我的由衷愿望啊。"

于是,他站起身来,对珍宝公主说道:"令人追求的美人儿,你是谁?是谁带你来到这个小岛来的?"

珍宝公主看着白德尔·巴希姆,看见他犹如乌云下面的一轮月亮,身材适中,眉目清秀,面带微笑,回答他道:"文雅标致的年轻人,我就是凤凰国王的女儿珍宝公主。萨利哈的军队与我父王的军队互相厮杀,打败了我父王,俘虏了他和他的士兵们。"

接着她又说道:"我担心自己会身遭不测,被杀被抓,仓促逃命,逃到这个岛上,还不知道我的父王现在如何?"

白德尔·巴希姆国王听了珍宝公主的回答,十分惊奇:竟会有这样偶然的巧合!心中想:"既然她的父亲已经被我舅舅俘虏,我的目的也就可以达到了。"

然后,他深情地望了她一眼,又对她说:"下来吧!我的主人,对你的爱恋,让我惹出了这场祸端,引起了这场争斗。你可知道,我是波斯王国的国王白德尔·巴希姆,萨利哈是我的舅舅,为我去找你的父亲,向你求婚。为了你,我远离了自己的国土家园,如今,我们在此处相见,可真是奇迹!真是天意使然!请下来吧,到我面前来,让我和你即刻到你父亲的王宫里去,我会请求舅舅放了你父亲,让我们结成夫妻,完成我们的好姻缘。"

珍宝公主听了白德尔·巴希姆此番话,心里想:"这个坏家伙惹了这场大祸!我的父王被俘了,父王的随从护卫们被杀了,我也无家可归、无处栖身,不得已逃到这个小岛,受苦受难。我要想个法子好好骗骗他,不能让他轻易地就好梦得逞、轻易就能达到目的!"

于是她欺骗白德尔·巴希姆,柔声细语地说着话,而他对此却毫不知情、毫无戒备,只听她说道:"我的主人,你让我的眼睛光明!

你难道就是白德尔·巴希姆国王吗？是海石榴花王后的儿子吗？"

白德尔·巴希姆国王说："是的，我的美人儿。"

她接着说："我的父王竟然要给我找一个比你更文雅、更有风度的好丈夫，真主就会惩罚他、剥夺他的王位，让他流落他乡。凭真主起誓，如果他这样做，他就是没有理智、没有计划、不善安排。"

她又说道："国王啊，莫见怪我父王的所作所为吧！对于您，我是投之以木桃，报之以琼瑶。你对我的爱，已化成为我对你的深深相思。"

珍宝公主说完，就从树上下来了，走近白德尔·巴希姆，紧紧地拥抱他。

白德尔·巴希姆看着珍宝公主如此这般，更加爱她，信任她，说道："我的女王，向真主起誓，我的舅舅萨利哈曾经对我形容过你的美丽妹容，可你是足赤的金，他对于你的形容还不到你真实容颜的四十分之一！"

珍宝公主看着白德尔·巴希姆的脸，口中念念有词，谁也不知她是在说什么，然后她向他的脸上吹了口气，说道："让他脱离人的形象，变成一只漂亮鸟儿吧，白白的羽毛，红红的喙和两只红红的爪。"

她刚刚说完，白德尔·巴希姆就应声变成一只美丽的鸟儿，抖动着翅膀，站了起来，望着珍宝公主。

珍宝公主有个女仆叫麦尔丝娜，她对这女仆说："向真主起誓，要不是我担心被他舅舅抓住当俘虏，非杀了他不可！是他，来到我们这里，给我们带来灾难！快把他带走，扔到远远的干旱地方去，让他渴死！"

女仆麦尔丝娜遵命，把白德尔·巴希姆带到一个干旱的岛上，扔下他。她刚刚想要返回去，又自言自语道："这么一个英俊漂亮的主儿，让他就这样渴死在这个干旱的岛上吗？"

　　她想了一想，还是积点德吧！于是再把这个鸟儿带到一个另一个岛上，这里树木繁多、果实累累、河流交错。她把鸟儿放在这里，回去对她的主人说道："我已经遵命把那鸟儿放在那个干旱的岛子上了。"

　　再说萨利哈俘获了凤凰国王，杀死了他的仆役随从，开始寻找珍宝公主，但是找遍了整个王宫，也没找到。他无可奈何地回到家里，问他母亲道："母亲，白德尔·巴希姆在什么地方？"

　　母亲说："孩子，我没看见他，不知道他到哪儿去了。也许他知道你和凤凰国王互相厮杀，就担心害怕得躲起来了。"

　　萨利哈听了母亲的话，为他的外甥担忧，说道："母亲，真主保佑，我们把白德尔·巴希姆丢了，真担心他会有意外，万一他被凤凰国王的乱军抓住或者是陷入珍宝公主的圈套，那我们真是心中有愧，没脸面再去见他的妈妈！是我，瞒着他妈妈把他带到这里来的！"

　　随即，他派出士兵、护卫在大海之中四处寻找。然而，他们没有得到任何消息，只得回来，告知萨利哈。

　　萨利哈听了，越发忧心忡忡，心中烦闷，为白德尔·巴希姆的安危担忧。

　　再说，白德尔·巴希姆随舅舅走后，海石榴花不见儿子去向，十分不安，她苦等数日，始终没有儿子的任何消息。更加焦躁不安，只得来到大海的娘家打探儿子消息。

　　母亲一看见她，立即搂住她，其余的堂姐妹们也都一一上来拥抱问好。海石榴花赶忙打听儿子白德尔·巴希姆的消息。她母亲回答道："孩子，他舅舅是带他回来了，替他向凤凰国王求亲，希望迎娶他的女儿，国王不允，对你的兄长大加训斥，于是你的兄长与凤凰国王相互厮杀起来。我当即派出一千个骑士，前去增援，承蒙真主保佑，你兄长取胜，捉住了凤凰国王。也许白德尔·巴希姆得知消息，感到是自己惹的祸,悄然溜走,躲了起来,其后也一直没回来,至今音信全无。"

海石榴花只得再打听兄长萨利哈的情况。她母亲又对她说道:"他在凤凰国王的宫中,坐上了国王的宝座,正派遣所有的人马兵丁分几路去搜寻白德尔·巴希姆与珍宝公主的下落。"

海石榴花心中忧虑,担心儿子安危,责怪兄长不经自己同意,私自带白德尔·巴希姆来到大海。她对母亲说道:"母亲,我着实惦记白德尔·巴希姆,才匆忙前来,也未告知宫中他人。我很是担心:若是在此逗留日久,王位空虚,万一生乱,出了差错,便如何是好?莫如我先打道回府,处理政事,静候儿子归来。愿真主保佑我儿平安!切莫忘记寻找我儿,搜寻他的踪迹。若是他遭遇不测,我也不再留恋这个世界。只有他的生命,会为我带来快乐。"

母亲答道:"孩子,我对于你,只有爱与思念!不要再谈及与白德尔·巴希姆离别的事情,你知道:没见到他,我有多难过,我们会为寻找他竭尽全力。"

母亲立即再次派人搜寻白德尔·巴希姆的下落。

海石榴花伤心难过、泪流满面地辞别母亲,回到了宫里,感到世事难料。

再说珍宝公主对白德尔·巴希姆施了魔法,将他变成了一只鸟儿,要一个女仆把他送到一个干旱的枯岛上,将他渴死。只是因为那女仆心地善良,因而把他送到另外一个林木葱郁、果树稠密、流水潺潺的大岛上,他才可以采野果子充饥、饮河水解渴。若干天已过去了,他虽具备鸟的形状,却不能像鸟儿般地飞翔,也不知该去向何方?

日复一日,他在这个岛上逗留,直至有一天,一个猎人到岛上来打猎,看见白德尔·巴希姆变的这只鸟儿:白白的羽毛,红红的喙和两只红红的爪,显得十分可爱,猎人很高兴。他自言自语:"这只鸟真好看，这种样子可爱、形状奇特的鸟儿，我还从来没有看见过呢。"

他撒下网，捉住它，带到城市里，又自语道："我卖掉它，会得到一笔银子呢。"

有一个城里人问他："嗨，卖鸟的，这只鸟，你打算卖多少钱？"

猎人问道："你买去做什么用？"

那人说："买去杀了吃。"

猎人又道："这样美丽可爱的鸟儿，你怎么能忍心杀了吃？我还不如把它献给国王呢，国王会给我几个赏钱，也不杀它，而是把它养起来，欣赏它的美丽与标致。更何况，我一辈子狩猎、打鱼，无论在山中、在海里，我都没见过如此可爱的小动物。凭伟大的真主起誓，现在，你就是给我一个第纳尔，我也是不卖了。"

猎人带着鸟儿来到王宫，国王一见那鸟儿：白白的羽毛、红红的喙和两只红红的爪，就感到十分惊奇，即刻吩咐仆人去向猎人购买，仆人问猎人道："这只鸟儿你卖吗？"

"不卖，这是我献给国王的礼物。"

仆人从猎人手中接过鸟儿，来到国王面前，向国王禀报猎人所言。

国王收下了礼物，赏猎人十个第纳尔。猎人收了赏钱，跪下去，磕头问安，起身离去。

仆人把鸟儿放进王宫中的一个精致的鸟笼中，挂在走廊上，给它吃的食和喝的水。

国王办完公事，问仆人道："那只鸟儿呢？带来让我看看，向真主起誓，那鸟儿可真是太可爱。"

仆人带来鸟儿，放在国王面前。国王见那鸟儿并不愿意吃那些放在笼中的鸟食，感到奇怪，叹道："向真主起誓，我真不知道它想吃什么？"

他吩咐仆人备膳。仆人为国王摆席，国王开始用餐，那鸟儿看见了席上的肉食、主食、糕点和水果，从鸟笼中径直走出，吃起席上的东西来。国王和诸位来宾很是奇怪，国王环顾左右，说道："能吃人的饭食的鸟儿，我平生还没有见过！"

惊奇过后，国王要仆人去请王后前来观看。

仆人来到王后面前，说道："陛下请王后前去观看陛下刚得到的一只鸟儿，我们给陛下摆膳，那只鸟儿却走出鸟笼，走到桌上，吃起席上东西。您快去看那可爱的鸟儿吧！"

王后听了仆人的禀报，急忙前去。她刚一看见那鸟儿，就把脸遮起来，赶忙返身后退。国王从后面赶来，问道："这里除了为你服务的宫女、仆人随从，还有你的丈夫，这里并没有外人，你怎么要把脸遮起来呢？"

王后道："国王陛下，这只鸟并不是一只鸟，而是一个男人，与你一般！"

听到王后如此说，国王又道："你可别撒谎骗人，别开玩笑了！这鸟儿不就是一个鸟儿么？"

"陛下，我并没有开玩笑，我说的是真事！这只鸟儿是白德尔·巴希姆国王变成的，他父亲是波斯国王沙赫拉曼，他母亲是海石榴花。"

"他怎么会变成这副模样的？"

"他被凤凰国王的女儿珍宝公主施了魔法。"

王后向国王讲述了事情的经过：他舅舅替他向凤凰国王求亲，希望迎娶他的女儿，国王不允，对他的舅舅大加训斥，于是他的舅舅就与凤凰国王相互厮杀起来，最后他的舅舅取胜，捉住了凤凰国王，可是凤凰国王的女儿珍宝公主为替父亲报仇，竟对白德尔·巴希姆施了魔法，将他变成了一个鸟儿。

原来王后通晓魔法，深知其中奥秘。

听了王后的叙述，国王十分吃惊，对她说道："我用生命起誓，求你发慈悲,为他解除魔法,让他免受折磨。但愿真主惩罚珍宝公主,砍掉她的双手!她真是心灵丑恶,缺少教养,善于欺骗,阴险狡诈。"

王后又对国王说:"你对白德尔·巴希姆说:到仓库里藏起来吧!"

国王照办,他的话音刚落,那鸟儿就进了仓库。王后站起来,把自己的脸蒙上,又端起一碗水,走进仓库,口中念念有词,而他人不能听懂,同时把水洒在那鸟儿的身上,说道:"凭着创造天地、起死回生的伟大的真主起誓,你脱离现在这个模样,恢复真主为你创造的人的原形吧!"

她刚一说完这句话,那只鸟儿就抖动起翅膀,恢复了人的原形。国王看到的是一个标致优雅的俊秀青年,白德尔·巴希姆在国王面前恢复了人形,他高兴地说道:"真主是唯一的神灵,穆罕默德是他的使者。赞美真主,他创造生灵,他为众生灵提供所需。"说罢,他吻着国王的手,为他祝福。国王也亲吻他的额头,说道:"白德尔·巴希姆,把你的遭遇从头到尾地给我们讲一讲吧。"

白德尔·巴希姆开始对国王叙述自己的遭遇,毫不保留。那国王听后甚觉惊诧,说道:"白德尔·巴希姆,真主已经为你解除了你身上的魔法,你还打算做些什么呢?"

他回答道:"国王陛下,承蒙您开恩,那就给我备一只船,派人送我回家。我在外面逗留,王位空虚,长此下去,会危及我的江山社稷。想来,母亲为了我的离别不胜悲伤,她并不知我身边发生的这些事情,我也还不知她此时是死是活。希望陛下发发慈悲,行善到底,助我满足心愿。我将永世不忘陛下的大恩大德。"

国王一见这年轻人有才有貌,言辞恳切,便当即应允,说道:"我听从你的吩咐!"

当下,国王为他备下船只,装上了路途中所需的一切,派上随行仆从。

白德尔·巴希姆告别国王，偕同仆人乘船返家，船在海上航行，一路顺风，不觉已过十日。无奈在第十一日，狂风骤起，波涛汹涌，那船上下颠簸起来，水手不能把握控制，终于触礁撞碎。面对如此灾难，船上所有的人皆沉入水中，唯有白德尔·巴希姆抓住了一块木板，在海上漂流，在风吹浪打中渡过了三日三夜。

第四日，他依旧趴在木板上，竟然被海浪冲到了一个岛子的海岸边，他向远处望去，看见那里有一座白色的城市，犹如一个白色的鸽子，矗立在海岛的岸边，房舍建筑和谐、城墙高耸，任海风吹打。此刻，白德尔·巴希姆饥寒交迫，看见了这个城市，深感高兴与宽慰。

白德尔·巴希姆从木板上走下来，想进城安歇。但他进了城门，却看见了许多骡子、驴子和马匹，朝他走来，挡住他从海边进城的通路。然后，他绕道从这个城池的后门进城，那里是与陆地相连的，却没有见到一个人。他心里好生奇怪，不由得自言自语道："这座城市里没有国王，也没有看见一个人，那么这些挡着我从海边进城的骡子、驴子、马匹是从什么地方来的？这到底是怎么回事呢？"

他一边走一边思考，他碰到一个水果商，是一个老者，便上前问候。那老者见他彬彬有礼，便关切地问道："孩子，你从哪里来的？是谁把你带来的？"

白德尔·巴希姆向老者讲述了自己的遭遇。

老者听了，甚为诧异，问道："孩子，你进城时没有看见什么人吧？"

"老伯，我一个人也没有看见，还正在感觉奇怪呢！"

"孩子，到我的水果铺来，以免遭遇危险。"

白德尔·巴希姆走进店铺。老者起身给他拿来一些食品，说道："孩子，进到里面吃吧！赞美真主，从魔鬼的手中把你解救出来！"

白德尔·巴希姆听后，心惊胆战，吃饱饭，洗过手，看着老者，说道："老伯，您这话是什么意思？这座城市可把我吓坏了！"

"孩子，你有所不知，这座城市是一个魔法城，城里的女王是一个女妖、一个奸诈的魔法师、一个魔鬼、一个施魔法的人！你看见了那些骡子、驴子、马匹了吗？它们原本也是人，同你我一样，为上帝所创造，但是他们是外地人，是你这个年龄的青年，他们从外乡来到这里，当他们要进城的时候，那个异教徒魔法师女王就会要他们陪她同住四十天，然后，又对他们施用魔法，将他们变成骡子、驴子、马匹，如同你从海边进城时所见。在你那时上岸要进城的时候，因为同病相怜，因为它们了解你那时进城的结果，避免你会遭受同他们一样的命运，避免中那女王的魔法，所以拦阻你，挡住你的进城之路，那意思是向你示意：不要进城，不要让魔法师见到你。她要是看见你，一定会像对付他们那样来对付你的。这魔法师是靠魔法来统治她的臣民的。她叫作'列布女王'，用阿拉伯语来解释，意思就是'修正太阳'。"

白德尔·巴希姆听了老者的话，担心害怕至极，简直像风中的芦苇，东倒西歪，站立不稳，他说道："只想我脱离了魔法的灾难，却又被命运引向这个更深重的魔法深渊。"

他思索着自己的遭遇与围绕着自己身边发生的一切事情。那老者看他如此担惊受怕，对他说道："孩子，你到铺子的前门槛那里坐着，注意察看来来往往芸芸众生，注意看他们的服饰、肤色，他们没中魔法，你也就不必害怕。女王和城里的市民们都喜欢我，关心我，不会提防我、不会给我惹麻烦。"

白德尔·巴希姆听了老者的话，坐在铺子的前门边，坐下观察着，他见到人们来来往往，但人们一见到他，就都走到老者面前，问道："老伯，他是你的俘虏吗？是你这两天抓来的吗？"

老者说："他是我的侄子，我得知他父亲故去，就把他叫到这儿来了，免得我思念担忧。"

他们又说："这可真是个标致的年轻人！我们为他担心那女王呢，

那女王要是见到他，非把他抓走不可，可得留神注意！"

老者回答道："女王倒也不做什么违背我心愿的事情，她还是关照我的，想来她也不会那样做！她若是知道这孩子是我的侄子，也就不会违背我的意愿去加害他。"

白德尔·巴希姆就这样与这位老人在一起生活，吃喝无忧，老人对他关怀备至。几个月过去了。

有一天，他端坐在铺子的堂前，突然看见一千名随从侍卫，穿着各式服装，配着珍珠宝石的腰带，手执宝剑，骑着阿拉伯骏马走过来。他们来到老人的铺前，向他致意问好，然后又都离去。随后又来了一千名美如月亮的宫中丽人，穿着点缀着金丝银线、镶嵌着珍珠宝贝的各种丝绸衣裳，个个手执长矛，她们当中有一俊俏丽人，骑着阿拉伯骏马，那马有金的鞍子、银的辔头，她们也来到老人的水果铺前，也向他问好致意，又列队回去。突然这富丽堂皇的阵列之中，出现了列布女王，她在前呼后拥中也来到了老人的水果铺前，一眼就看见了坐在铺子中的白德尔·巴希姆，见他生得标致英俊，很是惊奇，于是她走进铺子，靠近白德尔·巴希姆坐下，问老人道："这位俊秀的人儿是从哪里来的？"

老人说："回禀女王，这是我的侄子，刚来不久。"

女王又说道："我要把他带回宫去，和他谈谈心。"

老人说："您把他从我这里带走，您不会对他施魔法吧？"

女王说："当然，不会。"

老人不得已，只得说："陛下，您发个誓吧。"

列布女王果然对老人发了誓：不伤害他，不对他施魔法。然后，叫人牵来一匹骏马，配着各种珠宝饰物的金质鞍子和辔头，让白德尔·巴希姆骑上随行，又赏赐给老人一千个第纳尔，对他说道："拿去，用这笔钱维持你的生计吧。"

然后女王带着俊秀的白德尔·巴希姆回宫。他美如十四夜间的月亮般的容貌引起过往行人们的窃窃私语："向真主起誓，这真是一个标致漂亮的青年！他这么纯洁美好，真不能让那个令人诅咒的女巫给他施魔法呀！"

白德尔·巴希姆听见了路人议论，但他只能保持沉默，只得把自己的命运再一次托付给真主。

他随女王一行来到王宫，即刻文武百官、随从侍卫纷纷下马，女王传出话：命令他们统统退下。众官员跪下磕头问安，一一退去。

白德尔·巴希姆随女王和男女仆从走进宫中，看见这是一座他前所未曾见过的宫殿：金子铸就了墙壁；一个大水池位于王宫花园的中央。白德尔·巴希姆向花园望去，但见：花园中各形各色的鸟儿在鸣唱，鸟语声声，传递着快乐和忧伤。

白德尔·巴希姆看着这美丽景色，暗自叹道："赞美仁慈和宽厚的真主，他甚至宽容那些邪恶的另类，让他们享受安乐！"

此时，女王坐在宫中一个面朝花园的一张象牙床上，床上摆着高高的垫子，他让白德尔·巴希姆坐在她身旁，吩咐宫女摆席。宫女们抬出镶嵌珠宝的金桌子，摆上各种膳食，二人用餐后，洗过手，女仆们又摆上各色金、银、玉石器皿，盛上鲜花、水果与甜点。女王又命令招来歌女，于是十个美丽如月亮的歌女手持乐器上场。女王斟满一杯酒，自饮，又斟满一杯酒，递给白德尔·巴希姆。白德尔·巴希姆也就接过，一饮而尽。接着再斟、再饮，直至一醉方休。此时，女王命令歌女们弹唱，于是歌女们用各种曲调唱起来。白德尔·巴希姆已经是醉眼蒙眬，似乎整个宫殿都在摇晃，像是在舞蹈。他魂飞魄散、心旷神怡，忘乎一切，心里想："这位温柔乡中的女王委实尊贵，她所拥有的国土比我的更广阔，她比珍宝公主更美丽。"

他和女王喝酒，尚未完全尽兴，天已黑下来，女王命令点蜡烛，焚香炉，香烟缭绕，歌声绵绵，女王又要与白德尔·巴希姆共寝：她让女仆为白德尔·巴希姆安置好睡的地方睡下，然后，自己也站起来，躺倒在象牙床上，吩咐仆人退下。

次日清晨，女王一觉醒来，命人送来漂亮华丽的衣裳，给白德尔·巴希姆穿；叫人拿来饮品，供白德尔·巴希姆饮用，然后，又手执白德尔·巴希姆的手，到大殿坐定，再吩咐摆膳，两人共同用餐，饭后，宫女们又送来水果、甜食与鲜花，他们吃喝玩乐，歌女们弹奏各种曲调伴随唱歌为他们助兴。他俩就这样吃喝玩乐，至晚才休。

日日复日日，不觉已经过了四十天。一日，女王问白德尔·巴希姆道："白德尔·巴希姆，在我这里好，还是在你伯父的水果蔬菜铺子好？"

白德尔·巴希姆连忙说："陛下，真主保佑，当然是你这里好。我伯父不过是个卖水果蔬菜的，哪能和陛下相比。"

女王听罢，大笑，不禁得意洋洋，满心欢喜。

这天，白德尔·巴希姆一觉醒来，不见女王踪影，便自语道："她到哪里去了？"

因为她不在面前，他焦急不安，又过了一些时间，仍然不见她回来，他便暗自思忖道："她到底上哪里去了？"

他开始寻找，仍未找到，心里想：也许她到花园去了？就又赶忙奔向花园，看见园里有一条潺潺流水的小河，河岸边有一只白色的鸟儿，附近还有一棵大树，树上落着各色各样的鸟。他偷偷地注视着这些鸟儿，只见一只黑色的鸟落在白鸟的旁边，白鸟用喙去啄它。过了一会儿，那只白鸟一下子变成了一个人的模样，白德尔·巴希姆仔细一瞧，竟是列布女王。于是，他知道那黑鸟是一个男人被她施魔法变成的，而她为了那个男人，把自己也变成了一只鸟。见此情景，一方面，白德尔·巴希姆不禁有些心生醋意，另一方面，他也同情那只黑鸟，因而对列布女王感到恼怒。不过，他对此未置一言。

女王知道：白德尔·巴希姆已经识破自己的行为，看见她为了与变成黑色的鸟儿的男人幽会而把自己也变成鸟儿。不过女王就像什么事情也没有发生一样，举止仍同往常。

后来白德尔·巴希姆说道："陛下，能够允许我去看望伯父吗？我很思念他，我已经四十多天没有见到他的面了，很想到他的铺子里去看望他一下。"

女王即刻答道："去吧！莫要耽误，及早回来，我已经难以忍受与你的离别，即使是一时一刻。"

白德尔·巴希姆说道："我遵命就是！"

随后，他就骑马来到水果蔬菜铺前。老人一见他，赶忙起身相迎，拥抱他，问道："你跟那个异教徒在一起，过得怎么样？"

白德尔·巴希姆答道："还好，过得也很适意，只是今天早晨，我一觉醒来看到她不在，就到花园寻找……"接着，他把在河岸边看见的河流与树上鸟儿的事情讲了一遍。

老人听后说道："多加小心才是！你可知道：那树上栖息的各色各样的鸟儿都是些外乡来的年轻男人，中了她的魔法，变成了鸟儿。而那只黑色的鸟儿，原本是列布女王的奴仆，女王施魔法将他变成黑色的鸟儿，思念他时，就会把自己也变成鸟儿去和他幽会。现在你识破了这个秘密，她会怀恨于你，报复于你。不过，我会设法照顾你的，你不必害怕。我是个穆斯林，名叫阿卜杜拉。在本朝本代，也没有谁比我更精通于魔法，只是我一般不施用魔法，除非是到了实在不得已的时候。我曾多次识破了那个让人诅咒的女巫的法术，解救了诸多中了魔法的人。要说谈魔论道，她还不是我的对手，所以她怕我。本城里还有其他魔法师，都是些拜火教的异教徒，他们与女王一样，也都惧怕于我。若今夜，那女王加害于你，那明早，你就赶快过来，告诉我她做了些什么，我会教你如何对付她，以便摆脱她的阴谋诡计。"

白德尔·巴希姆听了老者的劝告，告辞回到女王的宫中，发现女王坐在那里等候他的归来。她一见到他，立刻起身相迎，让他坐下，殷勤地摆出食品、饮料。二人吃饱喝足后，把手洗干净，女王又吩咐摆出水果甜食，他们吃着喝着，直至深更半夜。女王还是为白德尔·巴希姆敬酒，一直把他灌得酩酊大醉，失去理智。女王看他已经到了这个份儿上，才对他说道："以你信奉的神灵起誓，我问你一个问题，你得保证老实回答。"

白德尔·巴希姆醉眼惺忪地说："好的，我的陛下。"

她又说道："我的主人，我的眼珠儿，你那天到花园去找我，见到了一只白色的鸟儿跟一只黑色的鸟儿在一起，我来告诉你关于这鸟儿事情的真相吧！那黑色鸟儿是我的一个仆人，我曾经爱他爱得发疯发狂，只不过有一日他冒犯了我，我就施魔法把他变成了黑色的鸟儿。如今，我又不能忍受没有他的日子，每当思念他时，我就会把自己也变成鸟儿，去与他幽会。你若为此事迁怒于我，那么，以火、光、影、热起誓，我对你的爱恋是与日俱增的，已经把你作为我在世上之所有的一部分。"

白德尔·巴希姆依旧醉意蒙眬地说道："我愤怒、我难过，其原因你已经找出。那么我就再也没有愤怒与难过的原因了。"

女王对他温柔体贴，表示了对他的爱。随后，她睡下了，他也睡下了。半夜里，她却起来了，白德尔·巴希姆假装睡着，悄悄注视女王的一举一动，只见她从一个红色的口袋里取出一些红色东西，撒在宫殿的中央，地上立刻就出现了一条河流，河水泛滥，犹如大海。她再拿出一把大麦，撒在土里，用河水浇灌，不时大麦开花，结出穗子。她采集了麦穗，磨成了面粉，把面粉收好。她就又回去睡觉，直至次日清晨。

次日清晨，白德尔·巴希姆起床后，洗过脸，又征得女士同意，去看望伯父。他赶忙来到老人的铺子，将昨晚发生的事情告诉了老人。老人听了，笑道："凭真主作证，那个异教徒女妖人在对你要弄阴谋诡计！不过，你永远也不用担心害怕。"

然后，他去拿出一块细面饼，交给白德尔·巴希姆，说道："带上这块细面饼，要是那个异教徒女妖人看见了，问你：这是什么，你就对她说：'是锦上添花。'她要是拿出她做的面饼给你吃，你可以假装答应，只将我给你的细面饼吃下去，却不要吃她做的面饼，即使把她的面饼咬上一口，也会中她的魔法，她会说：'脱离开人的形象，变成……'你就会变成她要你变的东西，就难以摆脱她的控制了，她就是用这种办法施魔法的。只要你不吃她的面饼，她就不能加害于你，她就有法难施，只能是自己蒙羞，只能是花言巧语地自我解嘲，说她仅仅是跟你开开玩笑，又会对你表示，她对你是如何的恩爱无比、情深义重等等，这些就是她的阴谋诡计了。那时，你可以反其道而治其身，你也佯装爱她，喜欢她，说什么'我的美人，我的心肝宝贝'之类的话，再接着说：我也有块面饼，你也尝一点吧。即使她只吃一口我的面饼子，就会中我的魔法。此时，你在她脸上洒一点水，你想让她变成什么东西，只要说'脱离开人的形象，变成……'她就会立即变成你要她变的那种东西。如此就可以摆脱她而得救，你再来找我，我再给你面授机宜。"

白德尔·巴希姆遵照老人吩咐，回到宫中。列布女王一见到他，就起身迎接道："你好呀！欢迎归来！"然后走到他面前，又说，"我的主人，你怎么回来得这样晚呀？"

白德尔·巴希姆说："我一直在伯父那里，他给我吃了细面饼，看，就是这种。"

她说："我们有更好的细面饼。"

她一面说，一面把白德尔·巴希姆带来的细面饼接过来，放在一个盘中；又拿出另一个盘子，放上她自己做的面饼，对白德尔·巴希姆说道："这是一种最好的细面饼，你也尝一尝。"

白德尔·巴希姆假装吃起来。

女王以为真的吃了自己的面饼，立即拿水洒在他脸上，说道："你这个混蛋！脱离开原来的这个样子，快变成一匹丑八怪的独眼骡！"

结果是什么事情也没有发生，白德尔·巴希姆仍然坐在那里，形貌如初。女王大为惊讶，于是就赶紧去吻他的眉心，说道："亲爱的，瞧，我跟你开个什么玩笑，你怎么会为了这句话就变形呀！"

白德尔·巴希姆回答说："真主作证，陛下，我没有一点改变，我相信你爱我，情谊深厚。我也请你吃点我带来的细面饼吧。"

于是白德尔·巴希姆就把自己带回来的细面饼递给她，她拿起来吃了一口下肚，肚子就疼痛难忍，使她坐立不安。白德尔·巴希姆捧起点清水，洒在她脸上，说道："脱离开现在的人的形象，快变成一匹白色的母骡吧！"

女王一看，自己已经应声变成了母骡，她看到自己成了这般模样，泪流满面，顺腮流淌，只得用自己的前蹄子去擦脸上的眼泪。白德尔·巴希姆拿出笼头想套住它的嘴，它极力挣扎，拒不让他套。白德尔·巴希姆没有办法，只得去找那老人，讲述刚才发生的这一切。老人起身，取出一个笼头，说道："你拿上这个笼头去套，即可。"

白德尔·巴希姆带着老人给的笼头，回到宫里，走到那女王变成的骡子跟前，将这老人给的笼头套在它的嘴上，骑着它，走出了宫殿，再来到阿卜杜拉老人的水果铺子跟前。老人见了这骡子，骂道："你这个让人诅咒的女巫！真主终于惩罚了你！"

然后，他对白德尔·巴希姆说："孩子，你没有必要再留在这个城里了，骑着这匹骡子，你愿意上哪里就上哪里去吧，只是不要让别人拿着这根缰绳。"

白德尔·巴希姆再三地感谢阿卜杜拉老人之后，就骑着母骡出了城，三天以后，又来到了一座城池跟前，他遇见一个面孔慈祥的老人，那老人问他道："孩子，你从哪儿来？"

白德尔·巴希姆回答："我从女巫的魔法城来。"

老人又说:"今晚你到我家做客吧。"

白德尔·巴希姆答应了,便随着老人走去,不久在路上碰见一位老妇,她上下打量那头母骡,大哭起来,说道:"世上无神,唯有真主,这匹骡子很像我儿子那头骡子,骡子死了,让我伤心得心都碎了。向真主起誓,先生,您就把这头骡子卖给我吧!"

白德尔·巴希姆说:"真主作证,伯母,我却不能卖它。"

老妇人又求道:"真主保佑,别拒绝我吧。如果我不给儿子买这匹骡子,他一定会伤心死的。"

老妇人一直纠缠不放,非要买骡子不可。

白德尔·巴希姆无奈,就说:"你实在要买这头骡子,就给我一千个第纳尔。"

当时白德尔·巴希姆心里想的是:一个老妇人是不可能一下子拿出一千个第纳尔的。他完全没有料到,他的话音刚落,老妇人立即就从腰带里拿出一千第纳尔来,交到白德尔·巴希姆手上。此时白德尔·巴希姆实在不得已,只得又说道:"伯母,我原是说玩笑话的,这匹骡子,我确实不卖。"

此时,陪白德尔·巴希姆来的那位在路边一直等候的老人看了他一眼,说道:"孩子,这个国家禁止说谎,如若撒谎,会被处死。"

白德尔·巴希姆大惊,只得从骡子上下来,把骡子交给老妇人。

老妇人牵着骡子,卸了笼头,又把水洒在它身上,说道:"我的女儿,摆脱开这个形象,赶快恢复你的原形吧。"

她刚一说完,骡子打了一个滚,即刻变成了人形,那正是列布女王。母女二人抱头痛哭。

白德尔·巴希姆明白了:老妇人是列布女王的母亲。他已经吓得惊慌失措,赶忙逃跑。这时,老妇人却吹起了一声响亮的口哨,一个大山般高大的魔鬼立即出现在她的面前。白德尔·巴希姆惊骇万分,呆呆地站着,动弹不得。老妇人骑上魔鬼的背,让列布女王骑在她后面，她又把白德尔·巴希姆抓住，放在她前面。魔鬼即刻飞腾起来，只一瞬间，他们便又回到列布女王的王宫，列布女王坐上宝座，回瞪了白德尔·巴希姆一眼，怒骂道："你这个混蛋！你在这里，享尽了荣华富贵，却暗算我。现在我叫你知道我的厉害，我从来都是善待那个水果商，他却以怨报德，加害于我，只有通过他，你这个坏蛋也才能做出这等坏事！"

她说着，她把水洒在白德尔·巴希姆身上，说道："脱离开现在的形象，变成一只丑陋的鸟，最丑陋的鸟！"

她话音落下，白德尔·巴希姆在地上翻了一个身，变成一只丑小鸟。列布女王将他关在笼中，不给他吃、不给他喝。只是宫里的一个宫女同情他的遭遇，暗地里送给他吃食与饮水，而不让列布女王知道，使得他不至于丧了性命。有一天，这位宫女趁女主人不在意的时候，赶忙跑到阿卜杜拉老人的水果铺，对他说道："列布女王虐待你的侄子，还要杀死他！"

老人感激这位宫女前来通风报信，对她说："我要设法让这座城市摆脱她的统治，就让你取而代之，来坐她的宝座吧！"

阿卜杜拉吹了一声响响的口哨，瞬间，一个长着四只翅膀的魔鬼出现。老人吩咐它道："把这个姑娘带到海石榴花居住的海洋城市，海石榴花和她母亲蝴蝶夫人是世上最通晓魔法的人。到了那里，你就告诉她们：'白德尔·巴希姆被列布女巫囚禁起来了。'"

四翅魔鬼背着姑娘，很快就飞到海石榴花的王宫的屋顶。

姑娘走下屋顶，进入王宫，径直找到海石榴花，跪下去磕头问安。然后从头到尾讲述了白德尔·巴希姆的遭遇。海石榴花热情地接待了她，感谢她前来报信。随后，白德尔·巴希姆国王有了下落的喜讯就传遍了京城，满朝文武官员、市民百姓无人不知、无人不晓。

海石榴花与她母亲蝴蝶夫人、兄长萨利哈召集了众多天兵神将、海族武士以及从凤凰国王那里俘获的兵士，一起飞上天空，不一会就到达列布女王的魔法城,他们占领了宫殿,消灭了为非作歹的异教徒。海石榴花这才问宫女道:"快告诉我,我的儿子在哪里?"

宫女提出鸟笼,指着笼中的鸟儿,对海石榴花说道:"这就是你的儿子!"

海石榴花放出笼中的鸟儿,用手蘸着水,洒在它身上,说道:"脱离开你现在的模样,恢复你本来面目!"

她的话音刚落下,那鸟儿抖了抖羽毛,变成人的形象:白德尔·巴希姆的形象丝毫未变。他母亲赶快将他紧紧地搂在怀里,母子抱头痛哭。他外祖母蝴蝶夫人、舅舅萨利哈和姨妈们个个都热泪盈眶,一个个亲吻他,一直亲吻到他的双手和双脚。

随后,海石榴花请来阿卜杜拉老人,感谢他对儿子白德尔·巴希姆的所有善举,把他曾派遣向她报告儿子消息的宫女许配给他,又推举阿卜杜拉为魔法城的新国王,又召集了城中穆斯林们,要他们宣誓效忠于阿卜杜拉国王,众人答应:效忠于他,为他服务。

海石榴花、白德尔·巴希姆一行人辞别阿卜杜拉国王,班师回国,由于白德尔·巴希姆国王的平安归来,众百姓喜气洋洋、张灯结彩,热烈庆祝,狂欢一直延续了三天。

此后,有一日,白德尔·巴希姆国王对他母亲说道:"母亲,现在诸事已经办理妥当,我也该娶妻,以便让一家人团聚,享受天伦之乐。"

他母亲说道:"我儿所言极是!但却不能操之过急,仍需明察暗访,看哪位公主能配得上与我儿为妻。"

外祖母蝴蝶夫人和诸位姨母齐说道:"我们都愿意去察访寻找,以助一臂之力。"

大家各自分头在各地寻找打听,给他挑选妻子。

海石榴花也差遣魔鬼驮着宫女们,飞往各地打探。

她吩咐她们道:"莫要错过任何国王、君主的女儿;莫要错过任

何城郭、宫殿，务须仔细察看，只是需寻找出一位有品貌的可人儿。"

白德尔·巴希姆见她们如此大力操办，便对母亲说："母亲，不必再费力气、不必再找麻烦，我仅钟情于凤凰国王的女儿珍宝公主，她人如其名：她就是我心中的珍宝。"

他的母亲说："我已经明白我儿之所愿，我就再向凤凰国王提亲。"

海石榴花立刻派人邀请凤凰国王，凤凰国王欣然而至，然后，她又叫来了白德尔·巴希姆，凤凰国王一见白德尔·巴希姆，立即起身，向他致意，白德尔·巴希姆欢迎他的到来，并当面向他求亲：希望娶珍宝公主为妻。他欣然应诺，说道："就让她为陛下效劳，做陛下使女，伺候陛下。"

他说完，就派侍从回国去把珍宝公主接来，侍从回去，告诉珍宝公主，她的父亲现在正在白德尔·巴希姆的王宫。

珍宝公主听从父亲吩咐，即刻跟随侍从也来到白德尔·巴希姆国王的宫中，一见到父亲，她便走上前去，扑向他的怀里。父亲对她说道："女儿啊，我已经把你许配给这位伟大的、雄狮般勇敢的国王白德尔·巴希姆了，他是海石榴花的儿子，他人品好、相貌俊秀、出身显赫、志向崇高。只有你才可以和他相配，也只有他才配得上你。"

珍宝公主说道："父王，女儿不会违背父亲，遵命就是。如今乌云与忧愁已经散去，我愿意听从父王安排，去做他的奴婢。"

此时，人们已经请来了法官与证人，书写婚约：白德尔·巴希姆国王与珍宝公主结为夫妇。

好消息长了腿，四处传播。

白德尔·巴希姆国王宣布：大赦天下，释放囚犯；开仓放粮，救济穷人、病人、鳏夫、寡妇；准备锦衣缎袍，赏赐文武百官。结婚大典大摆筵席，喜庆活动大张旗鼓，昼夜衔接，热热闹闹地整整庆祝了十天。

白德尔·巴希姆向凤凰国王赠送锦袍，并派人送他回家与家人团聚。

自此，他们过着幸福和谐的生活，吃喝玩乐，共享天伦之乐。

阿拉丁和神灯

中国是个很远很远的国度。现在我们要说的是一个发生在这个遥远国度的故事。

很久很久以前，在中国的一个省份里，有一个裁缝，名叫穆斯塔法，他开了一个裁缝铺，整日在裁缝铺里为人做衣裳，用微薄的收入养家糊口。因为他生活贫穷，也谈不上在他死后能为妻儿留下点什么遗产。

裁缝穆斯塔法有个独生子阿拉丁，他十分疼爱自己的儿子。尽管阿拉丁聪明、好强，只是由于家庭贫困，无法供他上学。待阿拉丁十岁时，便整日在外与一群浪荡子儿游荡，荒废光阴。父亲想如此下去也不是事，想叫他离开那些淘气包，于是就叫他跟着自己学裁缝手艺，也好当个帮手，减轻家庭经济负担。

可是阿拉丁正处于贪玩的年龄，他总是不安心在父亲的铺子中坐着学裁缝手艺。只要是瞅着父亲眼不见，就溜出铺子，到街上与一群浪荡子们玩耍。父亲知道了，叹叹气，也无可奈何。天长日久，父亲劳累成疾，他眼见期待阿拉丁兴旺发达的愿望已成泡影，最终遗憾地一命归天，仅为阿拉丁母子留下了一个裁缝铺子。可怜的母亲只能是以泪洗面，母子俩艰难度日。

可惜，阿拉丁尚未成年，还不懂得生活的艰辛，在父亲死后，像脱了缰的野马，更加放纵，依旧玩耍嬉戏。岁月悠悠，又过了几年，阿拉丁已经十五岁了，父亲在世时管不住他，现在母亲对他更是无能为力，阿拉丁依然故我，没有找到相宜的活干，也不想找活去干。

那天，阿拉丁仍在街头与伙伴们嬉戏之时，有一个远道而来的人经过这里，他的面貌与衣着都与当地人不同，一看便知他不是本地人。这个人看见了阿拉丁，就一直盯住他仔细端详。

原来这个人是个著名的魔法师，生长在非洲，自幼就钻研魔法，又不断修炼，成人后已十分精通魔法了。他从魔法书中获知各种奇闻轶事、魔术秘密，他又来自非洲，人们管他叫非洲魔法师。

这个非洲魔法师到中国来已经两天了。此时他正在仔细地打量着这群和阿拉丁玩耍的孩子，尤其是盯住阿拉丁看个没完。他拉住了阿拉丁的一个伙伴打听他的名字："那个孩子叫什么名字呀？"

一个孩子说："他叫阿拉丁。"

非洲魔法师这下子可高兴了，他心里就盘算着："这可就是我要找的孩子了，为了找这个孩子，我走了那么远的路，从遥远的非洲来到中国，看来没有白来了。"

原来这非洲魔法师从魔法书中读到：在中国的某个地方有一座地下宝库，那宝藏中有很多宝物，最有魔力的是一盏神灯，那神灯的仆人威力无比。因而谁拥有神灯便可以无敌于天下。可是无人能打开这宝库，除了一个人，这个人就是中国的一个叫作阿拉丁的孩子，他的父亲是裁缝穆斯塔法。

非洲魔法师先从别的孩子口中细细打听阿拉丁的情况，一看阿拉丁的情况和那魔法书中描述的一般样。于是他眉头一皱，计上心来。

他赶忙走到阿拉丁跟前，拉着他的手，搂住他的脖子，说道："我的好侄子，你是裁缝穆斯塔法的儿子吧？"

阿拉丁奇怪地回答："先生，我的父亲早死了。您是谁？"

于是那非洲魔法师哭喊着，说道："天哪！我的兄弟死了，我还没有看他一眼哪。"

然后，又流着眼泪吻着阿拉丁说道："我的好侄子，我是你大伯，是你父亲的哥哥，我们同母异父。我离开了家乡，在外面流浪几十年，与你的父亲分别的时间实在是太久了。我今日才回到故里，可惜你的父亲已经不在人世。现在看见了你，就如同见到了你父亲小时候的模样一般。"

他说着，给了阿拉丁两个第纳尔，还说以后要去拜访阿拉丁的母亲。阿拉丁飞奔回家，把自己碰见非洲魔法师的情况向母亲诉说了，问他母亲道："妈妈，我有伯父吗？"

阿拉丁的母亲说："孩子，你没有伯父，也没有姑姑，你父亲没有兄弟姐妹。"

阿拉丁赶忙将非洲魔法师对他说过的话向他母亲重复了一遍，说那非洲魔法师说的，他就是伯父，还给了他两个第纳尔。

母亲想了一想，又说道："你父亲也曾说过，他有个兄弟，只不过早就死了。莫非你父亲以为死了的这位兄弟其实没有死，这次来的这位伯父就是他。"

第二天清晨，非洲魔法师来到阿拉丁的家，他带来了一大篮子水果。他一见到阿拉丁的母亲，就装出十分悲痛的样子哭起来，说："我的好弟媳呀，快告诉我，我那已故的弟弟平日都坐在哪个位置呀？"

阿拉丁的母亲告诉他后，非洲魔法师连忙说道："我的好兄弟呀，我怎么没有看见你一面，就再也看不到了呀！"

阿拉丁的母亲要他就坐在这个椅子上。

那魔法师又道："不，不，我不能坐在这个椅子上，在我心里，他现在正坐在这个椅子上。让我坐到他的对面去吧，我要与他谈家常。"

他一面说着，一面又回忆起他离开家之后这四十年来的经历，说他先后去了印度、波斯、巴格达，然后又在非洲的一个角落落了脚。

然后，非洲魔法师回头看了一看阿拉丁，问道："我的好侄子，你现在做什么营生呢？"

阿拉丁羞愧难当，难以出口，他母亲只好接过话头，将阿拉丁埋怨了一番："他什么也不做，只知道同一群小顽皮打闹嬉戏。他父亲活着的时候，曾叫他学习裁缝手艺，他根本听不进去，不好好学习。他父亲死后，我对他是一点办法也没有了。"

非洲魔法师说道："孩子大了，应当学会一种技艺，将来才能够独立谋生。就让孩子学学经商吧，孩子，如果你愿意，你会成为一个好商人。我会尽力帮助你的。"

这个主意让阿拉丁太高兴了。

非洲魔法师又说："那么，明日我就带你先到商店去转转吧！"

次日，非洲魔法师又来到了阿拉丁的家，说是学习经商要做做准备，先要给阿拉丁买一些衣物用品，阿拉丁的母亲欣然同意了。于是非洲魔法师就带着阿拉丁出门了，他们来到市场，进了一家服装店，非洲魔法师指着那些漂亮的衣服对阿拉丁说道："我的好孩子，你看这些衣服，喜欢什么样子的，就挑选什么样子的吧。"

阿拉丁一听此言，高兴起来，挑了一套自己认为十分漂亮的衣服，非洲魔法师为他付了钱。随后又带他去澡堂洗澡更衣，从澡堂出来后，非洲魔法师又带他去看集市，逛商店，教阿拉丁如何接触生意人，准备将来自己做生意谋生，并将阿拉丁介绍给这些商人，说道："这就是我的侄子阿拉丁。"

此后，二人又去参观了名胜古迹，走得累了的时候，就到一家餐馆去品尝各种名菜、小吃，一路上二人亲亲热热的，至傍晚时分，非洲魔法师才送阿拉丁回家。

阿拉丁向母亲叙说着他今天一天的经历，母亲看到阿拉丁衣着华丽，非昔日能比，激动得热泪盈眶，千感谢、万感谢地不知说什么是好。

非洲魔法师却大度地说："弟媳不必介意，我弟弟的孩子就如同是我自己的孩子一般，我所做的也不过是略尽微薄之力而已。"

阿拉丁的母亲谢道："愿哥哥这样的好人长寿！今后阿拉丁就大有指望了。"

又一天清晨，非洲魔法师再次来到阿拉丁的家，亲热地拥抱阿拉丁，说："今日我带你到一个风景优美的地方去，让你再长一些见识。"

阿拉丁乐不可支，赶忙跟着"伯父"出了门。二人出门后，穿大街，过小巷，渐渐地走进了美丽的大自然，这里河流曲曲弯弯，河水清澈见底，河岸边树木成荫，鸟语花香，一片万紫千红的美丽景象。非洲魔法师打开自己带来的口袋，取出各种食品，对阿拉丁说："好侄子，你一定是饿了，赶快来吃点东西吧！"

阿拉丁高兴地大吃大嚼着。等到阿拉丁吃饱之后，非洲魔术师又继续领着阿拉丁朝前走，走过一片草地，又走过一座花园，一直来到一座高高的山脚下，此时，阿拉丁已经十分劳累，不由得说道："亲爱的伯父，我们已经走得很远很远了，我从来也没有出过这样的远门，现在一点儿也走不动了，我们回家去吧！"

"我的孩子，我们虽然已经走得很远很远，但是我们并没有走错路，我们这次出来，总要有所收获啊，我们再往前走走，就会寻找到宝藏了。我们所要寻找的宝藏，可是非同凡响，无可比拟的。就是帝王的宝藏，比起它来，也显得微不足道了。所以你不要说累，你已经是个大人了，应该一直走下去才对。"

魔术师一边说着，一边心里想："我经过了无数个日落日出，从摩洛哥来到中国。要寻找的宝物还未到手，岂能让你就这样罢休。"

他领着阿拉丁继续向前走，终于到达了他选中的目的地。他对阿拉丁说："亲爱的孩子，我们这就到了。你先休息一下吧，待一会儿你会看见人世间最美妙的奇景，这是任何人也不曾看到过的。"

阿拉丁被他的"伯父"又蒙又骗，也就暂时忘记了疲劳，听他"伯父"的吩咐办事。

非洲魔术师先是吩咐阿拉丁找一些枯树枝，自己将其点燃。然后，又从衣袋里取出一个小盒子，打开盒盖，取出一些香料，撒在燃着的树枝上。待到香料燃着，冒出袅袅青烟的时候，他便开始念咒语。随着他念的咒语，山摇地动，面前的大地裂了开来。阿拉丁从来没有看见这种惊天动地的景象，害怕至极，吓得乱跑。

非洲魔术师心里明白：没有了阿拉丁，就取不出地下宝藏，他多年的辛苦就要落空。

他焦躁起来，暴跳如雷，对阿拉丁又打又骂，一反往日的斯文模样，阿拉丁吓坏了，忙问："伯父，我做错了什么？"

这会儿，非洲魔术师又装出慈爱的样子，说道："我亲爱的孩子，你并没有做错什么事情，只是你不必害怕，有你的伯父在身边，你只管听他的吩咐做事就行了，你会得到取之不竭、用之不尽的财富。"

接着，他又解释道："这块地的下面，埋藏着一个宝库，这宝库上面盖着一块石板，石板上边有一个铜环。要知道，这宝库是用你的名字埋在地下的，除了你，世间任何人也搬不动这块石板。你拉着铜环，说着自己的名字，同时也说着你祖父和父亲的名字，这样你就可以揭开石板。随后，你就可以发现一个洞口，洞口还有一扇小门，你进入小门，走下洞去。你沿着台阶一级又一级地走下去，直走到洞底。你会看见那洞底是一个宽阔的地方，共有三间房子，每间房子都有数个坛子，放满了金银，只是你不要去碰这几个坛子，也不要让衣服碰着它们。你尽管朝前走去，走完第三个房间，你就会看见后面有一道门，出了门，就会看见一个花园。你穿过了花园，就进入一间富丽堂皇的大厅，大厅的天花板上面吊着一盏灯，你要知道，这盏灯就是我们所需要的。你拿下灯，倒掉灯油，将灯藏在胸口，沿着原路返回来。清楚了吗？我的孩子。"

阿拉丁连连称是。

非洲魔法师又从手上取下一枚戒指，戴在阿拉丁的手上，嘱咐说："你戴着这个戒指，如果碰到困难，这个戒指会让你逢凶化吉的。"

阿拉丁戴着那枚戒指，按照"伯父"的吩咐去做：拉着石板上的那个铜环，叫着自己的名字，同时也叫着祖父和父亲的名字。他揭开石板，发现洞口，他沿着一级又一级台阶，走下洞去，走到底层，看见那里有三间房子，每间房子里都有数个坛子，里面放着黄金、白银。他听从"伯父"的指挥，对这些金银珠宝不屑一顾，径直朝前走去。他再次叫着祖父和父亲的名字，又叫着自己的名字，通过了第三间房子，进入了一间花园。花园中，果树结满了各种果实。他实在感到好奇，便在花园的果树上摘下了几个果子，在地上捡起几个好看的宝石，放在衣袋里。他想：这些东西是多么好玩呀！可以带回家去让妈妈也看一看。可是，这不是"伯父"要他做的。

他不敢停留了，继续按照"伯父"的指挥前行，路过花园，走入一间富丽堂皇的大厅，大厅的天花板上面吊着一盏灯，他知道，这盏灯就是他的所需！因为"伯父"告诉他：有了这盏灯，便可以掌握这宝藏里面的一切。他找来一个梯子，爬了上去，取下灯来，倒出灯中的残油，把灯也放在衣袋里，准备返回地面。他循原路返回，经过了花园，经过三间放着数坛金银的房子，再沿着一级又一级的台阶往上爬。他的几个衣袋里都装满了果子与宝石，又装着灯，显得鼓鼓囊囊的，行动十分不便。当他快要到达洞口的时候，已经感到十分劳累，便大声地呼喊着："伯父，快拉我上去，"

"我的孩子，快把灯递给我！"

"伯父,灯在衣袋里,果子与宝石也在衣袋里,混在一起,一时是拿不出灯来的。拉我上去吧,我上去以后就会给你拿出灯来的。"

非洲魔法师可不听阿拉丁的说明,他从非洲来到中国,就是为了这盏灯!为了这盏神灯!

在当时,非洲魔法师没有明白:阿拉丁的确是把果子、宝石与灯都混放在一起,这些东西放满了他的几个衣袋了,一时不容易把灯拿出来。他误以为阿拉丁不愿意给他神灯,是想留给自己。于是他愤怒了,就又把香料撒向火堆,念起咒语,再一次地动山摇,那块石板竟然将洞口盖住了。

非洲魔法师要把阿拉丁闷死在洞里!他想:要是他自己不能得到神灯,绝不能让这个孩子得到神灯!

这个非洲魔法师此时此刻的行为暴露了他根本不是阿拉丁的什么"伯父",也不是阿拉丁父亲穆斯塔法的什么哥哥。他是一个非洲人,生活在遥远的非洲西部,这里有不少人热衷于巫术。非洲魔法师从小就开始钻研妖道,醉心巫术,凭借魔力,他得知遥远的东方有一个地下宝藏,而宝藏中有一盏神灯,尤为神通广大。那神灯的主人将应有尽有,不可战胜,可是那地下宝藏属于当地一个名叫阿拉丁的贫苦孩子。非洲魔法师梦寐以求的就是要窃取宝库中的这盏神灯!而他本人无法打开宝库,得到神灯。他不得不依靠阿拉丁,借助于阿拉丁之手,打开宝库,取出神灯。

然而今天,阿拉丁却不痛快地把神灯交给他,等到阿拉丁从宝库的洞中爬上来之后,谁又能保证这个孩子不会为神灯与他争执呢。他以为自己这样千辛万苦,原来是徒劳一场,叫他如何不气愤!一气之下,他准备打道回府!他自己也忘记了他给阿拉丁的戒指还在阿拉丁的手上呢。

再说阿拉丁被困在洞中,他还没有认识这位非洲魔法师的真面目,仍在苦苦哀求:"伯父,伯父,快拉我上去,给你灯,灯在我的衣袋里。"

他喊破了嗓子，也没有人答应，他急着再次哭喊着："伯父，我这就把神灯拿给你！"

可是再也没有人回答他。他又听见一声巨响，看见洞口封上，眼前一片黑暗，不由得更加伤心地哭起来，他没有办法，只好这样静静地坐在那里。他万般无奈，只好无可奈何地挥挥拳，搓搓手，不想无意之中却碰到了那枚非洲魔法师给他的戒指。那非洲魔法师愤怒中已经忘记了的戒指！突然一个巨人挺立在他的面前，那样子无比狰狞可怕，他对阿拉丁说道："我的主人，你有什么吩咐？"

阿拉丁吓了一跳，忙问："你是谁？"

巨人解释说："我是戒指的仆人，谁拥有戒指，我就为谁服务。"

阿拉丁高兴起来："戒指的仆人呀，我要回到地面上去！"

话刚落音，阿拉丁已经站在地面上，站在宝藏的入口处。他想回家，想妈妈，于是循着来路慢慢寻找，经过花园，穿过大街，走过小巷，才回到家中。

他的母亲已经心焦得泪流满面，一见儿子平安归来，赶忙问长问短，阿拉丁将那个"伯父"原是个骗子的事情如实相告。

母亲说："我们平安在家过日子好了，不要期盼什么外财。待我纺纱织布，卖出之后得到钱，我们自会有吃有穿。"

"母亲，我在那洞中得到一盏灯，不如也卖出去，也可换得一些食物。"

阿拉丁的母亲看见这灯实在破旧肮脏，就拿出布来擦一擦，心里想：擦干净一些，也许可以卖个好价钱。

不想她刚刚擦了一下，突然一个庞然大物般的神灵就出现在她的面前，用雷鸣般的声音喊道："我的主人，你要我做什么？尽管吩咐。您掌握着神灯，神灯的仆人愿意为您效劳。"

阿拉丁的母亲一见这灯的仆人如此巨大，吓得不知所措，昏了过去。阿拉丁立即想起自己遇到戒指的仆人的经历，心中也就坦然一些，说道："神灯呀，我们太饿了，请给我们一些食物吧！"

神灯的仆人隐去，不一会儿又出现了，已将一桌丰盛的饭菜备好，放在 12 个银盘子上面，端到阿拉丁母子二人面前的桌子上，随后悄然隐去。阿拉丁叫醒母亲，一同用餐。母亲看见如此丰盛的饭菜，皆是平生所不曾见过的，惊奇至极。等到二人吃饱喝足之后，阿拉丁的母亲一面把未吃完的饭菜收拾起来，留作以后两天用，一面问阿拉丁道："儿啊，灯里面的神灵那么高大，怎么还将自己称为神灯的仆人呢？"

阿拉丁回答了母亲的问话，把母亲昏倒的时候发生的事情讲给母亲听，随后又将非洲魔法师给他戒指，让他到洞中去取神灯的经过详详细细地向母亲描述了一遍。母亲说："那个神灯里面的神灵一出来，可就把我给吓死了！"

阿拉丁告诉母亲："不必害怕，他是神灯的奴仆，每当神灯的主人呼唤他的时候，他就会出来听候吩咐。"

"儿啊，还是把这神灯与戒指都卖了吧，要不就藏到一个远远的地方去，别叫那个庞然大物的神灯仆人出现在我面前，我实在太害怕它了。"

"母亲啊，要是咱们有困难的时候，它们还是会帮助我们的。您想想，那非洲魔法师让我到地下宝库去，不叫我带任何金银财宝出来，而只要这个神灯，我没有立刻把神灯递给他，他竟然即刻将我埋在地下。我正担心无法逃出洞来的时候，是戒指帮助了我。可见这两样东西，都是宝物。刚才，我们饿了的时候，神灯还给我们带来了一餐丰富的饭菜呢。"

"儿啊，你说得很有道理，只是我害怕这神灵，希望它不要在我面前再出现。"

阿拉丁答应下来，让他的妈妈尽管放心。第二天，他就不再招呼神灯的仆人，他们吃完了神灯为他们提供的食物，就把那盛食物的银盘子卖掉，再用这钱去买食物，过几天，再卖一个盘子，直至将这些盘子卖完为止。

开初，阿拉丁为卖银盘，来到了集市，碰到了一个犹太人，这个精明的犹太人一看这货真价实的银盘，就要买，立刻询问银盘子的价钱。

阿拉丁其实并不知道银盘的价格，只好这样回答："先生，您看着办，您是知道价钱的。"

犹太人本来想看看阿拉丁是否知道银盘的价格，听到阿拉丁如此回答，想他这样年幼无知，就买他一个银盘，给他一个第纳尔算了。阿拉丁得了钱，就交给母亲去买面饼，吃完了，就再去卖一个银盘。几日后，阿拉丁卖掉了十二个银盘，换来了面饼以及其他生活之所需。母子两人节约过日子，这样又过了一段时日。有一天他乘母亲不在家，再一次擦一擦神灯，要神灯的仆人给他提供食物，神灯的仆人照做了。

从此，母子二人靠神灯提供的食物度日，每一桌宴席，母子可以吃两天。吃完之后，再拿出盛食物的银盘子去卖。过了些时候，又向神灯要一次食物，再卖出银盘。

阿拉丁经常在市场转悠，熟识的人渐渐多了起来，同犹太人，也同其他的商人打交道。有一次，他到另外一个商人那里去卖银盘子，人家给了他三十个第纳尔。这样阿拉丁了解到最初他卖的盘子是卖得太便宜了，是受骗了。此后，阿拉丁知道他的银盘子该卖给谁了。

阿拉丁和他的母亲过着心满意足的生活，他们常常是喜笑颜开，不知不觉又过了一段时间。

渐渐的，阿拉丁的诚实待人的品格很得一些人的赏识。

有一天阿拉丁又到市场去，突然，看见一群当差的吆喝着："众位庶民知晓：今日白德尔·布杜里公主前往澡堂沐浴、熏香，众商贾停业一日，居民闭户一日，违者严惩。"

阿拉丁一听此言，感到十分新鲜，心想："早就听说白德尔·布杜里公主聪明美丽，不得有机会相见，今日正是好时机。"

阿拉丁想到此，就预先走进澡堂，躲在长廊后，耐心等待公主的到来。

再说白德尔·布杜里公主在众多奴婢的簇拥之下，路过街市，走进澡堂。她走进大门之后，便取下面纱，步履轻盈朝前走着。躲在长廊后的阿拉丁一眼便看得个明明白白，顿时为她的美丽所倾倒，叹道："世间竟然有此等美丽、此等风采的女子，这是我平生不曾见到过的呀！"

当晚，他回到家里来，便思量起日间所见到的一切，思念起这位美丽非凡的公主。他突然头脑中冒出了一个大胆的想法：去向皇帝求婚，要求娶他的女儿白德尔·布杜里公主为妻。他是神灯的主人，那个能创造世间一切奇迹的神灯会为他创造奇迹，也会为他迎娶公主提供帮助的。他思考良久，设想出一个实现这一目标的办法。

他结交了城里的达官显贵，渐渐变成了他们中间的一员，以便将来自己能够有一个适合娶公主为妻的身份。

他的母亲见他经常沉思，不思茶饭，便再三盘问道："孩子，你有什么心事呀？"

阿拉丁羞涩得低下头，头都快低到地上了。他将自己躲在长廊后见到白德尔·布杜里公主一事告诉了母亲，对母亲说道："其实，我早就想向您讲明我为何痛苦忧伤了，让您不要以为我是发了疯。但是现在，您已多次问及，我也不愿再隐藏心中的愿望。母亲呀！您知道，有一天我见到了白德尔·布杜里公主。我自从见到她之后，就神魂颠倒，心中思念她，渴望能够娶她为妻。"

阿拉丁母亲一听这话，惊奇地叹息道："人家是皇帝的公主，我们是这样的贫困人家。穷裁缝的儿子、小小的阿拉丁要娶皇帝的女儿白德尔·布杜里公主为妻，人家会以为我们是真的发了疯。"

阿拉丁却来了精神，笑笑说："我并没有发疯。母亲呀！我只有您这样一个亲人，我只想要求您一件事，请您向皇帝为我提亲吧。告诉他，我要娶他的女儿白德尔·布杜里公主为妻。"

母亲说道："孩子，别傻想了，这是不可能的事情。娶另外一个女孩子吧，我立即就可以去为你求婚了。只是说到要娶公主，这是难以实现的，何必要拿一件无望的事情去惹皇帝生气呢。"

阿拉丁说："相信我，会有办法的。母亲呀，我绝不放弃这个愿望。求求您，只求您这一件事，您到皇宫去一趟吧，为您的儿子求婚去吧！如果皇帝同意了您的要求，您就是满足了儿子的最衷心的愿望；如果皇帝拒绝了您，您也是尽职尽责了，尽了您的最大努力了。"

"孩子，那么你让我拿什么聘礼去向皇帝提亲呢？"

"我会给皇帝最精美的礼物，我有稀世之宝，无价之宝。"

"孩子，这些稀世之宝都是在你的梦中吧。"

"母亲呀，我可是有财富的人呀，您不记得我从宝库中带回来的宝物吗？我在宝库花园里摘的果子、地下捡的宝石都是无价之宝呀！我带来的每一颗珍珠也都是价格十分昂贵的。这些时候，我在市场里转悠，已经了解到珠宝行情。没有人的珠宝比我的珠宝更珍贵，便是皇帝宝库中的宝物也是无法相比。这些话都不是我说的，而是城里巨商富贾们的看法。"

"这些礼物送给皇帝后，又拿什么作为公主的聘礼呢？成婚后，公主又住在什么地方呢？难道公主会满足于同我们一起住在这样简陋的房子里吗？这也是我们的难题呀。"

"母亲呀，别担心，我还有神灯与神戒指，它们会帮助我，去实现皇帝所向我要求的一切。只是神灯与神戒指的事情不要说与他人知道，以防止别人偷窃。"

母亲经不住阿拉丁的再三请求，她看到儿子希望娶公主实在心切，于是答应到皇宫去为他求亲。

阿拉丁带着美好的心愿，睡了甜甜的一觉。

次日清晨，阿拉丁早早起床，催促母亲快到皇宫去。母亲穿上了最华丽的衣服，拿上阿拉丁要她带的珍宝，朝皇宫走去。她来到了皇宫的面前，远远看见皇帝的周围都是达官显贵，她又惊又怕，迟疑地站在等待朝见皇帝的人群后面，不敢朝前走。直到时间已到正午，人群散去，阿拉丁的母亲白白错过了机会。

第二天，她又带着宝物到皇宫面前等待，钦差大臣们看见她胆战心惊的样子，又在远远地东张西望，就没有理睬她。直到傍晚，她又只好难过地回了家。

阿拉丁见此情况，问道："母亲呀，这两天您都办了些什么事情了？"

母亲告诉他这两天的情况，答应明天再去皇宫。

第三天，太阳升起的时候，阿拉丁又叫醒了母亲。母亲再一次向皇宫走去，重复着前一天的经历，这样一直过了整整的一个星期。

此后，她天天到皇宫去，在皇宫面前等待。直到一日，皇帝也注意到她天天在此等候，踌躇不前，便要求宰相说，如果明天她还在这里等候，就把她带到宫里来，问问她到底要做什么？

又一天，宰相按照皇帝的吩咐，带她进宫。皇帝问她道："老人家，你天天在此等候，看来是有什么事情的？"

阿拉丁的母亲壮着胆子走上前去，跪在皇帝面前，回答道："尊贵的皇上，感谢您接见我，听我讲话，我将永远不忘记这大恩大德。只不过我希望单独和您说话。"

皇帝喝退左右，只留下宰相在旁边，道："现在，你想说什么就说什么吧！"

阿拉丁的母亲再一次跪拜皇上，然后，走上前去，送上珍贵的礼物。

皇上把玩这礼物，感到其十分稀有珍贵，宰相也有同感。皇上问道："老人家，送我这样珍贵的礼物，您有什么事情要我办呢？"

阿拉丁的母亲这才说道："尊贵的皇上，我的儿子叫阿拉丁，斗胆想娶皇上的公主。我知道我们平常人家的儿子很是配不上您的公主，怎奈儿子执意这样办。我也没有办法，只得前来，替儿子阿拉丁求亲，请皇上将白德尔·布杜里公主许配给他为妻。"

皇帝直截了当地问："你带了什么聘礼来求婚？"

阿拉丁的妈妈即刻打开自己所带的包袱，拿出一个金盘，盘子上面放满了珍珠宝石，名贵非常，珠光闪闪，将皇帝的大厅照得平添了一层光彩。

皇帝大为惊讶：天哪！我从来也没有见过这样的珍珠宝贝呀！即使在我的宝库中也拿不出这样的宝贝的。于是他说道："有着这样珍珠宝贝的人是应该当美丽公主的丈夫的！我同意将我美丽的女儿嫁给你的儿子，不过我需要用三个月的时间替她准备好嫁妆，让你的儿子再等待三个月，才能举行婚礼。"

宰相一听这话，眉头皱起，原来他先前曾和皇帝说过，要求将白德尔·布杜里公主许配给自己的儿子。此时，见此情景，不免十分着急无奈。

阿拉丁的母亲快快活活地回了家，将皇帝的话告诉了儿子。阿拉丁听后当然十分欢喜，高兴得简直想飞起来。只盼着这三个月的限期快一点儿过去，心里感谢母亲为他办了此等大事。

好容易过去了两个月。

这一天，阿拉丁的母亲上街买东西，只见家家店铺关门，户户张灯结彩，到处搭上了帐篷，城市装饰一新，犹如过节一般。阿拉丁的母亲忙向行人打听："有什么好事情？"

行人道："老人家，如此大事，你竟然不知，难道你不是本城的居民吗？告诉你，今天皇帝的女儿、美丽的白德尔·布杜里公主与宰相的儿子喜结良缘，现在宰相的儿子正在澡堂里沐浴、熏香。待到事毕，就要进宫去同公主举行婚礼了。"

阿拉丁的母亲一听，如同晴天霹雳，赶忙回家把她听到的事情告诉了阿拉丁。阿拉丁十分难过，苦恼异常。心想：皇帝答应的事情是不应该改变的，自己耐心地等待，怎么等到此种结局。但是他知道：绝望地退步是无济于事的，他沉思了一会儿，想出了一个断然措施来报复。他需要求助于神灯。

他走到另外一间房子，关上房门，取来神灯，轻轻一擦，神灯的仆人就出现在他面前，说："我的主人，需要我做什么？神灯的所有仆人都听您吩咐。"

阿拉丁说道："皇上答应将美丽的白德尔·布杜里公主嫁给我为妻，但需要等待三个月的时间来办理嫁妆。可是，还没有到三个月，皇上又将公主许配给了宰相的儿子，今晚就要举行婚礼。帮帮我，不要让宰相的儿子接触公主。等到婚礼结束，就把他们和床一起都搬到我这里来好了。"

"遵命，我的主人。你将看到的一切会让你满意。"

婚礼过后，宾客散去。一阵风过，新郎、新娘和他们的新房都出现在阿拉丁的家中。

阿拉丁对神灯的仆人说："把那个倒霉的家伙关到厕所里过一夜！"

"遵命，我的主人。"

当夜，宰相的儿子呆在厕所里过夜。

洞房之夜，公主十分诧异，她仅仅回头一看，就不见了自己的丈夫，只有自己一人独处。她十分惊异：新郎哪里去了？此时，她看到了另外一个面目清秀的年轻人走了过来，他就是阿拉丁。他向可爱的白德尔·布杜里公主问候，又让公主躺在床上，自己躺在床的另一侧，又在二人之间放了一把剑，宽慰公主道："美人儿．你父皇将你许配我为妻，后又出了变故，将你许配给了那个人。为了要保持你的名节，我只有如此了。"

公主听不懂此言，胆战心惊地熬了一夜。

待到次日黎明时分，神灯的仆人将公主与新床一并送回到宫殿中去。同时也放了宰相的儿子，将他送回公主的房间。恐惧、迷茫笼罩着他，那个黑色的夜晚让他不安，却又不能告诉公主。

一早，皇帝想到公主新婚大喜，要来祝贺女儿新婚快乐，便来到女儿的房间，只见她闷闷不乐。而宰相的儿子也不言不语，因为他在厕所里呆了一夜，已经冻得说不出话来。

后来，王后也过来看望女儿，公主才将昨晚的离奇遭遇一五一十地讲给母亲听："一阵风起，一个巨神将我的新房搬走，新郎不见了。却来了一个眉清目秀的年轻人，那年轻的陌生人躺在我的身边，又在我们二人之间放了一把剑。今天早晨那巨神又将我送了回来，父王来看我的时候，我只是害怕，说不出话来。"

王后说道："你说的这件事情好生奇怪，让人不得明白。千万不要告诉别人好了，人家会笑话我的好女儿的。"

"可是我说的都是事实啊。"

于是王后又去问宰相的儿子："公主说的事情都是真实的吗？"

宰相的儿子当时不敢承认真相，只是支吾道："我并不知此事。"

待到傍晚，阿拉丁又重复了昨日的做法。神灯的仆人再次按照他的吩咐，帮助他将公主、宰相的儿子连同新房搬出，仍然将宰相的儿子藏在厕所里。次日清晨，再将公主、宰相的儿子连同新房搬回去。

再说皇帝一早醒来，心里仍是惦记着公主新婚，希望再去看望她一下，结果走进洞房，仍然看见公主愁容满面，再三追问到底发生了什么事情，公主乃说道："尊敬的父王，我这两日经历的事情可是太奇怪了，我被一个陌生人带到一个陌生的地方，他说的事情我也听不明白。至于驸马到哪里去了，我也不知道，你只有自己去问问他。只是清晨，我们又都回到这间房子里面来。”

皇帝听了这番没头没脑的话，弄不清楚到底发生了什么事情，立即招宰相进宫，要宰相问问驸马到底是怎么回事。宰相说道：“陛下，自从小儿前日进宫，到现在还没有回家去呢？我也没有见到他，并不知道发生了什么事情？”

于是皇帝把从公主那里听来的话又重复说了一遍。宰相即刻去找到儿子，追问这两夜到底发生了什么事？他的儿子此时不得不说出了这两夜的真实情景：“尊敬的父亲，公主说的话的确是事实。过去的两夜，我们未能享受新婚的欢乐，却碰到了意外的灾难。我的遭遇尤其让人难堪，我不曾与公主同床，却被关在厕所里，那里又黑又暗，让人感到又冷又怕。尊敬的父亲，看来我不宜与公主结亲，请您去求皇帝解除我和公主的婚约吧。”

宰相听了这番言语，又急又气，又无可奈何，心想自己费尽心机促成这门婚事，只想自己尽享荣华富贵，儿子日后亦可平步青云，怎奈得到此种结局，只得安慰儿子道：“儿啊！你能入选驸马并不是一件容易的事情，是否可以再忍耐一下，我们今夜派众多壮丁来守卫你。”

宰相说毕，即刻去找皇帝，将驸马所言报告皇帝。

皇帝听后，说道：“已经一而再，岂可再而三，此事不可再维持下去。”

于是皇帝宣布解除公主与宰相儿子的婚约，并且立即停止任何婚礼庆祝活动。皇帝只是感到公主不宜嫁给宰相的儿子，但是他忘记了他给阿拉丁妈妈许下的诺言。

阿拉丁仍然在等待着，一直等到过了三个月，这是皇帝许诺他和白德尔·布杜里公主结婚的期限。他恳求母亲再去见皇帝，提醒他不要忘记了自己的许诺。经过了几次三番，此时阿拉丁的母亲去见皇帝已经是轻车熟路，她找到皇宫，礼貌地等候在等待皇帝接见的人群中，直到轮到她去见皇帝。她堂堂皇皇地向皇帝走去，皇帝一见阿拉丁的母亲走过来，就对宰相说道："我记起来了，我曾经答应这个老婆子，待三个月后，安排她的儿子与公主的婚事，看来期限已经到了。"

站在一旁的宰相诺诺。

阿拉丁的母亲走上前来，向皇帝问好，然后说："尊敬的陛下，您答应过我：将公主嫁给我的儿子阿拉丁为妻，需要三个月的时间为公主准备嫁妆。现在三个月的时间已到，应该是安排美丽的白德尔·布杜里公主与我的儿子阿拉丁结婚的时候了。"

皇帝当时是信口开河，未想到对方如此认真，他一看面前的这个衣着寒酸的老婆子，心想：你怎样为你儿子娶我的女儿呢？站在一旁的宰相正心怀妒意。他似乎猜度出皇帝此时的心情，于是说道："要娶公主为妻，应该用四十个金盘盛满金银宝石，有四十位侍女送进宫，作为公主的聘礼才是。"

皇帝一听此言甚是符合自己的心意，便接着说："还要有四十位卫士护卫前来，如果你的儿子能够做到这些，那么就娶美丽的白德尔·布杜里公主为妻吧！"

阿拉丁的妈妈一面叹气一面走回家来，暗自猜度："即使儿子将他从地下宝库花园中的金银宝石都拿出来，也不足数。再则，又哪里找来这四十个侍女与四十个卫士呢？"

不过，她还是把这些情况告诉了儿子。儿子听后，宽慰妈妈道："不必太着急，皇帝提出这样苛刻的条件，看来是想把我吓倒，不要再想去娶他的女儿，宰相却是一个帮凶的角色，他的儿子不能当驸马，他会向我报复的。"

他说完，就走进了自己的房间，来求助于神灯。他擦了一擦神灯，对神灯的仆人说道："我希望娶皇帝的女儿、美丽的白德尔·布杜里公主为妻，可是皇帝要我用四十个金盘盛满金银宝石，有四十位侍女送进宫去，还要有四十位卫士护卫前往。帮助我，尽快办成这件事情。"

"遵命，我的主人。"神灯的仆人答应后，立即隐去。

不一会儿工夫，神灯的仆人再次出现，他的身后，跟着长长的队伍，四十个姑娘缓缓走来，每人捧着装满金银珠宝的金盘。在她们的身后，跟随着四十名威武雄壮的卫士。阿拉丁打开了自家的院门，迎接这支队伍，再请母亲带领着他们前往皇宫。这支队伍沿途经过大街小巷，人们都停住了脚步，注目观看，异口同声地称赞着，这队伍真是威风凛凛，美妙异常，好似壮士们护卫仙女。

一行人走到皇宫面前，早有人去向皇帝通报。皇帝得知，十分欢喜。他打量着这些珠宝，又注视着这些千姿百态的美女，简直不知说什么是好，便欣然接受了这些聘礼，赶忙对阿拉丁的妈妈说："你的儿子在这么短的时间内能够准备出这样丰厚的聘礼，可见他非同凡响，应该娶公主为妻。"

白德尔·布杜里公主看见这些珍宝，亦为震惊，说道："我看人世间没有什么更珍贵的东西能跟这些宝贝相比。"

她也随之高兴起来。皇帝乘机说道："孩子，失去宰相的儿子，我儿不必难过。今日向你求婚的人会更适合做你的丈夫，父亲就为你定下这门亲事吧，希望你们幸福美满。"

随即，皇帝对阿拉丁的母亲说道："快，快，快叫你的儿子进宫来，让我们看看他。"

阿拉丁的母亲非常感谢皇上的盛情厚意，告辞回家，她这趟皇宫之行马到成功，让她十分欣慰。她赶忙回家立即告诉儿子：皇上要召见他商谈婚事。阿拉丁得此消息，喜笑颜开，对于皇上要他进宫一事丝毫不敢怠慢。

他又走到自己的房间里，取出神灯，擦了一擦。神灯的仆人应召而至,问道:"我的主人,您有什么吩咐?"

阿拉丁说:"皇上要召见我,为我准备一间澡堂,让我洗洗澡,再为我准备一些质地考究的新衣。"

话刚说完,神灯的仆人就带着他飞起来,将他带到一个豪华的洗澡堂里,这里面为各色名贵的石料铺就,神灯的仆人让他坐在一间胜过皇宫的大厅中,准备入浴。他脱去衣服,再走入澡堂,神灯的仆人们伺候左右,待到他沐浴之后就为他换上新衣,这新衣上缀有稀有的珍珠宝贝,简直胜过皇上的龙袍。阿拉丁穿着神灯的仆人为他提供的如此讲究的衣着,又在沐浴、熏香之后,尤其显得英俊。他容光焕发,仪表堂堂。

阿拉丁惊奇地看着这一切变化,再吩咐神灯的仆人道:"给我提供骏马,配上辔头马鞍;要有20位仆人身着豪华衣服、手捧珠宝,走在我的前面,另有20位同样衣着的仆人走在我的后面;为我母亲提供六套相应的服装,还要有12名服装华丽的婢女陪伴;再要十个钱袋子,每个钱袋子里面放着一千个金币,以便去皇宫的沿途向行人施舍。"

"遵命,我的主人。"神灯的仆人答应之后,照例隐去。

当他再一次出现的时候,就已经将阿拉丁所吩咐的一应事情全都办好了。那高头大马的辔头与马鞍均为金银镶嵌,那长长的仆人队伍整齐排列。阿拉丁给了她母亲四个钱袋子,将其余六个钱袋子交到仆人手中,要他们分别散发给沿途看热闹的人们。

阿拉丁母子装备好,一行人一派威风凛凛的景象,整整齐齐地向皇宫进发。在向皇宫行进的路途中,一路施舍,更加引得路人注目观看。

这里皇帝也十分关注公主的婚事,早已经派文武百官在皇宫面前等候,迎接阿拉丁一行的到来。

阿拉丁由卫队护送,骑马来到皇宫面前,看见文武百官及皇帝的眷属早已经在皇宫面前等候，便急忙下马步行。人们将阿拉丁引到皇帝的宝座前，阿拉丁刚要下跪，皇上立即阻止，与他亲热地拥抱，把他拉到靠近自己身边坐下。阿拉丁看到皇上如此关照，受宠若惊，说道："陛下，阿拉丁不敢忘怀皇上恩典，阿拉丁终生做陛下的奴仆。"

皇帝看见阿拉丁一行如此气派，满心喜欢，亲切地招呼他，问候他。阿拉丁又说道："承蒙陛下将美丽的白德尔·布杜里公主许配我为妻，我的高兴心情难以用言语表达，我将作为她的奴仆，衷心伺候公主，孝敬陛下。"

说话间，午餐时间已到，一行人走到一个大餐桌前，皇上特意要阿拉丁坐在自己跟前，诸位大臣也落了座，大家谈天说地，阿拉丁有问必答。

短短相处，皇帝已经看出阿拉丁聪慧、温文尔雅、礼貌非常、彬彬有礼，心中更是欢喜。用餐完毕，皇上忙招呼法官、大臣为阿拉丁与美丽的白德尔·布杜里公主的婚姻写下婚书。

阿拉丁又向皇帝许诺道："为了向美丽的白德尔·布杜里公主表达我的爱意，我还准备为她建造一座巍峨的宫殿。建造在何地方合适，谨请陛下指示。"

"我的孩子，你有这样的心愿真是难得，皇宫对面就有一块空地，你要是认为合适，也可以在那里建的。"

"好的，如果能在皇宫附近为美丽的白德尔·布杜里公主建造一座巍峨的宫殿，真是再好不过了。"

阿拉丁向皇上告辞，离开皇宫，回到自己的家来。

他回家之后，取出神灯，擦了一擦，神灯的仆人又出现在他的面前道："我的主人，您又有何吩咐？"

阿拉丁讲出了他的愿望："我希望在皇宫的对面，尽快建造一座宫殿，富丽堂皇，美丽大方，宫殿的外围要有一个花园环绕。宫殿的墙壁要用名贵的宝石作镶嵌，宫殿的室内要用最华丽的家具布置，有众多护卫、仆役。然后，再准备一个首饰箱，里面装着金、银。在宫殿的顶层建一个大厅，要有二十四个窗户。"

"遵命，我的主人。"神灯的仆人答应，然后隐去。

次日，太阳出来，傍晚，又落下去。阿拉丁沉浸在即将到来的幸福中，他感谢真主保佑。夜晚，万籁俱寂，唯有阿拉丁的心在欢快地跳动。

又是一个黎明，阿拉丁早早醒来，神灯的仆人出现在他的面前，对他说道："主人，宫殿已经造好了，让我们去看看吧！"

神灯的仆人带着阿拉丁到了宫殿，阿拉丁放眼看去，实在让他惊异，意想不到，一座富丽堂皇的宫殿已经巍然屹立在皇宫对面！

神灯的仆人问阿拉丁："我的主人，还有什么吩咐？"

阿拉丁要求再准备一块大大的地毯，铺在这座新宫殿与皇宫之间的道路上，让公主成婚之后，可以在地毯上从这座宫殿走到那座宫殿去看望她的父母。神灯的仆人再次隐去，不久就带来了地毯，并再次问道："主人还有什么吩咐？"

阿拉丁只有再三地感谢了，神灯的仆人再次隐去。

阿拉丁回到了他的老房子，把神灯拿出来，放在他在新宫殿的房间里。

他去朝见皇帝，邀请他看看自己为白德尔·布杜里公主新建的宫殿。

此时此刻，皇帝与宰相就站在阿拉丁的一夜之间建起来的新宫殿前面，心中不免惊奇与嫉妒起来。宰相的妒意尤其甚之，心想：我的儿子才失去驸马的地位，怎能让这个小子这样轻易就得到。于是他对皇帝说道："毫无疑问，这个人是个魔法师。因为任何凡人，不论他是如何的富有，也不可能在一夜之间建造出这样富丽堂皇的宫殿来的。"

皇帝说道："那个人曾送我们珍奇宝物，是任何王国的宝库所没有的，他能建造这样一所宫殿，也就毫不奇怪了。"

此时，阿拉丁走了过来，他们的谈话也就中断了。皇帝对阿拉丁微笑，表示很高兴见到他，宰相也就只好对他微笑，向他问好。阿拉丁招呼他们参观新宫殿。皇帝与宰相都夸奖：这座宫殿的确是人间少有，气派非凡。然后，一行人站在那个有着二十四个窗户的大厅里，皇上称赞窗户设计新颖，工艺考究，一应家具应有尽有，富丽堂皇。待到午餐时分，阿拉丁为皇上准备的午餐丰盛非常，不少菜肴甚至为皇上此前所不曾见过。

此后，皇上回到皇宫之后，立即张罗为阿拉丁和美丽的白德尔·布杜里公主举行豪华的婚礼，全国上下，张灯结彩，灯火通明，通宵达旦，皇宫内外，热闹非凡。

阿拉丁娶了如花似玉的白德尔·布杜里公主，心满意足；美丽的白德尔·布杜里公主得到如此如意郎君和这座漂亮的宫殿，也是同等的喜欢。阿拉丁的乐善好施也广为人们所称道。

阿拉丁不时外出，垂钓打猎，回到京城时，总是不忘周济穷人。而皇上，则每日一早，便推开皇宫的窗户，遥看女儿、女婿的宫殿，不时还去坐坐，然后再去处理国事公文。

这样他们过着幸福愉快的生活。

再说非洲魔法师关闭了地下宝藏的门，他以为阿拉丁一定闷死在里面，于是返回了非洲。时间又过去了几个月。一日，他陡然想起自己千辛万苦，最终也没有得到神灯，不禁懊恼起来。于是他占星卜卦，算得阿拉丁现在正掌握着神灯，享受神灯为他提供的一切，甚至建造了胜过皇宫的宫殿，娶了皇帝的女儿、美丽的白德尔·布杜里公主。

他异常气恼，决定返回中国，去探探虚实。他牵来了快马，骑上，然后，快马加鞭，朝中国的方向奔来，几个月后，到达了中国。

他将马匹、行李都寄存在一个马店里，自己沿着街道四处转悠，向人们打听着关于阿拉丁的事情。

一日，他坐在行人中间，听人们谈论阿拉丁的美德，表现出对他豪情仗义、富甲一方的赞美。人们赞美他道："真不知道，他如何在一夜之间就能够建造这样一座富丽堂皇的宫殿。"

于是，非洲魔法师问他们道："谁是阿拉丁？"

对于他问这样的问题，别人都表示不屑一顾。于是，他告诉人们，他是外乡人。

众人给他讲述了自己所知道的关于阿拉丁的故事，外乡人表示他很愿意看看阿拉丁的宫殿。有一个热心人为他带路，将阿拉丁的宫殿的方位指给他看。

非洲魔法师看到了阿拉丁的宫殿富丽堂皇，相信能建造这样的宫殿，一定是神灯所为。否则，一个穷裁缝的儿子阿拉丁无论如何是没有能力建造这样的宫殿的。

次日，非洲魔法师又来到阿拉丁的宫殿门前，问宫殿的门卫：主人在家吗？

门卫告诉他：主人三天前就外出打猎了，要在外面过八天才会回来。

非洲魔法师打心眼里高兴：天赐报复阿拉丁的良机！

他回到了马店，对于阿拉丁，炉火中烧。他取来沙盘，再卜上一卦，得知阿拉丁的神灯放在与白德尔·布杜里公主卧室相邻的一个房间里。

他盘算着夺取神灯的办法，想来想去，想出了一个绝招来。他到一个铜铺子里，找铜匠做了十盏新的铜灯，然后放在一个大筐子里，带着这个大筐沿街叫卖："旧灯换新灯，旧灯换新灯。"

他的声音远播。待他走到阿拉丁的宫殿面前，更是提高了嗓门嚷叫，引得一群孩子跟在后面起哄，闹闹嚷嚷。这声音一直传到了坐在窗口观望景致的白德尔·布杜里公主的耳中,她连忙派遣出一位婢女下楼去,问一问到底这是怎么回事?婢女问回来,笑着对公主说道:"有人在卖新的灯,不过可以用旧灯折价换。"

公主感到很奇怪:"这人说的是真的吗?"

另外一个婢女说道:"我们立即就能验证这人说的是真是假。咱们公主卧室的隔壁房间正有一盏旧的灯呢,挂在屋顶,何不拿去换新灯,看他换不换?"

白德尔·布杜里公主立即答应了:"就拿这旧灯换新灯去吧。"

她绝没有想到的是换走的竟然是给了丈夫一切的神灯!

非洲魔法师得到了神灯,立即放进衣袋,好容易等到天黑,才取出神灯试试威力,他决定向他的夙敌阿拉丁报复。他取出了神灯,擦一擦,那个神灯的仆人就出现在他眼前,问:"要我做什么?我的主人,神灯的所有仆人都听你吩咐。"

"我要回到我的非洲家乡去,我命令你把阿拉丁的宫殿与宫殿里的一切都随我搬到那里去。"

顷刻之间,一切都随他所愿。

次日清晨,当皇帝像往日一样伫立窗前,临窗眺望对面公主夫妇的宫殿时,看见的只是一片平地。公主夫妇不见了,那巍峨的宫殿不见了,不知现时在何方?他以为自己是看花了眼,再揉揉眼睛,看一看,仍旧是什么也没有看到。

皇帝十分震惊,自言自语道:"难道这座宫殿是陷入地下了,要么就是飞上天了。"

他沉思片刻,便招来了宰相,叫他看看到底是怎么一回事情?宰相也是十分惊奇,不过他可抓住了这个诋毁阿拉丁的好机会。

宰相乘机进谗言:"阿拉丁一夜之间建成宫殿必是巫术所为,阿拉丁是一个巫师,我早就跟陛下说过这事情,陛下就是不信,如今事实证明了我的判断。现在阿拉丁又乘打猎之机出逃。"

皇帝听了这话，当然生气，便下令将阿拉丁找到，抓起来。差役们四处寻找，到了城郊半里地的地方，发现阿拉丁正在那里，差役的头领走到阿拉丁跟前，将皇上生气，命令将他抓起来的事情如实相告，阿拉丁十分惊奇地问道："到底是为了什么事？"

这差役头领说道："其实我并不知情。"

那阿拉丁却是一个坦荡君子，他并不抗拒，就跟随着差役们朝皇宫走来。一进城门，差役们就用镣铐将阿拉丁铐上了。百姓们素来对阿拉丁有好印象，见到此情此景，非常惊奇。于是"阿拉丁被铐起来了"的消息就像长了翅膀一般，不翼而飞。在居民中广为传播。人们看到阿拉丁被铐起来，难过得简直要哭出声来，名门显贵、普通百姓纷纷要求皇上解释为何要把女婿给铐起来了？那皇上简直是气昏了头，待到阿拉丁被差役们押着一进皇宫，便不想问清青红皂白，要立即吩咐刀斧手，将他的头给砍下来。刀斧手解下了阿拉丁脖子上的镣铐，命令他跪下来，蒙住他的双眼，抽出剑，只等候皇上一声吩咐，就要他的命。此时一个大臣来求皇上赦免他，又有另一个大臣请求皇上赦他，然后是第三个大臣、皇上的亲眷们的请求。宰相一看人们如此同情阿拉丁，担心众怒难犯，只得在皇上耳边密语："不如此时接受众人求情，推迟对阿拉丁行刑，以平息众怒。"

皇上只得命令刀斧手为阿拉丁松了绑。

阿拉丁站了起来，礼貌地说："谢谢皇上恩典，请告诉我，我到底犯了何罪？惹得陛下如此愤怒？"

皇上没有回答他，只是抓着他的手，走到窗户跟前，生气地厉声问道："你的宫殿呢？我的女儿呢？"

阿拉丁遥向宫殿的方向看去，只见一片平地，哪里还有什么宫殿的踪影，也不知公主在何方？他惊呆了，说不出一句话。皇上又问道："你的宫殿呢？我的女儿呢？"

阿拉丁这才从一片迷茫中清醒过来，说："我并不知道宫殿到哪里去了？我也是十分迷惑，我失去妻子，痛彻肺腑，我的难过痛苦心情绝不比陛下少半分，我要尽力找到她。"

他又想了一想，对皇帝说："陛下，请你给我四十天的时间吧，我要去寻找宫殿，寻找公主。如果四十天还没有找到，到那时我再来受陛下的处罚不迟。"

皇帝说："给你四十天。不过，我也不是好蒙骗的，你要是没有本事找到她，你躲藏到什么地方也是无济于事的。"

阿拉丁出了皇宫，昏头涨脑，发疯似的在城市里走着，向每一个他认识的人打听："我的宫殿呢？我的妻子呢？"

每一个认识他的人都为他难过，同情他的不幸遭遇。

第三天，他不能再在城里停留，他出了城，信步走着，犹豫绝望，面对滔滔河水，他简直想投河不活了。可是他又一想：绝望不是一个男子汉的品格，真主会保佑他！他渐渐地又恢复了理智。他在河边站着，河水淹没了他的脚，他看见河边有一块大石头，就爬了上去。不想，他手抓石头的时候，手上的戒指碰到了这石头上。几天来，他心急火燎，已经忘记了非洲魔法师给他的戒指还戴在他的手指上呢。

再说，他手上的戒指碰到了这石头上，戒指的仆人即刻在他面前出现，说道："我的主人，您有什么吩咐？"

阿拉丁一听大喜，他立即想起来，那时他身陷宝库，就是戒指的仆人帮了他的忙，救了他的命。此时，他赶忙说："把我的宫殿、把美丽的白德尔·布杜里公主都搬到原来的地方来吧！"

"我的主人，对此，我是无能为力的。因为是神灯的仆人将宫殿与公主都搬到遥远的非洲了。我敌不过神灯的仆人的魔力，是搬不回来的。"

知道了宫殿与公主的下落，阿拉丁也很高兴，他想这一定是非洲魔法师所为，便说："那么，把我送到宫殿的门前去吧！"

"遵命，我的主人。"戒指的仆人答应。

不长的时间里，阿拉丁已经站立在他的宫殿面前。他一看见宫殿，心里也就坦然一些，尽管夜色黑暗，他还是凭着直觉，朝着公主房间所在的方位走过来。他想到连日来，祸从天降，为寻找宫殿与公主，四处奔波，十分疲倦，于是坐在宫殿门前的一棵树下休息，不知不觉地睡着了。他睡了整整一夜，曙光初露的时候，他才醒来。回忆起与公主相处时所过的幸福生活，思绪万千，伤心得流下了泪。此时，他站到了公主所经常凭窗眺望的那扇窗户下。

再说白德尔·布杜里公主被非洲魔法师劫到非洲之后，思念丈夫与家人，天天站在窗前近望远眺。这日，她一早醒来，又像往常一样站在窗前，向窗外凭眺，天意使然，她突然看见阿拉丁正倚着一棵树睡觉，她一直注视着阿拉丁，良久，阿拉丁醒来，竟然朝着自己所站的这扇窗户的下方走来，并举目上望，二人目光相对。

公主说，正好此时那个非洲魔术师出门了，招呼阿拉丁进到宫殿来。说着，去打开了宫殿的一道小门，让阿拉丁进门去详叙。二人重逢的喜悦说不尽。

阿拉丁知道长期以来非洲魔法师念念不忘的就是这盏神灯，于是，赶忙问公主道："可见那盏旧的灯没有？"

公主把"旧灯换新灯"的事情说了一遍，又说："非洲魔法师深知那个神灯的魔力，每天都将神灯藏在自己胸前的衣袋里，生怕出了差错，然后，天天向我求婚：'嫁给我，不要再等待阿拉丁，他已经被你的父王杀掉了！'我终日啼哭。"

阿拉丁听到此处，决心向非洲魔法师报复，安慰公主道："不必焦虑。他夺我们的家，还要夺我的妻子。让我来设法整治他！我去设法弄一瓶蒙汗药来，待他下次向你求爱时，你便假装答应，陪他吃喝，同时把这瓶蒙汗药放到他的酒里，把他麻倒了，再让我来惩治他。"

阿拉丁怀着报复非洲魔法师的心情出了门，他在路上碰到了一位贫苦的农夫，阿拉丁将自己漂亮的衣服换给他，农夫穿着阿拉丁的好衣裳高高兴兴而去；阿拉丁却换来农夫又脏又破的旧衣服自己穿上，再进城化化装，以便让非洲魔法师再也认不出他的模样。然后，他走进一家铺子，买来一些蒙汗药，回到宫中，将蒙汗药递给公主，自己藏起身来。

夜幕降临的时分，非洲魔法师回到了宫殿。白德尔·布杜里公主梳洗打扮一番，走上前来，向魔法师问安，魔法师看见公主今日非比寻常，心里好生高兴，以为公主已经回心转意，思念阿拉丁的心已死。

一会儿，公主捧出一杯饮料，放上了许多蒙汗药，笑眯眯地递给了非洲魔法师，魔法师高兴得一饮而尽。

果然，非洲魔法师立即被麻翻，一时不省人事，阿拉丁急忙跑出，从他胸前的口袋里取出神灯，再赶忙让公主、婢女都躲避到内室，自己掏出刀来，一刀结束了这个非洲魔法师的性命。他一面又急忙擦了擦神灯，神灯的仆人立刻出现在眼前："我的主人，有何吩咐？"

"我要你立即将这个人扛到山顶上去，再把他摔在地上，让飞禽、野兽吃了他。这个人夺走了我的宫殿，还要抢走我的妻子，要害死我，他是死有余辜的。你再把宫殿搬回到中国去，搬到皇宫面前的老地方去。"

"遵命，我的主人。"神灯的仆人答应着。

顷刻之间，神灯的仆人就已经把阿拉丁吩咐的事情办完。

宫殿又回到了它的老地方。

次日清晨，在等待阿拉丁消息的皇帝像往常一样打开窗户，极目远眺。就在这时候，他看见了阿拉丁的宫殿又回归原位，他简直怀疑起自己的眼睛，再三细看，才相信此事是真的。喜从天降，皇上也弄不清楚自己是清醒的，还是在做梦：阿拉丁的宫殿又回归了原位！皇帝即刻赶快吩咐左右伺候，他要亲自来这座宫殿，见见女儿、女婿，来证实自己所见的是事实。此时阿拉丁已经看见皇帝向他的宫殿奔

来，急忙出来迎接。父女相见，抱头痛哭；翁婿相见，道不完的别后情景。

　　大家一一落座，公主讲了非洲魔法师抢走她和宫殿的情况，讲了阿拉丁勇敢相救，还让那魔法师陈尸荒山野岭。

　　皇上也后悔自己未经过详细勘察，就错怪了阿拉丁，险些铸成大错。

　　阿拉丁也向皇帝讲述了神灯的故事。

　　阿拉丁一家子喜气洋洋。

巴士拉省长阿卜杜拉·本·法
迪里与其兄长们的故事

有一天，哈里发哈伦·赖施德检查国家土地税收状况，他看到全国各地的土地税都已经收齐，纳入国库，唯独巴士拉地区本年度的土地税收尚未完成。为此，他召集群臣，询问原因。他说道："请宰相贾法尔上前说话。"

于是宰相贾法尔走上前来，哈里发说："全国各地的土地税都已经收齐，纳入国库，唯独巴士拉地区本年度的土地税收尚未完成缴纳。"

宰相贾法尔说道："信士的长官！也许是巴士拉省长要事缠身，不得前来完税。"

哈里发说道："完税事宜本该二十天内办理妥当，为何时间已过，巴士拉省长既不按期完税，也不来申报延误理由。"

宰相贾法尔又说："信士的长官！如陛下愿意，即可派人前去查询。"

哈里发："此言甚善，可派艾卜·伊斯哈格·茅肃里·纳迪卜前去。"

宰相贾法尔："信士的长官，您的吩咐极是。真主保佑。"

宰相贾法尔受命回府，立即召见艾卜·伊斯哈格·茅肃里·纳迪卜，为他写下相关文书，吩咐道："派你前去见巴士拉，面见省长阿卜杜拉·本·法迪里，你需视察询问明白：为何他怠慢所应交纳土地税？你务须尽速将他应交纳的土地税收齐，带至京城，上交国库。因为哈里发此前查询得知：全国各地的土地税都已经收齐，纳入国库，唯独巴士拉地区本年度的土地税收尚未完成。如果你看到那里税收还没有备齐，亦需查明缘故，把阿卜杜拉·本·法迪里省长带到京城，由他口头向哈里发阐述明白。"

艾卜·伊斯哈格·茅肃里·纳迪卜回答："遵命。"

随即，他率领五千人马，向巴士拉城进发。

阿卜杜拉·本·法迪里省长得知钦差前来，急率领部众出城迎接，随后将他们一行带往巴士拉城，安排艾卜·伊斯哈格·茅肃里·纳迪卜钦差在迎宾馆住下，安排其余五千人马在巴士拉城郊所搭建的帐篷中歇息。又命令部下将艾卜·伊斯哈格·茅肃里·纳迪卜钦差及其随从一应所需送上门去。

当艾卜·伊斯哈格进到省府，落座后，让阿卜杜拉·本·法迪里靠近自己身边坐下，其余达官要员按品级高低围坐周围。宾主互致问候之后，阿卜杜拉·本·法迪里说道："钦差光临，不知有何见教？"

艾卜·伊斯哈格·茅肃里·纳迪卜答道："本官为赋税之事而来，哈里发曾问及此事，因为完税时日已过。"

阿卜杜拉·本·法迪里又说："钦差阁下远道而来，旅途劳顿，确实辛苦。请听在下禀告，其实在下早已将所要纳缴之赋税款额备齐，只等明日启程进京缴纳。既然钦差前来，就请在敝处做客，先行歇息三日，待到第四日，在下即将税款交付钦差大人带往京城就是。再则，为尽地主之意，请允许在下略备薄礼馈赠信士的长官哈里发与阁下。"

艾卜·伊斯哈格·茅肃里·纳迪卜道:"此言甚善。"

随后,阿卜杜拉·本·法迪里省长带艾卜·伊斯哈格·茅肃里·纳迪卜钦差走进一间无与伦比的壮丽辉煌的大殿,请他及众随从赴宴。宾主吃喝玩乐,尽情享受。又撤去桌子,洗过手,仆从端来了咖啡与饮品,宾主再次坐下品用,直至夜深沉。

仆从再搬来一张镶嵌黄金图案的象牙床,供艾卜·伊斯哈格歇息,而巴士拉省长却躺在旁边的一张普通床上。

那钦差艾卜·伊斯哈格却是睡不着,思来想去,想起了诗词韵律。他原本为哈里发的一位清客,平日里善于写诗歌,精于韵律,能讲各种诙谐传闻故事,此时夜深人静,他不曾入眠,仍在思索诗文。突然他发觉阿卜杜拉·本·法迪里从床上起来,系好腰带,又去打开衣柜,拿出一根皮鞭,点上了蜡烛照明,就走出宫门外。他当时自以为艾卜·伊斯哈格仍在睡梦中。

艾卜·伊斯哈格·茅肃里·纳迪卜十分惊奇,自言自语道:"这深更半夜的,阿卜杜拉·本·法迪里起床带着皮鞭是到哪里去?他会去打一个什么人么?我不妨跟着他看个究竟。"

艾卜·伊斯哈格·茅肃里·纳迪卜也起了床,蹑手蹑脚地跟在阿卜杜拉·本·法迪里的后面,而后者并不觉晓。他看见阿卜杜拉·本·法迪里打开了一间仓库的门,从室内拿出一只托盘,盘子上面有四盘食物、面包和一罐子水。他端着这些饮食向前走去。艾卜·伊斯哈格·茅肃里·纳迪卜悄然跟随其后,一直跟他走进大厅门前,看见他走进大厅才止步站下。他从门缝里向里看,看见这大厅十分宽阔,其摆设讲究,中央放着一张镶嵌黄金图饰的象牙床,那床上有金链子拴着的两条狗。

他又看见阿卜杜拉·本·法迪里把托盘放好,挽起袖子,解开了第一条拴狗的金链子,那狗俯趴在地上,犹如磕头行礼,并且轻声吠叫,阿卜杜拉把狗捆绑起来,扔在地上,拿起皮鞭,毫不留情地抽打着狗。那狗蜷曲身躯，却不逃脱，鞭子一直不停地抽打，直至那狗吠声渐弱，似乎失去知觉，阿卜杜拉才把它拴到原先的地方。接着他又如此这般地对待第二条狗，同样将它痛打一顿。其后，他拿出面巾，替两条狗擦擦眼泪，安抚两条狗，说道："莫要责怪我！凭真主起誓，这并非是我本意，我只是不得不为之。但愿真主会尽早解救你们于如此困境。"

再说伊斯哈格站在门外听得明白，从门缝里看得真切，他惊奇无比。又见阿卜杜拉·本·法迪里把托盘端到狗的面前，亲手喂食，喂饱后，再去为那两条狗擦去嘴角上留下的残渣，将那一罐水拿给狗喝。两条狗吃饱喝足后，他收起托盘、水罐、蜡烛，准备离开。

艾卜·伊斯哈格·茅肃里·纳迪卜眼见到此，赶忙抢先回房间，躺在床上。

阿卜杜拉并不知晓自己已经被跟踪，秘密已经被窥视。他回到房间后，打开衣柜，把皮鞭放回，脱衣就寝。

再说艾卜·伊斯哈格·茅肃里·纳迪卜躺在床上，一直想着夜间所见之事，越发感到奇怪，竟毫无睡意，不禁自言自语："这事是何原由？"

直至次日清晨，他与阿卜杜拉一起起床，做过晨礼，吃过早餐，用毕咖啡，随后去省府衙门。整日，伊斯哈格都在思考这事情，感到不可思议，只是不曾问及阿卜杜拉，而是把疑虑暗藏心底。当日夜里，阿卜杜拉继续故伎重演，仍如同昨夜一般对待那两条狗：打它们、安抚它们，给它们喂食、喂水。而艾卜·伊斯哈格仍如同昨夜，跟踪他，看见他重复昨夜之所作所为，第三日夜里亦是如此。

第四日，阿卜杜拉向艾卜·伊斯哈格交来了赋税款。伊斯哈格接过款额，返回巴格达城后，就交给了哈里发。哈里发询问完税时日推迟，是何原因？艾卜·伊斯哈格答道："信士的长官，我看见巴士拉省长阿卜杜拉已经将赋税款额收齐，准备启程来京城上缴，如若我晚出发一日,定会在途中碰见。只是此次我前往巴士拉,却看到那省长行为怪异,我平生不曾见过。"

哈里发问道:"艾卜·伊斯哈格,那是怎么回事情啊?"

艾卜·伊斯哈格说道:"我看见他半夜里是这样做的……"

艾卜·伊斯哈格将他所见到的关于阿卜杜拉与两条狗的事情细细道来:"我连续三夜看见他这样做的,先是打那两条狗,继之宽慰它们,又给它们喂食、让它们饮水。我避开他的视线注意他,他也就不曾看见我。"

哈里发问道:"这到底是为何?你就没有问问他?"

艾卜·伊斯哈格答道:"信士的长官,我发誓,我就没有问过。"

哈里发说道:"那么,艾卜·伊斯哈格,我就命令你就再回到巴士拉去,把阿卜杜拉和那两条狗给我带过来吧!"

艾卜·伊斯哈格说:"信士的长官,您就免了我吧!阿卜杜拉·本·法迪里省长对我不薄,招待我热情有加。我本是无意看见了他的私人隐秘,而又向陛下禀报,现在有何面目再去见他?还是请派别人带着陛下手谕,将阿卜杜拉与那两条狗带来吧。"

哈里发说:"若是另派他人去,阿卜杜拉将会断然否认,说:我并不知道狗的事情。我派你去,你就可对他说,是你亲眼所见,他也就无法否认。所以还是派你去为好,你就将他与那两条狗带来,否则,拿你的脑袋是问。"

此时,艾卜·伊斯哈格只得回答:"信士的长官,我遵命就是。只望真主保佑!我此时才相信:人们常说'祸从口出',看来的确如此呀!我就是没有管住舌头,把事情讲给了陛下,才惹火烧身了。还求陛下写一个手谕,我好带上前去巴士拉,将阿卜杜拉带来。"

哈里发应允,修书一封。

艾卜·伊斯哈格带着哈里发手谕,再次来到巴士拉,见到了阿卜杜拉·本·法迪里省长,省长说道:"钦差大人,真主保佑,您如此快速返回莫非有什么不吉祥之事；莫不是赋税款额不足，哈里发不愿接受？"

艾卜·伊斯哈格答道："省长阁下，我快速返回并非因赋税款额不足。赋税款额已经足够，哈里发已经接受。只是请求省长原谅，我实在做了一件有伤阁下的事情，只不过这并非是我故意所为，真主作证。"

阿卜杜拉·本·法迪里说："是什么事情？但说无妨。你我亲如手足，我并不会责怪你。"

艾卜·伊斯哈格说道："我曾在贵处连续留宿三日。夜半时分，我跟随在你身后，看见你夜半起床，去痛打了两条狗，又回房安睡，我甚觉奇怪，只是羞于启齿向你问明原由。我回到京城，无意间将此事告诉了哈里发，而哈里发责成我返回，带你进京，这便是他的手谕。如果我预先知道事情会发展到这步田地，我是怎么也不会对哈里发去讲的。只不过事情已经发生，就是我现时道歉也是无益。"

阿卜杜拉·本·法迪里说道："既然你已将我的秘密告诉了哈里发，我就应该对你所言之事向他证实，否则哈里发还以为你在说谎，因为我们朋友一场，情深如同手足。如若是他人前来问我，我会断然否认，指责他造谣中伤。此刻，我便与你前往京城，还带上那两条狗，一同去见哈里发，即使此去命运难料。"

艾卜·伊斯哈格说道："在哈里发那里，真主会保佑你，诚如你如此顾及我的脸面。"

阿卜杜拉为哈里发准备了丰富礼品，又用金链子把两条狗都拴起来，分别把每一只狗用一匹骆驼驮着，启程前往巴格达，晋见了哈里发。阿卜杜拉先跪下，磕头，向哈里发问安，再遵照哈里发的吩咐落座，同时他把两条狗也牵到了面前。哈里发问道："阿卜杜拉省长，你这两条狗是怎么一回事呢？"

此刻，那两条狗便扑倒在地，磕头问候，又摇着尾巴，流着眼泪，似乎在向哈里发诉苦。哈里发对此感到十分惊奇，对阿卜杜拉说道：
"把这两条狗的故事讲给我听听，你为什么打它们，打过之后，又去
宽慰与爱怜它们，究竟是为了什么？"

阿卜杜拉说道："哈里发陛下，这并不是两条狗，而是两个美貌
的年轻人，是我的两个同胞兄长。"

哈里发问："既然它们是人，却为何变成了狗呢？"

阿卜杜拉说："信士的长官，如果您允许，我就向您讲清楚事情
的真相。"

哈里发说："告诉我，不必撒谎。撒谎是伪善人的恶习，你应该
诚实，诚实会逢凶化吉，是真善人的品质。"

阿卜杜拉说："哈里发陛下，我告诉您这两条狗的事情，这两条
狗能证明我所言是实。我若是撒谎，它们会说我撒谎；我若是诚实，
它们会说我诚实。"

接着他对那两条狗说："兄长们，我若是撒谎，你们就抬起头，
用眼睛瞪着我；我若是说实话，你们就低下头，眯缝着眼睛。"

然后，阿卜杜拉开始讲起来：

哈里发陛下，我们三位本是同父母的三兄弟，父亲名叫法迪里，
为何要叫这个名字呢？因为他是双胞胎中的一个，另外一个在出生
时夭折，我的爷爷就给我父亲起了这个名字，意思为"剩余"，然后
好好地培养他长大成人、结婚生子。我的爷爷已经过世了，我的父母
有三个儿子：老大叫曼苏尔、老二叫纳赛尔，我是老三，就叫阿卜杜
拉。父亲精心哺育我们，待到我们弟兄长大成人后，父母也相继去世，
给我们留下一处房产，一个商铺，铺内有各色布匹，分别产自印度、
罗马、呼罗珊以及别的一些地方，还有六千个第纳尔的钱币。

父亲死后，我们为他洗涤身体，举行场面庞大的葬礼，再把他
埋葬，让他归主；又朗诵经文，追悼亡魂，一直进行了四十天；然后

我又召集了商界名流与社会贤达，并设宴招待他们，大家饱食之后，我说："商界名流们，今世短暂，来世永存。赞美真主，毁灭之后会重生。诸位可知，今日我邀请大家是何缘故？"

众人道："赞美真主，没有发生的事情，我们不知道。"

我对他们说："我们的父亲过世，留下一笔财产。但我们不知，他是否借有外债、向别人贷了款或其他相关事宜，我们担心他的这些事情不曾了结，故请你们前来说明原委，凡有我父亲借债、贷款等事，只要说明情节，我们定当偿还，尽父亲未了之事，告慰父亲的灵魂。"

商人们道："阿卜杜拉，今世并不意味来世，我们也不是贪婪小人，皆能分辨真假、善恶，我们敬畏真主，也不会借机去掠夺孤儿财物。我们知道：令尊常有怜悯之心，经常施舍与借贷给他人，自己却从不借贷半分。他常说：'我不愿欠人钱财。'他还常祈祷：'主啊！您是我的信念和希望之所在，别让我在欠债期间死亡！'从他的秉性讲，若他真是欠某人什么，那也并不需人家催促他就急于偿还；若是别人欠他的债，他却不会前去讨要；若是穷人欠他的债，他就会宽容减免；若是欠他债的并不是穷人，而到死也没有还清债务，那他就会说：'愿真主宽恕他！'现在，我们全体作证：令尊不欠他人债务。"

我就说："真主保佑！"

我一边说话，一边回头看看我的两个兄长，又说："兄长们，父亲没欠别人的债，还为我们留下了这笔遗产、布匹、房舍和铺子。我们有三个兄弟，我们每人可以继承他的财产三分之一了。你们要是同意不分家呢，我们就一起住，一起吃喝；要是你们认为我们分家好呢，我们就分掉布匹与钱财，每人就可以得到三分之一。"

两个兄长说："分家吧！每人拿一份。"

阿卜杜拉说到这里，回头看了两条狗一眼，问道："兄长们，你们说，是不是这样？"

两条狗低下了头，眯一眯眼，好像回答："是的。"

信士的长官，于是，我就请来法官，我们三人一致同意在他主持下分家，我们分了父亲所留下的钱财、布匹以及一应东西：房屋、店铺归我，两位兄长分得了现款和布匹，再从我应分得的现款、布匹中取出一定的份额交给我的兄长们，作为我得到房屋与店铺的补偿。

分家后，我就在店铺里做买卖，至于我的两个兄长，他们买了布匹和船只，漂洋过海到外国做生意去了。我在心中为他们祈祷："愿真主帮助他们俩。"

我经营着店铺，知道悠闲晃荡是不会带来财富的，一年之后，真主保佑，我的店铺盈利不少，店铺规模已经变得与我父亲在世时一般。

有一天，我照常坐在店铺里做生意。此时已值严冬，天气寒冷，我穿着两件皮衣，一件是貂皮的，另一件是松鼠皮的，因为实在寒冷难挡。此时我看见我的两个兄长向我走来，每人只穿着一件单衣挡寒，他们冻得嘴唇发紫，浑身发抖。我看见他俩这般模样，心中难过悲伤，我赶忙起身，发疯似的搂住他们，泪水直流。我把自己的一件貂皮衣裳脱下，给了一位兄长；又把另一件松鼠皮的衣裳脱下，给另一个兄长。随后带他们到澡堂洗澡，从澡堂出来后，我又给他们每人送上一套商人穿的贵重衣裳。等待他们两人洗浴完毕穿戴妥当之后，带他们俩回家。见他们俩十分饥饿，便马上给他们俩做出饭菜，让他们俩吃饱，又宽慰他们俩一番。

阿卜杜拉说着，又回头望望两条狗，问道："兄长们，是不是这样啊？"

两条狗低下头，眯一眯眼，似乎在回答："是这样。"

哈里发陛下，我这时候才开口问道："你们俩碰到什么事情了？你们俩的钱财都到哪里去了？"

他们说："我们漂洋过海，到了库法城，开始卖布匹，半个第纳赛尔收购的布匹能卖十个第纳赛尔，一个第纳赛尔收购的能卖二十个第纳赛尔。我们赚了很多的钱。我们又收购了一批波斯地毯，十个第纳赛尔收购的，在巴士拉能卖出四十个第纳赛尔。后来我们到了库尔贺城，又做了买卖，又大赚了一笔钱，于是我们聚集的钱财就更加多了。"

他俩告诉我，他们所经过的城市，做过的买卖，赚的钱无数。我便问道："你们俩交了好运，财源滚滚来，怎么我看见你们回来时，两手空空，衣衫单薄，简直形同乞丐呢？"

他俩叹息感慨，说道："小弟，是福不是祸，是祸躲不过呀！远涉重洋，必有风险。我们把聚集起来的物品、钱财装到船上，准备起程返回巴士拉。船顺利地航行了三日。第四日，我们看见大海怒吼，卷起波澜，巨浪滔天。我们的船在海中颠簸不已，波涛卷起的浪花如同熊熊火苗，肆虐狂暴，直至把我们的船只打得东倒西歪，撞到了一座礁石。船被撞碎了，我们全部沉入海中，船上所有的钱财、货物也都尽落水中。我们在水面上挣扎着整整过了一天一夜，真主保佑，我们幸遇一艘过往船只，船上的水手将我们救起。我们只得再从一个地方到另一个地方，四处漂泊，靠乞讨为生，以央告得来的食物充饥。为了活命，还不得不卖掉了身上的衣服，历尽了千辛万苦，终于回到了巴士拉。如果我们没有遇到灾难，而能把我们挣得的钱财带回来，那我们的财富便可与国王的财富相当。只是真主安排我们的命中注定要遭如此大难，我们又能如何办呢？"

我对他们俩说道："兄长们，你们不必忧愁，破财消灾，你们才得以平安归来，平安就是福气，真主为你们注定了平安，这就是我们由衷的希望。贫穷与富贵乃是天定，荣华富贵皆是过眼烟云。不见诗人吟诗道：

男子汉若能死里逃生，平安无恙，
钱财不过如指甲屑，剪过还能长。

我还对他们说："兄长呀，就当我们的父亲是今天早上才去世的吧，把我的财产再看成是父亲留下的遗产，我们来继承这份产业，我愿意与兄长们均分。"

随后，我请来了法官，拿出我的全部家产，由他主持分成三份，我们兄弟三人，各得一份。

我又说道："如果人们在自己的家乡谋生，通常会得到真主的祝福，你们俩不妨各自开设一个店铺，努力经营筹划，但凡命中注定该得到的东西，迟早也总会得到的。"

我极力为他们俩开设店铺的事宜奔走筹划，为每人寻得一处铺面，运上了货物，又嘱咐道："你们俩就好好做买卖吧，看管好自己的财产，不要挥霍浪费。你们的一应吃喝与生活所需物品，由我负责提供。"

我一直关照着他们俩，他们俩白天在店铺中做买卖，晚上到我家住宿。我不让他们俩随便花费他们赚得的钱财。每当我们一起聊天的时候，他们俩就夸奖外乡好，可以挣大钱，还讲述他们俩曾经在外地发财致富的辉煌经历，煽动我与他们俩一起去外乡做生意。

阿卜杜拉此时又回过头对两条狗说："兄长啊！事情是这样的吧？"

两条狗又低下头、眯一眯眼，表示他所说的是事实。

阿卜杜拉接着讲：

哈里发陛下，两个兄长总是在我面前说在外乡做买卖好赚钱，好赢利，让我跟他们俩到外乡去发财。我只好说道："我只是为满足你们的愿望才跟你们去的。"

我与两个兄长协商开个商铺，准备了各种珍贵商货，租了一只船，带上我们所准备下的各种商品以及一应我们所需要的物品，乘船出发。船离开了巴士拉港，航行到波涛汹涌的海洋，狂风卷起恶浪。我们仍在海上继续航行，终于来到了一座城市，我们卖了所带来的物品，又买些当地的物品，赢利不小。之后我们又乘船出发，从一个地方到另一个地方，从一座城市到另一座城市。我们又卖、又买，赢利丰厚，积累起来，已经是一笔很大的财富。有一天，我们来到一座山脚下，船长下令靠岸停泊，对我们说道："乘客们，登陆上岸吧！避避今日的祸端，大家在陆地上找一找，也许能找到水喝喝。"

船上所有的人都下船登陆，我也与大家一起去寻找水。每人向不同的方向进发，我朝向山顶的方向攀登，突然看见一条白蛇急促地往前逃，一条黑蛇在后面紧追，那条黑蛇又粗大又丑陋，形象恐怖。一瞬间，黑蛇就追上了白蛇，压住了它，又咬它的头，白蛇痛苦地呻吟。看到黑蛇如此折磨白蛇，我的怜悯之心油然而生，搬起一块五磅多重的大石头，狠命向黑蛇砸去，砸到那黑蛇头上，把它砸死了。就在我不经意间，那白蛇摇身一变，变成了妙龄女郎，她容貌美丽，举止大方，容光焕发，犹如月亮。她向我走来，吻我的手，对我说道："真主保佑你：你今生会免遭耻辱；来世会免下火狱。末日审判时刻，金钱、子孙都无法使人获救，真主看重的还是一颗美好的心灵。"

那女郎又说："人呀，你保住了我的尊严，使我不至于蒙羞，你的好心我将日后报答。"

她说完话，用手指向大地，地上裂开一条缝，她就跳下去，那条缝又合拢起来。我想：她是一个精灵。再说那黑蛇，此时周身已是烈火炎炎，不时化成灰烬。对于此事，我甚感奇怪。我回到同伴那里后，就把我经历的这一切讲给他们听。当夜我们安歇无语。

次日清晨，船长下令起锚起航。船只又带着大家离开陆地，渐渐向远处驶去。我们在大海深处漂流，一连二十日，我们不见陆地，不见飞鸟，带来的淡水已经用完。船长说："乘客们，我们的淡水用完啦！"

我们说："只能是登上陆地找水去！"

船长说："真主呀！我迷失航向啦，不知向哪个方向行驶，才能到达陆地。"

船长不辨方向，我们的心头也都是愁云密布，不知如何是好。大家哭泣起来，祈祷真主为我们指路。

当夜，我们在极坏的心情中安歇。犹如诗人所说：

有多少夜晚我遇到灾害，
乳儿都会愁得头发变白。
但是一到早晨阳光出现，
真主保佑让我否极泰来。

次日清晨，刚刚露出晨曦，我们就看见了一座高高的大山，不禁高兴得不知如何是好。我们到达山的跟前，船长说道："乘客们，上岸找水吧！"

大家上岸找水，没有找到，却更加尝到无水的艰难。我向山顶攀登，在山顶看见了山后边有一处宽阔的圆形地带，走过去要一个多时辰。我大声呼叫同伴，他们过来了。我对他们说："看见山后边有一处宽阔的圆形地带了吗？我隐约看见那里有一座城市，有高高的建筑，有城墙、有塔楼，有牧场，就一定不缺水。我们进城去，取水，买些干粮、肉食、水果，还能买些一应生活所需物品，之后，我们再回来。"

那些人说："我们就担心城里的人是异教徒，与我们信奉真主的人为敌，把我们抓起来，我们要么成了他们手中的俘虏，要么他们把我们处死。我们去了，也可能是自投罗网，会招来杀身之祸。不见诗人吟诗说：

> 天还是天，
>
> 地还是地，
>
> 纵然结局还可以，
>
> 冒险总是不相宜。

"我们还是不去冒险为好。"

我又对他们说："朋友们，我不能强制你们去，我就同我的两个兄长一起去吧。"

我兄长们却对我说："我们俩也是担惊受怕的，也不跟你去。"

我说："我是决心要进这座城市了，求真主保佑会有个圆满结局。你们俩就等着我回来吧！"

阿卜杜拉·本·法迪里继续向哈里发陛下讲他的故事：

此后，我离开了众人和兄长们，大步向城门走去，我看见这是一座建筑奇特、设计奇特的城市：高耸的城墙、坚固的堡垒、巍峨的宫殿，还有那中国产的铸铁城门，门上铸就的精美图案引人入胜。我走进城门，看见一个石墩，那上面还坐着一个男士，手臂上挂着一根黄铜链子，链子上挂着十四把钥匙。我以为这人是个守城护卫，这城正是有十四道城门，我走到他身边，打招呼说："你好啊！"

他不回答。我又第二次、第三次向他问候，他依然不回答。我一面把手放在他的肩膀上，一面说："嗨！你这个家伙，为什么不回答我？你是睡着了，还是个聋子？你不是穆斯林，就不懂礼貌拒绝回答穆斯林的问候吗？"

那人还是不回答，没动静。我这才仔细地端详、凝视他，发现这原来是一个石头人。我惊叹道："这就奇了！把石头雕刻成人的形状，简直如同真人一般，只是没有舌头，不会开口说话。"

我继续在这城市的大街上朝前走着，又看见一个人，走近一看，也是个石头人。我又碰到了一位老妇，头顶着一包要洗的衣服，我走上前去，端详一番，发现那老妇人与头顶的一包衣服统统都是石头的。

然后，我走进市场，看见了一个卖油的，他前面放着一杆秤，还有一些奶酪等商品，只不过全部都是石头的。我又走进各家商铺，看见一群人，或站或坐，或男或女，或年老或年轻，但都是石头人。我再走进商场，看见商人们都端坐在他们自己的店铺中，货架上堆满商品，这些也都是石头的。布料店的布匹堆积得像蜘蛛网，我伸手一摸，布料就化作灰尘，我看见了一些钱箱子，我打开了一个，看见了里面有许多放着金币的钱袋，我拿起了钱袋，钱袋即刻化作粉末，只是里面的金币依然如故。我尽可能地多拿一些金币，心里想："要是两个兄长跟我来有多好啊！他们也可和我一样享有这些没有主人的宝藏！"

我又走进另外的店铺，看见更多的金银，我已无法再拿，只得从一个商场走到另外一个商场，四处流连，我看见人和物品等，尽管形态各异，但却都是石头的，就连猫、狗都不例外。

我又走进首饰市场，看见商人们端坐在铺里，金银首饰，有的放在货柜上，有的拿在商人的手中。

信士的长官，我一见这种情景，就把带着的金币扔掉，去拿那些我可能带走的金银首饰。

离开首饰市场，我又进了珠宝市场，看见商人们端坐在铺里，面前放着一个大筐子，里面装满宝石，比如玛瑙、红宝石、绿宝石、钻石以及各种玉器。店铺的主人也同样是石头人，我看到这种情景，又扔掉了所带的金银首饰，再去挑选一些我能够携带的更为贵重的珠宝钻石，我真是惋惜我的两个兄长不随我前来，要不然，他们也各自可以按照自己的意愿拿一份啊！

随后，我又走出珠宝商场，经过了一道大门，那大门装饰得无比富丽堂皇，大门内有一些长凳，上面坐着仆从、士兵、官员、武士、和行政长官，他们的衣着华丽漂亮。不过，他们也都是些石头人，我用手去摸其中的一个人，他的衣服即刻像蛛蛛网一般化为尘土，我穿过门厅，看见了一个建筑得无比富丽堂皇的宫殿，殿堂上聚集着达官显要、王公贵族，他们都坐在椅子上，也全都是石头人。随之我看见一把镶嵌珍珠宝石的赤金座椅，上面坐着一个人，衣着无比华丽，头戴古代波斯国王所佩戴的王冠上，镶嵌着名贵的宝石，闪闪发光，如同白日的阳光。我向前走去，发现这乃是石头的。

我离开大殿，走到后宫一看，发现这里是妇女的殿堂，我同样看到一个镶嵌珍珠宝石的赤金座椅，坐在上面的人该是王后了，她的头上戴着的凤冠同样镶嵌着名贵的宝石。她的周围，围绕着一群月儿般美丽的妇人，衣着鲜艳、五彩缤纷，艳丽夺目；一些太监站在一旁，他们的双手放在胸前，随时准备听候使唤。这个殿堂装饰华丽，雕梁画栋，流光溢彩，耀人眼目，房顶垂下的水晶灯装饰着价值连城的无价宝石，光芒闪烁。

面对此情此景，信士的长官，我又把我带着的珠宝玉石扔了，再从这些稀世珍品中选取一些我能够拿得动的宝物。我已经犹豫不决，不知道该如何取舍了，因为那些稀世珍宝件件稀罕珍奇，无法估价。

后来我看见一扇小门，门内有一个阶梯，我拾级而登，登上四十级阶梯的时候，忽然听见悦耳动听的诵读《古兰经》的声音，我追寻声音的来源，来到了宫殿的门前，那门上垂挂着一幅丝绸门帘，门帘上悬挂着金丝带，丝带上又串上了珍珠、宝石、玛瑙，光芒四射，犹如天上繁星点点，那声音正是从门帘后面传出来的。

我走近门帘，拉开了它，又一道宫门在我面前出现，那宫门装饰得堂皇精致，引人入胜。我便走进门去，看见了一座宫殿，如同世上的宝库。宫殿中坐着一位女郎，像晴朗天空中的太阳，她穿着华丽的衣衫，戴着珠光宝气的首饰，配上窈窕姣好的身段、漂亮的面容，真是美极了。如同诗人所说：

> 问候那美丽的可人儿，
> 她的面颊犹如红玫瑰盛开在花园，
> 她的额头是天上挂着的北斗，
> 夜间的群星就是她胸前的项链。
> 她穿上玫瑰花编制的衣裙，
> 会让玫瑰叶获取营养使花儿开得更艳，
> 她走进大海，
> 那苦成的海水会变甜，
> 如与拄拐杖的老翁交往，
> 老翁会变成力搏雄狮的青年。

信士的长官，我一看见那个女郎，怜爱之情油然而生，便向她走去。只见她坐在高高的台阶上，正在聚精会神地朗读着真主的天书《古兰经》，她的声音抑扬顿挫、悦耳动听，发自心田，就像天使雷德旺打开天堂大门时的声音。话音从她的双唇中传出，犹如珠落玉盘，她的脸庞如花般明媚灿烂。如诗人所吟诵诗篇：

> 那乐师奏出的和谐音调，
> 使我心神激荡，
> 让我无比向往。
> 你有先知达伍德的声音，
> 你有美男优素夫的面庞，

叫人如何不日思夜想。

　　我听那女郎读诵《古兰经》的美妙音调，求真主慈悲，我心中就想与她搭讪、问个好，只是与她的目光相遇的一刹那，我突然变得口吃起来，结结巴巴的总也找不出个好词句来表达我想说的话。我神魂颠倒了，我的目光呆滞了，就像诗人吟诵的那样：

　　　　我爱得深沉，说话结巴，
　　　　我不是患热病，只是热血已沸，
　　　　我没听见谁对我求全责备，
　　　　只想看看：我倾心相爱的究竟是谁！

　　我按住我那颗骚动不安的心，对她说道："你好啊，你这闺房小姐，你这深藏的珍宝，真主会让你幸福常在、荣华富贵！"

　　她对我说："我也向你问好呀，阿卜杜拉·本·法迪里，欢迎，欢迎，亲爱的！"

　　我说："小姐，你怎么会知道我的名字呢？你是谁？这个城市到底怎么啦？怎么处处是石头啊？我真感觉奇怪：全城的人都化成石头，而只有你一个活人啊？求你把事情的真相告诉我吧！"

　　她又对我说："阿卜杜拉，你坐下吧！按照真主的旨意，我来告诉你关于我的故事，关于这个城市所发生的事情，还有这个城市居民情况的种种细节。毫无办法，只能听凭伟大的真主拯救。"

　　我坐在她身旁，听她对我讲道：你要知道，阿卜杜拉·本·法迪里，我是这座城邦国王的女儿，我的父亲通常坐在王宫殿堂的宝座上，周围是国家要员、文官武将。他统帅一百一十二万士兵的军队，他有二万四千名亲王，他们都是地区长官，声名显赫。我的父亲拥有辽阔国土，有一千个大城市，还有更多的镇子、城堡、要塞以及大片的乡村土地。他还有一千名武将，每位武将统率着二万骑兵。他金钱、财宝、库藏无数，真是"见所未见，闻所未闻"。

我父亲曾经战胜过许多国王，消灭过许多英雄豪杰、战场武夫。使得那些暴君对他闻风丧胆，即使波斯国王也对他俯首称臣。只不过父亲是异教徒，崇拜偶像，不信奉真主，他的所有文武官员也都是异教徒，崇拜偶像，不信奉真主。

有一天，我父亲坐在金銮殿的宝座上，周围是国家要员、文武百官。不知不觉之间，一个人走了进来，他满脸光亮，照得殿堂生辉。我父亲朝他一看，只见那人身穿绿袍，身材魁梧高大，两手过膝，表情端庄严肃，脸上容光焕发。他对我父亲说道："你这个暴君，你崇拜偶像，拒绝信奉世界的主宰真主，看你昏庸到几时？赶快说吧：'我作证，世上无神，唯有真主，穆罕默德是他的使者。'劝你与你的臣民尽快皈依伊斯兰教，丢弃崇拜偶像的习俗，因为这种崇拜毫无益处！信奉真主吧！只有真主可以不用柱子就能撑起天，可以把地摊平。"

我父亲说："你是谁！竟敢大胆狂言，指责我崇拜偶像，你就不怕神灵生气惩罚你！"

那人说道："偶像都是石头做成，它生气对我无害，它高兴对我也无益，把你信奉的偶像交给我，把你的臣民信奉的偶像也搬到我面前，你们就让这些偶像惩罚我吧！我也向真主祈祷：惩罚你们！你们便可以看到造物主的发怒与他所创造出来的人造的偶像发怒到底是怎么一回事了！因为偶像是你们这些凡人一手造出来的，你们创造了偶像，倒让魔鬼有机可乘，使它们可以附着在偶像身上与你们交谈，对你们兴妖作怪。你们的偶像是人造之物，而真主则是造物主，是无所不能的。对于真理，你们应该遵从！而对于谬误，你们应该放弃！"

我的父亲说道："你这番言论，你所谓的主宰，有什么证据给我们看看吧。"

那人说:"也把你们的神灵给我看看吧。"

我父亲吩咐所有崇拜偶像的人:把偶像带来,所有的臣僚们便纷纷把自己的偶像带进皇宫殿堂。这就是他们当时的情况,而我呢……

我当时正好坐在殿堂的幕后。对大幕前面的情景我亲眼目睹。我自己也有一尊偶像,是用祖母绿雕成的,高矮如同真人。我按照父亲的旨意,派人把我的偶像送到殿堂,放在我父亲的偶像的旁边。我父亲崇拜的偶像是红宝石的,宰相所崇拜的偶像是钻石的,文武百官、近卫大臣们所崇拜的偶像分别为红宝石、玛瑙、珊瑚、乌木、金子、银子等材料做成的,每个人的偶像都是按照自己的心愿与官阶品级做成。至于平民百姓的偶像,则分别是用石头、木头、陶土做成的。只不过偶像的色彩不同,有黄的、红的、绿的、黑的、白的等等。这时,那人又对我父亲说:"你能让这些偶像对我发怒吗?"

人们把偶像排列起来:我父亲的偶像排在当中的金銮椅上,我的偶像放在我父亲的偶像身旁,其余各人的偶像就按照各自官阶品位的高低依照次序排列。排好后。我父亲站起身来,面向他的偶像跪下,祈求道:"神啊!您是我尊贵的主宰!在人世间,再也没有哪个神会比您更伟大!您要知道:现在,这个人前来侮辱我们,嘲笑您,狂妄地称他所信奉的神灵比您更强大,还命令我们改变信仰,来信奉他的神。神灵啊!您就对他发怒吧!惩罚他吧!"

我父亲祈求着偶像,偶像却没有回应,没有同他对话。父亲又接着说:"神啊!您今日不同往常呀!过去我与您说话,您是回答的呀!为什么您今日沉默不语?您没听见吗?您睡着了吗?求您注意听我说,求您帮助我,与我说话吧!"

父亲用手摇晃偶像,那偶像依旧没有说话,没有动静。那个人对我父亲说:"为什么你的偶像没说话?"

我父亲说:"也许是他没有在意,要不就是他睡着了。"

那人又说："唉！真主的敌人，你为何沉迷于一个不会说话、无所作为的偶像？为何不信奉近在身边的真主，真主近在咫尺，有求必应，从不会懈怠，从不会睡觉的，凡间不能了解他的深邃，他能洞察一切，他无所不知，无所不在，无所不能。而你所崇拜的偶像，连自己也不能保护。它曾经被万恶的魔鬼附身，因而把你引向歧途，现在魔鬼离去，它也就成为空壳，空为一尊摆设。醒悟过来吧！信奉真主吧！你要知道真主是唯一的主宰，只有他，才配被人们所膜拜，只有他，才能为人们赐福！你的偶像，不能为自己防灾，又怎能为他人施惠？眼前，你已经见到：它是多么无能！"

他说着，就举起拳头朝那偶像的脖子砸去，那偶像也就倒在地上。

我父亲大怒，对在场的人说："这个坏家伙侮辱了我的神灵，把他给我杀了！"

那些在场的人想站起来去打他，但是谁都动弹不得。那人又劝他们皈依伊斯兰教，但是他们不愿意皈依。那人终于说道："那就让你们看一看我主如何发怒的吧！"

在场的人说："就让我们看看吧！"

那人平摊出手掌，祈祷道："真主，真主啊！我的信任与希望的所在，回答我的呼唤：这些人，吃食您的给予，享受您提供的福利，而信奉着旁门别类。权力啊，强大啊，日日夜夜地创造啊，我就请求您把这些恶人都变成石头！您的能力，无人可阻挡。您是万能的！"

真主回应了那人的祈祷，把城里的人都变成了石头。至于我呢，我眼见那人的祈祷灵验，就信奉了伊斯兰教，也就免于像那些人一样变成石头的灾难。那人又走过来，说道："真主已经赐福于你，一切都是真主的安排。"

他教导我，我也接受了他的教导：守约，遵从教规。我当时年仅七岁，此时我已经年届三十。

　　我曾经问过他："主人，这座城中所有的人都应您的呼求变成了石头，我因在您的面前皈依伊斯兰教而得救，您就是我的教长了，把您的名字告诉我吧，帮助我，指导我，我何以为生呀？"

　　他告诉我说："我叫艾卜·阿巴斯·胡代尔。"

　　他为我栽了一棵石榴树。那棵石榴树很快长大，枝叶繁茂，开花、结果，立即长出一个大石榴。

　　他说："这就是真主为你提供的赖以为生的食物了，拿上，膜拜真主！"

　　艾卜·阿巴斯·胡代尔还教我伊斯兰教的信条、教律、礼拜的条件和方式，教我诵读《古兰经》。在这二十三年的时间里，我每日拜主诵经，摘石榴树上的石榴充饥，直至今日。每逢礼拜五、聚礼日，艾卜·阿巴斯·胡代尔都会来看我，把你的名字也告诉了我，说你就要到我这里来了。他说道："他来的时候，你要尊敬他，服从他的命令，莫违背他，与他结为眷属，他会成为你的丈夫，他到何处，你便跟随到何处。"

　　所以一见到你，我就知道你的名字了。

　　这也就是这座城市和城市里的人的遭遇故事。

　　阿卜杜拉·本·法迪里接着说：

　　后来那女郎就领我去看那棵石榴树，还有石榴树上结的石榴籽。她从树上摘下石榴，她自己吃了一半，给我另一半吃，我吃了，感到味道十分甜美，我平生还没有吃过这样甜美的石榴呢。吃完石榴，我便对她说道："你愿意听从艾卜·阿巴斯·胡代尔的嘱咐与我结为眷属，让我成为你的丈夫吗？愿意跟随我，回到我的家乡巴士拉去吗？"

　　她说："愿意。这是真主的安排，我将听从你的话语，顺从你的命令而不违背。"

　　我和她订了婚约，结为夫妻。她带我去她父亲的宝库，拿了一些我们可以带得走的宝物，走出石头城，直走到我的兄长们面前。他们俩正在找我呢，一见面便说："你到哪里去了？为什么耽误这么久？我们心里多惦念你啊。"

船长也说道："阿卜杜拉，你这个商人，天气一直这样好，风和日丽，正适宜行船，时间都让你耽误了。"

我说："这没什么不好的。也许我迟到是件好事呢。我迟来是因为我交了好运，达到了目的，你们瞧，我带来了什么好东西吧。"

我给他们看我带来的珍宝，告诉他们我在石头城的见闻，我还对他们说道："要是你们也跟我一块儿去，你们的收获一定比这些还多呢。"

他们说："即使我们跟你一块去，也不敢去见那个国王。"

我又对两个兄长说："对你俩来说，就没有什么关系了，我带来的这些财宝，足够我们大家一起用的，这真是我们的福气！"

我把带回的财宝，分成好几份。两个兄长各一份，船长一份，我自己一份，其余的一份分给了仆役和水手们。

大家都非常高兴，对我分给他们的财物感到非常满意，为我祈祷。只是我的两个兄长不大高兴，顿时变了脸色，目光也变了。我注意到了，这是因为他们的贪婪心在作怪。我于是对他们俩说道："兄长们！我猜想你们对我分给你们的那一份不满足，但是我是你们的弟弟，你们是我的兄长，我们兄弟之间应该不分彼此，我的财宝与你们的财宝是一回事情，要是我死了，我的这一份由你们来继承。"

我安慰两位兄长，还照顾着那位女郎，把她带进船舱，送去食品。又和两个兄长坐下来聊天。他们问我："弟弟，对你带来的那个美人儿，有何打算呀？"

我说："我们已经写下婚约，我娶她为妻。等回到巴士拉之后，再正式办一个盛大的婚礼。"

我的一个兄长说道："弟弟，你要知道，这位可爱的女郎这么漂亮，我一见到她，就从心里爱上她了。把她让给我，就让我娶她为妻吧！"

另一个兄长也说道："我也是一样地喜欢上她了，还是让给我，让我娶她为妻吧！"

我对他们说："两位兄长，我已经跟她订下婚约，发誓娶她，如果我把她让给你们俩当中的任何一位，就是破坏了我们的婚约，违背了誓言，也让她伤心难过。她之所以与我同行，是以我娶她为妻作为前提条件的，我怎能再把她嫁给别人呢？要说你们两个爱慕她的心情，我想我会比你们更执着更强烈。要我把她让给任何一个人，这种事情我是绝对不能做的。不过我们平安抵达巴士拉后，我就会从众多美丽漂亮的巴士拉姑娘中为你们俩各自物色上一位，为你们去提亲，由我付彩礼，让我们每个人都高兴，我们三兄弟同一个晚上进洞房。眼前跟我来的这个姑娘，她就是我的妻子了。"

两个兄长都沉默不语。

我以为我刚才说的一番话，已经让他们心满意足。

我们的船只继续向巴士拉进发。我心爱的美人儿仍然呆在船舱中不出来，我每日给她送吃送喝。我同两个兄长一起睡在甲板上。

每日如此度过，船又向前航行了四十天，已经隐约可以看见巴士拉城郭，我们每个人都为能平安回家而心中充满喜悦。

我历来信任两个兄长，只有真主才知道他们心怀不轨。那天夜里我睡着了，我睡得深沉，不觉中被两个兄长的手抬起来，他俩一个人抬着我的双脚，另一人抓住我的两手，合伙想要把我扔到海里，就是为了夺取那位姑娘。我惊醒了，发觉自己被他们两人抬着，说道："两位兄长，你们俩这是干什么呢？"

他们俩说："你真是缺少教养不懂礼貌，怎么能为一个姑娘就出卖良心不念手足之情呢，我们就是要把你扔进海里去！"

他们俩果然把我扔进大海。

这时，阿卜杜拉又回头看看两条狗，问道："两位兄长，我说的这些事情，是不是事实？"

两条狗听后了，低下头，眯一眯眼，吠了几声，表示阿卜杜拉所言属实。哈里发见此情景，感到十分奇怪。

阿卜杜拉继续讲道：

信士的长官！我被两个兄长扔到大海，沉下去，又被海水冲得浮出海面。这时，突然一只如同真人一般大的大鸟从天而降，把我叼起来，带我飞向高空。等到我睁开眼睛，才看见自己已经身处于一座宫殿中。这宫殿高大巍峨、雕梁画栋、富丽堂皇，装饰着各色各样的珍宝，几位漂亮的宫娥彩女站在那里，双手放在胸前。一位妇人坐在一张镶满珠宝的赤金宝座上，她的衣着华丽非常，珠光宝气，金光闪闪，使人不能睁眼。她腰系无价的宝石腰带，头戴镶嵌三层宝石的凤冠，光彩夺目，耀人眼目，惊人魂魄。那只带我高飞，来到这个宫殿的大鸟，此刻变成了一位女郎，亦如阳光般光彩照人。我细细一瞧，才发现她就是我上次在山中碰见的一条白蛇，那时有条黑蛇追赶她，似乎要欺负她，强暴她，咬杀她，我曾经搬起一块石头，把那条黑蛇砸死了。

坐在宝座上的那位妇人对女郎说："为何要把这人带来？"

那姑娘说："母亲，这位先生是在我危难时刻保护了我名节的勇士。"

她问我："你知道我是谁吗？"

我回答："不知道。"

她又说："你曾在山上救助过我，我就是那个被黑蛇欺负的白蛇，它想败坏我的名节，是因为你用石头把它打死，我才得到解脱。"

我说："当时我仅仅看见了只是一条白蛇和黑蛇相斗啊。"

她说："我就是那白蛇，其实我是精灵王国红国王的女儿，名叫赛伊达。坐在宝座上的是我的母亲，是红王妃。那条要咬杀我、败坏我名节的黑蛇是黑国王的宰相，名叫代尔非礼。他生性卑劣，一看见我，就想霸占我，向我父亲提亲。我父亲断然拒绝，派人对他说：'精灵王国臣僚中的败类，你还想娶国王的女儿为妻吗？'

"他为此大怒，怀恨在心，想向我父亲报复。他四处跟踪我，一心要害我。他同我父亲曾经打了几场艰苦恶仗，只不过他势力强大，又十分狡诈，我父亲未能取胜。我父亲占优势时，他设法逃跑，所以也就抓他不住。我要想躲避他，只能每天变一个形象，变一种颜色。而每逢我变形，他也相应跟着变成一种形状企图欺负我，即使我钻进土里去，他也会闻到我的气息，跟着追过来。我受尽了他的欺负纠缠，那天我变成白蛇，逃往山上，他也跟着变成黑蛇，追踪在后，终于追赶上我，与我厮杀，直到我差点儿被他杀了，幸亏你及时相助，用石头把他砸死，我才脱离险境。

"当时我曾对你说：'你这个人呀，你保住了我的尊严，使我不至蒙羞，你的好心会有好报。'我看见你的两个兄长心怀不轨，把你扔到大海，就赶忙前去相救，让你摆脱危险的境地，带你来这里。你对我有救命之恩，也是理应得到我父亲、母亲的尊重的。"

接着她对王后说："母亲，他维护女儿的尊严、挽救女儿的生命，您当尊敬他才是！"

那王后说："您这个人呀！欢迎您，您做了善事，理应得到尊重！"

她吩咐仆人拿出一些名贵衣服、珠宝，赠送于我，又吩咐道："带他去见国王！"

我跟在他们后面走进王宫殿堂，见到国王端坐在宝座上，身边的官员、侍卫伺候在一旁。他的衣冠镶嵌满了珠宝，珠光闪闪，令我一时眼花缭乱。国王起身，他的官员们也跟着起身向我致意，欢迎我的到来，对我尊敬有加，赏赐我诸多珍贵礼品。此后，国王又对仆从们吩咐道："带他到赛伊达公主那里去。"

随后，公主带上了我，带上了国王对我的馈赠，腾云驾雾，送我回家乡。

这就是我与赛伊达的一段故事了。

再说在那条船上，我的两个兄长把我抛向大海，发出扑通一声响，将睡梦中的船长惊醒，他赶忙问道："什么东西掉到海水里了？"

我的两个兄长哭起来，捶胸顿足，喊道："我们的弟弟没命了！他想在船边上方便一下，就掉到海里去了。"

随后，他们俩动手抢钱财，又为争夺那女郎争吵不休，意见不一。每人都说："这女郎非我莫属。"

他们俩就这样一直争吵着，早不记得他们弟弟的事情了：他落在水里，兄长们还要表示点悲伤！

他们俩仍旧在争吵着，赛伊达带着我降落船上。两个兄长见到我，立即拥抱我，装出高兴喜欢的样子，说道："弟弟啊，你好啊！你怎么样呀？我们的心一直牵挂你呀！"

赛伊达却说："你们要是真关心他，真喜欢他，就不该趁他睡着的时候把他抛在海里了。现在你们该当死罪，你们俩选择吧！选择一个你们自己希望的死法吧！"

她抓起了我的两个兄长，要把他们俩给杀了。两个兄长大喊："弟弟啊！还是你给我们求个情吧。"

我只得出面说话，我对赛伊达说："就求您宽恕我的两个兄长，不要杀他们了吧。"

她说："这两个背信弃义的家伙，只有杀了他们才解恨！"

我仍然求她宽恕怜悯我的兄长们，直到她说道："就看在你面上，我姑且饶他们俩的命，但是我也要给他们俩施一个魔法，来惩罚他们。"

她说罢拿出一个钵子，装上海水，口中念念有词，谁也听不明白。

最后她说道："让他们脱离开人的形象，变成狗的模样吧！"

她把钵子里的海水洒在我的两个兄长身上，她的话音落下，两个兄长就变成了两条狗。

哈里发陛下，这就是您面前的两条狗。

阿卜杜拉又回头看看两条狗，说道："两位兄长，我所讲的都是事实吧？"

两条狗听了，即刻低下头，眯一眯眼，似乎在说："是事实。"

信士的长官，赛伊达对我的两个兄长施了法术，把他们俩变成狗，又对船上的其他人说："你们知道，阿卜杜拉·法迪里是我的兄弟，我每天都要来看他一两回。你们这些人中，谁要是与他作对为仇，违背他的命令，用手伤害他，用舌头骂他，我就要像对付这两个背信弃义的家伙一样，把他变成狗！永世不得解脱。"

那船上的人都说："女主人！我们都是他的奴婢、仆役，不敢违抗他。"

赛伊达又对我说："回到巴士拉后，立即细查你的财物，看看是否短缺，如若短缺，就立即告诉我，我自会查办，无论谁拿走，无论藏在何处，无论他是谁，我都会将他变成狗！你回到家里后，还要藏好财物，再给这两个背信弃义的家伙的脖子上套上锁链，拴在床腿上，让他们俩犹如在监狱一般。每天半夜你要起床去鞭打他们，直打得他们快要断了气。哪天夜里你要不曾鞭打他们俩，你就要先受惩罚：我会先鞭打你，之后再鞭打他俩。"

我对她说道："听明白了，遵命就是。"

她又说："到了巴士拉，要用绳子把他俩拴好。"

我即用绳子把他俩拴在船栏杆上，她见此情况，便离去。

次日，我们到达巴士拉。商人们都来看我，问候我，没有人问起我的两个兄长，他们看到我带着两条狗，觉得奇怪。就有人问道："你带两条狗回来有什么用处呢？"

我对他们说："此次旅行中，我养了两条狗，现在顺便带回来了。"

他们听后，对那两条狗哄堂大笑，谁也不会想到这两条狗原来就是我的两个兄长。当天，我把两条狗关进仓库里。自己忙着分门别类地收拾与放好布帛和其他货物，还有不少商人来客需要应酬。我就忘记了拿链子去把狗拴起来，忘记了把它们抽打一顿，就去睡觉了。半夜三更，不经意间，红国王公主赛伊达来临。她责问我："你回来后，要把这两条狗用链子拴起来，夜间鞭打他们，我不是对你说过吗？"

她一边说一边把我抓起来，抽出鞭子，鞭打我，直把我打得死去活来。然后她又到我两个兄长呆的仓库，拿鞭子把他俩分别鞭打一顿，几乎把他们打死，这才对我说："今后，在每天夜里，你必须鞭打他俩，就像今天夜间我做的这样；如果一夜未打，我就会鞭打你，也像今夜我做的这样。"

我说："我的主人！从明天起，我一定用链子锁住他俩的脖子，夜间鞭打他们，不敢一夜间断。"

她再次叮嘱我要遵守她对我的吩咐：惩罚两个兄长。然后她离去。

次日清晨，我不敢再懈怠，就去找工匠打制两副金链子，套在两个兄长的脖子上。按照赛伊达的吩咐，把他们俩拴起来，从当天夜里开始，开始了对他们的鞭打，直至今日。

所有这些事情都发生在阿巴斯王朝的第五任哈里发迈赫迪执政时代。

因为我同哈里发迈赫迪交情深厚，不时还送他一些礼物，后来他委任我为巴士拉省长。

时间就这样一天天过着，我以为时过境迁，自己想着："赛伊达的怒气也该消了。"有天夜里，我没有去打两个兄长，没想到赛伊达又出现了，她狠狠地痛打了我一顿，她那激动愤怒的样子给我深刻印象，以至我的余生都不会忘记。故而，我又不得不继续每夜鞭打我的两个兄长，直到哈里发迈赫迪逝世，陛下您继任哈里发，继续委任我为巴士拉省长，至今已经十二年了。我每夜仍旧鞭打我的两个兄长，打完之后再宽慰他们俩，向他们表示歉意，再给他们俩提供食物与饮水。

我对这个秘密一直秘而不宣。他们俩被禁闭着，没有人知道他们俩的事情。一直到陛下派艾卜·伊斯哈格前往巴士拉，向我催缴土地税收，他发现了我的秘密，回到京城后向陛下报告，陛下又再次派他前往巴士拉，要我把他们俩带到京城。我听从陛下命令，就带上他们俩来到了这里。陛下问起我这件事情的真相，我今日也就向陛下讲述了整个事情的来龙去脉。

哈里发哈伦·赖施德听完阿卜杜拉的讲述，对两条狗的遭遇感到十分惊奇，他对阿卜杜拉说道："已经过去这么长的时间了，你对你的两个兄长所犯下的罪过到现在也不能原谅吗？不能饶恕他们吗？"

阿不杜拉说："陛下，愿真主宽恕他们俩，免去他们俩在今生和来世的罪孽。我也需要他们俩的原谅，在这十二年多的时间里，我每夜都鞭打他们俩，从未间断过。"

哈里发说："阿卜杜拉，真主保佑，我来想办法让这两条狗先恢复人的形象吧。然后再为你们说合，使你们兄弟捐弃前嫌，真正兄弟般地欢度余生。你原谅了他们俩，他们俩也就会原谅你。带他们俩回家去吧，今夜就别再打他们俩了，明天会有好消息的。"

阿卜杜拉说："陛下，我再冒昧说一下：如果今夜我不打他们俩，赛伊达就会来狠狠地鞭打我，而如今，我的身体有点承受不起了。"

哈里发说："你不要害怕。我先给你封书信，等到赛伊达来到时，你就把这封书信给她看看。我相信她读了这封书信，一定会宽恕于你！如果她实在不肯宽容，不理睬我的愿望，还是要打你，你就求真主保佑，暂时忍耐一夜。事情如果真是这样，她不给我情面，违抗我的命令，那么，我，信士的长官，也就不再同她往来。"

然后，哈里发写了一封书信，仅为两指宽，又加盖上玉玺，递给阿卜杜拉，吩咐道："阿卜杜拉，今晚如果赛伊达公主来了，你便把这封书信交付于她。对她说：'人间的君主哈里发命令我不要再打这两条狗。他请你读这封书信。问候你。'你把书信交给她，不用担心害怕。"

阿卜杜拉答应遵循哈里发的吩咐去做，不再打两条狗，他带着两条狗回到住处。

他自言自语："哈里发能管得了精灵王国的公主吗？如若是精灵王国公主不听人间君主哈里发的命令，来打我一顿，我也只能忍受了，也好让两个兄长好好地安歇一宿，我就为他俩忍受一下痛苦吧。"

他的理智又对他说："若是哈里发心中无数，没有万全之策，是不会叫我停止鞭打的。"

阿卜杜拉带着两条狗回到住所，他决定解开两个兄长脖子上的枷锁，默默说道："求万能的真主保佑。"

他又宽慰两个兄长，说："托真主的福，你们放心吧，蒙哈里发恩典，今晚起你们俩就可以摆脱鞭打的痛苦，我也原谅了你们。真主保佑，这个时刻终于来到了。今夜你们就将摆脱苦难，享受安宁与幸福，你们高兴吧！"

阿卜杜拉讲了这些话，两条狗连声地吠，用腮帮子蹭阿卜杜拉的脚，好像是祝福，也表现了谦卑与温驯。

阿卜杜拉不由得感到悲伤，恻隐之心油然而生，伸手去抚摩两条狗的脊背。到了晚餐时刻，仆从端来晚餐，阿卜杜拉便对两条狗说："坐吧。"

两条狗坐下来，与阿卜杜拉同桌进晚餐。

仆从们见阿卜杜拉与两条狗一起吃喝，叹道："我们的主人一定是疯了！要不然，巴士拉省长是不会与狗一起同桌进餐，吃吃喝喝的。一边是官位比大臣还大的省长大人，一边是狗，是动物畜生呀！"

他们看见两条狗陪同阿卜杜拉省长吃喝，全然不知就里：那两条狗原来是阿卜杜拉省长的同胞兄长啊！

他们吃喝完毕。阿卜杜拉省长起身去洗洗手，两条狗竟然也分别伸出两个爪子去洗洗，仆从们站在那里，忍不住笑起来，交头接耳议论："我们这一辈子也没有见到过：人与狗能坐在一起吃喝，狗吃过饭还要洗爪子。"

然后，两条狗又靠着阿卜杜拉身边坐下，好像等待什么似的。

仆从们谁也不敢打听其中原由了，大家默默不语。直到后半夜，仆从们已经收拾完毕，准备安歇。阿卜杜拉和那两条狗也上床就寝。仆从们又互相议论开了。

有人说："怎么他还和两条狗同床睡觉啊？"

有人说："他既然能和狗同桌吃饭，那和狗同床睡觉也没什么关系，只怕这些事情是疯子才可以做得出来的。"

仆从们不再愿意吃他们桌子上吃剩的饭菜了。

他们说："我们难道还能够吃狗吃剩的狗食吗？"

于是他们把桌子上的剩饭剩菜都倒掉了，还说："太肮脏了！"

当晚，阿卜杜拉·本·法迪里省长睡到半夜，不经意间，大地裂开，赛伊达出现在他面前，说道："阿卜杜拉，为什么这一夜你没有打他们俩？为什么你还摘掉了他俩脖子上的锁链子？你是故意要和我闹别扭，还是无视我的命令？那你瞧吧：我不但打你，还同样要像惩罚他们俩那样，施法术把你变成一条狗！"

阿卜杜拉说："主人啊！以苏莱曼戒指上所刻有的文字发誓，宽恕我吧！等我讲清楚事情的原由，如果你认为还是要惩罚我，那时再惩罚我也不迟！"

赛伊达说:"那你就讲吧!"

阿卜杜拉说:"我没有打他们俩,因为信士的长官、人间的君主哈里发哈伦·赖施德给我下了命令:要我今夜不要打他们俩,我遵守了他的约定。哈里发还要我代他向你致意,并写下书信一封,盖有玉玺,要我交给你。我只是遵循他的命令啊,我听从于信士的长官啊!这就是他写的书信了,请你过目。"

赛伊达说:"拿过书信来!"

阿卜杜拉把书信递给她,她打开来,读起来:

以大慈大悲的真主之名,人间的君主哈里发哈伦·赖施德致书精灵王国红国王之赛伊达公主:此人已经谅解了他的两位兄长,放弃了对他们俩报复的权利,我已经为他们兄弟调解说和。如果调解成功,体罚行为应随之废止。如果你反对我这样的裁决,我也将反对你们的裁决,不遵从你们的法律;如果你听从我的命令,接受我们的裁决,我们也将执行你们的裁决。我希望你不再干预阿卜杜拉两位兄长的事情。

如果你信奉真主及其使者,就应遵从我的这个命令:宽恕他们俩!凭借真主赋予我的权力,我会给你以回报。

你遵从我的命令具体行为就是:废除加在那两人身上的法术,让他们明日就得以解脱,恢复本来面目。

如果你不肯解救他们俩,我则凭借真主赋予的权力,强制你执行。

赛伊达读完哈里发的书信,说道:"阿卜杜拉,对于这个情况,我不能自行主张,需要回去见见我父亲,让他看看人间君主的这封书信,我会尽快回来给你答复。"

她用手指向大地,大地即裂开一道缝,她纵身跳下后,消失了。

阿卜杜拉心花怒放，欣然说道："真主宠信信士的长官！"

赛伊达来见父亲，禀明情况，即把信士的长官的书信递给父亲。红王接过书信，吻了一下，就高举在头上，随后过目，详情尽知。他对赛伊达说："女儿啊！人间君主的命令，我们应该执行，不得违抗。你赶快去那两个男人那里，即刻解救他们，让他们恢复本来面目。你对他们说：人间的君王出自怜悯之心，解救了你们俩。人类的君王如若对我们发怒，我们就会面临死亡。你可不能去招惹我们经受不起的灾难呀！"

赛伊达问："父亲，人间的君主要是发怒，又敢把我们怎么样？"

红王说："他在各个方面都会超越我们。首先，他是人，是优越于我们的；第二，他是真主的代理人哈里发；第三，他坚持晨礼，即使你召集了七方精灵来对付他，也对他毫发无损。

"如果他对我们发怒，只要在晨礼前叩拜两次，大喊一声，我们就得像屠夫宰杀羊群一样接受宰杀；如果他命令我们远离故土，到蛮荒之地，我们也不能够在原来的家园停留；如果他要我们死亡，就命令我们互相残杀，我们就会成批地死亡。我们是不敢违抗他的命令的，违抗了他的命令，我们就会全部被烧死，而不能在他面前得到摆脱。每个坚持晨礼前叩拜真主的真主仆人们也都有他这种权力，可以约束我们。你可不要为了惩罚那两个男人而惹火烧身。去吧，去解救那两个男人吧！趁哈里发现在还没有生气，恢复他俩的本来面目吧！"

于是，赛伊达尽快赶到阿卜杜拉·本·法迪里跟前，把父亲所说的话告诉他，又说道："请你代我们吻信士的长官的手，问候他，祝他快乐。"

然后，她取来一个钵子，装上水，对它念念有词，谁也不明白她说的内容，然后她把水洒在两条狗的身上，说道："脱离开狗的形象，恢复你们原来的面目吧！"

于是魔法消失，两条狗便变为人形，恢复了本来面目，他们俩开口说道："我们证实：世间无神，唯有真主，穆罕默德是真主的使者。"说完，两人跪在阿卜杜拉·本·法迪里的面前，亲吻他的手和脚，求他宽恕。

阿卜杜拉对他们俩说道："我还求你们也原谅我呢。"

然后两人一起忏悔，然后说道："我们受该死的魔鬼易卜劣厮的欺骗，它挑唆我们起了贪婪之心。我们的主惩罚我们，这是我们罪有应得。宽恕是美德！"

他们俩向弟弟求情，对他们自己的所作所为，又是哭诉，又是后悔。

阿卜杜拉·本·法迪里问他们俩道："你们怎么对待我妻子了，就是我从石头城带回来的那位女郎。"

二人说道："我们受魔鬼唆使，把你抛到大海，我们两人就起了矛盾：都想和那位女郎结婚。那女郎听见了我们争吵，看到了我们的纷争，知道你被我们扔进大海，就从仓库走出来。她说道：'你们俩也不必为我争吵了，我不属于你们俩当中的任何人。我的丈夫在大海里了，我也跟他去吧。'她就这样投海淹死了。"

阿卜杜拉说道："她真是一个烈女呀！毫无办法，只有靠伟大的真主！"

阿卜杜拉痛哭起来，对两位兄长说："你们俩干的事可真是缺德呀！就这样把我的妻子给害了！"

那两位赶忙抱歉："我们错了！真主已经按照我们所犯罪孽惩罚我们了，这是真主在让我们出生前就为我们注定的事情！"

阿卜杜拉只好接受他们俩的道歉。赛伊达却说道："阿卜杜拉，他们俩做出如此狠毒的事情，你也能饶恕他们俩吗？"

阿卜杜拉说："我的妹妹啊！能饶恕人时且饶恕人吧。真主会报答的。"

她又说道："你要小心防着他们俩啊，这是两个背信弃义的人！"

赛伊达说毕，即告辞离去。这天深夜，阿卜杜拉与两个兄长一同欢聚，共同吃喝，开怀畅饮，心花怒放，直到天明，又带他们俩去澡堂沐浴，等到他们俩人洗浴完毕，又给他们俩拿去昂贵的华丽衣裳让他们换上，然后摆好桌子备上餐饮，兄弟三人共同享用。仆人看看这两个人，知道这两人就是主人的两位兄长，于是上前去向他们问候，对阿卜杜拉·本·法迪里省长说道："主人啊！真主帮助你与两位亲爱的兄长相聚，这么长时间他们俩都在哪里呀？"

阿卜杜拉·本·法迪里说道："他们俩就是那两条狗呀。感谢真主把他们俩从囚禁与苦难中解救出来。"

然后，阿卜杜拉带着两个兄长到哈伦·赖施德王宫的大堂。他们先在哈里发面前跪下，磕头谢恩，祝愿哈里发长寿安康、如意吉祥。

哈里发说道："欢迎你，阿卜杜拉省长。告诉我，事情怎么样了？"

阿卜杜拉说："信士的长官，愿真主让你强大无敌！昨日，我带两个兄长回住处，因为陛下要解救他俩，我感到安心与高兴，我心里想：'君王要做的事情，不会不成功。'爱心会帮助他们俩，我把他们的事情托付给了真主。我已经与他们一起用餐，我的仆从看见我与那时还是狗形态的两个兄长一起用餐，都以为我是晕了头，发了疯，他们相互议论：'这真是一个疯子，巴士拉省长与狗一同进餐，他的官位比大臣还大呢。'他们倒掉了餐桌上的剩余吃食，说：'我们才不吃狗吃剩的东西呢。'他们都认为我见识低下。我听了他们的种种议论，没说一句话。因为他们都不知道：这是我的两个兄长。该睡觉了，我叫他们走了，我进入梦乡。突然间，大地裂开，精灵王国红国王的公主赛伊达出现，她对我大发雷霆，两眼好像也冒着火……"

后来，阿卜杜拉把他和赛伊达之间的谈话、赛伊达又去找她父亲、赛伊达又如何把两条狗恢复成人形的来龙去脉，从头到尾详细叙述了一番。随后他指着两个兄长说："信士的长官，瞧，这就是他们俩！站在您面前了。"

哈里发回头看了看,看见了两个面如明月的青年人。他说道:"阿卜杜拉,愿真主代我关照你,你给我讲了一个我以前不知道的事情。真主保佑,只要我活着,我今后就不会放弃每日做晨礼的两次跪拜。"

他斥责了阿卜杜拉·本·法迪里省长的两位兄长,指责他们的背弃行为对阿卜杜拉已经造成严重伤害。

阿卜杜拉的两个兄长当着哈里发的面忏悔,并向阿卜杜拉道歉。哈里发说道:"握手言欢吧！相互原谅吧！真主已经宽恕了你们先前所做的一切。"

随后他又看了阿卜杜拉一眼,说道:"阿卜杜拉,让你的两个兄长当你的助手吧,好好看顾他们俩吧。"

他又嘱咐阿卜杜拉的两个兄长服从阿卜杜拉,然后重重赏赐他们,要他们一起返回巴士拉。

阿卜杜拉一行辞别哈里发,离开了他的殿堂。哈里发也非常高兴,因为他知道晨礼前的两次叩拜还有特别的意义。他说道:"人们说得好:这些人倒了霉,让那些人获了利。"

这就是他们见到哈里发的一段情况了。

再说阿卜杜拉·本·法迪里,他带着两个兄长离开巴格达,一行人威风凛凛、威武壮观地向巴士拉城进发。巴士拉城的官员、绅士、社会名流争相装点城池,出城迎接,盛况空前。人们欢呼雀跃,为他祈祷。阿卜杜拉则向人群抛撒金银,所有的人都在向他欢呼、祝福着,只是没有人注视他的两个兄长,使得他二人心中又一次再生嫉妒、怀恨之心。阿卜杜拉察觉,只得竭力用照顾与迁就的目光看着他们,不想这样反倒增加了他俩的嫉妒与憎恨。如同诗人吟诵的那样:

我对所有人的交往都是与人为善。

但与嫉妒我的人交往实在是难办。

你如何能同嫉妒你幸福的人交往，

如果他所期盼的就是你彻底完蛋。

阿卜杜拉给两位兄长分别都物色了无比美丽的女郎为妻，又为他们每人各配备了黑、白肤色的男奴女婢各四十个，还给每人配备了五十匹良马、多名随从跟班，规定了他们俩应收的土地税，定了他们的俸禄，让他们俩成为自己的助手。

阿卜杜拉·本·法迪里按照哈里发的吩咐做完这些后，又对他的两位兄长说："两位兄长，我和你们是亲兄弟，应该不分彼此。行政事务要听命于真主，再听命于哈里发，其后由我和你们俩共同商定。巴士拉的行政事务，无论我在不在现场，凡规定你们俩要做的事，那就得执行。只是应该注意的是：行使职权，要敬畏真主，切莫徇私舞弊，如果你们施行暴虐，终将导致毁灭；如果你们秉公办事，就会兴旺发达。如果你们亏待了他人，就会受到诅咒，你们的恶行就会传播，一旦传到哈里发那里，我与你们都会成为笑柄，受到责备。所以你们万不可亏待一个人！万不可贪婪他人的钱财，若是需要钱财时，尽管找我去取，即使大量使用亦可。你们该知道《古兰经》中有关于禁止暴虐的章节呀！真主保佑，正如诗人所言：

青年心中存邪念，

要想隐瞒实在难。

人若聪明想做事，

时机合宜才会办。

舌在心中精明人，

心在嘴里傻瓜蛋。

谁若做事不用脑，

祸从口出命难全。

青年命根虽隐蔽，

所作所为却昭然。

谁若没有好本质，

嘴里不会出善言。

谁如行事学傻瓜，

其蠢也同他一般，

谁将秘密宣示人，

仇敌亦会知周全。

明哲保身已足矣，

何必再把闲事管？!

　　阿卜杜拉再三地劝慰两个兄长，定要秉公办事，不能为非作歹。直至他相信：他们俩都很爱他，也接受了他的劝告。他就委托他们办事了，也十分尊重他们了。

　　尽管阿卜杜拉尊重两位兄长，但是他们俩的嫉妒心与怨恨心却越来越甚。一日，纳赛尔与曼苏尔这两个兄弟又聚集在一起，纳赛尔对曼苏尔说："兄弟，我们的弟弟阿卜杜拉是省长，大权在握，对我们发号施令，我们在他的控制下还要待到何时？从前，他也不过是个做生意的商人，摇身一变就成了省长，就这么从地位卑微到当了大官。我们俩呢，总是得不到提升，没有那样好运气，也没有什么好前途。他还老是嘲笑我们，让我们给他做助手，这是什么意思？不是拿我们当仆人吗？不是要我们在他的控制下去伺候他，听他吆喝吗？只要他不提拔我们俩，我们也就没有什么升迁的机会。我们也无法可想，看来，只有把他给杀了，把他的钱财拿来。只有让他死，我们才能拿到这份钱财的。如果我们杀了他，我们就去打开他的珍宝、金银等各类宝贝的储藏室，我们两个来瓜分。我们再给哈里发送上一份好礼物，求他把库法省的省长职位赏赐给我们俩。由你当巴士拉省长，我去库法当省长。要不然你去库法当省长，我来当巴士拉的省长，这样我们俩就有钱有势了。如若不然，我们不杀他，我们就什么都没有。"

曼苏尔说："你说得真对！但是我们怎样才能杀掉他呢？"

纳赛尔又说："随便在你或者在我的住处来办桌席，请他来赴宴，我们尽力周到，好好款待他，伺候他，用好言好语与他周旋，给他说幽默笑话。待他高兴陶醉在欢乐乡中，我们就为他铺床，让他睡觉。等他熟睡，进入梦乡，我们就一起掐住他的喉咙，把他掐死，再把尸首扔到海里。然后，我们就对别人说："阿卜杜拉正在同我们一起谈天说地，他的那个女精灵妹妹突然出现在我们面前，对阿卜杜拉说道：'你这个人，是个强盗！你有什么能耐，竟然胆敢在信士的长官面前去告我的状！你以为我们怕他吗？他是人间君王，我们是有众多精灵的王国。倘若他对我们无礼，蔑视我们的权威，我就叫他死也死得不体面。今日，我先拿你开刀，先杀掉你，再看看信士的长官会怎么样！'她说完话，就抓住了阿卜杜拉，那时大地裂开，她就带着他下到裂开的地缝中去了。我们看到这个情景，简直吓晕了头，昏了过去。等到我们醒过来时，我们也不知他究竟怎么样了。

"此后，我们再打发人去见哈里发，把这件事情的经过就这样向他报告。哈里发一听，就会委任我们代替他执掌巴士拉政权。再以后，我们就给哈里发送礼物，求他委任我们当库法省长。这样我们俩就可以一人住巴士拉城，一人住库法城，这两个地方对咱们来说是太好了，我们爱怎么欺压别人，就怎么欺压别人；我们爱怎么干，就怎么干！"

曼苏尔说："兄弟，你说得太好了。"

纳赛尔与曼苏尔就这样定计要谋害阿卜杜拉。

纳赛尔准备了一桌宴席，对阿卜杜拉说道："弟弟，我们是同胞兄弟呀！我想请你和曼苏尔到我家里来吃上一顿饭。人们会说：阿卜杜拉省长到他兄长纳赛尔家里去赴宴了。我会为你的光临感到骄傲的。"

阿卜杜拉说："好吧，兄长，我们是不分彼此的，你的家就是我的家。你请我吃饭，我怎么能不去，否则真是太不知好歹了！"

阿卜杜拉又回头看看曼苏尔，问道："你愿意和我一起到纳赛尔兄长家做客，去吃一顿饭吗？让他感到宽慰！"

曼苏尔说："弟弟，我发誓：要去也得有个条件，除非你在纳赛尔家做客出门之后，就到我家做客，接受我的款待，我才愿意和你去。纳赛尔是你兄长，我就不是你的兄长了？你让他感到宽慰！就不让我感到宽慰了？"

阿卜杜拉说："不妨事的，我们之间只有爱与尊重，我一出纳赛尔的家门，立即上你家去好了。他是我兄长，你也是我兄长呀。"

纳赛尔吻过弟弟阿卜杜拉的手，告辞了他的办公大堂，回家筹办宴席去了。

第二天，阿卜杜拉骑着马，带上保镖和兄长曼苏尔一起，前往纳赛尔家中赴宴。他们一行进门后，先后落座，纳赛尔就忙不迭地铺上地毯，热情欢迎他们。他们吃着、喝着、玩着、乐着，酒足饭饱撤席后，大家起身洗手。随后又摆上水果饮料，大家吃喝玩乐直到夜幕降临。晚饭后，做过昏礼，大家又坐在一起聊天，纳赛尔讲完故事，曼苏尔又说笑话，阿卜杜拉则静静地听着，他们三人同在一室，其余保镖跟班随从则在另外的地方。三个兄弟在一起一直说着奇闻轶事，直到阿卜杜拉渐渐困了想睡觉，纳赛尔和曼苏尔便赶忙为他铺床，阿卜杜拉脱衣睡觉，**纳赛尔和曼苏尔**也在他身旁躺下，耐心地等待阿卜杜拉睡熟。当他们看见阿卜杜拉已经进入梦乡，就悄悄起床，骑到阿卜杜拉的身上，阿卜杜拉惊醒过来，问道："兄长们啊！你们要做什么呀？"

他们两人说："我们不是你的兄长，我们也不认识你，你死了比你活着更好！"

他们俩用手掐着阿卜杜拉的脖子，让阿卜杜拉窒息，失去知觉，不能再动弹。他们便以为阿卜杜拉已经死亡，这房舍临近海边，于是他们把他抬到屋外，抛在海里。

阿卜杜拉刚落入水中，真主就派一头海豚游过来，把他驮起来，带他上了岸。原来纳赛尔的官邸靠近海岸，那厨房的窗户面对大海，每当厨师宰杀活物留下不愿食用的废弃杂碎，便从窗户扔进海里，适逢海豚到此寻食，便会浮出水面，饱餐这些杂碎。当夜，主人大肆宴请，免不了大加宰杀活物，扔下的废弃活物杂碎也就更多了，海豚吃到的杂碎也就比往日的更多了，也就更加强壮有力了。

那时，阿卜杜拉被抛入海里，海豚也听到了"扑通"的落水声，便赶了过来，看见落水的是一个人，便把他驮在背上，划破浪花，在海中游了一阵，就把阿卜杜拉推上了岸。再说，这个地方靠近路口，恰巧一个商队从这里经过，看见岸上躺着一个溺水的人，商队的人说道："快看！一个被淹死的人给海水冲上岸来了！"

商队的人们便围过去看看是怎么回事情。那商队头领为人善良，见多识广，阅历丰富，通晓医道与相术。他看见人们在前面拥挤着，便问道："你们在看什么？出什么事了？"

大家说："有个人淹死了。"

那商队头领走过来，对阿卜杜拉仔细端详查看一番，说道："你们看，这年轻人还有气。看起来，他是个有身份地位、有教养有美德的年轻人。真主保佑，但愿他能生还。"

商队头领带上了阿卜杜拉，给他换上衣服，为他生火取暖，为他医治身体。

三天的医治后，阿卜杜拉醒来，只是过度的惊吓让他虚弱不堪，商队头领又采集他所了解的草药替他治疗。

三十天过去了，商队离开巴士拉的距离已经很远了，商队的头领继续给阿卜杜拉治疗着。一日，商队来到了波斯境内的欧支城，下榻于一家旅店中。商人们为阿卜杜拉铺好床铺，让他躺下，他却不能入睡，呻吟不止。他呻吟的声音使得住在旅店的人们都很不安。旅店门房来见商队头领，问道："你们的这位病人怎么样了？他整夜呻吟，我们都很为他担心。"

商队头领说："你看到的这个人是我们在旅途中遇到的，那时，他躺在海边上，已经奄奄一息了。我一路给他治疗，不过他身体仍然虚弱，还没有完全恢复。"

门房说："带他去看女郎中拉吉赫吧。"

商队头领问："那女郎中拉吉赫是怎么一回事呀？"

门房说："有一位年轻漂亮的姑娘，人们叫她女郎中拉吉赫，是因为她会治病。谁要是生了病，到她那里一看，在那里过上一夜，就能痊愈，就好像没有得过病一样。"

商队头领："你能带我们去找她吗？"

门房："那你就带上病人一起去吧。"

商队的头领带着阿卜杜拉跟随门房一起来到一处角落，看到了芸芸众生在这里来来往往，进进出出，喜气洋洋。门房走进屋去，走到门帘前面，说道："女郎中拉吉赫，请您看看这个病人吧！"

她答道："掀开门帘，进来吧。"

门房便向商队头领传话："让他进去。"

阿卜杜拉掀开门帘进门，一看，才知道女郎中拉吉赫就是他从石头城中带出来的妻子啊！

他认出她，她也认出他。他们相互问好。

阿卜杜拉道："你怎么会到这个地方来的？"

她说："当时，你的两个兄长把你扔到海里，就又相互争吵起来，都要争夺我。我实在没有办法，就投海了。幸亏艾卜·阿巴斯·胡代尔老人救了我，带我来到这个地方，教给我本事，给人看病。他对城里的人喊道：'谁要是看病，就去找女郎中拉吉赫吧！'他还嘱咐我：'你就在这里住下吧，等待时机到来，你的丈夫会到这个地方来找你的。'

"我就在这里行医看病，每当病人前来，我为他们按摩后，病也就好了，我的声名也就因此远扬，人们纷纷前来治病，我也就得到了钱财与馈赠。这里的人们尊重我、祝福我，求助于我治病，我的生活也就安定富足。"

女郎中拉吉赫给阿卜杜拉按摩，凭真主保佑，阿卜杜拉的病体也就完全恢复了。

每当星期五聚礼日的晚上，艾卜·阿巴斯·胡代尔都会前来看女郎中拉吉赫，此时又值星期五的晚上，阿卜杜拉和公主拉吉赫吃过丰盛的晚餐，坐在一起聊天，等候艾卜·阿巴斯·胡代尔前来。

正当他们二人还在聊天的时候，艾卜·阿巴斯·胡代尔老人来了，带着他们俩悄然离开这个地方，把他们送到巴士拉的省府中，告辞离去。次日清晨，阿卜杜拉仔细看看，看见自己已经置身原先的官邸。一切依旧如前，只是听见外面人声嘈杂。他临窗望去，一眼就看见他的两个兄长已经被吊在绞刑架上。

他们俩为什么被绞死了？

原来是那天他们俩把阿卜杜拉扔到海里后，便假装着大哭，说道："我们的弟弟被女精灵妖怪给抓走了！"

随后，他们准备了礼物，派人送给哈里发，同时按照他们的先前策划，报告这件事情，要求得到巴士拉和库法省长的职位。

哈里发得到消息后，派人赶往巴士拉，带着纳赛尔和曼苏尔到都城。他询问了事件的经过，纳赛尔和曼苏尔按照二人商定的计谋回答。哈里发听后，大发雷霆，夜间也不曾好好安睡。黎明前时分，他照例去做晨礼，然后跪拜两次，招来各方精灵，询问他们阿卜杜拉的下落。精灵们都说并不知情。只是红王的公主赛伊达走上前来，把阿卜杜拉的遭遇向哈里发禀告了。哈里发吩咐精灵们离去。

第二天清晨，哈里发命令鞭打纳赛尔和曼苏尔，二人不得不招认所犯罪行。哈里发大怒，吩咐道："把他们解往巴士拉，在省府门前绞死他们！"

这就是纳赛尔、曼苏尔的最终命运。

阿卜杜拉埋葬了两个兄长的尸体，然后骑上马，前往巴格达，见到了哈里发，把这一段自己受两个兄长迫害的经过，向哈里发细说端详。

哈里发听了阿卜杜拉的叙述，感到无比惊奇，他召来了法官和证人，再替阿卜杜拉和从石头城来的那个女郎书写婚书，让他们喜结良缘。

阿卜杜拉带着妻子回到了巴士拉，他们的生活幸福美满，长命百岁。

鞋匠马鲁夫

很久很久以前，在埃及的首都开罗的城中，住着一个鞋匠，他的名字叫马鲁夫，娶妻法蒂玛，绰号"泼妇"，为什么得到这一绰号？只是因为她为人刁钻刻薄、寡廉鲜耻、无事生非，以控制丈夫为能事。每日都要咒骂丈夫千百次。

而那马鲁夫，则性情温和，为人勤奋，是一位有理智之人，不愿家丑外扬，羞于抖落自家短长。但是他毕竟家境贫寒，他只得老老实实地做着鞋匠，辛辛苦苦地过着日子。每日早早外出修鞋赚钱，养活妻子与自己。挣得钱多，便多给妻子花费，一旦他挣的钱少，就免不了要受到妻子数落，受她的折磨，以至于睡觉也不得安生。马鲁夫忍气吞声，不敢张扬。

正如诗人所云：

多少夜晚我同妻子在一起，
一夜情况糟糕得没法子提。
我恨不得带上毒药去睡觉，
她尝尝毒药的味道才叫好。

有一天，那妻子法蒂玛说道："嗨！马鲁夫，今天给我买来些蜜饯甜丝糕来吧！"

马鲁夫回答："真主保佑，但愿我能办到，今天能有人补鞋，我赚到了钱，晚上就会给你买回来。可是现在我一文钱也没有啊，但愿真主能让我今天能赚到钱吧！"

他妻子说："我就不爱听这话，什么但愿能够但愿不能够的，我不管你赚不赚到钱，你必须给我买蜜饯甜丝糕来！你要是不买来，你可要想想新婚之夜你落在我手里你是怎么熬过来的？"

马鲁夫感叹："真主是尊贵慷慨的！"

可怜的马鲁夫只得走出家门，心里装满了愁闷，他做了晨礼，来到鞋铺子，打开了门，说道："主啊，求您发发慈悲，让我维持生计，能赚上几个钱去买那蜜饯甜丝糕吧！免得我今夜再受那个该诅咒的婆娘的气吧！"

马鲁夫等待着有人来找他修鞋，可是等了大半天，也没有一个人来修鞋，他愈加担心妻子的责怪而惶恐焦虑，便站起来，锁上了铺子的门。他心中忐忑不安，自己连买一个面饼的钱都没有，还谈什么买蜜饯甜丝糕呢！

此时，他无意经过一家糕点铺，便不由自主地在门前徘徊，眼睛里流出了泪水。糕点铺老板看见他流泪，问道："马鲁夫师傅，你怎么流起眼泪来了？告诉我，什么事情让你不快活？"

马鲁夫只得实话实说了，他说道："我的老婆实在太厉害了，她要我买蜜饯甜丝糕，我在铺子里坐了大半天，也没有一个人来修鞋，我连一个面饼也买不起呢，今日回家不好交代呀！"

老板笑起来，说道："没关系的，你要几磅蜜饯甜丝糕呀？"

马鲁夫说："五磅。"

老板痛快地给他称了五磅甜丝糕，说："现在仅有奶油甜丝糕，没有蜜饯甜丝糕，你就让她吃奶油甜丝糕吧，我这里还有蔗糖，这奶油甜丝糕再加上蔗糖，比蜜饯甜丝糕还要好吃的，没什么妨碍的。"

马鲁夫羞于自己当时不能付钱，也只得将就了，说："那就来蔗糖奶油甜丝糕吧。"

老板拿上了奶油甜丝糕，拌上蔗糖，简直成了帝王享用的美食了。

老板又问："还要面饼和奶酪吗？"

马鲁夫说："是，要的。"

老板就又给马鲁夫拿上两块钱的面饼和半块钱的奶酪，加上五块钱的蔗糖奶油甜丝糕，说道："马鲁夫，我一共给你拿上了七块半钱的东西，这半块钱，你就拿去洗澡吧。你慢点儿，不着急的，过个两三天，等真主给了你生计，你有钱的时候再还我不迟，不要叫你的老婆受委屈。我是能够等待的，等待你有足够的钱来还账。"

马鲁夫拿上了蔗糖奶油甜丝糕、面饼、奶酪，感谢了老板，回家了，一边还说着："赞美真主，你对我真大方慷慨！"

他一进家门，老婆就说："给我带蜜饯甜丝糕了吗？"

他回答："那当然。"

然后把带来的东西放到老婆面前。老婆朝这东西瞥了一眼，看到这是蔗糖奶油甜丝糕，便说道："我跟你说要蜜饯甜丝糕，你怎么违背我的意思呢？你拿来的是蔗糖奶油甜丝糕！"

马鲁夫赶忙道歉，说："这还是我赊来的蔗糖甜丝糕，可以迟些时候付钱的。"

老婆大发雷霆："这真是废话！我不吃什么别的甜丝糕，只有蜜饯的甜丝糕才有味道！"

她生气了，一面把蔗糖甜丝糕泼在马鲁夫的脸上，一面说着："起来！蠢货，还不赶快给我拿回去，换一份蜜饯甜丝糕来！"

她扇了马鲁夫一个耳光，打落了他的一个牙齿。马鲁夫的嘴巴立即流出了血，血流到了他的胸前。马鲁夫实在气愤，就朝老婆的头轻轻拍了一下，那泼妇便一把揪住了马鲁夫的胡子，哭哭啼啼大叫大嚷，撒起了无赖："穆斯林们呀！穆斯林们呀！"

邻居们听见吵闹声，围拢了过来，为马鲁夫解围。他们让那老婆松下了抓住丈夫胡子的手，纷纷劝慰与责备这妇人，希望她对丈夫好一些。他们说："我们也都是吃蔗糖甜丝糕的，别折腾这个可怜的穷人了，这还是你的不是呀！"

他们一直在劝慰她，直至他们二人和解。只是邻居一走，法蒂玛又神气起来，发誓不愿吃这种蔗糖甜丝糕。此时马鲁夫早已经饥肠辘辘，就想：老婆反正是不肯吃这种蔗糖甜丝糕了，自己吃掉算了，于是他就吃起来，那老婆看见他吃甜丝糕，就骂道："吃吧，吃这毒药，烂了你的肚子，毒死你才好！"

马鲁夫说："你干吗这样说话？"

他一边吃，一边向老婆赔笑说："明日我再给你买蜜饯甜丝糕就是，让你一人慢慢享用。"

他顺着老婆法蒂玛的意思说话，可是她依然不买账，以怨报德，骂骂咧咧，通宵达旦。

次日清晨，她又精神抖擞，边打边骂，卷起了袖子来打马鲁夫，马鲁夫对她说："你慢点，宽容我一下，我会给你带蜜饯甜丝糕的。"

他说完，就去清真寺做了祈祷，又到铺子去，打开了铺门，坐在那里，还没有坐稳当，就来了两个差役，他俩对马鲁夫说道："法官有话：你的老婆把你告下了，她说你如此这般……"

马鲁夫知道他妻子告状的事，就说："让真主惩罚她！"

马鲁夫一面说，一面也只好站起来，跟着两位差役去见法官。大堂之上，马鲁夫看见他老婆捆着自己的手臂，戴着被血污染的面纱，哭哭啼啼地站在法官面前，还一面擦着眼泪。

那法官对马鲁夫说道："你打了这位妇女，打折了她的胳臂，还打落了她的牙齿。你这个男人，你就不怕真主惩罚，你竟敢如此胆大妄为!"

马鲁夫回答道:"我如果打折了她的胳臂,打落了她的牙齿,就任凭法官如何处置皆可。只不过事情是这样的……邻居们还来为我们调解说和。"

他把事情从始至终说了一遍,还举出邻居为证。

那法官是个心地善良的人,他拿出四分之一个第纳尔,递给马鲁夫,吩咐道:"这位男士,拿去吧!给你老婆买蜜饯甜丝糕吃,但愿你们夫妻和好,合家欢乐。"

马鲁夫说:"您就把钱给她吧!"

那妇人接过钱,法官又再次为他们调解,说:"这位妇人,你要听从你丈夫的话;这位男士,你也要对你夫人温和照顾些。"

夫妻二人经过法官调解和好,双双离开了法院,妻子从来路回家,马鲁夫则从来路返回铺子。

马鲁夫坐在铺子里,却又有使者到来。他们对他说:"你得给我们一些服务费吧!"

马鲁夫说:"你没看,法官都没有向我取分文,还给了我们四分之一个第纳尔呢。"

他们说:"法官给你钱,还是法官向你要钱与我们没有关系,你要是不给我们钱,休怪我们对你不礼貌。"

他们把马鲁夫拽到市场上,马鲁夫只好卖掉他的修鞋家什,给了他们半个第纳尔,他们才离开马鲁夫的铺子回去了。

马鲁夫悲伤地坐在铺子里,手托着腮帮,干活的家什也没有了。正当他坐在那里的时候,又有两个面貌丑陋的人来了,对他说道:"起来,你这个男人,去回法官的话,你的老婆把你告下了!"

他对他们俩说道:"法官已经为我们调解了。"

他们说:"我们属于另外的法官,你的老婆找到我们的法官,把你告下了。"

马鲁夫只好站起来，跟他俩走，心里责怪自己的老婆。

他一见到她，就说："宝贝呀，我们不是已经和好了吗？"

那老婆法蒂玛却说："休想！我与你和解不了！"

马鲁夫走上前，对法官又叙述了一遍事情的始末，说是某某法官为我们说和的，那法官对那老婆说："既然你们已经和解，你又来做什么？"

她说："那以后他又打我。"

法官说："你们和解吧！做丈夫的，不要再打妻子；做妻子的，也不要再违背丈夫。"

二人和好了，法官对马鲁夫说："给跟差的一些辛苦费吧！"

马鲁夫给了跟差的一些辛苦费，就又向铺子走去，打开了铺子的门，在铺子里坐下来。他心中烦闷，就像一个喝醉酒的醉汉一般。当他还坐在那里的时候，又来了一个人，对他说道："嗨，马鲁夫，站起来，你还是躲起来的好，你的老婆又到高级法院把你告下了。艾卜·托伯格大法官正要抓你呢。"

马鲁夫锁了铺子的门，朝着胜利门方向逃去。他手头仅仅剩下五个半块银币了，他用四个半块银币买了大饼，用另外半块银币买了奶酪，踏上了逃亡之路。

时值隆冬，天气寒冷。正当傍晚时分，马鲁夫在山丘中间奔走，大雨倾盆落下，他的衣服都湿透了，他来到了阿地里亚镇。他看见一片废墟，其中有一个无人居住的没有门的废弃仓库，他便走进去躲雨，他的所有家当也都被雨水淋湿透了，他的眼泪禁不住流下来，心中悲苦惆怅，不禁唉声叹气："真主呀！我逃到哪里是好啊，我怎么能避开那个恶婆娘呀！真主呀！求你带我到一个远远的地方去吧，让那个恶婆娘找不到我吧！"

他正坐在那里哭泣，突然，破房子的墙壁裂开，一个巨人从中走了出来，让人一见到他，就会浑身发抖，他对马鲁夫说："人呀！

你为什么在这个夜间来打扰我？我已经在这里平静地生活了一百年，从来没有人来打扰过我。你为什么来打扰我，告诉我，你想干什么？如果你真有困难，我也会帮助你的。我的心地善良，我同情你呀！"

马鲁夫问道："你是谁？为什么在这里？"

他说："我就是定居在这里的人！"

马鲁夫叙述了他和老婆之间的种种事情。巨人听了，就对他说道："你愿意我把你送到你的老婆找不到的地方去吗？"

马鲁夫说："好的。"

巨人就说："你骑到我的背上去。"

马鲁夫照办了，那巨人就将马鲁夫驮在背上，腾空飞起，从晚间一直飞到次日黎明，才下落在一座高山顶上，说："人呀！从这座山下去，你就会看见一座城门，你进城去吧，你的老婆不知道这条路，她这一辈子也不会找到你的。"

他放下了马鲁夫，飞走了。

马鲁夫站在那里，心中疑惑不定。太阳升起的时候，他想：我还是下山进城去，徒然坐在这里是无益处的。

马鲁夫走下山来，他看见了前方有座城市，高高的城墙，宫殿巍峨挺立，建筑富丽壮观，引人注目。

他漫步下山，往城市的方向走着，他走进城门，悲伤难过的心情也渐渐消失。他走进市场，本城的居民注视着他，围绕在他的周围，他们惊异于他的装束奇异，不同于当地人，一位当地人问他道："你好呀！你的衣着奇异，看来你不是本地人吧？"

"是的。"

"从什么地方来的呢？"

"从埃及来，那是一个幸福的地方。"

"埃及那么遥远，你是什么时候过来的呀？"

"昨天下午。"

众人笑起来，有一个人说："嗨！你们大家都过来，看看这个人，听听他说了什么？"

众人问他道："他说什么了？"

这个人说："他假称他从埃及来，昨天下午才到的。"

大家全都笑起来，人们围住他，众口一词："你这个人是个疯子，说疯话，胡编自己是埃及人，昨日下午才到这里。事实上，埃及到这里要有一年的路呢！"

马鲁夫说："我不是疯子，你们才是疯了呢！我是个最诚实的人了，我说的是实话，你们看：这是埃及大饼，我带在路上吃的，还软和着呢。"

他让人们看他的埃及大饼。人们仔细端详，十分惊奇，因为这的确不像他们国家的大饼。围观的人更多了，大家议论纷纷："这的确是埃及大饼！与本城大饼的味道是不同的。"

一些人相信马鲁夫是诚实的，一些人仍然认为他在撒谎，还在嘲笑他。此时，突然一位富商骑着骡子带着仆人从这里经过，也关注起马鲁夫，他分开众人，说道："嗨！你们怎么能这样围住一个外乡人，去笑话他，你们不觉得害羞吗？他和你们有什么关系呀？"

他责怪那些围观的人群，把他们都驱散开，没有一个人再还嘴凑热闹了。于是他问道："这位兄弟，别在乎这些人，有些人是不知廉耻的。"

那商人把马鲁夫带到一间漂亮宽大的房舍，让马鲁夫坐在类似帝王坐的宝座上，招呼奴仆过来，打开箱子，取出一件华丽的商人穿的衣裳，让马鲁夫穿上，一时马鲁夫变得像是商界巨贾。然后这个商人吩咐仆从摆上餐桌，再端来各色美食，二人吃起来、喝起来。用餐毕，这商人问道："兄弟，你叫什么名字呢？"

"我叫马鲁夫，是个鞋匠，修补旧鞋子的。"

"你从什么地方来的呢？"

"我从埃及来的。"

"你在埃及的什么区住呢?"

"你也知道埃及吗?"

"我是埃及的孩子呀!"

"我住在开罗的红街。"

"这条街上你还认识谁呢?"

"我认识的可就多了,有某某、某某。"

"你认识艾罕迈德·阿塔里长老吗?"

"他是我隔壁的邻居呀!"

"他还好吗?"

"还好。"

"他有几个孩子?"

"有三个:穆斯塔法、穆罕默德、阿里。"

"他的孩子都是做什么的呢?"

"穆斯塔法人很好,是个教师;穆罕默德子承父业,开了一个店铺,经营香料,他已经结婚生子了,儿子叫哈桑。"

"愿真主赐福于你!"

"至于阿里么,他曾是我的小伙伴,我们小时候常在一起玩耍,冒充基督教的孩子进教堂,偷书去卖,卖得的钱就去买东西吃。有好多次基督教徒发现了我们,把我们连人带书都抓住了,来了一个'人赃俱获'。他们要告我们,还找了阿里的父亲,说:'你要是不好好管教你的孩子,我们就抓他去见国王。'父亲按他们的意思,抓住了阿里,打了他一顿。就因为这个缘故吧,阿里逃走了,没有一个人知道他跑到哪里去了?二十年过去了,也没有一点他的消息。"

"马鲁夫,我就是阿里啊!我就是艾罕迈德·阿塔里长老的儿子啊!马鲁夫,你就是我的童年伙伴啊!"

于是他们两人相互问候,那商人又说道:"马鲁夫,告诉我,你为什么从埃及到这个城市来呢？"

马鲁夫再一次叙述了他的悍妻法蒂玛的情况和法蒂玛对他的虐待："我实在忍受不了，就从胜利门逃走了，我遇到了大雨，我走进了一个无门的废墟仓库，我坐在那里大哭。突然巨人出现了，他是一个精灵魔鬼，问起我的遭遇时，我就如实地告诉了他。他让我骑在他的背上驮着我整夜地在天地之间飞翔，落在山顶，又告诉我进城的路。人们看见我的时候，就问起我来。我说我是昨天从埃及来的，他们都不相信我。这时候，你来了，阻止人们嘲笑我，带我到这个地方来了。这就是我从埃及出来的原因和到这里的情况了。你呢？你为什么到这里来呢？"

"埃及大饼引起我的思乡情！我离开家乡的时候，年仅七岁，无钱读书，四处流浪。从一个地方流浪到另一个地方，从一个城市到另一个城市。终于我来到了这个城市，人们叫它'伊赫提亚那城'，城中的人和蔼可亲，无欺无诈，具有同情心，乐于扶穷帮困，人们说什么，大家总是相信。我就对他们说：'我是一个商人，我的货物已经运到了，我要寻找一个地方存放货物。'他们就相信了，给我腾出了一个地方。然后，我又对他们说：'你们有谁能借给我一千第纳尔？我的货到了，挣了钱就还他。在货到之前我总还是有一些花费的。'他们借给我钱，我就到市场上去了，看到一些合适的货物，我就买了。第二天，我就把货物卖掉了，赚了五十个第纳尔，又买了别的物品。我与人们和谐相处，尊重他们，他们也就很喜欢我。就这样，我又买又卖，渐渐的赚的钱多了起来。

"兄弟，你知道，俗语说：人性本恶！在这个地方，人们又不认识你，无论你想干什么事情，你就去做吧！兄弟，如果你对人家说：我是个鞋匠，是个穷人，受不了老婆欺负，昨天从开罗逃出来了。人们谁也不相信你，你在这个城市居住期间，倒反而成了人们的笑柄。如果你说是魔鬼把你驮到这个地方来的，人们就会对你望而生畏，不敢接近你。人们会说：这是一个魔鬼，跟他在一起，就会倒霉。这种对你、对我都不利的消息就会到处传播，他们知道：我也是从埃及来的呀！"

马鲁夫问道："那我该怎么办呢？"

阿里说："我教你怎么办，你就怎么办吧。真主保佑，我明天就给你一千个第纳尔，你拿上；给你一匹骡子，你骑上；还给你一个奴隶走在前头，带你走进市场，走到商人中间，我那时也会坐在商人之间的。我一看到你，就起立，向你问候，吻你的手，夸奖你的能力，当我们谈论起哪种布匹的时候，我就问你：你带了这种布匹了吗？你就说：带得很多！如果他们向我问起你的情况，我就在他们面前感谢你，把你大大夸奖一番。我对他们说：你有好多好多的钱财，为人又慷慨，快给他找一个铺子吧！有乞丐向你乞讨的时候，你就给那乞丐一些钱，人们就相信我说的都是实话了，大家就尊重你、爱护你了。然后，我就招待你，为你招待大家，为你安排与大家一起聚会，这样所有的人就都会认识你了，你也会认识他们，你的买卖就好做了，不用多长的时间，你就会变成一位富有的商人。"

第二天清晨，阿里给了马鲁夫一千个第纳尔，让他穿上华贵的衣裳，骑上骡子，前面有一个奴隶引路，阿里说道："真主会保佑你的！因为你是我的好朋友，所以我应该尊重你。你不要再愁闷了，把妻子带给你的不快放在一边吧！也不要向任何一个人提起她了。"

马鲁夫说道："但愿真主报答你！"

然后他骑上骡子，那奴隶在前面为他引路，带着他一直走到商场大门，所有的商人都坐在那里了，阿里也坐在他们之中。阿里看见他，就站起来，向他问候，说道："你好啊，马鲁夫先生，你真是事业发达、财源滚滚啊！"

然后，当着众商人的面，吻他的手，说道："弟兄们，巨商马鲁夫问候大家。"

他们也向马鲁夫回了礼。阿里当着众人的面大力赞扬马鲁夫，马鲁夫的形象立即在大家的眼里便得高大起来。然后他又把马鲁夫从骡子背上扶下来，大家一起向他问好。然后阿里又把商人一个又一个地介绍给马鲁夫。马鲁夫谢了谢他。

商人们问阿里："这个人是一位商人吗？"

他对他们说："是的。不过是一位大商人，没有人比他更有钱了。因为他的父亲、他的祖父在埃及的商界都是很有名的。他本人在印度、杏德与也门都有合作伙伴。他很有能力，又慷慨大方。你们知道了他的能力，知道他的地位，好好为他服务吧！你们不知道：他到本城市来，也不是为了经商，而是为了在异国他乡参观游览。他实在不需要去为了赚这么几个子儿的钱就到陌生的地方闯荡。因为他有的是钱，火也吞灭不了的钱。我，只不过是他的众多的伙计中的一位。"

阿里仍旧在说感谢他的话，以至于大家都把他另眼相看，认为他不同凡响，一些人就各自想各自的办法来巴结他，大家聚集在他的周围，有的请他吃早餐，有的请他用茶点，以至于商界头目也走过来，向他问候致意。

阿里当着众多商人来宾的面，问他道："我的主人，你带来了那种布了吗？"

马鲁夫回答："那种布，我带得很多！"

在那天，阿里让马鲁夫参观了各种布料：昂贵的、便宜的、各色各样的。

有商人对他说："先生，您带来黄绒呢子了吗？"

他回答："带来了，我带得很多。"

又有商人问他："先生，你带来了羚羊血红呢子了吗？"

他回答："带来了，我带得很多。"

不管人们问起他什么布料，他都说："带来了，我带得很多。"

这时候，有个商人问阿里："阿里先生，要是你的老乡从贵国运一千驮的贵重布匹到这里，也该是不难的事情吧？"

阿里回答："他有很多仓库的货物，即使打开了其中一个仓库的货物付运，也不见得会减少多少的。"

此时，大家正坐在那里谈天说地，一个乞丐从商人们中间穿过，有的商人给了他半块银币，有的给了他一个新币，大部分人是什么也没有给。那乞丐走到马鲁夫面前的时候，马鲁夫就掏出了一把金币，给了他，那乞丐接过，为马鲁夫祈祷祝福之后，走开了。商人们对马鲁夫这个举动都十分惊奇，纷纷议论："这个可是国王的施舍呀！他给了乞丐一把金币，数都不数。要不是他有个金山银库，怎么会这样大方地大把向乞丐撒金币？！"

过了一会儿，又来了一个贫穷妇人，马鲁夫照样抓起一把金币给了她，她连声地感谢祈祷祝福，走开了。于是马鲁夫施舍的事情就在穷人之间传开了，穷人们一个一个走过来，每一个走到他跟前，都会得到大把金币的施舍，直到他口袋里的一千个第纳尔消耗尽。在这之后，他拍了拍巴掌，说道："好！真主给我们安排了生计，给了我们衣食！"

那商人们的领袖见到事情至此，对马鲁夫说："马鲁夫先生，您这是怎么啦？"

马鲁夫说："似乎这个城市的大部分人都很贫穷可怜，如果我早知道他们是这般光景，我就会带上一口袋的钱，来施舍给这里的穷人们。我真担心：我离开家乡的日子长了，我的钱花完，没法再面对来乞讨的人。如果乞丐来到我的面前，我该对他们说些什么呢？"

"你就说：真主会为你安排生计。"

"这不是我的习惯做法呀！我原本打算一面拿出一千第纳尔来做善事，一面等待我的货物到达。"

"这事好办。"

商人领袖的那些随从立即拿来了一千个第纳尔，递给了马鲁夫。

马鲁夫再次如同此前，将这些钱币施舍给了路过他面前的穷人。直到晌午时分，大家进入清真寺做晌礼，他便把剩余的钱币撒在那些做祈祷的人的头上。大家见到金币从头上面落下来，纷纷为马鲁夫祈祷祝福，商人们实在惊奇于他的慷慨大方、乐善好施。

后来马鲁夫又向另外一位商人借了一千个第纳尔，阿里眼见他的所作所为，不敢说一句话。马鲁夫又将借来的一千第纳尔再度向穷人施舍。直到下午时分，大家再进入清真寺，做晡礼，他又撒下了剩余的金币。直到商场关门，马鲁夫已经将借来的五千第纳尔全部施舍尽。他从每一个商人那里借钱的时候，总是说："待到我的货物到达，我就将金币还给你；如果你要布匹，我就给你布匹。我的东西太多了！"

这天晚上，阿里招待马鲁夫，那些商人门也都来了，大家推举马鲁夫坐首席，他不开口，他一旦开口，就是布匹、金银珠宝，不管人们说什么，他都说："这些东西，我有很多的。"

第二天，马鲁夫又到市场，又去找到商人借钱，分散给穷人，此种状况一直持续了二十四天，他已经向商人们先后借了六万第纳尔，说到他运的货物，却一包货、一块布头也没有到。他的那些债主们大哗，议论开来："商人马鲁夫的货物还是没有到呀！他这样借钱施舍穷人还要到几时呀？"

其中，有一位商人说道："我们去找商人阿里谈谈吧。"

他们来到了阿里的家，对他说："阿里呀，那商人马鲁夫的货物一直没有到呀？"

阿里说："你们再耐心忍耐一下，他的货物不久就会到的。"

然后，他去会见马鲁夫，说："嗨！马鲁夫，你干的这是什么事呀！我说叫你烤一个面包，没有说叫你把面包都烤焦了呀！商人们大哗，说是你已经向他们先后借了六万第纳尔，都施舍给了穷人了。你怎么去还人家的债务？你又不去做买卖，还有什么进项呀？"

马鲁夫说:"有什么了不起的,不就是六万第纳尔吗?等到我的货物到了,还给他们就是了。他们要布匹,给布匹;要金银,给金银。"

商人阿里说:"真主伟大!你倒有什么货物呀!"

马鲁夫说:"有很多很多。"

"嗨!你这个人真是脸皮厚!我教给你的话,你倒拿来对付我了。瞧着吧,我会把你的真相告诉商人们!"

"别唠叨了!我是穷人吗?等到我的货物到了,就什么东西都有了,他们来拿就是了,我也不需要他们干什么的。"

商人阿里听到这里,气坏了,说:"你这个少教养的,我要叫你看看像你这样撒谎骗人、不知害羞的人有什么好下场?"

"这是你一手安排的,我只是按照你的意旨办事,让他们再耐心地等待吧,等到我的货物一到,他们就会得到加倍的回报。"

阿里丢下他,自己走了,他想:"我以前曾经抬举他,感谢他,现在去责备他,我倒成了说谎的,就像人们说的:'先是感谢,后是责备,两次谎言。'"

阿里感到自己的事情棘手难办。之后,商人们又来了,他们问阿里:"阿里呀,你和他谈过话了吧?"

"伙伴们,很是对不起呀,我都感到不好意思了。他还欠了我一千个第纳尔,我简直不能开口要了。你们借给他钱的时候,也不同我说一下,也没有说好经过我去要钱的。你们自己去找他要,他要是仍然不还你们的钱,你们就去找国王,把发生的事情都告诉他,说他欺骗了你们,国王会为你们做主,为你们讨回公道。"

他们去见国王了,把发生的一切事情都告诉了国王。说道:"陛下,有件事情让我们发愁,这个商人大方慷慨得没有了边沿,他借了钱,就大把地把金币施舍给了穷人。要说他穷,他怎么能大把地给穷人撒金钱;要说他富,他向我们借钱了,还总是说要等待他的货物运到来还我们。可是我们从来也没有看见过他有什么货物,而他总是佯称他的货物就要到了。每当我们提起我们这里的一种布匹，他就说：这种布匹，我有很多很多。好长时间过去了，却总不见他的货物的任何消息。他已经向我们借了六万第纳尔了，这些钱全都散发给了穷人了。人们倒都是感谢他，赞扬他的乐善好施。"

这国王却是一个有贪婪心的人，其贪婪本性还要胜过贪婪鬼爱实尔布。国王听说马鲁夫如此慷慨大方，其贪婪欲望顿起，他对宰相说："要不是这个商人有那么多的钱财，他也不能这样慷慨大方，向别人施舍这么多钱财的。他的货物一定是会运到的，那时，那些商人们就会聚集在他的周围得到他的钱财。其实我是最有资格得到这些钱财的，我想与他结好，待到他的货物到来时，那些商人们要从他那里得到的钱财就该归我了，我要把我的女儿嫁给他，把他的钱财并入到我的钱财中来！"

宰相对他说道："陛下，伟大的国王啊，我看他就是一个大骗子，他的骗术会让贪婪者倾家荡产的。"

那国王却说："我的宰相，那我们就考验他一下吧，来看看到底他是个大骗子，还是一个诚实的人，看看他是在行善事还是在捣鬼。"

宰相说："那您怎么考验他呢？"

国王说："我有一个珍稀名贵的宝石，我把它摆出来，把马鲁夫叫过来，让他坐定，款待他一番，把那宝石拿给他看，如果他能认出宝石，说出价格，那他就是一个有钱的；他要是根本不认识这块宝石，就是一个夸夸其谈的骗子，我就杀了他，用最残酷的办法让他不得好死。"

国王召见马鲁夫进宫。人们把他带来了，他一进门，就向国王问候，国王也还了礼，让他坐在自己的身旁。他问道："你就是商人马鲁夫吗？"

"是的。"

"商人们佯称你借了他们六万第纳尔，有这件事情吗？"

"有这件事。"

"你没有还给他们,是吗?"

"他们在等待我的货物到达,如果我的货物到达,我会付他们双倍钱的。如果他们要金子,我还他们金子;如果他们要银子,我还他们银子;如果他们要商品,我还他们商品。他们借给我一千,我还他们两千,因为他们让我在穷人面前保住了脸面。"

国王说:"拿上这个,看看它是个什么东西,价钱值多少?"

说着,国王就把宝石递给了马鲁夫,这宝石有榛子一般大小,是国王用一千个金币购得。国王并没有其他类似宝石,所以将其视为珍品。马鲁夫手里把玩着这块宝石,用手指搓着捏着,那宝石一下子就碎了,因为这宝石是细致玩意儿,不堪用力搓捏的。

国王一见,立即问道:"你为什么把我的宝石给捏碎了?"

马鲁夫笑起来,说:"伟大的国王呀,这是什么宝石,分明是一块价值一千个第纳尔的矿石嘛!陛下怎么能将它称作宝石呢?那宝石的价值是要七万第纳尔啊!这种东西只能叫作矿石,要说宝石,在我这里,如果没有核桃那般大小,也是没有什么价值,我也懒得去看它们的。陛下,您贵为国王,怎么会将这块价值一千第纳尔的矿石称作宝石呢?不过,你们都可以原谅,你们都是穷人,你们也没有什么珍贵藏品嘛!"

国王说:"这位商人,就是说你自己有刚才你讲的那种宝石了?"

马鲁夫回答:"很多很多。"

国王的贪欲膨胀,说:"你能够给我一些名贵的宝石吗?"

马鲁夫顺口答道:"等到我的货物商品运到这里,你要多少,我就送给你多少,不用付钱,因为我有很多很多宝石。"

国王听后,喜不自禁,又对马鲁夫说:"大家都走吧,你们该干什么就干什么去吧,耐心等着吧,等到他的货物商品运到这里,你们再过来,该拿钱的拿钱吧!"

人们都离去了。这就是作为商人马鲁夫的一段经历。

再说国王，他召见了宰相，对他说道："对待商人马鲁夫，你要周到和气，去向他提提我的女儿吧，让他来迎娶我的女儿！这样，他的财富就成了我的财富。"

可是宰相说道："伟大的国王，我不欣赏这个人，我对此人不感兴趣，我看他是个爱吹牛撒谎的大骗子，希望陛下收回成命，不要葬送了公主的青春。"

原来宰相先前曾经向国王求婚，希望娶公主为妻，公主知道后，并没有同意。

国王一听宰相此言，勃然大怒，说道："你是个别有用心的家伙，你想坏我的好事情。我知道，是你自己以前就想娶我的女儿，没能达到你的如意目的。现在你就想阻止她结婚，你的心思我知道：不就是你还想等机会娶我的女儿吗？你听着：听我的吩咐办事，这件事情与你没有关系。他要是一个撒谎的骗子，他怎么知道我买的那块宝石的价格？还敢把宝石给捏碎了，他也一点没有在意。因为他有很多很多宝石。什么时候他见到我的女儿，看到她漂亮美丽，就会魂牵梦绕地爱上她，给她大宗宝石、珍藏。你想阻止我女儿的这桩美好婚姻，阻止她得到这笔财富?!"

宰相沉默了，他担心说多了还会惹起国王的恼怒，发脾气，于是自言自语：就让狗和牛打架吧！

宰相亲自去找马鲁夫，对他说："国王非常喜欢你，他有一女，生得美如天仙，又有德有才，意欲召你为婿，不知你以为如何呢？"

马鲁夫一听，高兴异常，说："我很同意，只是需要国王等一等，忍耐一段时日，等待我的运送货物的驮队到达，公主的聘礼是要很多的，应该与她的地位相当呀！此刻，我的手边是没有钱的，得等到我的货物到达。我的财富很多很多，我就拿出五千袋的第纳尔做聘礼。结婚的时候，我要送一千袋第纳尔给穷苦人；送一千袋第纳尔给参加婚礼的人；送一千袋第纳尔给为我们服务的士兵们准备餐饮膳食。我还会送一百颗宝石给公主，还要送一百颗宝石给那些伺候公主的宫娥彩女们，以表示尊重新娘子。我还要给一千个没有衣服穿的穷人提供衣服，所有这些事情都是要做的，只是要等待我的货物运达，我有很多很多……如果我的货物运达，这些全都是要做的。"

宰相告辞，即刻将马鲁夫的话禀报给国王。

国王说："为娶公主，他已经作了如此详尽的计划，而你还将他说成是吹牛撒谎的骗子。"

宰相回答："我还是这样认为的。"

国王生气，训斥他一顿，说："以我的脑袋起誓：你要是再敢说这样的话，我就把你给杀了。还不赶快到他那里去，把他给请到我这里来，我要跟他结亲了。"

宰相离开了，到了马鲁夫那里，说："请吧，见国王去吧！"

马鲁夫说："我遵命就是。"

马鲁夫随宰相到宫中。国王对他说："不要客气了，我的国库里有的是金银财宝。这是国库的钥匙，你需要的东西，尽管到国库中去取。你需要什么就拿什么，你需要赏什么人就赏什么人，你要给穷人多少钱买衣服，就给多少，一切都按照你的意愿办。要给宫娥彩女什么东西，你就看着办吧！等到你的运送货物的驮队到达，你再和你的妻子办你们想办的事情好了。为了她，我们会耐心等待你的货物到达，我与你之间永远不分彼此。"

国王请来宗教长老书写婚书。

他写下：王国公主与商人马鲁夫结为夫妇。

婚庆活动立即举行。国王命令装点城池，敲起鼓来，备上各色食品，准备游艺、杂耍、棋类，安排了各种稀奇古怪的玩乐方式。商人马鲁夫端坐在椅子上，接受人们的祝贺，观看着各种各样的表演。

马鲁夫吩咐司库道："拿金银来！"

他把金银送上来了，马鲁夫即刻向来宾撒去，又给每一个表演的人抓上一把。又给无衣穿的人以衣服、给饥饿的人以粮食，他春风得意精神爽；大家都高高兴兴，喜气洋洋。司库拿来的东西散完了，就又到库房再去拿。

宰相见此情景，肺都快气炸了，他不敢言语；商人阿里对马鲁夫这样大把撒金银，挥金如土的做法也是惊异万分，他悄然对马鲁夫说道："以真主起誓，人们都管不了你吗？你挥霍了商人们借给你的第纳尔，还感到不够。又挥霍国王的财产，你要把国王的财产都挥霍完吗？"

马鲁夫不听劝告，回答道："真主保佑，这事情跟你没有关系。等待我的运送货物的驮队到达，我会加倍补偿国王的损失。"

他一面说，还一面撒金银。他想的是：去他的吧！该发生的事情，就让他发生吧！该怎么样就怎么样吧！命运注定的事情是无法改变的。

豪华的婚礼大操大办了四十天，才算落下了帷幕。

待到第四十一天的时候，人们又给新娘举行盛大的进入洞房仪式，走在新娘前面的是文官武将，人们将新娘子送入了洞房，新郎马鲁夫又向人群的头顶大把撒着金币，这仪式规模庞大，花费钱财无数。此时人们再将新郎马鲁夫送入洞房，与新娘合卺。

马鲁夫坐在高高的铺上，左手搓着右手，一副悲伤的样子。说道："毫无办法，只听凭伟大的真主裁决。"

公主忙问道："夫君，你怎么这么忧愁不乐呀？"

马鲁夫说道："我怎么高兴得起来呀？你的父亲打乱了我的计划，就像是大火烧了绿庄稼苗。"

公主说："我父亲做了什么事情啦？你快告诉我吧。"

马鲁夫说："他让我们在我的货物到达之前就结婚，我本想拿出一百颗宝石，送给你的那些使女们每人一颗，也好让她们高兴。让她们说：'我们的主人合卺之夜给了我一颗宝石。'这也符合你的地位，是对你的尊重啊，让你更风光体面啊！我倒是不在乎这些宝石，因为我有很多很多。"

公主说道："夫君，不必去管这样的事情，不必为这样的事情忧愁，我不会埋怨夫君的。我有足够的耐心去等待夫君货物的到来。至于那些奴婢们，也不会在意夫君此时的赏赐。等到夫君的货物什么时候到来，我们就去取来宝石和其他东西，再行赏赐不迟。"

第二天，马鲁夫走进浴室沐浴，换上新衣，走出浴室，进入王宫的大殿。众多官员见他来到，赶忙起立，迎接他，敬重他，祝福他。

马鲁夫在国王身旁坐下，问道："司库何在？"

大家说："就在您的面前。"

他吩咐说："去拿锦袍来，送所有大臣、亲王、达官显要们，每人一件。"

司库离去，按照吩咐拿来锦袍，按照官阶品级送了每人一件。

但凡马鲁夫入朝，便按照官阶品级，馈赠诸位官员。这样一直持续了二十四天，还是没有见到马鲁夫的货物到达，也没有任何物品到达。司库心中十分焦虑。

一日，趁马鲁夫不在场，只有国王和宰相在座的时候，司库向国王禀报，他磕头问安，说道："陛下，奴才恐怕陛下责备，不得不报，国库之物只出不进，再过十天，所有财物就将用完。"

国王说："宰相，驸马的货物迟迟不到，怎么也没有什么消息呢？"

宰相笑着，说道："陛下，愿真主保佑陛下。陛下确是为这个大骗子所欺骗。以陛下的脑袋起誓：他没什么货物运来，只不过是瞎说八道、胡诌骗人，空手花掉的是陛下的钱财，娶了陛下的公主。陛下还被蒙在这个骗子的鼓里，什么时候才能清醒呢？"

国王说："怎样去探明他底细呢？"

宰相说："只有公主可以探明他的实际情况了。请陛下把公主叫过来，藏在帘子后面，我来问她关于驸马的情况，我们便可以探明他的底细了。"

国王说："就这么办。以我的脑袋起誓，如能证明他真是一个撒谎的骗子，我就立刻杀了他，让他不得好死。"

国王带上宰相，把宰相带到寝宫，让他藏在帘子的后面，趁驸马不在场的时候，叫来公主。公主来了，问道："父王找我何事啊？"

国王说："你和宰相说说话。"

公主问："宰相大人有什么事情要和我说呀？"

宰相道："公主呀，你的丈夫挥霍了你的父亲的钱财，不付任何彩礼就和你结了婚。他不断给我们发誓许愿，说是他的货物就要运到了。可是从来也没有得到任何有关他的货物的消息，总之，我们想你考验他一下。"

公主回答："他说了很多，他经常说要给我宝石、宝藏与珍贵的布料，不过我也没有看见过。"

宰相道："公主呀，你今天夜间就对他说：'告诉我实情吧，别害怕，你已经是我丈夫了，我是对你好的呀，告诉我事情的真相吧，我来替你做周到安排吧，让你心安呀！'然后，你对他温存一些，讲一些甜言蜜语，让他看出你爱他。之后，你再把真相告诉我们吧。"

公主说："我知道怎么考验他了。"

说完话，公主离去。

晚饭后，马鲁夫像往常一样进房休息，公主站起来，温存有加，使尽妇女们惯常使用的对待男人的手法，满足了男人的愿望。又甜言蜜语一番，把丈夫灌得迷迷糊糊神志不清，倒在她怀里的时候，公主就说道："我亲爱的，我的眼珠子，我的心肝宝贝，真主保佑我们，任何时间我们都不会分离。你的爱已经深藏在我的心，你的情欲之火已经燃烧了我的肝，我们永远不分离。但是我想要你告诉我实情，因为撒谎没有任何好处。你不要再拖延任何时间了，你对我父王的撒谎欺骗能够到什么时间为止？我十分担心，你的谎言被揭穿，而我们没有做准备。告诉我吧！将实情告诉我，只会对你无害有益。什么时候把事实的真相告诉我呢？不要害怕会受到伤害。你冒充一个商人，说你有很多的钱财，说你有运货物的驮队，已经过去很长的时间了，你还是在说：我的货物、我的货物。你的货物没有任何消息，为了这件事情，你整日忧愁，你说的话分明不可信。告诉我吧，或许我可以想出一个办法来解救你呢！但愿真主保佑！"

马鲁夫只好说："我的主人，我把实话告诉你吧，你要怎么办就怎么办吧！"

公主说："你应该诚实，诚实是一条求生的船只，谎言被揭露，撒谎的人是多么丢人现眼。你没见诗人说得好：

你应当说实话，
即使要你付出被火烧灼的代价。
你要让主人喜欢，
让主人不喜欢而讨好奴仆的人最傻。

马鲁夫只得说："我并不是生意人，也没有什么运送货物的驮队，没有什么财产。在我的国家，我是一个鞋匠，替人家补鞋，我的老婆名叫法蒂玛，她是一个'泼妇'，厉害非常，我们之间发生了那么那么多的事情……我不堪忍受她的虐待，只得远逃他乡……"

马鲁夫对公主讲了自己的故事，从头讲到尾。

公主听罢，付之一笑，说道："夫君，你可真是一个精于编造谎言骗人的高手呀！"

马鲁夫说："我的主人！真主派你来遮掩错误，解决麻烦哪！"

公主说道："你要知道，你骗了我的父亲，说你有很多钱财，引起了我父亲的贪婪，以至于把我嫁给你。而你就挥霍了他的钱财。宰相对你早有觉察，多次告诉过我父亲：'这是一个说谎的骗子。'但是我父亲没有听信他的话，原因就是他向我求过婚，而我没有接受他，没让他成为我丈夫，我没成为他的家里人。随后，过了很长的时间，我父亲烦了，就说你的事你自己决定吧，我就决定了你，你就成了我的丈夫，我不想失去你。

"如果我告诉了我父亲，说出这件事：证实你是一个撒谎的骗子，骗了国王的公主，挥霍了他的钱财，你的罪行是不可饶恕的！毫无疑问，他一定会杀了你！人们从此会传播着：公主嫁了个撒谎的骗子，我就背上了这件丑闻。如果我父亲杀了你，也许他会让我嫁给另外一个人，这也是我不能接受的，即使我死了，也不接受。

"你现在就起来！穿上奴仆的衣裳，拿上五万第纳尔，骑上马，逃到一个我父亲管不到的地方，你在那里当一个商人。给我写信，派信使秘密送给我，让我知道你藏在什么地方。我手头有点钱的时候，我还可以给你捎些钱去，你的钱财会渐渐多起来。如果我父亲故去，我就写信告诉你，你就体面地回来；如果我或者你回归真主了，那么我们就在复活的节日再见面吧。只有这么办了！如果我你都还好，我们就不要中断了联系，我也不会中断对你的接济。

"起来吧！天还没有亮，快起来，危险包围着你，赶路要紧啊！"

马鲁夫对公主说："我的主人，我听你安排。"

马鲁夫穿上了奴仆的衣裳，骑上一匹快马，告别公主，在夜色就要退去的时候逃出城去。人们看到他，会以为他是一个外出办事的奴仆。

第二天清早，国王与宰相都来到了寝宫，国王传唤公主，公主来到帘子后面，国王问道："我的孩子，你有什么话要说呢？"

公主忙说："就让真主把宰相的脸抹黑吧，因为他给我的丈夫和我的脸上抹黑。"

国王说："此话怎讲？"

公主说："昨天晚上，驸马一进门，我还没有来得及问他：为什么你运货的驮队还不到来呀？我已经等得不耐烦了。突然有一位差役送来了一封信，是负责运送货物的驮队头儿托人带来的，信上说，驮队路上遇到了强盗，二百驮货物被抢劫一空，你看，信还在这里呢。不过他说：没有关系，这只是他主人的一部分货物，他主人还有另外的货物呢！"

说着，她把信递到了国王的手上。

国王将宰相责怪了一番。

再说马鲁夫狼狈出逃，竟然不知逃向何处？随后，他像一个醉汉一般跌跌撞撞，一时又骑马向前奔去，中午时分，他来到一个小村庄，在村庄旁边，有一个农夫正在犁田耕地，他饥寒交迫，他向农夫走去，对他说道："你好啊！"

那农夫也回答了他的问候，说："你好，欢迎你呀，先生，看来你是从王宫里出来的吧？"

"是的。"

"下马吧，让我款待你一下。"

马鲁夫一听知道这人很仗义，就说："兄弟，你给我吃什么呀？怎样款待我呀？"

农夫说："先生，善意总是好吧。这里离村子很近，我回去给你拿人吃的食物，马吃的草料。"

马鲁夫说："既然这个村子很近，我就自己去吧，免得你去忙了，我到村子的市场去买点需要的东西，再吃饭。"

农夫说："这个村子很小，没有市场，也没有人做买卖。真主保佑，你下马，就按我的意思办吧，我回去取，尽快回来。"

马鲁夫下了马，农夫离开了他，回村子去取食物、马料去了。

马鲁夫便在田边等待，他自言自语："这位可怜的农夫，自己这么忙，他耕地的工夫都让我给耽搁了，我也应该帮助他犁犁田耕耕地，补偿一下他损失的时间，等他回来一看，工夫也没有白耽误。"

马鲁夫扶起犁，赶着牛，开始犁地，犁呀犁呀，不一会儿，突然犁头插在一个什么地方动不了了，牲口也站住了。他鞭打牲口，它也不动。马鲁夫仔细一看，这犁是怎么了？原来犁头插进一个金环给绊住了。他清了清周围的泥土，发现这金环是安在一个像磨盘那样的石头盖的中央。他费力搬开石头盖，看到原来这是一个石洞的洞口，有一个阶梯直通洞里。他便沿着阶梯走了下去，看见这石洞布局就像澡堂一般，计有四个单间：第一间堆放的是黄金，从地面垒到屋顶；第二间是绿宝石、珍珠和珊瑚，从地面垒到屋顶；第三间是玛瑙、翡翠和松石；第四间则是钻石和各种宝贵的金属制品。而房子的正中央放着的是一个晶莹的水晶箱子，里面放满了稀世珍宝，里面的宝石有核桃般大小，在箱子的上面，就有一个柠檬般大小的纯金小盒子。

马鲁夫看见这么多的宝物，惊异非常，他太高兴了，说道："嗨！瞧瞧这个小盒子里都有什么东西呀？"

他打开了小盒子，看见了里面有一个金戒指，上面刻着名字与符咒，如同蚂蚁爬过留下的痕迹。马鲁夫欣喜若狂，他无意碰到了戒指一下，立刻有一个声音对他说道："我的主人，你有何吩咐，请说吧！你是想建造一个国，还是要毁灭一座城，你是要杀掉一个国王，还是要挖开一条河流，或者还是有其他的要求？无论你需要什么，只要创造白天、黑夜的伟大真主愿意，我都可以立即满足你的要求。"

马鲁夫问："真主所创造的生灵，你是谁？你在这里做什么？"

"我是金戒指的仆人，为戒指的主人服务，他命令我做什么，我便做什么。我是妖魔鬼怪之王，我的部下有七十二个部族，每一个部族有七万两千个将士，每一个将士管着一千个巨人，每一个巨人有着一千个助理，每一个助理管着一千个魔鬼，每一个魔鬼管着一千个精灵，而他们全部都在我的控制之下，听我指挥，不敢违背我的命令。我被这个戒指所紧箍着，就是说我听命于戒指，不敢违抗戒指主人的命令。你拥有戒指，我就是你的奴仆。你提出要求，我会立刻执行你的命令。如果你需要我，无论是什么时候，无论你在陆地还是在海洋，你只需擦一擦戒指，我就会出现在你面前。只是你要记住：不能连续擦两次戒指，否则，我会被天火烧毁。那时，你后悔也来不及了。我已经给你介绍了我的全部情况了。"

马鲁夫听了这段话，就问道："你叫什么名字呢？"

"我名叫艾布·萨阿达。"

"这是什么地方？谁能把你放进盒子里呢？"

"先生，这个地方是一座宝库，称作沙达德·本·阿德宝库。沙达德·本·阿德本人建造了伊莱木城，这城中有一个在别处都不曾有的高耸的柱子，他在世时，我曾经是他的仆人，他把这个戒指放在他的宝库中。但是今天，戒指归你了。"

马鲁夫问："你能够把这地下宝贝搬到地面上去吗？"

艾布·萨阿达回答："我的主人，我可以将它们都搬出去。"

"那么，你就把这里所有的宝贝都搬出去吧！"

艾布·萨阿达用手指向大地，大地裂开了一条缝隙，艾布·萨阿达钻进去，一时不见了踪影。过了一会，只见一些长相俊秀的童仆出现了，童仆抬着金筐子，装上了金子，他们把金筐子搬运出来，倒空了，又再去取。就这样，他们来来往往搬运，搬完金子就搬珠宝……不消一个时辰，他们就说："里面已经没有东西了。"

艾布·萨阿达来了，对马鲁夫说："先生，你看看，现在所有的宝贝都搬来了。"

马鲁夫说:"这些长相俊秀的孩子都是谁家的?"

"他们是我家的孩子,因为这项工作并不累,用不着去动用我的助手们。我的这些孩子们已经干完活了,他们以能够为你服务为荣,你还有别的活要他们干吗?"

马鲁夫说:"能够给我带几头骡子和箱子来吗?把这些金银财宝放进箱子里,再把箱子打成驮子,放在骡子背上。"

"这是极容易的事情。"

他大声呼喊,他的那些孩子们就又来了,共有八百名童仆在他面前出现了,他对他们说道:"你们当中,一部分去变骡子;一部分去变好看一些的宫廷奴仆,至少当今的宫廷中都没有这般美貌的;一部分去变骡夫;再一部分去变仆人,执行这位主人的命令。"

孩子们立即行动了,他们变成了七百头骡子以及另外的一百名奴仆、骡夫等人。

然后,艾布·萨阿达又大喊他的助手,他们也都出现在他的面前,他命令他们变成马匹,还要配有镶嵌着珍珠宝石的金马鞍子。

当马鲁夫看到这些的时候,就问:"箱子在哪里呢?"

于是这些人就去搬箱子,放到了马鲁夫的面前。

马鲁夫又吩咐:"把金子和宝石分开放到不同的箱子里去吧!"

他们就把这些金银财宝分门别类装好,分别装进箱子,搭成三百骡子驮。

马鲁夫又说:"嗨!艾布·萨阿达,你能够给我再带来一些精美的布匹吗?"

艾布·萨阿达说:"你是要埃及产的、叙利亚地区产的、波斯产的、印度产的,还是罗马产的呢?"

"那就每一个地方产的都要一百驮吧!"

"主人,请稍稍宽容我一些时间吧,让我来安排一下,要把我的人分组派往不同的地方,去准备运来一百驮的布匹,我的那些助手要变成骡子把布匹驮运过来。"

"那么你需要多长时间呢？"

"一夜吧。天亮的时候，你所需要的东西都会出现在你的眼前。"

"那你就用一夜的时间吧！"

艾布·萨阿达又命令搭起帐篷，奴仆们便搭了一顶帐篷，马鲁夫坐在帐篷里休息，他们即刻送来了吃食。

艾布·萨阿达对马鲁夫说道："先生，你就在帐篷里休息吧，你面前的这些孩子们会在这里守卫你呢，你不必担心害怕什么了。我会叫我的助手把你吩咐的事情都办好的。"

然后，艾布·萨阿达又离开办事去了。

马鲁夫坐在帐篷里休息，前面摆着饭菜，变作宫廷奴仆、随从模样的艾布·萨阿达的孩子们在他的前后伺候他。

马鲁夫就这样享用着。

再说农夫回来了，他带来了一盘扁豆、一袋大麦。他看见了眼前搭起的帐篷，宫廷侍从恭恭敬敬地把手放在胸前。他猜想："这是国王来了，在此下榻呢！"

他愣住了，呆呆地站着。自言自语："早知道国王要来，我还会把家里的两只肥母鸡宰了给送来呢。"

马鲁夫看见了农夫，吩咐仆从将他请进帐篷："把这位农夫带进来吧。"

于是仆从们把农夫连同他带来的一盘扁豆、一袋大麦一起都带进帐篷来了。

马鲁夫问农夫："这些都是些什么呀？"

农夫回答："这是为您带来的午餐，还有给你的马带来的马料，我没有想到：是国王来了。要是我早知道，我还会把家里的两只肥母鸡宰了给送来呢。"

马鲁夫说："国王没有来，我是国王的驸马。我被骗了，出走在外，国王已经打发奴仆找我和解，现在我正准备回去呢。你我素不相识，你就这样热情款待我。你的款待我接受了，即使是扁豆，我也接受你的款待要吃掉它。"

他吩咐把装着扁豆的盘子放在桌子中间，他把扁豆统统吃掉了。而那位农夫，则吃了一桌丰盛的筵席。

马鲁夫洗过手，让奴仆们入席用餐，他们吃掉了余下的食物。农夫带来的盛扁豆的盘子空出来了，马鲁夫在盘子上放了一盘黄金。他对农夫说："拿回家去吧！你的好心应该有好报的。往后，你要是到京城去，我还会好好招待你。"

农夫拿上一盘黄金，赶着牛，回家了。他认为自己碰到了国王的驸马。

当夜，马鲁夫十分惬意，他睡得香甜。他得到了金银财宝，听着美妙的音乐，仕女在他面前为他歌舞，此生他没有过如此夜晚的经历。

第二天清晨，只见尘土飞扬，原来是驮着七百驮子布匹的七百个骡子走过来了，仆从、骡夫走在前后，艾布·萨阿达领着骡队前行。他走在前面，在他之前，还有一顶驮轿，镶嵌着黄金与珠宝，由四个兵丁抬着。

一行到达帐篷前，艾布·萨阿达下了骡子，下跪磕头，问候马鲁夫，说道："先生，您要求的事情都已经办妥。这驮轿里面有一件帝王们也不曾有过的衣服，请您穿上这衣服，带上这骡队，上您愿意去的地方去吧！"

马鲁夫说："艾布·萨阿达，我要写上一封书信，要你送到伊赫提亚那城，你去面见国王，你要尽量温和恭顺。"

"遵命就是。"

马鲁夫写了信，封好口，艾布·萨阿达拿上信，出发了。他一直来到了伊赫提亚那城，来到国王面前，看见他正在跟宰相说："宰相呀！我真是为我的女婿担心，我担心那些阿拉伯人会把他杀了呀，要是我知道他在哪儿，我就会带上兵士去支援他呀！他走之前，怎么就不告诉我一声呀！"

那宰相说道："愿真主能宽容你这样的糊涂脑子，我以你的脑袋起誓，这个人一定是知道了我们正注意着他，他害怕丑行败露，逃跑了。他就是一个撒谎的大骗子！"

这时候，马鲁夫的信使艾布·萨阿达出现了，他进了门，在国王面前磕头致意，祝愿国王健康长寿、幸福安康。国王问："你是谁，你有什么事情呢？"

艾布·萨阿达说："我是你女婿的信使，他带着驮队就要到来了，他修了书信一封，让我先行送给陛下。这就是。"

他将信递给了国王，国王接过，打开，读起来：

国王陛下：敬祝安康。我正带领驮队行进，不日将到达京城，仅仅盼望陛下能派兵丁出城迎接护卫。

婿　顿首

国王说："宰相，真主要给你的脸抹黑才好。你多次诬陷我的爱婿，说他是个说谎的骗子。他现在带领驮队就要进城了。看来：你才是一个叛逆的小人。"

宰相羞愧得把头低到了地上，说："伟大的国王啊，我之所以那样说，只是因为看见驮队久久不来。担心他挥霍了您的钱财啊！"

国王道："你这个叛逆小人，什么叫挥霍了我的钱财，一旦他的驮队到达了，不就会加倍的还给我了！"

然后，国王命令装点城池，他又来到了公主那里，对公主说："告诉你一个好消息，你的夫君带着驮队很快就要到了，他已经给我带来了书信，告诉了我这个好消息。我正盼望着见到他呢！"

公主听了这话，十分惊异，她想：这事情好生奇怪，我的父亲是在嘲笑我吗？还是在和我开玩笑呢？还是在假说自己穷来考验我呢？不过，感谢真主，我也没有蔑视他的意思呀。"

再说商人阿里，他看见装点城池，就问："这是为什么呀？"

别人告诉他："国王的女婿马鲁夫带着驮队回京城了。"

他说："真主伟大！真是倒了霉了！他临走前还跟我说过，他是听了妻子的话逃跑的。他告诉过我，他是个穷人，根本没有什么货物运来，只是公主担心事情败露，安排计谋叫他出逃的。王公贵族，不能说是无力办成事。真主保佑，给个幌子遮着，不要揭穿他。"

其余的商人们高兴起来，他们认为，可以收回自己的借款了。

国王已经集合了兵丁，准备前去迎接。艾布·萨阿达已经回到马鲁夫那里，将自己给国王送信的情况告诉他。

马鲁夫发号施令道："驮队出发！"

他换上珍贵的新衣，登上驮轿，一行人浩浩荡荡上路，其威风的程度，更比那皇室胜过一千倍。他们行进在半路上，国王的迎接卫队已到，他们看见了马鲁夫衣着豪华，乘着驮轿，惊得魂不附体，立刻上前问候致意，所有的达官要员们都前来问候，他们相信：马鲁夫是个诚实的人，没有半句谎言。

驮队一行进城了。庞大的驮队让狮子都吓破了胆，商人们纷纷前来，在马鲁夫面前磕头问安，看热闹的老朋友商人阿里也来了，阿里和他开玩笑说："你可真是一帆风顺，马到成功呀！骗子老爷。不过你还是很有福气的！愿真主保佑你洪福常在。"

马鲁夫大笑。

驮队来到了王宫。马鲁夫坐在椅子上，说："把黄金驮子里的黄金都送到我的国王老伯的金库里！把布匹驮子抬进来！"

人们赶忙去办，将黄金入库，把布匹驼子抬到了马鲁夫面前。打开来，取出布匹，直到打开了七百驮子的布匹。马鲁夫拿出最好的布匹，说道："给公主拿过去，叫她去赏给宫娥彩女们吧！你们再拿上这箱子珠宝首饰，也交给公主，让她去赏赐宫女仆从们。"

然后他给了商人们很多的布匹，用来偿还他所欠下的债务。他借了人家一千第纳尔，就还给人家相当于两千多第纳尔的布匹，他对穷人和可怜人也大方地馈赠。

国王亲眼看见这些事情，只是不便于阻挡。马鲁夫却仍然在那里一一赠送，直到把七百驮的布匹都送完了。然后他又回头看了那些兵士一眼，向他们赠送了金银、蓝宝石、绿宝石、珍珠、珊瑚以及其他物品。国王忍不住说道："孩子，这样的赠送也够了，所剩余的已经不多。"

马鲁夫却回答："我有很多很多。"

此后，马鲁夫就成了名人。大家传开了：马鲁夫是一个诚实的人，没有人再指责他撒谎骗人。他不介意赏赐赠送，因为无论他要什么，戒指神的奴仆们都会提供的。

随后，司库走过来见国王，说道："国库已经装满了！已经没有地方放余下的驮子了，还有一些金银珠宝，我们往哪里放呢？"

国王就用手一指，指了一个地方。王后看到这个场面，她太开心了，她笑容满面，自言自语："瞧呀！他从哪里能搞到这么多好东西呢？"同样商人们也都兴高采烈，他们得到加倍偿还了。商人阿里却十分惊奇，他说："瞧！这个骗子怎么能有这么多的财富呢？诗人说得好：

王中王的馈赠，

莫要问其原因，

真主要赏赐的人，

遵从教义讲本分。

国王见此情景，也是感到十分奇怪，他看着马鲁夫慷慨大方、挥霍无度。

马鲁夫进入妻子的房间，妻子照例是高高兴兴地笑脸相迎。吻他的手，说道："你是在嘲笑我，还是在考验我，你曾经告诉我：'我一贫如洗，我是从妻子那里逃出来的。'感谢真主，我可是一直没有小看你，你是我的至亲至爱，无论你是穷还是富。我只是想问问你：为什么你要说那种话来考验我呢？"

马鲁夫说："我就是想考验考验你，想知道：你的爱是纯洁的呢，还是仅仅为了钱财去贪图享受？我明白了：你的爱是纯洁的，你真诚地爱我，我就接纳你，知道你的价值。"

然后，他藏在一个地方，擦了擦戒指，艾布·萨阿达出现了。他问道："主人，有什么吩咐？'"

马鲁夫对他说道："我要一套最名贵的衣裳和首饰给我的妻子，还要配上四十颗名贵珠宝串成的项链。"

艾布·萨阿达说道："遵命。"

然后他就按照马鲁夫的吩咐带来了他所要的衣服和项链。艾布·萨阿达离去后，马鲁夫将这衣服与首饰放在妻子的面前，对她说："拿上吧，穿起来，佩戴起来，你会显得更加漂亮美丽。"

公主接过这名贵的衣裳，打开那包首饰，看着那些要么是金子银子要么是珍珠玉石做成的脚镯、手镯、耳环与腰带等等的无价之宝，她简直乐坏了。她穿上了衣裳，配上了首饰，对马鲁夫说："夫君，我要留着这些好东西到有什么礼仪活动的时候或者是在节日里再穿戴的。"

马鲁夫说："你就在平常的日子里穿戴上吧。我还会有别的样子的好衣服首饰呢。"

公主穿戴起来，那些宫女们看到了，也都很高兴，前去亲吻马鲁夫的手。马鲁夫离开了她们，到一个背静之处，只他一人在那里的时候，他掏出戒指，擦一擦，艾布·萨阿达又出现了，问道："主人，有什么吩咐？"

"我要一百套漂亮的衣裳并要配上相应首饰。"

艾布·萨阿达说："遵命。"

然后，他就拿来了一百套衣裳，每件衣裳都配有相应的首饰。

马鲁夫接过了这些衣裳、首饰，叫来宫女们，宫女们立即出现在他面前，他给了每人一件衣裳配上相应的首饰。那些宫女们穿戴起来，花枝招展，耀人眼目。那公主在她们之中，就像是被众多星星捧着的月亮。

有宫女将此事告诉了国王，国王即刻赶来，他进入了女儿的寝宫，看到了这番景象。对他自己亲眼所见这一切感到惊异与不可思议。于是出门去，召来宰相，对他说："宰相呀，你瞧瞧，这到底是怎么一回事呀？"

宰相说："伟大的国王呀，这不像一个商人的举止，商人皆是唯利是图的：他有了亚麻布，放上好多年他也不卖，只有等到有钱可以赚的时候，方才愿意出手。有哪个商人像驸马爷这样出手大方，他们哪能这样花费金银财宝啊？而这些金银财宝，对于国王们来说，也很少能有啊，对于商人们来说，怎么能有这么多驮子的货物啊？这里面必有缘故。要是陛下愿意，我就来查查事情的真相。"

国王说："宰相呀，我听你的。"

宰相又说："你和他见个面，就对他说：我的女婿呀，我想叫上你和宰相一起去花园游览游览，那花园，你们还没有去过呢。如果我们一起到了花园，我们就围一个桌子坐下，你就劝他喝酒。他酒喝多了，迷糊了，理智不清了，你就问他这事情的真相。他必定会把秘密都告诉你，事情不就清楚了。你没听过吗，有诗云：

把酒饮下肚，

真言会吐出。

我担心饮酒说错话，

在朋友面前吐秘密。

"如果他把事情的真相都告诉了我们，我们知道是怎么回事，那我们爱怎么办就怎么办！要不然，他可是会对你有威胁呀！要是他贪图王位呢，就散发钱财去调动军队，给你出难题，把你王位给夺走了。"

国王说："你说得很对！"

二人意见一致了。

第二天，国王坐上宝座，仆从、马官一起惊慌失措地走进来，国王问道："你们怎么啦？"

他们说："国王陛下，昨夜，马夫把给驸马爷驮运货物的那些马和骡子都拴起来了。今天，我们发现那些马和骡子都叫别人给偷走了，我们到处找，也没有看见一匹马和一头骡子。我们到昨日那些奴仆们休息的地方去看看，结果连一个奴仆也找不到了。我们不知道，他们为什么都逃跑了？"

国王觉得真是奇怪，他并不知：这些马和骡子都是艾布·萨阿达的助手变来的。于是他发脾气道："你们真是可恶！有一千头牲口，有五百个奴仆和其他佣人，怎么说逃跑就逃跑了，你们就一点也没有感觉到。"

他们说："我们不知发生了什么事情，他们一下子就逃跑了。"

国王说："都下去吧，等到他们的主人来了的时候，你们告诉他吧。"

仆从、马官告退，离去。他们为此事心神不安，正在那里坐着的时候，马鲁夫走过来了，看见他们都是愁眉苦脸的，就问："发生什么事了？"

他们就把刚才讲的这件事情告诉了他，他却说道："没有损失什么有价值的东西。你们不用操心这件事情了，你们都去忙自己的事去吧。"

他坐下来，笑了笑，并不在意这件事情。

国王看了看宰相的脸色，说道："对这个男人来讲，钱财没有什么价值，这里面总有缘故。"

然后他们就一起聊起来，国王说道："贤婿呀，我想叫上你和宰相一起去花园游览游览，你说好吗？"

马鲁夫说："好啊！"

于是他们三人一起到御花园漫步，那里果树很多，河流交错，树木繁茂，鸟儿在歌唱，他们在花园的一个亭阁之中停了下来，以消除劳累与愁闷不快的心情。三人坐定，宰相开始讲奇闻轶事，又讲各类笑话，马鲁夫听着这些话，快到午餐时分，宰相吩咐摆出酒席，三人吃饱喝足，洗了手，宰相斟满一杯酒，递给国王，国王喝下去了。宰相又斟满一杯酒，递给马鲁夫，对他说："喝上这杯酒，驸马爷会更加威风八面，让他人钦佩。"

马鲁夫说："宰相，这是什么酒？"

宰相答道："这美酒就是那尘封老处女酒，是让人开心、让人陶醉的老处女呀！是让人越喝得多越高兴的。正如诗人所说的那样呀：

异教徒的脚把它踩倒在地上，
它就向阿拉伯人的头要补偿。
异教徒的美人强让你喝下它，
美人的秋波会让你胡闹一场。

还有诗人说得更好呢：

杯中美酒呀，它可真是本事大，
因为本事大，人们不能忽视它，
如果我死去，就葬在葡萄藤子下，
葡萄藤枝蔓，来营养我的骨髓吧！
切莫让我陈尸荒野忍受孤独凄凉，
不能品尝酒的芳香让我担惊害怕！

宰相劝酒，或是吟诗，或是讲故事，尽其所能向马鲁夫讲解喝酒的好处，直至马鲁夫开怀畅饮，没有节制。宰相每斟满一杯酒，马鲁夫就一口喝下去。如此反复，直到马鲁夫丧失了理智，不知道对和错、是与非。当宰相确信他的确已经喝得到了顶，已经酩酊大醉时，便问道："商人马鲁夫，我好奇怪呀！你的金银财宝是从哪里搞来的？这些宝贝连帝王都没有呀，我一辈子都没有看见哪个商人比你更富有，哪个商人比你更慷慨。你的行为是帝王的行为，不是商人的行为。凭真主起誓，你告诉我，好让我知道你的本事、你的地位。"

宰相连哄带骗，马鲁夫已经丧失理智，他对宰相说道："我既不是商人，也不属于帝王。"

他从头至尾地讲述了自己的故事。

宰相说："马鲁夫先生，你能把你的戒指展示一下吧。也让我饱饱眼福，看它怎么变化吧！"

马鲁夫摘下了戒指，递给宰相，说："你好好看看吧！"

宰相接过戒指，问道："怎么召唤戒指的仆人呢？"

马鲁夫说："你只要擦了擦戒指，他就会来了。"

宰相立即擦了擦戒指，一个声音对他说："有什么吩咐？我的主人。你是想摧毁一座城市，还是要建造一座城市？还是想杀掉国王？无论你命令我做什么，我都会为你做好，毫不违背你的心愿。"

宰相恶毒地指着马鲁夫说："快将这个倒霉鬼送到最荒凉最偏

僻的地方去吧，让他没有吃的，没有喝的，也没有一个人知道他在那里！"

艾布·萨阿达出现了，他抓住马鲁夫，带着他飞向天空，要将他带往一个荒无人烟的地方。

马鲁夫看到此种情景，相信自己必死无疑。他不知所措，哭着，求艾布·萨阿达道："嗨，艾布·萨阿达，你把我带到哪里来了呀？"

"我把你扔到一个断垣残壁的旷野来了。少教养的人！谁拥有了这件宝贝，随意在人们面前展示给人看，谁就要受到惩罚。你就该受到惩罚！把你摔到地上，让风撕碎你才好。"

马鲁夫只好沉默不语，任艾布·萨阿达将他带往一个荒无人烟的地方，扔在那里，自己返回去了。

宰相得到了戒指，洋洋自得，对国王说："陛下，你看，马鲁夫的确是个大骗子吧！可是我以前告诉你的时候，你总是不相信我呀！"

国王连忙说道："宰相，你真是很有见地，的确是不同凡响，真主保佑你！现在请你把戒指也借给我一看。"

宰相对国王怒目而视，冷笑道："你的头脑如此简单，还配让我来伺候你！告诉你，我已经是你的主人了，你休想活下去！"

他一面骂，一面把戒指取出，擦了一擦，那戒指的仆人艾布·萨阿达又出现了，他吩咐道："快把这个没脑子的家伙也送到他女婿所在的那个荒凉的地方去吧！"

于是，艾布·萨阿达把国王抓起来，飞向天空，准备也将他抛向他女婿所待的地方。

国王诚惶诚恐地问道："主创造的尊贵的神灵呀，我犯了什么罪呀？要如此惩罚我。"

艾布·萨阿达说道："我不管你犯下什么罪？我只是按照戒指主人的命令办事，谁拥有戒指，我就替他办事。"

说话间，艾布·萨阿达已经将国王带到马鲁夫那里，他自己返回去了。丢下国王在这里，国王听见了马鲁夫的哭声，就走到他跟前，把自己的情况告诉他。二人双双待在荒无人烟的荒漠之中，相对哭泣，无食品，无水喝，饥寒交迫，他们不知如何是好。

再说宰相把马鲁夫与国王送到荒凉的地方去之后，他就离开了御花园，立即召集文武百官，安排朝拜仪式，告诉了他们关于戒指的故事。说那戒指的仆人已经把国王与马鲁夫二人送到荒无人烟的荒漠之中，对他们说道："如果你们不拥护我为国王，我就命令戒指的仆人把你们都送到那荒无人烟的荒漠中，让你们在那里饿死、渴死。"

他们只好说："你就不要那样伤害我们吧，我们都拥护你为国王了，不会违背你的命争的。"

宰相登上了国王的宝座。随之宣公主来见，对她说道："我一直想念你，今夜我就要进洞房了。"

公主遇此大难，不知父亲与马鲁夫的去向，早已泣不成声，只得哀求宰相道："只是希望容我一段时间，待到过了待婚期，写下婚书，我再去做你的新娘。"

那宰相说："我却不管什么待婚期不待婚期，也不管待婚期的短长，我也不需要婚书，不管婚姻合法不合法，我一定要今夜成婚进洞房。"

公主只得说："那好呀！欢迎你呀！"

公主被逼无奈，只得佯装应允，打算伺机设法报仇。

宰相听了此言，满心舒展快乐，因为他暗恋公主，早已经对公主垂涎三尺。宰相命令大操大办婚礼，大宴宾客。说道："大家请用餐，这是喜宴呀！我与公主今夜成亲。"

宗教界的人士向宰相严肃指出："您虽然贵为宰相，也必须等待她的待婚期满，然后才能写下婚书，订婚、结婚。"

宰相发怒说："我就是不管什么待婚期不待婚期！你少说废话。"

宗教界的人士沉默了，他害怕宰相对他使坏，便摇了摇头，对官员们说道："他没有宗教信仰，不遵守教规，是个邪教徒。"

当晚，宰相便走进了公主的房间。只见公主穿上了华丽的衣裳，打扮得花枝招展，一见宰相走来，就佯作笑脸相迎，对他说道："今夜多么值得祝贺呀！要是你把我的父亲和我的丈夫都杀了，那就更好了！"

那宰相说："我一定把他俩给杀了。"

她让他坐下，与他相互嬉戏，谈亲说爱，搂搂抱抱，对他的脸微笑，使得宰相迷了心窍，丢了魂魄，乐得不知所以。公主用温情哄他骗他，只是想得到那枚戒指，让他用倒霉来换取这高兴！他看见公主如此温情脉脉、笑面相迎，他更是心花怒放。突然公主哭起来，说道："天哪！有个男人正在偷看我们呢！以真主起誓，你能让我在他的眼面前蒙羞而不把我藏一下吗？你能任随这个男人这样看着我吗？"

宰相发怒道："哪个男人？在哪里？"

公主说："那个男人在你的戒指里呢，他伸头看我们了。"

宰相以为是戒指里的仆人看他们俩。于是笑起来说道："不必害怕，这是戒指的仆人，我是他的主人，他会听我指挥的！"

公主于是说道："我害怕这魔鬼！你快把它摘下来，扔得远远的！"

宰相把戒指摘下来，放在枕头下面，就准备去与公主搂搂抱抱亲亲热热。公主却用脚朝着他的心窝子踢去，把宰相踢得仰面朝天躺在地上，昏了过去。公主即刻叫随从、宫女，随从、宫女听命赶来了，公主吩咐："把他抓起来，捆起来！"

四十个宫女立即动手把宰相捆了起来。公主从枕头下拿出戒指，擦一擦，艾布·萨阿达立即出现在眼前，说："女士有何吩咐？"

公主说："把这个异教徒关进监狱，戴上重枷重铐！"

艾布·萨阿达办妥，回来告诉公主说："我已经将他投入监狱。"

公主说："我的父王与丈夫现在何处？"

艾布·萨阿达回答："我已经将他俩扔在荒无人烟的荒漠。"

"把他们俩即刻带回来吧！"

"遵命！"

艾布·萨阿达飞起来，他不断地飞行，直飞到那荒无人烟的荒漠。才降落下来。他看见了他们二人坐在那里痛哭，在互相诉苦呢。艾布·萨阿达对他俩说："不要害怕，我是来解救你们的。"

他将宰相的所作所为讲给他们听，又对他们说："我奉公主的命令，亲手将他关进了监狱，又前来解救你们二人。"

二人大喜，艾布·萨阿达把他们背起来，带着他们飞上天空，不到一个时辰，就来到公主面前，公主起身相迎，向他们致以问候，让他们坐下，摆出食品甜食让他们享用。当夜，二人安歇。

次日，公主自己和丈夫都穿上最华丽的衣裳，她对父亲说："父王啊，您仍要像往常一样坐到国王的宝座上去，主持朝政吧。让驸马当您的宰相吧，你要告诉你的文武百官：发生了一些什么事情？你的宰相现在监狱，处死他吧，烧死他吧！他是个邪教徒，野心家，他不信仰宗教。你让你的驸马当宰相是合适的！"

国王说："我遵命了，我的孩子，不过，你把戒指给我，或者是给你的丈夫吧！"

公主说："给你，给他都是不合适的。还是放在我这里，由我保管这枚戒指比在你们两人手里都要合适，如果你们需要什么，告诉我好了，我就会求助于戒指的仆人，只要我好好的，就不会有什么闪失，如果我不幸先去世，就交给夫君或者是父王。"

国王说："好孩子，这个主意最好了。"

随后，文武百官拥着驸马走向议政大厅。

由于公主的事情，文武百官一夜未眠，他们都了解了宰相的所作所为，他放逐了国王和驸马，他们担心：教规会被破坏，因为宰相是异教徒。他们责怪宗教长老，说道："你们为什么不阻止他进入公主的绣房呢？"

宗教长老说："人们啊，这个人是个异教徒，他持有戒指啊，真主保佑，我们都拿他没有办法。快闭嘴吧，免得他把你们都杀掉啊！"

正当文武百官聚集在议事大厅议论的时候，国王偕同驸马马鲁夫进来了。他们看见了国王，喜出望外，纷纷站起来，在国王面前磕头问安。

国王坐在宝座上，给他们讲述了事情的前前后后，他们的忧虑才得以烟消云散。于是国王命令装点城池，从监狱中带出宰相，当他经过文武百官面前的时候，大家都责骂他、诅咒他。

当他被带到国王面前的时候，国王命令：用最残忍的办法杀了他，然后把他的尸首丢进火里。他遭到了报应。

随后，国王任命马鲁夫为宰相，一段平稳的时间里，人民安居乐业。国王与驸马相得益彰，五年过去了。

第六年，国王因多年操劳，卧床不起，一命归天，公主让宰相马鲁夫主持朝政，但是并没有把戒指还给他。此间公主怀孕，生下一个漂亮的王子，小王子年仅五岁时，已经做了王后的公主也身染重病，她取出戒指，对马鲁夫说道："夫君，我身染重病。"

马鲁夫说："亲爱的，你会平安的。"

公主说："夫君，只怕我性命不保，你的儿子的事情，并不用我嘱咐，我要说的只是要好好保存这枚戒指，让它保护你们父子平安。"

马鲁夫说道："贤妻尽管好好养病才是，别的事情不必忧虑。"

公主还是慎重地脱下戒指，交给了马鲁夫，次日便闭目而去。

马鲁夫悲痛欲绝，作为国王主持国事与家事。

有一天，马鲁夫坐朝，他抖了抖手巾，他面前的文武百官离开，各办各的事情去了。只剩下马鲁夫一人坐在大厅之中，直到白天过去，夜晚即将来临，一些达官要员又像往常一样走到他跟前，谈笑风生，为他开心取乐。直至半夜时分，他们才离开，回家去了。

过了一会，专司铺床的宫女为马鲁夫铺床。马鲁夫脱下朝服，换上睡衣，觉得困倦准备睡觉。宫女退出，回到自己的房间安歇。

再说在马鲁夫安睡之时，突然感到有个人影在他面前晃动，他惊醒了，注意细看，嘴里还说："真主保佑，别是有什么魔怪吧！"

他睁开了眼睛，看见了这是一个面貌丑陋的妇人，于是他问道："你是谁呀？"

那妇人回答："别害怕，我是你的妻子法蒂玛。"

他朝她脸上细看，看到她的面貌已经走形，牙齿外翻，便问她道："法蒂玛，你怎么进来的？谁把你带到这个地方来的？"

法蒂玛问："这是什么地方呀？"

他说："这是伊赫提亚那城。你是什么时候离开埃及的呢？"

"就是现在这个时候呀！"

"你怎么来的呢？"

"你要知道，是我昏了头，跟你吵架，又受了魔鬼的挑唆才去找大法官告你，艾卜·托伯格大法官打听你的消息，但是没有找到你。还没有过两天，我就后悔起来，都是我的错误呀！但是后悔也没有用处了。我坐了几天，因你走了，我痛哭流涕，手头一个钱也没有，我没得吃没得喝，就只好靠乞讨为生。你走之后，我的处境很艰难呀，我每天夜里都哭泣，尝够了屈辱、卑贱、艰难、穷困的滋味。"

她一直在倾诉着自己的遭遇，让马鲁夫大为吃惊。只听她又接着说："昨天我乞讨了一整天，也没有一个人给我一点东西。每当我靠近一个人，向他要点残存吃食的时候，只是招来人们的臭骂，他们还没有给我什么东西。直到夜晚时分，我还没有吃晚饭，饥饿烧心，实在难熬，就坐在那里伤心哭泣，突然一位巨人出现在我面前，问道：'这位妇人，你为什么哭泣？'

"我告诉他：'我原有个好丈夫，供我吃喝，我丈夫走失了，我也不知道他到哪里去了。他走之后，我的日子好艰难呀！'

"巨人问：'你的丈夫叫什么名字？'

"我说：'叫马鲁夫。'

"巨人说：'我知道你丈夫的下落，你要知道：他此时正在一个国家做国王呢，如果你愿意，我可以带你去找他。'

"我说：'我就求你带我去吧！'

"巨人答应了，就把我背起来，带我从地上飞向天空，飞了一阵，再一落地，就来到这个宫殿。

"巨人说：'你走进这间房子，就会看见你丈夫正躺在床上。'

"于是我进来了，就看见了你。希望你不要抛弃我，我是你的妻子呀！感谢真主，又让我们团聚在一起。"

马鲁夫说："是我抛弃你？还是你找了一个又一个法官告我，直到你把我告到高等法院，艾卜·托伯格大法官要来抓我，我迫不得已才逃跑了。"

马鲁夫向她叙述了自己这一段的经历，直讲到自己做了国王，还曾经同公主结过婚，公主已经过世，而给他留下一个儿子，年方七岁。

法蒂玛说："以前的苦难日子，这次重逢，这一切所发生的事情都是真主安排，命中注定的！你就不要丢弃我吧。看在过去夫妻的情分上，给我一口饭吃，让我在你这里生活。"

她不断地哀求，直到马鲁夫动了恻隐之心，怜悯她，对她说："希望你改邪归正，就在我这里生活，所有的事情都会让你高兴满意的。我现在已经做了国王，如果你再做坏事，我就杀了你，也不用担心有人反对。你心里也别想着再去高等法院，等着艾卜·托伯格大法官来抓我了。我已经做了国王，是别人害怕我了，而我敬畏真主。我有一枚神戒指，不管什么时候，擦一擦戒指，戒指的仆人艾布·萨阿达就会出现，无论我要求什么，他都能帮助我办到。如果你要回到埃及去，你终生都不能走到那里的，我能够让你很快回去。如果你想和我在一起生活，我会为你腾出空闲的宫室，给你铺丝绸被子，让二十个女仆伺候你，为你安排好的饮食、华丽的衣裳，你就成为王后，你会住得称心如意，直到你我老死。你认为这话如何呀？"

她赶忙说："我要和你生活在一起。"

然后，她亲吻了他的手，表示改邪归正。

马鲁夫给她一处独立的宫殿，派宫女、女仆去照顾她，让她成为王后。那小王子也不时来到她这里或者他的父亲那里。而她却讨厌这个小王子，因为小王子不是她的亲儿子。

小王子看见她不高兴，时常对自己发怒、生气，也就从她那里走开了，同样讨厌起她来。

马鲁夫却忙于与宫娥彩女们应酬，也没有多加顾及刁钻刻薄、面容丑陋、心存不善的老妻法蒂玛。谚语说："作恶会斩断希望的根，在人们心中播种下恨。"诗人说过：

> 莫要过分伤人结下怨，
> 否则重归于好何其难。
> 心中亲情一旦变仇恨，
> 如同玻璃碎了难复原。

马鲁夫没有在意他的妻子，只是看在真主的分上，保证了她的温饱。

而法蒂玛看见马鲁夫不和自己亲热，而只与那些宫娥彩女们应酬，嫉妒之心陡起，邪念聚生。她想去偷马鲁夫的戒指，杀死他，自己取而代之当女王。

一天夜里，她从自己的宫室走到她丈夫就寝的那间宫室。也许是命运安排，马鲁夫正与一个美丽的宫女同床共枕。他由于敬畏真主，每当同房的时候，总要把戒指从手指上撸下来，以表示对于刻在戒指上的真主美名的尊重。他只是在事后大净完了才会再戴上它。他老婆法蒂玛得知马鲁夫行房时总把戒指摘下来，放在枕头下面。还知道马鲁夫有个习惯：为担心戒指出事，每当他行完房要就寝时，总是要命令宫女出去，他如果要上洗手间，也要锁上宫室的门，直到他从洗手间回来，才又拿起戒指戴上，此后再有谁进入宫室，也就不必担心。

法蒂玛对此事了如指掌，于是那夜，她就进了马鲁夫的宫室，想趁他熟睡的时候，暗中偷走那枚戒指。

正当法蒂玛出门的时候，恰巧此时王子要去厕所方便，那夜间周围一片黑，王子便把厕所的门开着，他发现法蒂玛蹑手蹑脚地溜到了父王的房间，他不禁自言自语："瞧，天这么黑，这个老太婆从自己的宫室出来干什么？"他看见她进入了父亲的宫室，心想：这里必有缘故。

他就跟在她的后面，想看个究竟。他随身带有一柄配有珍珠的短剑。以往，每当他到父亲的议事厅，就总佩带着这柄宝剑，以示荣耀。父亲见此，对他笑笑，他就说道："如果必要的话，我会用它来砍断人的脖子。"

他跟在法蒂玛的后面，他抽出短剑，一直跟随着，直到他看见她走进父亲的房间。他便站在门口，又看见她东找西找，还一面说着："这戒指放在哪里呢？"他明白了：这女人是为戒指而来的，他仍旧在忍耐着，看究竟如何，只见她说道："啊，就在这儿呀。"她偷走了戒指，想出门，王子藏在门背后。法蒂玛从门内走出，她看了看戒指，吻了一下，又放在手心上。正当她要擦擦戒指的时候，王子手执宝剑冲她的脖子刺去，她大叫一声，倒地而死。

马鲁夫被法蒂玛的尖叫声吵醒，出来看个究竟，只见法蒂玛的血还在流，而王子手持宝剑站着。他连忙问道："怎么了？我的孩子。"

王子说："父王，你曾经对我说过：'你的短剑很了不起，但是你既不能用它来打仗，也不能用它来割下人的头颅。'我就对你说：'我一定要用它来割下那个该斩杀之人的首级。'她就是那个该斩该杀的人了，我也就用这短剑斩断了她的脖子！"

王子将刚才发生的事情原原本本地讲给马鲁夫听。

马鲁夫赶快来找戒指，只是一时没有发现，马鲁夫在法蒂玛的四肢处翻找，看见戒指还戴在她的手上呢，他从她的手上摘下戒指，说道："孩子，毫无疑问，你是我的好儿子！愿真主今生今世、来生来世保佑你！这个恶人应该遭到恶报啊！她行为不端，只有死路一条啊。"有诗为证：

> 真主如果要帮助谁，
> 他就一定万事遂愿；
> 谁若没有真主帮助，
> 努力也会事与愿违。

马鲁夫叫来随从，随从听命前来。他将法蒂玛的所作所为告诉了他们，让他们把法蒂玛的尸首拖出去暂放一个地方。次日清晨，再让一群奴仆把她洗净，缠上裹尸布，再举行葬礼，送去埋葬。她从埃及来到这里，仅是为了到这里入土为安。有诗云：

> 命中注定我们人生的道路，
> 谁都要按照命运安排迈步。
> 谁若是命定死在什么地方，
> 那他就一定不会死在别处。

此时马鲁夫想起了他处境困难出逃时遇到的那位农夫，他立即派人去找来那位农夫，将他封为宰相，把他看作是自己的朋友与兄弟。当他得知农夫有一个女儿年轻貌美、品行高雅、行为端庄的时候，更是喜不自禁，他向这位漂亮的女子求婚，与她结为夫妻。

日子过得飞快，一年又一年，王子已经长大，到了婚娶的年龄，马鲁夫为他娶妻，随后王子结婚生子。

马鲁夫一家过着幸福愉快的生活。直至死神降临到他们的头上，亲人分离，房屋破败，子孙们成为孤儿。

唯有真主永生永存。

山鲁佐德在这段时间内，已经为山鲁亚尔国王生了三个王子。当她讲完这个故事的时候，就站起身来，在山鲁亚尔国王面前跪下，对国王说："伟大的国王陛下啊，您雄才大略，举世无双。我仅仅是您的一个婢女，我为您讲故事，已经讲了一千零一夜。我讲了前人的逸闻趣事，讲了先贤精英们的训诫警示。我可以胆大妄为地向陛下提一个愿望吗？"

国王对山鲁佐德说道："山鲁佐德呀！你有什么样的愿望呢？"

山鲁佐德叫来了奶妈与太监，对他们说道："把我的孩子们都带过来吧！"

他们很快地带来了三个王子：一个会走了，一个会爬了，还有一个正在吃奶。当孩子们被带过来后，山鲁佐德抱住了他们，把他们都放在国王的面前。她跪在地下，磕着头，对国王说道："伟大的国王陛下，这些都是您的孩子，我所希望的就是您看在这些孩子的面子上，宽恕我，免我一死吧！如果您杀了我，这些孩子就将成为没有母亲的孤儿，就得不到女性的培养与关照。"

她说到此处，山鲁亚尔国王流下泪来，他把孩子们都抱到自己的怀里，说道："山鲁佐德，真主保佑，这些孩子们来之前，我就已经宽恕了你。我已经看到了：你有教养、纯洁美好、善良大度、虔诚拜主。真主会赐福给你，赐福给你的父母、祖辈、亲朋与子孙，我请求真主作证，我已经赦免你，祈望你不受任何伤害。"山鲁佐德再次跪在国王面前，她非常高兴，对国王说："真主保佑您健康长寿，永葆尊严，威风八面。"

国王赦免王后的喜讯传开来，从王宫传到整个城市，那一夜，是前所未有的，灯火通明，其亮光胜于白昼。国王沉浸在幸福愉快的喜悦中，他召集了所有的文官武将，大家到齐了。山鲁亚尔国王向宰相，也就是山鲁佐德的父亲赏赐了一件非常漂亮的锦袍，并且对他说道："真主保佑。是我的妻子、你的女儿让我终止了对寻常女孩子的杀戮。我看到她纯洁贤惠，虔心拜主，真主让她给我生下了三个王子。真是感谢真主如此的恩赐！"

随后山鲁亚尔国王为每一个大臣、国家要员都赏赐了锦袍，命令装点城市，大庆三十天，并不向任何百姓摊派分毫，所有庆祝费用都由国王的国库开支。城市装饰的漂亮程度是前所未有的。鼓声响起来，笛子吹起来，所有的艺人们尽情欢歌劲舞，国王大肆赏赐馈赠，同时向穷人、可怜的人们施舍周济。国王慷慨地向他的臣民们大施恩泽。

然后山鲁亚尔国王招来了史官，让他们记下他与王后的故事，从开始写到结尾。那史官们把这些都记录下来了，并且将其命名为一千零一夜的故事，装订成三十册，放在国王的库房内，从此国王与臣民们享受着幸福安康、宁静的生活。真主让他们只有快乐，没有悲伤，直至他们寿终正寝。

随后，斗转星移，改朝换代，一位公正睿智、聪慧过人的国王掌了权，他喜欢了解奇闻轶事，尤其喜爱知道帝王君主们的传奇故事。所以，当他发现了这三十册令人喜不自禁的稀奇古怪的故事时，就爱不释手，一本接一本地读下去，越读越喜欢，一直读到完。那些神话、传说、寓言、故事、奇闻、轶事让他惊叹不已。于是他让人们抄写下来，在各国各地传播开来，于是它闻名遐迩，人们称它为"一千零一夜的奇闻怪事"。

这，就是传到我们手里的这部书。

"名家音频讲播版"：听名家讲名著

★著名作家＋知名学者＋一线名师倾情打造，权威、专业

★提纯名著精华，跟随名家半小时读完一本书

★音频讲播，多元体验，带您品味文学名著的不朽魅力

局外人	马 原	知名作家
红字	马 原	知名作家
神曲	欧阳江河	诗人、批评家
日瓦戈医生	刘文飞	翻译家、中国俄罗斯文学研究会会长
普希金诗选	刘文飞	翻译家、中国俄罗斯文学研究会会长
月亮和六便士	朱宾忠	武汉大学英语系教授
静静的顿河	周 露	浙江大学外语系副教授
傲慢与偏见	周 露	浙江大学外语系副教授
少年维特的烦恼	梁永安	复旦大学中文系副教授
了不起的盖茨比	唐建清	南京大学文学院副教授
源氏物语	王 辉	湖北大学日语系副教授
红与黑	梁 欢	湖北大学法语系副教授
包法利夫人	邓毓珂	湖北大学日语系副教授
巴黎圣母院	程红兵	语文特级教师
羊脂球	李镇西	语文特级教师
一千零一夜	肖培东	语文特级教师
老人与海	柳袁照	语文特级教师
小王子	孙建锋	语文特级教师
名人传	张文质	教育学者
海底两万里	罗 灼	语文教师
悲惨世界	谌志惠	语文教师
格列佛游记	宋丽婷	语文教师
基督山伯爵	黎志新	语文教师
呼啸山庄	樊青芳	语文教师
高老头	孟兴国	语文教师
钢铁是怎样炼成的	李 秋	语文教师
欧也妮·葛朗台	刘 欢	语文教师

扫码听肖培东讲
《一千零一夜》